LAWYERS' KNOWLEDGE

労働法実務

使用者側の実践知

［第2版］

OKAZERI TAKEO

岡芹健夫

YUHIKAKU

本書のコピー，スキャン，デジタル化等の無断複製は著作権法上での例外を除き禁じられています。本書を代行業者等の第三者に依頼してスキャンやデジタル化することは，たとえ個人や家庭内での利用でも著作権法違反です。

第2版はしがき

『労働法実務 使用者側の実践知』初版が刊行されてから既に2年半が経つ。初版のはしがきでも触れたが，筆者は，使用者側の労働事件を扱う際には，企業内の労働者全体の信頼を確保することが必須であり，そのための公平，公正を確保するためには，社会の実勢を踏まえた上での裁判例の理解と，それを意識した実務的対応が重要であると考えているところである。然るに，この2年半の間，社会経済情勢の急速な変動とそれに合わせた法制度の改正，新分野（同一労働同一賃金，母性保護，ハラスメント等）に限らず，労働実務全般にわたる裁判例の展開は著しい。今回，第2版を刊行する機会を頂けたのも，このような社会的背景があってのことである。

そうした2年半の新たな社会動向とそれを具現する裁判例を追い，その主要なものを第2版で加筆するうちに，改めて実感したのが，労働法実務における裁判例の理解，それも判決の説示の直接的な意味のみに留まらず（それだけでも十分，大変だが），判決の対象となった事案について，社会経済情勢の趨勢と当該企業および労働者の特性に着目した上で，説示を理解することの重要性である。無論，あらゆる裁判例に，そうした説示があるわけではないが，殊に，従前の裁判例，あるいは他の類似事案の裁判例とは異なった結論となっているものは，そうした説示がなされている割合が高くなる。

そうした裁判例の理解を前提に，今回は，初版では裁判例の理解紹介に追われて，やや手薄となった感があった実務的対応の部分についても追完を試みたところである。その意味で，企業の法務・人事部門の方，更には，企業側の人事労務を扱われる弁護士の方にも，即，有用となる部分も相当に増加したものとなっていると思う次第である。

最後に，第2版刊行にあたっても，有斐閣編集部の島袋愛未様，笹倉武宏様，当事務所パラリーガル担当者をはじめ，関係者各位に多大なお手数をおかけしたことに，改めて，厚く御礼を申し上げるところである。

2022年6月

岡芹 健夫

初版はしがき

　筆者が弁護士になってから，既に25年以上の歳月が流れたが，その間，ほぼ一貫して，使用者側の労働事件・相談を主な仕事としつつ，一部，一般民事・会社法関係の仕事にも従事してきた。

　そうした中，特に使用者側の労働事件・相談を扱う際に常に念頭に置かねばならないことは，特定のある労働者（あるいは，その労働者が所属する労働組合）との紛争に入る場合であっても，当該企業の労働者（従業員）全体の信頼を害するようなことに至らないようにせねばならない，ということである。すなわち，使用者が一人の労働者（あるいは一つの労働組合）に対して行う施策，措置は，他の労働者に対する関係で公平，公正なものであるか，少なくとも，公平，公正を重視しているという使用者の姿勢が不可欠である。この公平，公正の重視という姿勢に，一番，便宜かつ有用な道しるべとなるのが，法令であり，厚労省等の指針であり，さらには裁判例である。ことに裁判例は，具体的な紛争において，使用者と労働者がとった行動が説示されている点が特徴である。もとより，裁判例というのは，常に既発生の案件に対する解決策（指針）であり，その意味で，社会経済の実勢（ことに，急激な技術革新とグローバル化の時代に照らして）からすれば，常に「時代遅れ」のリスクは負ってはいる。しかしそれも含めて，裁判例が納得性を確保するための重要な材料であることは疑いをいれない。そういった日頃の思いを込めて，本書においては，比較的，筆者が有用と感じてきた裁判例の解説，俯瞰に重点を置いたところである。もちろん，個々の裁判例の重要性，説示の趣旨の評価は，個々人で異なり得るところであり，読者は本書での俯瞰に過度に拘泥することは好ましくはないが，実務における最初の道しるべとして，参考になれば幸いである。

　末筆ながら，本書の刊行にあたっては，有斐閣編集部の龜井聡様，笹倉武宏様をはじめとする関係者各位，及び当事務所のパラリーガル担当者にも，大変なお手数をおかけした。ここに，厚く謝意を申し上げる次第である。

2019年11月

岡芹　健夫

CONTENTS

PART 1	個別的労働紛争

CHAPTER 01	労働契約性

Ⅰ. 労働契約性についての紛争の所在 ……………………………………………… 2

Ⅱ. 用役受領者と用役提供者との契約 …………………………………………… 4

   1. 契約の種類 …………………………………………………………………… 4

     (1) 請負契約関係（民法 632 条） ……………………………………………… 4

     (2) 委任・準委任（民法 643 条，656 条） ………………………………… 4

     (3) 委託 ………………………………………………………………………… 4

   2. 労働契約とその他の用役利用契約の区別の判断 ……………………… 5

     (1) 判断基準の原則 …………………………………………………………… 5

     (2) 裁判例 ……………………………………………………………………… 5

     ⅰ　最高裁判例…5／ⅱ　最高裁判例以外の裁判例（労働契約性肯定例）…7

     ⅲ　最高裁判例以外の裁判例（労働契約性否定例）…8

   3. 実務の具体的対応 …………………………………………………………… 9

CHAPTER 02	労働契約の成立

Ⅰ. 労働契約の成立・不成立に関する紛争の所在 ……………………………… 11

Ⅱ. 採用内定の意義と法的性質，効果 …………………………………………… 11

   1. 採用内定の性質 ……………………………………………………………… 11

   2. 採用内定の問題の所在 ……………………………………………………… 12

Ⅲ. 採用内定の判断基準の考察 …………………………………………………… 12

   1. 最高裁判例の俯瞰 …………………………………………………………… 12

   2. 他の裁判例の俯瞰 …………………………………………………………… 13

   3. 実務の具体的対応 …………………………………………………………… 14

Ⅳ. 契約の成否に関するその他の紛争例 ………………………………………… 14

   1. はじめに ……………………………………………………………………… 14

   2. 基本的認識と裁判例 ………………………………………………………… 15

   3. 実務の具体的対応 …………………………………………………………… 16

iii

CHAPTER 03	成立した労働契約の内容

Ⅰ．紛争の背景と実益 ……………………………………………… 18
Ⅱ．判断基準の考察 ………………………………………………… 18
  1．裁判例の俯瞰 ………………………………………………… 18
  2．実務の具体的対応 …………………………………………… 20

CHAPTER 04	採用の自由

Ⅰ．採用の自由に関する紛争例と問題の所在 ………………… 22
Ⅱ．採用の自由とその限界についての考察 …………………… 22

CHAPTER 05	使用者

Ⅰ．問題の所在 ……………………………………………………… 25
Ⅱ．黙示の労働契約の成否の問題 ……………………………… 25
  1．はじめに ……………………………………………………… 25
  2．裁判例 ………………………………………………………… 26
    ⑴ 否定例 ……………………………………………………… 26
    ⑵ 肯定例 ……………………………………………………… 29
  3．実務の具体的対応 …………………………………………… 30
Ⅲ．法人格否認の法理 …………………………………………… 31
  1．問題の生じ方 ………………………………………………… 31
  2．法人格否認の法理の内容 …………………………………… 32
  3．裁判例 ………………………………………………………… 32
    ⑴ 否定例 ……………………………………………………… 32
    ⑵ 肯定例 ……………………………………………………… 35
  4．実務の具体的対応 …………………………………………… 37

CHAPTER 06　労働契約の承継

Ⅰ．問題の所在 ………………………………………………………………… 39

Ⅱ．会社の合併 ………………………………………………………………… 39

　　1．会社合併の意義 ………………………………………………………… 39

　　2．労働契約の承継の内容 ………………………………………………… 39

Ⅲ．事業譲渡 …………………………………………………………………… 40

　　1．事業譲渡の意義 ………………………………………………………… 40

　　2．事業譲渡による労働契約承継の効果 ………………………………… 40

　　3．裁判例 …………………………………………………………………… 41

　　　⑴　労働契約の承継の基準 …………………………………………… 41

　　　⑵　労働契約承継の合意の解釈 ……………………………………… 42

　　　⑶　法人格否認の法理，実質的同一性 ……………………………… 43

　　　ⅰ　肯定例…43／ⅱ　否定例…45

　　4．実務の具体的対応 ……………………………………………………… 46

Ⅳ．会社分割…………………………………………………………………… 47

　　1．会社分割の意義 ………………………………………………………… 47

　　2．会社分割の法制度 ……………………………………………………… 48

　　　⑴　概要 ………………………………………………………………… 48

　　　⑵　会社分割による労働契約承継の効果と手続 …………………… 49

　　　ⅰ　労働契約承継の効果…49／ⅱ　「主として従事する労働者」の判断…49

　　　⑶　労働契約承継の手続 ……………………………………………… 50

　　　ⅰ　労働契約承継法 7 条の措置（7 条措置）…50

　　　ⅱ　商法等改正法附則 5 条の協議（5 条措置）…50／ⅲ　労働者，労働組合への通知…51

　　3．裁判例 …………………………………………………………………… 51

　　　⑴　労働契約承継肯定例 ……………………………………………… 51

　　　⑵　労働契約承継否定例 ……………………………………………… 53

　　4．実務の具体的対応 ……………………………………………………… 55

CHAPTER 07　試用期間

Ⅰ．問題の所在 ………………………………………………………………… 57

v

CONTENTS

Ⅱ. 試用期間および本採用拒否の法的性質，有効性の判断基準の考察 …… 57
- 1. 試用期間の法的性質 ……………………………………………… 57
- 2. 本採用拒否の有効性 ……………………………………………… 58
- 3. 試用期間の長さ ……………………………………………………… 60
- 4. 試用期間の延長をめぐる裁判例 ………………………………… 60
- 5. 有期労働契約が試用期間と解釈された裁判例 ……………… 61

Ⅲ. 実務の具体的対応 ………………………………………………………… 63

CHAPTER 08 　賃金（残業の問題を含む）

Ⅰ. 残業代に関する紛争 …………………………………………………… 65
- 1. 問題の所在 …………………………………………………………… 65
- 2. 労働している時間帯が問題となる紛争類型 …………………… 66
  - (1) 労働時間の把握 ………………………………………………… 66
  - (2) 裁判例の俯瞰 …………………………………………………… 67
- 3. 実務の具体的対応 ………………………………………………… 68
- 4. 労働時間に該当するかが問題となる紛争類型 ……………… 69
  - (1) 労働時間の定義 ………………………………………………… 69
  - (2) 裁判例の俯瞰 …………………………………………………… 70
    - ⅰ 朝礼，更衣時間等に関する紛争についての裁判例…70
    - ⅱ 手待ち時間・待機時間に関する紛争についての裁判例…71
    - ⅲ 警備員・管理人の仮眠時間等…73
    - ⅳ 使用者からの残業指示の有無に関する紛争についての裁判例…75
  - (3) 実務の具体的対応 …………………………………………… 77
- 5. 残業代の支払が必要な場合であるか否かが問題となる紛争類型
  （事業場外みなし，固定残業代制，管理監督者への該当性等の問題）………… 78
  - (1) 問題の所在 ……………………………………………………… 78
  - (2) 固定残業代制についての紛争 ……………………………… 79
    - ⅰ 問題の所在…79／ⅱ 裁判例の俯瞰…79
  - (3) 実務の具体的対応 …………………………………………… 83
  - (4) 管理監督者についての紛争 ………………………………… 85
    - ⅰ はじめに…85／ⅱ 行政上の指針…85／ⅲ 裁判例の俯瞰…86／ⅳ 実務の具体的対応…90
  - (5) 事業場外みなし制と裁量労働制 …………………………… 92
    - ⅰ はじめに…92／ⅱ 事業場外みなし制…93／ⅲ 裁量労働制…95

Ⅱ. 賃金の金額の減額をめぐる紛争 ……………………………………………… 97

Ⅲ. 賃金支払の 4 原則をめぐる紛争 ……………………………………………… 97

 1. 賃金の 4 原則の概論 ………………………………………………………… 97

 2. 全額払いの原則についての紛争 ………………………………………… 97

  (1) 裁判例 ………………………………………………………………………… 97

  (2) 実務の具体的対応 ……………………………………………………… 99

Ⅳ. 賞与，退職金，年俸をめぐる紛争……………………………………………… 100

 1. 賞与に関する紛争について ……………………………………………… 100

  (1) はじめに ……………………………………………………………………… 100

  (2) 裁判例 ………………………………………………………………………… 100

   ⅰ 金額について…100／ⅱ 支給時期および支給条件について…101

  (3) 実務の具体的対応 ……………………………………………………… 102

 2. 退職金に関する紛争について ……………………………………………… 102

  (1) はじめに ……………………………………………………………………… 102

  (2) 裁判例 ………………………………………………………………………… 103

   ⅰ 懲戒解雇における退職金不支給・減額の場合…103

   ⅱ 競合他社への就職などといった非違行為を理由とする不支給・減額の場合…105

  (3) 実務の具体的対応 ……………………………………………………… 108

 3. 年俸に関する紛争について ……………………………………………… 109

  (1) はじめに ……………………………………………………………………… 109

  (2) 年俸制に関する残業代についての行政通達，裁判例 ……… 109

  (3) 実務の具体的対応 ……………………………………………………… 110

CHAPTER 09 | **労働時間**

Ⅰ. 1 日の労働時間に関する紛争……………………………………………………… 111

 1. 時間外労働と業務命令………………………………………………………… 111

  (1) 問題の所在 ………………………………………………………………… 111

  (2) 36 協定の締結のしかたに関する法令，裁判例……………… 112

  (3) 時間外労働の業務命令の可否についての裁判例 …………… 113

  (4) 実務の具体的対応 ……………………………………………………… 114

 2. 変形労働時間制 ………………………………………………………………… 115

  (1) 制度の概要 ………………………………………………………………… 115

  (2) 裁判例 ………………………………………………………………………… 115

vii

(3) 実務の具体的対応 ……………………………………………… 117

Ⅱ．労働日に関する紛争 ……………………………………………… 118

　1．法定休日について ……………………………………………… 118

　　　(1) 法定休日の特定 …………………………………………… 118

　　　(2) 休日の振替 ………………………………………………… 118

　　　ⅰ　法規制…118／ⅱ　裁判例および実務の具体的対応…119

　2．年次有給休暇 …………………………………………………… 120

　　　(1) 法規制 ……………………………………………………… 120

　　　(2) 年休使用の使途および目的について ………………………… 121

　　　ⅰ　法規制…121／ⅱ　裁判例…121／ⅲ　実務の具体的対応…123

　　　(3) 使用者の時季変更権および計画年休制について ……………… 124

　　　ⅰ　法規制…124／ⅱ　裁判例…125／ⅲ　実務の具体的対応…127

　　　(4) 年休取得と不利益取扱い ………………………………… 127

　　　ⅰ　法規制…127／ⅱ　裁判例…127／ⅲ　実務の具体的対応…130

CHAPTER 10　配転・出向・転籍

Ⅰ．配転 ……………………………………………………………… 131

　1．配転の概念 ……………………………………………………… 131

　2．配転命令の限界 ………………………………………………… 131

　3．裁判例 …………………………………………………………… 133

　　　(1) 職種の限定・勤務地の限定について ……………………… 133

　　　ⅰ　職種の限定の合意の有無について…133／ⅱ　勤務地限定の合意の有無について…134

　　　ⅲ　職種の限定・勤務地限定合意が認められる場合の配転命令の効力について…136

　　　(2) 配転命令の権利濫用の有無について ……………………… 137

　　　ⅰ　権利濫用の判断基準——東亜ペイント事件判決…137

　　　ⅱ　業務の必要性および配転命令における動機・目的について…138

　　　ⅲ　労働者の不利益の程度について…140

　　　ⅳ　配転命令の有効性と配転命令に従わない労働者に対する解雇の効力との関係…142

　4．実務の具体的対応 ……………………………………………… 143

Ⅱ．出向・転籍 ……………………………………………………… 145

　1．出向・転籍の意義，異同 ……………………………………… 145

　2．出向・転籍の要件および限界 ………………………………… 146

　　　(1) 出向の場合 ………………………………………………… 146

(2)　転籍の場合 ………………………………………………………………… 146
　3.　裁判例 …………………………………………………………………………… 147
　　(1)　出向についての裁判例 ……………………………………………………… 147
　　　ⅰ　出向命令の根拠について…147／ⅱ　出向命令と権利濫用の有無について…148
　　(2)　転籍についての裁判例 ……………………………………………………… 150
　4.　実務の具体的対応 ……………………………………………………………… 151

CHAPTER 11　昇格・降格

Ⅰ.　昇格 ……………………………………………………………………………… 153
　1.　昇格の法的意義 ………………………………………………………………… 153
　2.　昇格についての裁判例 ………………………………………………………… 154
　　(1)　昇格差別の合法・違法性について ………………………………………… 154
　　　ⅰ　男女差別の例…154／ⅱ　労働組合員差別の例…154／ⅲ　その他の例…156
　　(2)　昇格差別があった場合の救済方法について ……………………………… 156
　3.　実務の具体的対応 ……………………………………………………………… 158
Ⅱ.　降格 ……………………………………………………………………………… 159
　1.　降格の意義および種類 ………………………………………………………… 159
　2.　降格の各類型の法的性格 ……………………………………………………… 160
　　(1)　職制上の役職・職位を下げる降格の法的性質（昇進の反対措置）……… 160
　　(2)　職務遂行能力の資格・等級・グレード等の地位を下げる降格（昇格の反対概念）
　　　　の法的性質 …………………………………………………………………… 160
　　(3)　懲戒処分としての降格 ……………………………………………………… 161
　3.　降格の裁判例 …………………………………………………………………… 161
　　(1)　リーディング・ケース ……………………………………………………… 162
　　(2)　職制上の役職・職位の降格（昇進の反対概念）について ……………… 162
　　　ⅰ　原則論および労働契約の内容からくる制約…162／ⅱ　権利濫用法理からくる制約…163
　　(3)　職務遂行能力の資格・等級・グレード等の地位を下げる降格（昇格の反対概念）
　　　　について ……………………………………………………………………… 169
　　　ⅰ　職務遂行能力の資格・等級・グレード等の地位を下げる降格を有効とした例…169
　　　ⅱ　職務遂行能力の資格・等級・グレード等の地位を下げる降格を無効とした例…169
　4.　実務の具体的対応 ……………………………………………………………… 170

ix

LAWYERS' KNOWLEDGE

CONTENTS

CHAPTER 12	雇用平等，ワーク・ライフ・バランス

Ⅰ．男女平等 ……………………………………………………………… 173
　1．男女平等の原則とその法制 ………………………………… 173
　2．賃金差別について ……………………………………………… 174
　　(1)　裁判例 ………………………………………………………… 174
　　(2)　実務の具体的対応 ………………………………………… 176
　　(3)　賃金差別以外の差別について──昇進・昇格差別，不利益取扱い等 … 177
Ⅱ．母性保護（産前産後休業等） ……………………………… 178
　1．母性保護に関する法規制 ………………………………… 178
　2．裁判例 …………………………………………………………… 179
　3．実務の具体的対応 …………………………………………… 181
Ⅲ．育児介護休業 ……………………………………………………… 182
　1．法規制 …………………………………………………………… 182
　　(1)　育児休業（主な内容） ……………………………… 182
　　(2)　介護休業 ……………………………………………………… 184
　2．裁判例 …………………………………………………………… 186
　3．実務の具体的対応 …………………………………………… 190

CHAPTER 13	ハラスメント

Ⅰ．はじめに …………………………………………………………… 193
Ⅱ．セクシュアル・ハラスメント ……………………………… 193
　1．定義および法令 ……………………………………………… 193
　2．セクシュアル・ハラスメント防止のため使用者会社が行うべき施策 … 194
　3．セクシュアル・ハラスメントがあった場合の使用者の責任 ……… 195
　4．裁判例 …………………………………………………………… 195
　　(1)　「職場」の認定 …………………………………………… 195
　　(2)　使用者会社の防止義務 ………………………………… 196
　　(3)　セクシュアル・ハラスメントの行為の認定 ……… 197
　　(4)　セクシュアル・ハラスメントの加害者への処分 … 198
　　(5)　実務の具体的対応 ………………………………………… 199

Ⅲ. パワー・ハラスメント ……………………………………………………… 201

　1. 定義および法令 ……………………………………………………………… 201

　2. 関連する諸問題 ……………………………………………………………… 203

　3. 裁判例 ………………………………………………………………………… 203

　　(1) 部下への指導の目的・程度が問題となった例 ……………………… 203

　　(2) 人格侵害的言動 ………………………………………………………… 204

　　(3) 過大なノルマ …………………………………………………………… 205

　　(4) 注意・指導の場所 ……………………………………………………… 205

　　(5) 指導・叱責の時間および時間帯 ……………………………………… 206

　　(6) 上司と部下の人間関係 ………………………………………………… 206

　　(7) 判断が微妙な例──一審と二審との判断が異なった例 …………… 207

　4. 実務の具体的対応 …………………………………………………………… 210

CHAPTER 14　安全配慮義務

Ⅰ. 労働契約と安全配慮義務 …………………………………………………… 212

　1. はじめに ……………………………………………………………………… 212

　2. 安全配慮義務の内容とその違反による損害賠償責任 ………………… 212

　　(1) 安全配慮義務の内容 …………………………………………………… 212

　　(2) 相当因果関係 …………………………………………………………… 213

　　(3) 過失相殺 ………………………………………………………………… 213

Ⅱ. 労働者災害補償保険法による補償 ………………………………………… 213

　1. 労基法の災害補償と労働者災害補償保険法による補償 ……………… 213

　2. 労災保険法の補償の認定（労災認定） ………………………………… 214

　　(1) はじめに ………………………………………………………………… 214

　　(2) 補償対象となる者 ……………………………………………………… 214

　　(3) 業務上の認定 …………………………………………………………… 214

　　ⅰ　はじめに…214／ⅱ　脳・心臓疾患についての業務上の認定…215

　　ⅲ　石綿による疾病についての業務上の認定…216／ⅳ　精神障害についての業務上の認定…216

　3. 労災保険法による補償と使用者会社の損害賠償責任との関係 ……… 217

　4. 裁判例 ………………………………………………………………………… 218

　　(1) はじめに ………………………………………………………………… 218

　　(2) 脳，心臓疾患等の損害の場合 ………………………………………… 219

　　(3) 石綿健康被害の場合 …………………………………………………… 221

xi

(4) 精神障害の場合（自殺を含む） ……………………………………………… 222

　5. 実務の具体的対応 ……………………………………………………………… 225

CHAPTER 15　懲戒

Ⅰ. 企業秩序と懲戒 ………………………………………………………………… 227

Ⅱ. 服務規律 ………………………………………………………………………… 227

　1. 服務規律の意義・内容 ………………………………………………………… 227

　2. 服務規律の限界——労働者の権利との調和 ………………………………… 228

Ⅲ. 懲戒権 …………………………………………………………………………… 229

　1. 懲戒権の根拠と限界 …………………………………………………………… 229

　2. 懲戒処分の意義，種類 ………………………………………………………… 230

　　(1) 譴責，戒告 …………………………………………………………………… 230

　　(2) 減給 …………………………………………………………………………… 230

　　(3) 出勤停止，停職（懲戒休職） …………………………………………… 230

　　(4) 降格・降職 ………………………………………………………………… 231

　　(5) 諭旨解雇（諭旨退職）・懲戒解雇 ……………………………………… 231

Ⅳ. 懲戒処分の有効要件 …………………………………………………………… 232

　　(1) 就業規則の根拠および一事不再理 ……………………………………… 233

　　(2) 懲戒事由についての使用者会社の認識 ………………………………… 233

　　(3) 濫用のないこと …………………………………………………………… 233

Ⅴ. 懲戒事由 ………………………………………………………………………… 234

　　(1) 職務懈怠（勤怠不良） …………………………………………………… 234

　　(2) 業務命令違反 ……………………………………………………………… 234

　　(3) 職場規律違反 ……………………………………………………………… 235

　　(4) 経歴詐称 …………………………………………………………………… 235

　　(5) 私生活上の非行 …………………………………………………………… 235

　　(6) 二重就労（兼職）の禁止 ………………………………………………… 236

Ⅵ. 裁判例 …………………………………………………………………………… 236

　1. 総論的問題 ……………………………………………………………………… 237

　　(1) 就業規則との関係 ………………………………………………………… 237

　　(2) 懲戒事由の遡及適用の可否および一事不再理の原則 ………………… 237

　　　ⅰ　懲戒事由の遡及適用…237／ⅱ　一事不再理…237

(3)　懲戒権行使と懲戒事由の認識 ……………………………………………… 239

　　(4)　懲戒手続 ……………………………………………………………………… 240
　　ⅰ　告知，弁明の機会の付与…240／ⅱ　懲戒手続についての規定…240

　　(5)　懲戒処分と不法行為 ……………………………………………………… 241

　2.　各論的問題——懲戒事由ごとの懲戒権濫用の有無 ……………………… 242

　　(1)　職務懈怠 …………………………………………………………………… 242
　　ⅰ　無断欠勤等の外形的な不就労の例…242
　　ⅱ　外形的には就労しつつ内実に問題がある例…243／ⅲ　精神的不調者の例…243

　　(2)　業務命令違反 …………………………………………………………… 244
　　ⅰ　上長の指示・命令に対する違反…244／ⅱ　残業命令拒否…245／ⅲ　配転拒否…245
　　ⅳ　危険業務の拒否…246／ⅴ　受診命令の拒否…246

　　(3)　職場規律違反 …………………………………………………………… 248
　　ⅰ　横領，背任，使用者備品の不正利用・損壊，暴行等の不正行為…248
　　ⅱ　企業内の造反行為，使用者会社・上司への誹謗中傷，職場における協調の欠如等…249
　　ⅲ　上司の部下に対する指揮・監督責任…250

　　(4)　経歴詐称 …………………………………………………………………… 251

　　(5)　私生活上の非行 ………………………………………………………… 252

　　(6)　二重就労（兼職）の禁止 ……………………………………………… 255

　　(7)　内部告発行為 …………………………………………………………… 256
　　ⅰ　内部告発行為についての法的保護…256／ⅱ　懲戒無効例…257／ⅲ　懲戒有効例…258

　　(8)　企業施設の無断使用等（政治活動，組合活動） …………………… 259

Ⅶ.　実務の具体的対応 ……………………………………………………………… 261

　1.　懲戒処分についてよくみられる課題への対策 ……………………………… 261

　2.　最終的な判断 …………………………………………………………………… 263

CHAPTER 16　休職と自宅待機

Ⅰ.　意義・根拠，その他の概念との異同 ……………………………………………… 265

Ⅱ.　休職 ………………………………………………………………………………… 266

　1.　休職の種類 ……………………………………………………………………… 266

　　(1)　はじめに …………………………………………………………………… 266

　　(2)　傷病休職 …………………………………………………………………… 266

　　(3)　事故欠勤休職 ……………………………………………………………… 267

　　(4)　起訴休職 …………………………………………………………………… 267

　　(5)　その他の休職 ……………………………………………………………… 267

xiii

2. 裁判例（傷病休職に関するものについて）……………………………… 268

  (1) 傷病の業務起因性について ………………………………………………… 268

  (2) 治癒（復帰可能性）の判断について ………………………………………… 269

    ⅰ　原則…269／ⅱ　判断時期，対象職務についての拡張…270

  (3) 治癒（復帰可能性）の判断材料 …………………………………………… 272

    ⅰ　判断材料の提供について…272／ⅱ　相対する医師の判断の判定・選択…273

Ⅲ．実務の具体的対応 ……………………………………………………………… 275

CHAPTER 17　労働条件の変更

Ⅰ．不利益変更の態様 ……………………………………………………………… 278

Ⅱ．不利益変更の意義・方法 ……………………………………………………… 279

  1. 不利益変更の意義 ………………………………………………………… 279

  2. 不利益変更の方法 ………………………………………………………… 279

    (1) 同意による方法 ………………………………………………………… 279

    (2) 就業規則の不利益変更による方法 …………………………………… 279

    (3) 労働協約による方法 …………………………………………………… 280

    (4) 有期労働契約の契約更新時における労働条件の不利益更新 ……… 281

Ⅲ．裁判例 …………………………………………………………………………… 281

  1. 不利益変更の意義 ………………………………………………………… 281

  2. 労働者の同意による不利益変更 ………………………………………… 282

    (1) 労働者が異議を申し出ない場合と黙示の合意の成立 ……………… 283

    (2) 不利益変更への合意が真意に基づくものといえるか ……………… 284

  3. 就業規則変更による不利益変更 ………………………………………… 286

    (1) 大曲農協事件 …………………………………………………………… 286

    (2) 第四銀行事件 …………………………………………………………… 287

    (3) みちのく銀行事件 ……………………………………………………… 288

    (4) 函館信用金庫事件 ……………………………………………………… 290

    (5) 最近の下級審裁判例 …………………………………………………… 291

  4. 労働協約による不利益変更 ……………………………………………… 292

    (1) 最高裁判例 ……………………………………………………………… 292

    (2) 下級審裁判例 …………………………………………………………… 294

    (3) 小括 ……………………………………………………………………… 295

  5. 有期労働契約の契約更新時における労働条件の不利益更新 ………… 295

Ⅳ. 実務の具体的対応 ……………………………………………………… 298

CHAPTER 18　解雇（懲戒解雇を除く）

Ⅰ. 解雇の意義・類型 ………………………………………………………… 300
　1. 解雇の意義 ………………………………………………………………… 300
　2. 解雇の理由の類型 ………………………………………………………… 300
Ⅱ. 解雇の法規制 ……………………………………………………………… 302
　1. はじめに ………………………………………………………………… 302
　2. 労契法 16 条，17 条以外の法規制の主なもの ………………………… 302
　　(1) 労基によるもの（労契法 20 条以外のもの）………………………… 302
　　(2) 労基法以外による制限 ………………………………………………… 303
　　(3) 労基法 20 条（解雇予告）による法規制 …………………………… 303
　　　i 　法規制の内容…303／ ii 　解雇予告が適用とならない労働者…304
　　　iii 　解雇予告義務違背と解雇の効力…304
　　(4) 就業規則による制約 …………………………………………………… 305
　3. 解雇権濫用禁止の法理 ………………………………………………… 305
　　(1) 労契法 16 条 …………………………………………………………… 305
　　(2) 労契法 17 条 …………………………………………………………… 306
Ⅲ. 労契法 16 条，17 条にかかる裁判例 ………………………………… 306
　1. 労働者側の事情による解雇（能力，適格性，秩序違反等）………… 307
　　(1) 勤怠不良 ………………………………………………………………… 307
　　(2) 能力不足，成績不良 …………………………………………………… 307
　　　i 　有効例…307／ ii 　無効例…308
　　　iii 　労働契約における職種や地位の特定の意味について…308
　　(3) 心身の傷病 ……………………………………………………………… 309
　　(4) 配転・出向等の命令違背 ……………………………………………… 310
　　(5) 職場における非違行為 ………………………………………………… 311
　　(6) 職場外（私生活上）の非違行為 ……………………………………… 312
　　(7) 実務の具体的対応 ……………………………………………………… 313
　　　i 　総論──判例調査の重要性…313／ ii 　各論──使用者側の対応…313
　2. 使用者側の事情（経営上の必要性）による解雇 ……………………… 316
　　(1) 整理解雇 ………………………………………………………………… 316
　　　i 　整理解雇の意義…316／ ii 　整理解雇の 4 要素…316

xv

iii　人員削減についての経営上の必要性（整理解雇の要素(a)）…317

iv　解雇回避措置（整理解雇の要素の(b)）…320

v　被解雇者選定の合理性（整理解雇の要素の(c)）…323

vi　手続の妥当性（整理解雇の要素(d)）…326／vii　若干の新しい流れ…330

viii　実務の具体的対応…330

(2)　企業閉鎖による労働者全員の解雇 ……………………………………… 333

i　企業閉鎖（会社解散）と解雇…333

ii　企業閉鎖による解雇に対する整理解雇法理の適用の適否…333

iii　企業閉鎖による解雇の裁判例…335

iv　解散した会社以外との労働契約関係が問題となる事例（使用者性の問題，労働契約承継の問題等）…336

v　実務の具体的対応…336

(3)　解雇をめぐるその他の事情が問題となった事案 ……………………… 337

i　解雇の動機…337／ii　解雇の手続…338／iii　解雇事由の告知…340

3.　普通解雇をめぐるその他の問題 ……………………………………………… 341

(1)　懲戒解雇事由による普通解雇の可否 …………………………………… 341

(2)　懲戒解雇から普通解雇への転換の可否 ………………………………… 342

(3)　解雇時認識していなかった事実（事由）について主張することの可否 ………… 344

4.　解雇の承認（および信義則による解雇無効主張の制限）…………………… 345

5.　自動退職条項 …………………………………………………………………… 347

CHAPTER 19　解雇以外の雇用終了

Ⅰ.　はじめに ………………………………………………………………………… 349

Ⅱ.　辞職 ……………………………………………………………………………… 349

1.　辞職の意義 ……………………………………………………………………… 349

2.　法規制 …………………………………………………………………………… 349

(1)　期間の定めがない労働契約の場合 ……………………………………… 349

(2)　期間の定めがある場合 …………………………………………………… 350

3.　辞職の法的性格 ………………………………………………………………… 350

4.　裁判例 …………………………………………………………………………… 350

Ⅲ.　合意解約 ………………………………………………………………………… 351

1.　合意解約の意義・用いられ方 ……………………………………………… 351

(1)　意義および原則的にみられる法的問題点 ……………………………… 351

(2)　雇用調整との関係 ………………………………………………………… 352

2. 裁判例 ……………………………………………………………… 352
   (1) 労働者による労働契約解約・終了の申入れの意思表示の瑕疵が問題となる例 …… 352
   (2) 労働者の解約の申入れに対する使用者の承諾の有無について …………………… 355
3. 実務の具体的対応 ……………………………………………………… 356

Ⅳ. 退職勧奨 ……………………………………………………………… 358
1. 意義と裁判例 …………………………………………………………… 358
2. 実務の具体的対応 ……………………………………………………… 359

Ⅴ. 定年制 ………………………………………………………………… 359
1. 意義と裁判例 …………………………………………………………… 359
2. 実務の具体的対応 ……………………………………………………… 361

CHAPTER 20　有期労働契約による雇用

Ⅰ. 有期労働契約に関する規制 …………………………………………… 362
   (1) 契約期間についての法規制 …………………………………………… 362
   (2) 契約期間中の中途解約についての規制 ……………………………… 363
   (3) 有期労働契約の更新の規制 …………………………………………… 363
     ⅰ　法規…363／ⅱ　労契法 18 条の要件…363／ⅲ　労契法 18 条の効果…364
     ⅳ　無期転換権発生の例外…365
   (4) 有期労働契約の更新拒否についての規制 …………………………… 365
     ⅰ　使用者による有期労働契約の更新拒否の可否…365／ⅱ　やや特殊な場合…366
     ⅲ　有期労働契約の黙示の更新…367
   (5) 「有期労働契約の締結，更新及び雇止めに関する基準」による規制 ………………… 368
   (6) 期間の定めがあることによる不合理な労働条件の禁止 …………………… 369
     ⅰ　法規…369／ⅱ　均等待遇と均衡待遇の判断…369

Ⅱ. 定年後の再雇用 ………………………………………………………… 370
1. 法規 ……………………………………………………………………… 370
2. 継続雇用における規制 ………………………………………………… 371

Ⅲ. 裁判例の概観 …………………………………………………………… 372
1. 労契法 19 条の適用に関する裁判例 ………………………………… 372
   (1) はじめに ………………………………………………………………… 372
   (2) 有期労働契約が実質的に期間の定めのない労働契約となっているとされた裁判例
     …………………………………………………………………………… 372

(3) 有期労働契約において，労働者側に雇用関係の継続について合理的期待が認められるとされた裁判例 ………………………………………………… 374

(4) 有期労働契約において，労働者側に雇用関係の継続について合理的期待がないとされた裁判例 ………………………………………………… 376

(5) 更新回数・期間につき上限が存する場合についての裁判例 ………………… 378

ⅰ 更新回数・期間の制限が問題となった裁判例…378

ⅱ 更新年齢の制限が問題となった裁判例…380

(6) 有期労働契約の期間途中の解雇が無効とされた場合の契約期間満了についての裁判例 ………………………………………………… 380

2. 契約更新における条件の変更 ……………………………………………… 381

3. 有期労働契約の期間満了への整理解雇の法理の適用 …………………… 381

4. 有期労働契約の黙示の更新 ………………………………………………… 383

5. 期間の定めがあることによる不合理な労働条件の禁止 ………………… 384

(1) リーディングケースとなった2つの最高裁判例 ………………………… 384

(2) 続く最高裁判例 ……………………………………………………………… 387

(3) 下級審の裁判例 ……………………………………………………………… 391

6. 定年後の継続雇用について ………………………………………………… 392

(1) 高年法9条の効力 ………………………………………………………… 392

(2) 高年法9条1項2号の基準に該当する労働者の請求 ………………… 392

(3) 定年再雇用時における契約条件の提示について──パートタイム・有期雇用労働法の規定する均衡・均等待遇の問題を含む ………………………………………………… 394

Ⅳ. 実務の具体的対応 ……………………………………………………………… 395

1. 労契法19条の適用について ……………………………………………… 395

2. 契約更新における条件の変更 ……………………………………………… 397

3. 有期労働契約の期間満了への整理解雇の法理の適用 …………………… 397

4. 期間の定めがあることによる不合理な労働条件の禁止 ………………… 397

5. 定年後の継続雇用（再雇用）について …………………………………… 399

PART 2 　　　　　　集団的労働紛争

CHAPTER 01 　　労働組合加入，結成に関する紛争

Ⅰ. 労組法における労働組合の法的地位 ……………………………………… 403

1. 労働組合の概念，種類 ……………………………………………… 403
2. 労働組合の要件 …………………………………………………… 404
   (1) 労組法上の「労働者」 ………………………………………… 404
   ⅰ 法令…404／ⅱ 裁判例…404
   (2) その他の要件 …………………………………………………… 407
   ⅰ 主体性…407／ⅱ 自主性…408／ⅲ 目的…409／ⅳ 団体性…409
3. 労働組合の法的保護 ……………………………………………… 410
   (1) 憲法上の保護 …………………………………………………… 410
   ⅰ 団結権…410／ⅱ 団体交渉権…410／ⅲ 団体行動権…410
   (2) 労組法上の保護 ………………………………………………… 411
   ⅰ 不当労働行為の禁止…411／ⅱ 労働協約の規範的効力，一般的効力…412
Ⅱ．実務における具体的対応 ……………………………………………… 413

CHAPTER 02　団体交渉

Ⅰ．問題の所在 ……………………………………………………………… 415
Ⅱ．団体交渉の主体・対象事項 …………………………………………… 416
1. はじめに ……………………………………………………………… 416
2. 団体交渉の主体 …………………………………………………… 416
   (1) はじめに ………………………………………………………… 416
   (2) 裁判例 …………………………………………………………… 416
3. 対象事項 …………………………………………………………… 419
   (1) はじめに ………………………………………………………… 419
   (2) 裁判例 …………………………………………………………… 420
Ⅲ．誠実団体交渉義務 ……………………………………………………… 421
1. はじめに ……………………………………………………………… 421
2. 裁判例 ………………………………………………………………… 422
Ⅳ．実務の具体的対応 ……………………………………………………… 423

CHAPTER 03　団体行動

Ⅰ．労働組合の団体行動の法的保護 ……………………………………… 426

xix

Ⅱ．団体行動の正当性の要件 ……………………………………… 426
　　1．争議行為 ……………………………………………………… 426
　　　⑴　はじめに ………………………………………………… 426
　　　⑵　裁判例 …………………………………………………… 427
　　2．争議行為以外の組合活動（団体行動） …………………… 430
　　　⑴　はじめに ………………………………………………… 430
　　　⑵　裁判例 …………………………………………………… 432
Ⅲ．争議行為への使用者の対抗手段 …………………………… 436
Ⅳ．実務の具体的対応 …………………………………………… 436

CHAPTER 04	労働協約

Ⅰ．労働協約の意義・要件・効力等 …………………………… 439
　　1．労働協約の意義・要件 ……………………………………… 439
　　2．効力 …………………………………………………………… 439
　　　⑴　規範的効力 ……………………………………………… 439
　　　⑵　規範的効力の人的範囲 ………………………………… 440
　　　⑶　債務的効力 ……………………………………………… 441
Ⅱ．裁判例 ………………………………………………………… 441
　　1．労働協約の成立 ……………………………………………… 441
　　2．労働協約の効力 ……………………………………………… 443
Ⅲ．実務の具体的対応 …………………………………………… 444

CHAPTER 05	不当労働行為

Ⅰ．はじめに ……………………………………………………… 446
Ⅱ．不当労働行為の成立の有無 ………………………………… 446
　　1．はじめに ……………………………………………………… 446
　　2．労組法 7 条各号の不当労働行為 ………………………… 446
　　　⑴　不利益取扱い …………………………………………… 446
　　　⑵　団体交渉拒否 …………………………………………… 447
　　　⑶　支配介入 ………………………………………………… 447

(4) 報復的不利益取扱い ………………………………………… 448
Ⅲ. 裁判例 ……………………………………………………………… 448
　1. 不利益取扱いに関する例 ………………………………………… 448
　2. 団体交渉拒否の例 ………………………………………………… 450
　3. 支配介入の例 ……………………………………………………… 451
　　(1) 使用者会社の従業員による支配介入 ………………………… 451
　　(2) 使用者会社の言論 ……………………………………………… 452
　　(3) 会社施設利用拒否 ……………………………………………… 453
　　(4) 会社解散 ………………………………………………………… 455
　　(5) 労働協約の不履行・解約 ……………………………………… 455
Ⅳ. 実務の具体的対応 ………………………………………………… 456

判例索引 ………………………………………………………………… 458

凡例

1　法令名・条文

　法令名は，原則として有斐閣『六法全書』の略語・通称によった。なお，施行令，施行規則については，同略語に「令」「則」を付した。条文は原文どおりとした。ただし，数字はアラビア数字に改めた。

2　判例・命令等略語

最大判（決） …………………………… 最高裁判所大法廷判決（決定）
最判（決） ……………………………… 最高裁判所判決（決定）
高判（決） ……………………………… 高等裁判所判決（決定）
地判（決） ……………………………… 地方裁判所判決（決定）
支判（決） ……………………………… 高裁又は地裁の支部判決（決定）
中労委命令 …………………………… 中央労働委員会命令
地労委命令 …………………………… 地方労働委員会命令
○○県労委命令 ……………………… 都道府県労働委員会命令

3　判例集・判例雑誌略語

民集 ……………………………………… 最高裁判所民事判例集
裁判集民事 …………………………… 最高裁判所裁判集民事
労民集 ………………………………… 労働関係民事裁判例集
労判 …………………………………… 労働判例
労経速 ………………………………… 労働経済判例速報
速報カード …………………………… 労働判例付録速報カード
判時 …………………………………… 判例時報
判タ …………………………………… 判例タイムズ
別冊中労時 …………………………… 別冊中央労働時報

4　告示・解釈例規略語

厚労告 ………………………………… 厚生労働省告示
労告 …………………………………… 労働省告示
基収 …………………………………… 労働基準局長が疑義に答えて発する通達
基発 …………………………………… 労働基準局長通達

5　文献略語等

荒木 …………………………………… 荒木尚志・労働法〔第4版〕（有斐閣，2020）
菅野 …………………………………… 菅野和夫・労働法〔第12版〕（弘文堂，2019）

xxii

LAWYERS' KNOWLEDGE

PART 1

個別的労働紛争

CHAPTER

01 労働契約性

Ⅰ．労働契約性についての紛争の所在

　近年，我が国では，労働紛争，特に，個人の労働者とその使用者である会社との間の個別的労働紛争が急増している。ここでいう個別的労働紛争とは，前提として個別的労働関係法（その主なものは労働契約法，労働基準法である）が適用される紛争をいう。しかし，そもそもこの個別的労働関係法が適用される前提として，会社と個人との契約関係が労働契約関係であるか否か自体が問題となることが少なくない。

　他人の用役を利用する用役受領者と，用役を提供する用役提供者との間には，いくつかの契約の形態がある。例えば用役提供者が用役受領者の指揮命令に服して労務を提供する場合については雇用（民法 623 条）という契約形態となる（なお，民法上の雇用契約は労働法上では労働契約と理解されるので，以下，雇用契約は「労働契約」と呼称することとする）。一方，用役提供者が，仕事の完成や事務の遂行を任せられる場合には，請負（民法 632 条），委任（民法 643 条，656 条），業務委託といった契約形態となる。個別的労働紛争は，上述の例のうち，本来，労働契約における用役受領者（労働契約の場合には使用者。多くの場合は企業または会社）と用役提供者（労働契約の場合には労働者）との間の紛争を指すが，紛争の実務においては，請負や委任，業務委託といった労働契約以外の形式をとっている用役受領者と用役提供者との紛争も，個別的労働事件として，つまりは実質的には労働契約関係にあることを主張され提起されることが少なくない。そのような場合，まず，その紛争の当事者である用役受領者と用役提供者との契約が，法的に労働契約なのかそれ以外（請負，委任，業務委託等）なのか，を理解しなければならない。

　契約形態が労働契約の場合とそうでない場合（請負，委任，業務委託等）とでは，個別的労働関係法が適用されるか否かが異なり，実益としては，労働時間規制（労基法 32 条以下等）の適用の有無と，解雇，雇止め法制（労契法 16 条，17 条，19 条等）の適用の有無が問題となることが多い。例えば江東運送事件判決（東京地判平成 8・10・14 労判 706 号 37 頁）は，守衛業務など

を行っていた用役提供者が深夜割増賃金の支払等を求めて用役受領者を提訴した事案において，「本件の最初の争点は，本件契約が労働契約性の有無である。そして，本件契約が労働契約であると認められる場合には，原告［註：用役提供者］の割増賃金請求権の有無が第二の争点であ」ると述べ，労基法 37 条が適用されることを判断する前提として，労働契約関係の有無を検討している。また，河合塾（非常勤講師・出講契約）事件判決（最判平成 22・4・27 労判 1009 号 5 頁）は，契約更新を止められた非常勤講師が労働契約上の地位確認，賃金支払等を求めて学校法人を提訴した事案について，まずは，「被上告人［註：用役提供者］は，昭和 56 年に，上告人［註：学校法人］との間で，…非常勤講師として講義を担当する旨の期間 1 年の出講契約を締結し，以後，平成 17 年に至るまで同旨の期間 1 年の契約を繰り返し締結してきた。被上告人が担当する正規の講義の週当たりのコマ数（以下にいうコマ数は，正規の講義についてのものである。）は，毎年の出講契約において定められ，講義料単価に担当コマ数を乗じて講義料が支払われることになっており，被上告人は，週 7 コマ前後のコマ数を担当するほか，上告人から個別に依頼された講習や模擬試験問題作成等を担当してきた。なお，非常勤講師は，出講契約上，専任講師と異なり，他の予備校の講師との兼業を禁止されていなかったが，被上告人は，一時期を除いて兼業せず，ほぼ上告人からの収入だけで生活してきた」と判示し，上記学校法人と非常勤講師との契約関係の労働契約性について検討した上で，学校法人が契約更新を止めたことが，労働法規である労契法 19 条に抵触する否かを検討している。

　つまり，紛争の当事者である用役受領者と用役提供者との間の契約関係が労働契約関係でなければ，上述の例では，労基法 37 条や，解雇権濫用法理（労契法 16 条，19 条）はそもそも問題にならなくなる。したがって，用役受領者と用役提供者との紛争の対応において，その契約関係が労働契約であるか否か（労働契約性の有無）が問題となるような場合，まずはその点を調査，理解しなければならないのである。

　なお，本章で述べる「労働契約性」の有無とは，労基法，労契法における労働契約性，換言すれば労基法，労契法における「労働者」性についてであって，労組法における「労働者」性については別概念となる（法概念の相対性）。詳細は本書 Pt. 2 にて述べるが，概ね，労基法，労契法の場合よりも，労組法では，より広く労働者性が認められているのが裁判例である。

CHAPTER 1　労働契約性　　3

Ⅱ. 用役受領者と用役提供者との契約

1. 契約の種類

　前述Ⅰのように，用役受領者と用役提供者との契約関係は，一概に労働契約関係には限られない。労働契約以外の代表的な例を挙げれば，概ね，以下の通りである。

⑴　請負契約関係（民法632条）

　用役受領者と用役提供者が，一定の仕事，作業の完成という結果を目的とし，その結果をもって用役受領者より用役提供者に対価（報酬）が支払われることを約するのが基本である。

⑵　委任・準委任（民法643条，656条）

　用役受領者と用役提供者が，一定の事務の処理を目的とし，その事務の処理をもって用役受領者より用役提供者に対価（報酬）が支払われることを約するのが基本である。請負との違いは，結果ではなく処理という行為を契約目的とすることにある。労働契約との本質的な違いは，委任契約関係においては，用役受領者の指揮命令下で用役提供者が用役を行うのではなく，用役提供者のある程度の裁量の下に用役の提供が行われるところである。なお，委任（民法643条）とほぼ同じ概念として準委任（民法656条）があるが，この両者は，委任が法律行為の処理を契約目的とするのに対し，準委任は法律行為ではない事務の処理を契約目的とするところが異なる。

⑶　委託

　雇用，請負や委任・準委任とは異なり，民法上の直接の規定が存しない契約形態であり，その性格は民法上の無名契約である。一般には，請負および委任・準委任の性格のいずれかもしくは双方を兼有した契約形態と解されるが，労務関係の実務処理においては，労働契約性が認められない点（のみ）が重要であり，現に，委託契約の法的性格が問題となった諸裁判例の判示においても，労働契約性の有無について詳細に検討しつつも，それがどのような法規制に服するか（例えば，請負，委任等の規定がどのように適用されるのか）については，積極的に判示されないことも多い。

2. 労働契約とその他の用役利用契約の区別の判断

(1) 判断基準の原則

　用役受領者と用役提供者との紛争に労働法を適用すべきか否かの前提として，当事者間の契約関係が労働契約に該当するか否かを理解しなければならない。その労働契約性の判断基準の基本原則については，まず，厚生労働省による「労働基準法研究会報告」（昭和60年12月19日）が挙げられる。これは，労働者性の判断基準として，㋑仕事の依頼，業務従事の指示等に対する諾否の自由の有無，㋺業務遂行上の指揮監督の有無，㋩拘束性の有無（勤務場所および勤務時間），㋥代替性の有無，その判断を補強する要素として，㋭事業者性の有無（機械，器具の負担関係。報酬の額等），㋬専属性の程度，等の項目を挙げ，これらを総合考慮することで，労働契約性を判断するとしている。近時裁判例においても，ほぼ，この基準を事案に当てはめて，労働契約性を判断している。

(2) 裁判例

i 最高裁判例

　労働契約性の有無につき判示した裁判例につき，まずは，最近の最高裁判例より挙げていく。

　まず，肯定例でいえば，例えば，興栄社事件判決（最判平成7・2・9労判681号19頁）は「被上告人［註：用役提供者］が『専務取締役』の名称の下に上告人［註：用役受領者］の代表者である無限責任社員の職務を代行していたのは，上告人代表者の指揮命令の下に労務を提供していたにとどまる」として，専務取締役の名称にあった者に対する会社との間の労働契約性を肯定している。すなわち，会社の経営に当たる者（役員）は原則として経営者であって，その者と会社との契約関係は委任契約によるのが原則であるが，役員の地位が名目に過ぎないような場合には，労働契約性は否定されないということとなる（なお，同趣旨の判示をなすものとして日本プレジデントクラブ事件決定〔東京地支決平成3・12・17労判602号22頁〕，ゾンネボード製薬事件決定〔東京地八王子支決平成5・2・18労判627号10頁〕）。加えて，その他の肯定例としては，関西医科大学研修医（未払賃金）事件判決（最判平成17・6・3労判893号14頁）は臨床研修医について，また，前掲の河合塾（非常勤講師・出講契約）事件判決（最判平成22・4・27労判1009号5頁）は大学受験

CHAPTER 1　労働契約性　　**5**

予備校の非常勤講師について，労働契約性を肯定している。

　一方，否定例としては，まず，藤沢労基署長（大工負傷）事件判決（最判平成 19・6・28 労判 940 号 11 頁）は，自己が労働契約の当事者である旨を主張した大工の主張に対し，「上告人［註：用役提供者］は，…仕事の内容について，仕上がりの画一性，均質性が求められることから，H 木材から寸法，仕様等につきある程度細かな指示を受けていたものの，具体的な工法や作業手順の指定を受けることはなく，自分の判断で工法や作業手順を選択することができた」，「作業の安全確保や近隣住民に対する騒音，振動等への配慮から所定の作業時間に従って作業することを求められていたものの，事前にH 木材の現場監督に連絡すれば，工期に遅れない限り，仕事を休んだり，所定の時刻より後に作業を開始したり所定の時刻前に作業を切り上げたりすることも自由」，「上告人は，当時，H 木材以外の仕事をしていなかったが，…H 木材は，上告人に対し，他の工務店等の仕事をすることを禁じていたわけではなかった」「H 木材と上告人との報酬の取決めは，完全な出来高払の方式が中心とされ，日当を支払う方式は，出来高払の方式による仕事がないときに数日単位の仕事をするような場合に用いられていた。…上告人の報酬は，H 木材の従業員の給与よりも相当高額であった」，「上告人は，一般的に必要な大工道具一式を自ら所有し，これらを現場に持ち込んで使用しており，上告人が H 木材の所有する工具を借りて使用していたのは，当該工事においてのみ使用する特殊な工具が必要な場合に限られていた」，「上告人は，H 木材の就業規則及びそれに基づく年次有給休暇や退職金制度の適用を受けず，…国民健康保険組合の被保険者となっており，H 木材を事業主とする労働保険や社会保険の被保険者となっておらず，さらに，H 木材は，上告人の報酬について給与所得に係る給与等として所得税の源泉徴収をする取扱いをしていなかった」，「上告人は，H 木材の依頼により，職長会議に出席してその決定事項や連絡事項を他の大工に伝達するなどの職長の業務を行い，職長手当の支払を別途受けることとされていたが，上記業務は，H 木材の現場監督が不在の場合の代理として，H 木材から上告人ら大工に対する指示を取り次いで調整を行うことを主な内容とするものであり，大工仲間の取りまとめ役や未熟な大工への指導を行うという役割を期待して上告人に依頼されたものであった」といった諸事情より，「上告人は労働基準法上の労働者に該当せず，労働者災害補償保険法上の労働者にも該当しない」と判示し，その労働契約性を否定した（この判決は，労災保険法の適用を受ける

労働契約の当事者，すなわち労働者であるか否かが問題となった事案であるが，労基法上の労働者も労災保険法上の労働者と同一に解されるとされている）。また，横浜南労基署長事件判決（最判平成 8・11・28 労判 714 号 14 頁）は，車の持ち込み運転手の労働契約性が問題となった事案について，「同社の上告人 ［註：用役提供者］に対する業務の遂行に関する指示は，原則として，運送物品，運送先及び納入時刻に限られ，…勤務時間については，…始業時刻及び終業時刻が定められていたわけではなく，…報酬は，…出来高が支払われていた…上告人の所有するトラックの購入代金はもとより，ガソリン代，修理費，運送の際の高速道路料金等も，すべて上告人が負担していた，…報酬の支払に当たっては，所得税の源泉徴収並びに社会保険及び雇用保険の保険料の控除はされておらず，上告人は，右報酬を事業所得として確定申告をした」といった諸事情より，訴外会社との労働契約性を否定した。

ii　最高裁判例以外の裁判例（労働契約性肯定例）

最高裁判例以外の裁判例として，まずは労働契約性を肯定した裁判例から，主なものを挙げる。新宿労基署長（映画撮影技師）事件判決（東京高判平成 14・7・11 労判 832 号 13 頁）は，映画の撮影技師について，撮影方法等は映画監督の指示下にあったこと，報酬は映画制作プロダクションで規定の日当と予定撮影日数等を基礎として算定した額等を考慮して決定されていたこと，仕事の諾否の自由には制約があること，映画作成の予定表に従い集団的に動かねばならず，時間的・場所的拘束が高いこと等を理由として，当該撮影技師を労基法 9 条の労働者および労災保険法上の労働者に該当するとした。また，美容院 A 事件判決（東京地判平成 28・10・6 労判 1154 号 37 頁）は，美容院を共同経営することを代表取締役との間で合意し，金融機関との打合せ等にも参加し，同院を切り盛りしていた者について，会社の指揮命令下の美容師としての稼動という側面から労基法上の労働者に該当するとした。

役員のうち取締役については，会社との間で委任契約関係および労働契約関係の双方の契約関係が存在すると，使用人の地位を兼有する使用人兼務取締役と解されることがあり，その場合，役員（取締役）と従業員（使用人）の双方の地位および処遇を持つこととなる。この点，取締役が使用人の地位を兼有するか否かが問題となった裁判例として，取締役が任期途中に解任された際，当該取締役より従業員としての地位確認等を求めたアンダーソンテクノロジー事件判決（東京地判平成 18・8・30 労判 925 号 80 頁。結論は労基法上の労働者と認められた）が存する。

iii　最高裁判例以外の裁判例（労働契約性否定例）

　一方，労働契約性を否定した裁判例としては，まず，運転手に関する例として，うえの屋事件判決（名古屋高金沢支判昭和 61・7・28 判タ 620 号 207 頁）や日本通運事件決定（大阪地決平成 7・2・28 労判 680 号 81 頁），ナイトクラブのホステスに関する例としてルイジュアン事件判決（東京地判平成 3・6・3 労判 592 号 39 頁），証券会社の外務員に関する例として太平洋証券事件決定（大阪地決平成 7・6・19 労判 682 号 72 頁），放送局の外務員に関する例として NHK 西東京営業センター（受信料集金等受託者）事件判決（東京高判平成 15・8・27 労判 868 号 75 頁），および NHK 堺営業センター（地域スタッフ）事件判決（大阪高判平成 28・7・29 労判 1154 号 67 頁），フランチャイズ契約による販売店の店長に関する例としてブレックス・ブレッディ事件判決（大阪地判平成 18・8・31 労判 925 号 66 頁），モーターサイクルのレースライダーに関する例として国・磐田労基署長（レースライダー）事件判決（東京高判平成 19・11・7 労判 955 号 32 頁），フリーランスの記者に関する例として朝日新聞社（国際編集部記者）事件判決（東京高判平成 19・11・29 労判 951 号 31 頁）等がみられる。

　このうち，NHK 西東京営業センター（受信料集金等受託者）事件判決の説示を紹介すると，NHK 受信料集金等の業務受託者につき，「受託業務の画一的処理の要請，被控訴人［註：委託者］の上記指示・指導あるいは要求の内容は，委託業務が放送法及び受信規約に基づくものであり，かつ，被控訴人の事業規模が全国にわたる広範囲に分布する視聴者からの公的料金の確保という性質上必要かつ合理的なものと認められる性質のもの」とした上で，「委託契約の締結から業務遂行の過程に仮に控訴人ら受託者の自由な意思が及ばない部分があるとしても（もっとも，控訴人ら受託者はこれらのことを承知の上で委託契約の締結に及んでいることが認められる。），このような契約の一側面のみを取り上げることによって労働契約性を基礎付ける使用従属関係があるものと速断することは相当とはいい難い」と判示し，さらに，他の労働契約性判断の要素について，「業務遂行時間，場所，方法等業務遂行の具体的方法はすべて受託者の自由裁量にゆだねられている上，兼業は自由であるし，受託業務自体を他に再委託する等の業務の代替性も認められている」とし，労働契約性を否定した。また，前掲の朝日新聞社（国際編集部記者）事件判決は，出勤し勤務したかのチェックを会社側（用役受領者）がしていないこと，会社側のデスクや外国人コピーエディターから指示を受ける

ことは業務の性質上当然であること等を理由に，会社の発行する英字新聞編集部において翻訳記事の作成，記事の執筆等の業務に就いていた受託者（用役提供者）について，会社との労働契約性を否定している。

なお，使用人兼務取締役の地位の有無が問題となった例としては，代表取締役であった者が取締役辞任の際に，取締役としての退職慰労金に加えて従業員としての退職金を求めた事案について，その請求を棄却した美浜観光事件判決（東京地判平成 10・2・2 労判 735 号 52 頁）等がある。

3. 実務の具体的対応

使用者側より，労働契約性に関する労働紛争の相談を受ける場合には，労働契約性を否定する方向で検討することを求められることが多い。この場合，前述した厚生労働省による「労働基準法研究会報告」（昭和 60 年 12 月 19 日）の挙げる各基準（諾否の自由，時間的・場所的拘束性の有無・強弱等）に関する事実関係の事情聴取は必須であるが，その際には，2(2)で述べたような裁判例の説示中に登場する具体的事実関係（裁判例が労働契約性の判断の際に取り上げている具体的事実関係）が同一もしくは類似した裁判例を意識しながら，有利・不利を問わず，重要な事実を漏らさないように丁寧に，関係者からの事情聴取，事実把握に努めることが必要である。

一般論的にいえば，裁判例からは，大要，

(a) 仕事依頼に対する諾否の自由——自由がない場合には，労働契約性が認められ易くなる。

(b) 業務内容や遂行のしかたについての指揮命令の有無（強弱）

(c) 勤務時間・場所の拘束性

(d) 業務遂行についての他者への代替性——代替性がない場合には，労働契約性が認められ易くなる。

(e) 給与所得としての源泉徴収の有無，雇用保険，厚生年金，健康保険の加入の有無——源泉徴収があり，保険等の加入がある場合には，労働契約性が認められ易くなる。

といった諸事実の当てはめを行った上，その結果を総合勘案して労働契約性を判断していることがうかがえる。また，この労働契約性の判断は，用役受領者および用役提供者との間の契約の形式的な体裁（契約書の記述，内容等）により左右されるものではなく，当事者間における用役提供，報酬支払等の実態を検証して判断される。

付言すれば，特に最近の相談事例では，一見，用役提供者側には，事実上，用役受領者の指示を受けざるを得ない事実関係にありながらも，それは労働契約上の指揮命令というよりは，問題となっている契約の目的の性質（用役の内容等）からの要請であることが散見される。例えば，前述2で挙げた前掲朝日新聞社（国際編集部記者）事件判決（東京高判平成19・11・29労判951号31頁）などは，労働契約性を否定するにあたり，使用者側の「デスクや外国人コピーエディターらから…指示を受けることは，業務の性質から当然の事柄」で，上記指示があることをもって職務の従属性が決せられるものではないと説示している。したがって，労働契約性の判断において問題となった契約（実務上多いのは「業務委託」契約の形式となっている場合である）の内容，性質を重々理解することが，特に，労働契約性を否定する場合，極めて重要となってくる。同判決では，受託者（用役提供者）の一部の業務について，「専門性の高い英字新聞における経済記事原稿の作成であり，主として，特定のY新聞の記事を与えられ，これを正確でわかりやすい記事原稿に翻訳作成すること」と業務の内容を認定した上で，「その業務を円滑に進め，締め切りに間に合わせるため，出勤した上，デスク，外国人コピーエディターらスタッフの協力を得て速やかに仕事を完成させていた」と業務の実態を捉え，国際編集部記者という業務の性質上，一定の指示は当然，との解釈を導いている。無論，実務上，用役受領者から用役提供者への指示が，指揮監督関係上の指示なのか，委託された（任された）業務の性質上当然の指示なのかの判断は，簡単にはつかないことが少なくないが，これは，裁判例の，特に量の面における研鑽を重ねる以外に近道はない。

> 実践知！
>
> 　労働契約性の判断は，厚生労働省による「労働基準法研究会報告」（昭和60年12月19日）の挙げる各基準（諾否の自由，時間的・場所的拘束性の有無・強弱等）による判断が基本となる。ただし，用役受領者の指示についての事実関係は，労働契約上の指揮命令ではなく，問題となっている契約の目的の性質（用役の内容等）からの要請であることもみられるように，契約の実態，殊に役務の特性を的確に理解して主張を構成することにも留意すべきである。

CHAPTER

02　　　　　　　労働契約の成立

Ⅰ．労働契約の成立・不成立に関する紛争の所在

　労働契約をめぐっては，労働契約の成立の有無について当事者間で，認識が一致しない事例が存する（多くの場合，内定段階における紛争と呼ばれる）。無論，契約成立の有無の紛争は，労働契約以外の契約（例えば，売買契約や賃貸借契約等）においても生じ得るが，労働契約の場合は，成立が認められなければ，労働者としては，賃金を得る機会を失うということになり，事態は深刻である。

Ⅱ．採用内定の意義と法的性質，効果

1．採用内定の性質

　労働契約の成立の有無を法的に判断するには，採用内定の意義と法的性質および効果についての理解が必要である。

　採用内定とは，一般には，労働契約の成立過程において，(a)使用者による労働者の募集，(b)応募者に対する使用者による採用試験の実施と合格判定，を経て，応募者（の一部）に対して使用者より行われる採用予定もしくは決定の通知のことをいうとされている。これは，多くの場合は，新規学卒者の募集・応募・採用の過程においてみられるものであるが，理論的には，中途採用者でも生じ得る。

　実務的には，採用内定には，「採用予定としての採用内定」と，「採用決定としての採用内定」とが存在すると解される。採用予定としての採用内定は，労働契約成立までは進んでおらず使用者による採用予定取消しが想定されているものであり，採用決定としての採用内定は，労働契約成立まで進んでおり，その取消しには，労働契約の取消し，つまりは，労働契約の解約である解雇の要件を満たすことが必要となる，というものである。ただし，実際の紛争事例においては，このいずれに該当するのか，不明瞭な場合もあり，正確な判断には，裁判例の理解が必須となる。

CHAPTER 2　労働契約の成立　　11

2. 採用内定の問題の所在

　採用内定が，前述1でいう採用予定としての内定であるか，採用決定としての内定であるかの違いの実益は以下の通りである。

　採用予定としての内定であれば，使用者が内定を取り消しても，内定者としては労働契約上の地位（つまりは従業員であること）を主張することができず，事案によって，使用者が内定者に対して不法行為による損害賠償責任（民法709条）を負うか否かが問題となるに留まる。一方，採用決定としての内定であれば，使用者が内定を取り消す行為は，法的には，労働契約の解約（つまりは解雇）ということとなり，その有効性の判断には労契法16条（無期労働契約の場合）もしくは同17条（有期労働契約の場合）の適用がある。つまりは，内定者は従業員としての地位を主張し，賃金請求権などの権利も主張できる，ということとなる。そのため，採用内定の性質の判断は極めて実益が大きく，使用者側，労働者（内定者）側双方にとって，重要な問題といえる。

Ⅲ. 採用内定の判断基準の考察

1. 最高裁判例の俯瞰

　採用内定に関する代表的な裁判例としては，大学新卒者に対する採用内定の労働契約性が問題とされた大日本印刷事件判決（最判昭和54・7・20労判323号19頁）がある。同判決は，使用者側よりなされた「採用内定の段階においては，被上告人［註：内定者］が上告人会社において有する地位，受ける給与，勤務時間，勤務場所等，労働契約の内容である労働条件は，なんら明らかにされておらず，労働条件について当事者間に合意が成立したと認めるべき事実はない」との主張に対し，「本件採用内定通知のほかには労働契約締結のための特段の意思表示をすることが予定されていなかつたことを考慮するとき…本件誓約書記載の五項目の採用内定取消事由に基づく解約権を留保した労働契約が成立したと解するのを相当とした原審の判断は正当」と判示している。なお，他にも，採用内定の段階において労働契約の成立を認めた最高裁の裁判例として，電電公社近畿電通局事件判決（最判昭和55・5・30労判342号16頁）がある。

　上記の裁判例によれば，採用予定としての採用内定と，採用決定としての

採用内定との違いの判断，すなわち，労働契約成立段階に至っているか否かの判断は，「採用通知のほかには労働契約締結のための特段の意思表示をすることが予定」されているか否か，による（なお，ここで成立する労働契約は，一般に，解約権留保付き労働契約といわれる）。つまりは，使用者側が，採用内定通知を出す場合に，採用内定の後に，正式採用の連絡等の「特段の意思表示」を予定していないような場合は，当該採用内定は，採用決定としての内定となると解される。

2. 他の裁判例の俯瞰

　最高裁以外の裁判例につき，まず，採用内定につき労働契約成立を認めたものを挙げると，例えば，インフォミックス（採用内定取消し）事件決定（東京地決平成9・10・31労判726号37頁）は，マネージャー職として中途採用された者への採用内定につき「債務者［註：使用者］は債権者［註：労働者］に対し，所属，職能資格等級，給与条件，入社希望日等を記載した採用条件提示書を送付し，債権者が…入社承諾書を送付したこと，入社承諾書には『会社の事前の許可なくして，入社日を変更することはありません。』，『入社承諾書提出後は，正当な理由がない場合は，入社を拒否しません。』と記載されていること，債務者は債権者に対し，入社承諾書を受諾した旨伝えるとともに，『入社手続きのご案内』と題する書面を送付し，これ以外に労働契約締結のための手続等は予定しないこと，…の事実によれば，本件採用内定は，就労開始の始期の定めのある解約留保権付労働契約である」として，労働契約が成立しているとし，結論として，使用者からの採用内定取消しを否定した。また，同種，同結論の裁判例として，オプトエレクトロニクス事件判決（東京地判平成16・6・23労判877号13頁）がある。

　一方，採用内定における労働契約成立を否定したものとして，コーセーアールイー（第2）事件判決（福岡高判平成23・3・10労判1020号82頁）は，採用内内定を取り消された者につき，採用内内定とは，正式な内定までの間，使用者が内内定者を囲い込み他の使用者に流れることを防ごうという事実上の活動にすぎないとして，労働契約成立を否定している（ただし，使用者側の採用内内定の取消しの過程につき，信義則違反があるとして，使用者側に採用内内定者に対する55万円の損害賠償を命じている）。

3. 実務の具体的対応

　使用者側より，採用内定について相談を受ける場合には，採用内定の労働契約成立を否定（採用予定としての採用内定にとどまること）する方向で検討することが期待される場合が多い。そこで，依頼者およびその関係者からの相談，事情聴取の中で，採用内定が労働契約に至っていないことを裏付ける方向での事実（ひいては証拠）が見つけられないかを検討することとなるが，そこでは，まさに前掲大日本印刷事件判決の判示たる，「採用内定通知のほかに」「労働契約締結のための特段の意思表示をすることが予定」されているといえないかを検討することとなる。なお，採用内定については，実務上，㋑入社日の日付が入っている使用者からの採用内定通知，㋺内定者からの入社承諾書，㋩内定者による使用者開催の研修の参加，といったような事象が一つあれば，当該採用内定により労働契約成立に至っていると判断されることが多いことは，参考になると思われる。なお，前掲インフォミックス（採用内定取消し）事件判決なども，入社承諾書をその認定の一要素として挙げている。

> 実践知！　採用内定の成立の有無は，労働契約成立の合意についての最終的な意思決定が契約当事者（特に使用者側）に留保されているか否かに関わる。近時は，採用についての交渉も電子メールで行われることが多く，その電子メールでのやり取りの中から，採用内定通知が，いまだ，採用決定には至っていないことをうかがわせるやり取りがないかを探していくことも有用である。

Ⅳ. 契約の成否に関するその他の紛争例

1. はじめに

　最後に，契約成立の有無に関わる紛争としては，採用内定に関わるもの以外にも存在するので，以下に，簡単な基本的認識および紛争をめぐる裁判例とそれを踏まえての実務の対応の考察を述べておくこととする。

2. 基本的認識と裁判例

　労働契約も契約であり，両当事者の意思の合致が必要である。しかし，労働契約の場合，例えば売買契約などと比較して，その内容は多岐にわたることが少なくない。中心的要素だけでも，労働者の提供する労務内容，労働時間，賃金額とその内訳・計算方法といったものがあり，その全ての詳細を契約締結前に確定して決定することは難しい。そのため，使用者と労働者との間で，契約内容についてどこまで具体的に合意が成立していれば，労働契約が成立したといえるのかが問題となることが少なくない。

　そこで，裁判例の俯瞰であるが，まず，労働契約成立の有無が問題となる。労働契約の成立を肯定した代表的な裁判例を挙げると，再掲となるが，大学新卒者に対する採用内定の労働契約性が問題とされた大日本印刷事件判決（最判昭和54・7・20労判323号19頁）は，「採用内定の段階においては，被上告人［註：内定者］が上告人会社において有する地位，受ける給与，勤務時間，勤務場所等，労働契約の内容である労働条件は，なんら明らかにされておらず，労働条件について当事者間に合意が成立したと認めるべき事実はない」との使用者側の主張に対し，当該採用内定の法的性質を論ずる前の判決部分にて，「採用内定の制度は，…その実態は多様であるため，採用内定の法的性質について一義的に論断することは困難というべきである。…具体的事案につき，採用内定の法的性質を判断するにあたつては，当該企業の当該年度における採用内定の事実関係に即してこれを検討する必要がある」として，労働契約内容の合意の範囲については，事実関係に則して考えるべきとし，最終的に，前述Ⅲ1の通り，労働契約の成立を認めている。

　他方，労働契約の成立を否定した代表的な裁判例として，日本周遊観光バス事件判決（最判昭和61・11・6労判491号104頁）は，その原審判決（大阪高判昭和61・4・24労判479号85頁）の「バス労組と被控訴会社との間において，労働条件さえ折り合えば○○を嘱託雇用すること，本件協定でいう賃金体系のうち勤続7年の乗務員給とすることがひとまず合意されたものの，その余の賃金体系である時間外保障給，一時金，及び重要な労働条件となる担当車輛，行き先についてはいまだ合意に達していなかったから，結局○○の嘱託雇用契約はその要素の合意を欠き形式的にも実質的にも成立していなかった」との判示を肯定し，労働契約の成立を否定した。また，下級審では，生協イーコープ・下馬生協事件判決（東京高判平成6・3・16労判656号63

頁）は，友好関係にある２団体において，ある従業員を移籍させることとなり当該従業員も移籍承諾書に署名したが，移籍先と当該従業員との間で雇用条件等が折り合わないままに移籍先より採用拒否の通知を受けたという事案において，「控訴人［註：従業員］は，参加生協［註：移籍元］から被控訴人生協への移籍を基本的に受け入れ，被控訴人生協と雇用契約を締結する方向で話し合いを進めていたものの，それはあくまで，控訴人の考えていたとおりの雇用条件が満たされるということが前提となっていたものであり，そのことは被控訴人生協側にも示されていたこと，しかし，本件では，それらの条件が結局折り合うに至らず，…被控訴人生協から採用を拒否する旨の通知を受けたのであるから，控訴人と被控訴人生協との間に雇用契約が成立したと認めることができない」とし，移籍先と当該従業員との労働契約の成立を否定した。この裁判例も，労働者と使用者との間に個別具体的な雇用条件につき同意がなければ労働契約が成立しないとした裁判例といえる。

3. 実務の具体的対応

　前述２の，労働契約の成立を肯定した裁判例と否定した裁判例とを比較すると，まず肯定裁判例（大日本印刷事件判決）が大学新卒者の事案なのに対し，否定裁判例の日本周遊観光バス事件判決は，定年後の社員の事案，生協イーコープ・下馬生協事件判決も，すでに雇用関係にある者の移籍の事案であることが特徴として挙げられる。すなわち，新卒者の新規の労働契約の場合は，一括採用ということもあり個別の新卒者と個別の労働条件につき合意することは実際上困難であることに加え，新入の正社員であるから，その労働条件は使用者の就業規則，労働協約といった労働契約以外の根拠によって労働契約の具体的内容の詳細を補完して確定し得るところがあるが，否定裁判例の事案はそうした事情がなかったということが考えられる。依頼者の立場に立って，新卒者をはじめとする新入社員であるか中途入社であるか，正社員であるか契約社員であるか（ともに，後者の方が，契約時により個別具体的な労働条件の合意が必要とされる度合いが高い傾向にある），といった事実関係を重要視しつつ，関係者からの事情聴取を通して，弁護士としての法的見解を持つことが肝要である。

実践知！

　労働契約に限らず，契約成立の有無には，合意した内容の具体性，変更可能性のないこと（最終決定か否か）が重要な判断要素となる。ただし，合意した内容の具体性については，使用者と相手方とのやり取りで直接に登場している内容のみでなく，使用者の就業規則等の内容も加味して考えられることには注意を要する（それも労働契約の内容と解されることがあるからである）。

CHAPTER

03 成立した労働契約の内容

Ⅰ. 紛争の背景と実益

　労働契約も契約であり，本来，使用者，労働者の両契約当事者が契約内容につき合意することにより成立するのであるが，労働契約の場合，その内容は多岐にわたるため，内容の一部について両契約当事者間の認識に齟齬がありながら，労働者が就業に入るまでそれが顕在化せず，就業後に齟齬が発覚して紛争になることがある。具体的には，就業規則の解釈等をめぐり，使用者および労働者の意見が一致しないという例もあるし，そもそも，求人票や求人広告における記載（もしくはその記載についての契約当事者の認識）と実際の採用後の労働条件との間に齟齬があるという例もある。

　なお，この紛争の実益は，いうまでもなく，いずれの認識が労働契約の内容として是認されるのか，である。

Ⅱ. 判断基準の考察

1. 裁判例の俯瞰

　弁護士である以上，この種の紛争についても，まずは理解しておくべきことは法的な判断基準，特に裁判例の理解，ということとなる。

　ここでは，参考として，まず，求人票の記載と採用後の労働条件とが異なっていた事案についての裁判例中，同一事案において，裁判所の判断が異なる例を挙げる。愛徳姉妹会事件は，求人票の記載では雇用期間の欄が空欄となっており 60 歳の定年制と記載されていたにもかかわらず，採用内定後の雇用契約書では期間が付されていたという事案において，仮処分決定（大阪地決平成 14・5・30 労判 830 号 89 頁）は，「債務者［註：使用者］主張のように補充人員であれば，当然募集時点で明らかになっていたことであるから，求人票において，その旨明らかにすることができたはずなのに，そのような記載はなく，かえって，具体的な雇用期間欄への記載をすることなく，定年を 60 歳と明記したことは，債務者による求人は，期間の定めのない従業員

18　　　　　　PART 1　個別的労働紛争

を募集していると読みとれる…これを見て就労を希望する者は，当然求人票に記載の労働条件を期待するものといえ，…労働契約締結時にこれと異なる合意をするなどの特段の事情がない限り，求人票の内容が雇用契約の内容となる」とし，求人票の記載に従い期間の定めなき労働契約の成立を認めたが，その後に下された本訴事件の判決（大阪地判平成 15・4・25 労判 850 号 27 頁）は，「被告［註：使用者］側から 1 年間とする期間についての申し出があり，原告［註：労働者］においてそれを承諾したことが認められる上，…被告から賃金の支給を受ける最初の日である平成 13 年 3 月 21 日付けで本件期間の定めがある本件契約書を作成し，それに対して異議を述べることなく署名押印していることからすれば，本件労働契約については，…期間の定めがあったというべき」と判示し，結論として，1 年間の期間を定めた労働契約の成立を認定している。このように判断が分かれた原因は，求人票の記載の後に，求人票の内容と異なる条件を使用者より提示され，労働者がこれに合意したか否か，についての事実認定の差異による。この点で，採用に際して，上記求人票記載の条件と異なった条件が示されたことのないような場合は，求人票記載の労働条件が，成立した労働契約の内容となるとされる。例として，株式会社丸一商店事件判決（大阪地判平成 10・10・30 労判 750 号 29 頁）は求人票に「退職金有り」と記載されていたにもかかわらず，使用者が退職金規定を作成しておらず，退職金共済制度にも加入していなかったという事案について，退職金を支給するという求人票の記載が労働契約の内容となっていたとしている。

　一方，求人票（無期契約）と契約書（有期契約）の内容が異なっていた事案については，一審と二審の結論が同じ例として，藍澤證券事件判決（東京高判平成 22・5・27 労判 1011 号 20 頁）がある。同判決は，従業員になろうとする者の側に著しい不利益をもたらす等の特段の事情がない限り，合意の内容が求人票記載の内容に優先するのが相当とした上で，当該事案については，使用者より雇用契約書案等の送付を受けた労働者がその内容を了知してから 1 か月以上検討する機会があったこと等を理由に，契約書通りの合意の成立を認めても労働者に著しい不利益をもたらす特段の事情がない等と説示して，契約書の内容を労働契約の内容と認定している。

　もっとも，前掲愛徳姉妹会事件判決，藍澤證券事件判決とは異なり，契約書よりも求人票の記載を優先した裁判例もある。福祉事業者 A 苑事件判決（京都地判平成 29・3・30 労判 1164 号 44 頁）は，求人票の記載では期間の定

めなし，定年制なし等となっていた一方で，その後に締結された労働契約書には契約期間1年，65歳定年制となっていた事案であるが，同事案では，就業開始日の午後に，使用者より契約書を提示され，労働者としてはこれを拒否すると収入が絶たれるとの思いより，内容に意を払わず契約書に署名押印したという経緯があり，前掲の2判決とは事案の相違が大きいと思われる。

　なお，求人票の記載の解釈自体が争われた事案についての裁判例を挙げると，八州事件判決（東京高判昭和58・12・19労判421号33頁）は，求人票に見込みの基本給が記載されていたところ，採用後に確定した労働条件において上記の基本給を下回ったという事案について，求人票の記載が「見込額」となっていたこと，例年4月頃に賃金改定が一斉に行われる我が国の労働事情のもとでは求人票に入社時の賃金を確定的に記載することは無理が多いこと，求人は労働契約申込みの誘引であり，求人票はそのための文書であるから，本来そのまま最終の契約条項になることを予定するものではないこと等を理由として，求人票記載の基本給額通りに労働契約上の賃金が確定したものとはいえない，としている。

2. 実務の具体的対応

　これらの紛争例は，使用者側の認識する労働契約内容と労働者側の認識する労働契約内容に齟齬がある場合である。前述1で俯瞰した裁判例に照らせば，まずは労働契約時における明確な合意（契約書が直接的な証拠であるが，通知書，連絡メールといったものもその証拠になり得る）の内容がどのあたりにあるかを検分することから出発するが，それが存しない事例もあり得るし，労働契約には形式上明確にみえる合意があるとしても，それが表示上の誤りである場合があり得るから，いずれにせよ，その労働契約時に至るまでの使用者側のオファー（求人票）とそれに対する労働者の応募の連絡内容，さらにそれに対する使用者の連絡内容，といったものを可能な限り検証することが必要である。

| 実践知！ | 　労働契約の内容が問題になるのは，労働契約書の内容と事前の説明・告知（求人票等）とに齟齬がある場合が多いが，原則として，契約書の内容が重視されると思われる。ただし，契約書の締結につき，労働者側に相応の検討の機会を与えることが前提である（いかほどの時間をもって相応とするかは，契約書の内容，当該労働者の属性にもよると思われる）。|

CHAPTER

04 採用の自由

I．採用の自由に関する紛争例と問題の所在

　民事法上の大原則の一つである契約締結の自由の原則からすれば，使用者は，どの労働者を採用するか否かについての自由を有している。ただし，労働法においては，使用者の採用の自由を制限する法令もいくつか設けられている。実務上，重要な例としては，性別を理由とする採用差別の禁止（男女雇用機会均等法5条，7条）である（内容は厚労省のホームページ等参照）。なお，上記男女雇用機会均等法の規定に抵触する募集・採用活動は，民法709条の損害賠償の対象になると解されるが，採用そのものを使用者に強制することは困難と解されている（荒木・労働法〔4版〕361頁同旨）。

　また，年齢を理由とする採用差別についても，労働施策総合推進法9条により，使用者は年齢に関わりなく均等な機会を与えなければならない旨の努力義務が定められている。なお，労働組合員であることを理由とする採用差別については，後述するように（→Pt. 2），裁判実務上は直接の法規制は存しないと解されている。

　加えて，労働法による直接的な制限には該当しなくとも，労働契約も当然のことながら，私法上の原則である民法1条（信義誠実の原則，権利濫用の法理），90条（公序良俗違反行為の無効），709条（不法行為による損害賠償）といった規定の適用があり，契約自由の原則との均衡が問題となる。

　この採用の自由に関する紛争の実益としては，使用者がある採用応募者を採用しなかったことが違法となり，当該採用応募者と使用者との間に労働契約関係が存在するとされたり，あるいは，不採用が損害賠償の対象とされたりすることがあるか否か，である（ただし，労働契約関係が存在するとされる例は稀である）。

Ⅱ．採用の自由とその限界についての考察

　まず，裁判例について俯瞰するが，率直にいって，この紛争例に関する裁

判例は多くはない。代表的な裁判例は，使用者が労働者の採用にあたり，労働者の思想・信条を調査する自由（いわゆる調査の自由）の有無が問題となった三菱樹脂本採用拒否事件判決（最大判昭和 48・12・12 労判 189 号 16 頁）である。同判決は「憲法は，思想，信条の自由や法の下の平等を保障すると同時に，他方，22 条，29 条等において，財産権の行使，営業その他広く経済活動の自由をも基本的人権として保障している。それゆえ，企業者は，かような経済活動の一環としてする契約締結の自由を有し，自己の営業のために労働者を雇傭するにあたり，いかなる者を雇い入れるか，いかなる条件でこれを雇うかについて，法律その他による特別の制限がない限り，原則として自由にこれを決定することができるのであつて，企業者が特定の思想，信条を有する者をそのゆえをもつて雇い入れることを拒んでも，それを当然に違法とすることはできない」とした。なお，同判決と同じ趣旨を説示するものとして，日本医科大学附属病院事件判決（東京地判昭和 51・9・8 判時 840 号 116 頁）は，大学病院の看護婦の不採用が，信条を理由とする労働条件の差別を禁止する労基法 3 条等に違反し，不採用者側に不法行為による損害賠償請求権（民法 709 条）が生じるか否かが問題となった事案につき，上記労基法 3 条は雇用契約等の成立後における労働条件についての規定であって，採用段階における規定ではないとして，仮に，当該看護婦の不採用が思想・信条を理由とするものであったとしても，当然に不法行為となるものではないとした。

　なお，JR 北海道・日本貨物鉄道（全動労）事件判決（最判平成 15・12・22 民集 57 巻 11 号 2335 頁）は，労働組合員であることを理由とする採用差別が労組法 7 条 1 号による不当労働行為に該当するかが争点となった事案について，前掲の三菱樹脂本採用拒否事件判決を引用しつつ，「労働組合法 7 条 1 号本文は…［不当労働行為の成否につき］雇入れの段階と雇入れ後の段階とに区別を設けたものと解される［から］，雇入れの拒否は，それが従前の雇用契約関係における不利益な取扱い…として不当労働行為の成立を肯定することができる場合に当たるなどの特段の事情がない限り，労働組合法 7 条 1 号本文にいう不利益な取扱いに当たらないと解するのが相当である」とした。もっとも，事業譲渡の際，事業譲渡人が雇用していた労働者を事業譲受人が不採用とするような場合は，解雇・雇止めとの類似性の点からの労組法 7 条 1 号の不利益取扱いになり得るとする有力見解もある（菅野・労働法〔12版〕1023 頁）。

実践知！

　純粋に採用の自由が問題となる場面は，男女差別といった法令により直接に規定されているもの以外は，実務上，あまりないであろうが，定年後の継続再雇用のように，それまで実態上継続してきた雇用を事実として終了させるような場合は，純粋な採用の自由の問題とはいい難い。この場合，すでに少なからず存在する裁判例・紛争例にも照らして，契約の形式面（雇用終了・再採用）だけに拘泥しないで実態を見ることが必要である。

　事業譲渡における，事業譲受人による事業譲渡人雇用の労働者の不採用も，それまで実態として当該事業者に雇用されていた者が就業しなくなるという点で，これも，純粋に採用の自由の問題とはいい難いところがある。

CHAPTER

05 使用者

Ⅰ. 問題の所在

　契約とは，通常，当事者を明示，特定して締結される。労働契約の場合，労務を提供する労働者と，労務を受けて賃金を支払う使用者とが特定される。しかし，社会的実情として，例えば使用者側が複数の法人格によるグループとなっている場合，あるいは，別個の法人格の取引先と密接な関係を有する場合など，一見して使用者が分かりにくい場合が存する（親子会社，注文者と請負，労働者派遣等）。

　このような場合でも，平穏に雇用と賃金が確保されていれば，通常，問題は顕在化しないが，労働契約の形式上使用者とされていた使用者が，人員削減を行う，あるいは有期の雇用契約を終了させる，といったような場合，労働者としては，自らに対して使用者としての責任（大きなものとしては，雇用を維持し賃金を支払う義務）を有する者が誰であるのか，は重大な意味を有する。ここに，労働契約の使用者が誰か，という問題が生ずる。

　実務上，労働契約の使用者が問題となる事例としては，

(a) 労働者と労働契約の形式を踏んでいない使用者との間の黙示の労働契約の成否が問題となる場合

(b) 法人格否認の法理が問題となる場合

(c) 事業譲渡や会社分割による場合

などが多くみられる。ただし，上記(c)は，いったん使用者が確定した労働契約の承継の問題として若干毛色が異なるので，Chap. 6 で触れることとし，本章では上記(a)，(b)について検討する。

Ⅱ. 黙示の労働契約の成否の問題

1. はじめに

　社会的実情としては，ある企業が業務を遂行するにあたり，他企業に業務遂行を注文し，注文を受けた請負企業の雇用する労働者が業務を実行したり

（請負契約），あるいは，派遣先として派遣元から受け入れた派遣労働者が業務を実行していること（労働者派遣契約）は多くみられる。こうした場合，上記の請負企業の労働者，派遣労働者が，自らが直接に労働契約を締結している請負企業あるいは派遣元ではなく，実際の業務の帰属者である注文者や派遣先を相手に，自己との間に労働契約が成立すると主張する事象がみられる。以下に，裁判例を通して，判断基準を考察する。

2. 裁判例

　以下に，注文者と請負企業の労働者，あるいは派遣先と派遣労働者との間の労働契約成立が問題となった例について，肯定例と否定例とに分けて紹介する（なお，ここでは否定例を先に紹介するが，これは，労働契約の直接的当事者をそのまま認めるという点からは否定例が原則であり，当事者間の合意の尊重という点では，肯定例の方が例外的なものと解されるからである）。

(1) 否定例

　まず，代表的な裁判例としては，一時期社会的注目を浴びたパナソニックプラズマディスプレイ（パスコ）事件判決（最判平成21・12・18労判993号5頁）がある。これは，注文者企業より業務を請負っていた請負企業に雇用されていた労働者が注文者企業に対して雇用関係の確認等を求めた事案であり，原審判決（大阪高判平成20・4・25労判960号5頁）において，注文者企業と労働者との間に黙示の労働契約を認めるに至ったものを，最高裁判決において覆した裁判例である。上記最高裁判決は，「被上告人［註：労働者］は，…パスコ［註：請負企業］と雇用契約を締結し，…パスコから本件工場に派遣され，上告人［註：注文者企業］の従業員から具体的な指揮命令を受けて封着工程における作業に従事していた…のであるから，パスコによって上告人に派遣されていた派遣労働者の地位にあった…。…労働者派遣法の趣旨及びその取締法規としての性質，さらには派遣労働者を保護する必要性等にかんがみれば，仮に労働者派遣法に違反する労働者派遣が行われた場合においても，特段の事情のない限り，そのことだけによっては派遣労働者と派遣元との間の雇用契約が無効になることはない…」，「上告人はパスコによる被上告人の採用に関与していたとは認められない…のであり，被上告人がパスコから支給を受けていた給与等の額を上告人が事実上決定していたといえるような事情もうかがわれず，かえって，パスコは，被上告人に本件工場のデバイ

ス部門から他の部門に移るよう打診するなど，配置を含む被上告人の具体的
な就業態様を一定の限度で決定し得る地位にあったものと認められるのであ
って，…上告人と被上告人との間において雇用契約関係が黙示的に成立して
いたものと評価することはできない」と説示した。すなわち，上記最高裁判
決は，労働派遣法の規定に違反した労働者派遣について，労働者派遣契約と
それに伴う派遣元企業・派遣労働者間の雇用契約を無効とまで解する（原審
判決）ことなく，それまでの裁判法理（後述）に沿って，注文者企業が，当
該労働者の採用，労働条件（賃金等）を実質的に決定しているといった通常
の使用者にみられるような意思決定を行っているか否かを基準としたところ
である。

　もっとも，付言すれば，上記パナソニックプラズマディスプレイ（パス
コ）事件判決の時点では，現在とは労働者派遣法の規定が異なり，現行の労
働者派遣法では，契約形式上は請負契約等の形態となっていても，実態上は
労働者派遣となっている（注文者企業が請負企業の労働者を指揮命令下におい
て就業させている）ような，いわば偽装請負の状態を「適用される法律の規
定の適用を免れる目的」で生じさせた場合等は，注文者企業より当該労働者
に対して直接雇用の申込みがなされたとみなされるので（労働者派遣法40条
の6第1項5号），一定の範囲で上述の原審判決の結果となるように法改正が
なされていることには留意すべきである。この点につき，問題となったハン
プティ商会ほか1社事件判決（東京地判令和2・6・11労判1233号26頁）は，
ソフトウェア開発業務の受託契約関係は，業務受託会社の労働者を業務委託
会社に派遣する労働者派遣契約関係であるものの，労働者派遣法40条の6
第1項5号における法律の適用を「免れる目的」が認められないとして，
業務委託会社と業務受託会社の労働者との間の労働契約関係の成立を否定し
ている（なお，自らの指揮命令により労務提供を受けていることや，労働者派遣
以外の形式で契約をしていることから，直ちに上記の「免れる目的」が推認され
ることにはならないと説示している）。

　他に，否定例としては，先行的なものとして，サガテレビ事件判決（福岡
高判昭和58・6・7労判410号29頁）がある。これは，派遣先企業と派遣され
た労働者との間の労働契約の成立の有無が問題となった事案につき，「企業
がその業務を行うについて必要な労働力を獲得する手段は，直接個々の労働
者との間に労働契約を締結することに限定されているわけではなく，広く外
注と称せられる種々の方法が存するのが実情であって，…当時者間の意思の

合致を全く問題とすることなしに，単に使用従属関係が形成されているという一事をもって直ちに労働契約が成立したとすることはできない」と原則論を述べつつも，「派遣先企業との間に事実上の使用従属関係が存在し，しかも，派遣元企業…の存在が形式的名目的なものに過ぎず，かつ，派遣先企業が派遣労働者の賃金額その他の労働条件を決定していると認めるべき事情のあるときには，派遣労働者と派遣先企業との間に黙示の労働契約が締結されたものと認めうべき余地がある」と，例外的に黙示による雇用契約を認めるべき基準を提示した。その上で，当該事案については，派遣元は，派遣先から「資本的にも人的にも全く独立した企業であつて，…実質上の契約主体として契約締結の相手方とされ，現に被控訴人ら従業員の採用，賃金その他の労働条件を決定し，身分上の監督を行つていたものであり，したがつて，派遣先企業…と同一視しうるような形式的，名目的な存在に過ぎなかつたというのは当らない。また，他方，控訴人会社［註：派遣先］は，製帳社［註：派遣元］が派遣労働者を採用する際にこれに介入することは全くなく，かつ，業務請負の対価として製帳社に支払つていた本件業務委託料は，派遣労働者の人数，労働時間量にかかわりなく，一定額…と約定していた（これらの金額が製帳社従業員に支払われる賃金総額と直接関連するものとして算出決定されたことを窺わせる資料はない。）のであるから，控訴人会社が被控訴人ら派遣労働者の賃金額を実質上決定していたということは到底できない」として，派遣先と労働者との間の労働契約の成立を否定した。また，セントランスほか事件判決（最判平成4・9・10労判619号13頁）は，ある会社に雇用されていた労働者が，別会社に出向となり，さらにその出向先が業務委託契約を締結した注文者企業にて当該労働者が就労していた事案であるが，原審判決（東京高判平成3・10・29労判598号40頁）による「控訴人［註：労働者］と被控訴人セントランス［註：出向元］との間では明確に雇用契約が締結され，…賃金はすべて被控訴人セントランスから支払われていたこと，…被控訴人ら［註：出向元，出向先かつ請負企業，注文者］は，いずれも，それぞれ事業内容を異にする独立した法人企業であって，…被控訴人セントランスは自らの意思で控訴人の採用，賃金その他の勤務条件の決定，指揮監督も行っており，他の被控訴人らの意思によりこれらが決定されていたというような関係はないこと」より，注文者企業と労働者との間の労働契約成立を否定した説示を維持している。他に，これらと同趣旨のものとして，大映映像ほか事件判決（東京高判平成5・12・22労判664号81頁）は，注文者企業と

労働者（エキストラ）との間に指示・指導の事実があったとしても，直ちに雇用関係として評価し得る使用従属関係があったと判断することはできないと判示している。

これらの裁判例からは，労働契約の成立には，問題となった労働者の採用，不採用，またその賃金といった労働条件が，実態として注文者・派遣先等において決定され，その賃金も請負企業，派遣元を経由して社外労働者に支払われるものと認め得ること（当該労働者に賃金を支払う意思を有するものと推認されるなど）といった事実関係が要件とされているといえよう。

(2)　肯定例

注文者企業や派遣先と，請負労働者や派遣労働者との間の労働契約の成立を肯定する裁判例としては，古くは青森放送事件判決（青森地判昭和53・2・14労判292号24頁）が，請負企業による社外労働者の募集，採用，賃金支払は，注文者のための代行機関として行われていた旨を認定し，労働契約性を認めている。また，平成に入ると，センエイ事件決定（佐賀地武雄支決平成9・3・28労判719号38頁）は，注文者企業と請負人企業より派遣された労働者との間の労働契約の成否が問題となった事案につき，「債権者［註：労働者］らが…債務者［註：注文者企業］から作業上の指揮命令を受けて労務に従事するという使用従属関係が存在していた…，債権者らを含む光幸商事［註：請負企業］の従業員の賃金に関しては，…債務者は，光幸商事に対し，毎月末に前月分の出来高に応じて，消費税相当分3パーセントを上乗せして，その請負代金を支払うこととされていたが，…その請負代金は，基本的に，作業に従事した労働者の人数と労働時間とで算出される債権者らを含む光幸商事の従業員の受ける賃金の総額と直接関連するものであることを推認することができる上，その額は，実際上債務者によって決定されていたと評価することができ，…債権者らの配置や職場規律の適用等の労働条件の決定に関しても，…これを債務者が行っていたというべき事例があることを裏付ける資料も存在する。これらの事情に加えて，…光幸商事…は，…他企業との間の業務請負契約ないし他企業への労働者派遣の実績もなく，むしろ，債務者のみとの関係で光幸商事が設立された経緯があること」等より，注文者企業は請負企業からの労働者を使用し，請負企業を通して賃金を支払う意思を有していたとして，労働契約の成立を肯定した。結論は前述(1)とは分かれたが，賃金をはじめとする労働条件を実質的に決定しているか否かが重要な

判断要素の一つであることは，否定例の裁判例と共通するといえる。

　さらに，近時のものとして，マツダ防府工場事件判決（山口地判平成25・3・13労判1070号6頁）は，派遣先が，派遣社員にランク制度やパフォーマンス評価制度を導入していたことと併せ，常用雇用の代替防止という派遣法の根幹を否定する施策をとっていたことに鑑み，実質的には労働者派遣と評価できず，結論として，派遣先と派遣労働者との間の労働契約を肯定している。

3．実務の具体的対応

　使用者側の弁護士として，労働契約の形式を経ない黙示の労働契約の成否が問題となる事案に携わる場合，多くは，本書でいう，注文者企業，派遣先企業の立場になろう。すなわち，黙示の労働契約の成立を否定する側で主張（および立証）を展開することとなる。

　この場合，まず重要なのが，前述2(1)の裁判例でも再三述べられているように，弁護する企業が，問題となる労働者の採否，労働条件（特に賃金）を決定していないという事実を可能な範囲で主張すること（相談段階では，そのような事実が認められないように，予防しておくこと）である。そのためには，できれば訴訟前の段階において，当該労働者の採否，労働条件を決定することを極力控えるのはもちろん，そうした決定の事実を推認されるリスクを避けるために，注文者企業の立場の場合では，当該労働者を雇用している請負企業との契約条件については請負業務の対価をなるべく請負企業の人件費とは関連しない形とすること（派遣先の場合は難しいところもあるが），当該労働者との労働条件についてのやり取りを行わないこと，当該労働者の業務内容，配置については，注文者企業の立場の場合には請負企業の裁量に委ね，派遣先企業の立場の場合には，派遣元との派遣契約の段階で極力具体的かつ明瞭に特定すること（つまりは，派遣契約自体で決定されており，派遣先の裁量で決定したと受け取られることは避けること），といった措置が肝要である。訴訟段階においても，当該労働者の採否や労働条件の決定について，請負企業や派遣元の裁量を裏付ける事実を収集，整理して主張することが必要である。

　もとより，労働者派遣法のみなし雇用（労働者派遣法40条の6第1項5号）が適用となるような違法派遣は論外である。

実践知！

　顧客会社の取引先会社において，雇用責任等をめぐる紛争が生じた場合，取引先会社の労働者の業務実態によっては，顧客会社に対して雇用責任等を追及してくる労働者があり得るので，注意しておくこと。そのためには，紛争前，紛争後を問わず，取引先会社の労働者の採否，労働条件を決定しているという事実等が認められないよう注意すること。
　そうした決定をなしていることを推認される行動を行わないように顧客会社に勧めるか（紛争後），推認されることを打ち消すべく，取引先会社の独立性を主張できる事実関係を収集，整理すること。

Ⅲ. 法人格否認の法理

1. 問題の生じ方

　法人格否認の法理は，かねて最高裁においても認められているものであり，これは労働事件関係には限られない（最判昭和44・2・27民集23巻2号511頁）。この法理は，当初，契約上の当事者とされていた法人の法人格を否認し，当該法人以外の法人格（法人の場合が多いであろうが，自然人の場合もあり得る）に対し，契約上の義務を負担させる，というものである。この法理は労働契約にも適用されるとされている。

　労働契約も契約の一つであり，契約当事者が特定されているのが大原則であるが，労務を提供する労働者側は個人たる自然人である一方で，労務の提供を受け，その対価としての賃金を支払う側は自然人である場合と法人である場合とがある。ところが，労働契約上，使用者となっている法人が，その実質がないか，あるいは別の法人格により労働契約上の使用者の責任の引受け手として設定されただけの存在であるような場合，状況（例えば労働契約上の法人が経営危機に陥り雇用が維持できなくなるなど）によっては，一定の要件下で，形式上労働契約上の当事者となっている法人ではなく，他の法人格に労働契約上の使用者としての責任を履行させるのが，社会的公正，公平の見地からも適切である場合もある。

　もちろん，法人格は法的権利・義務関係の主体である以上，安易に法人格

を否認する解釈は，法人制度の適用をあいまいにし，社会的に混乱をもたらしかねない。すなわち，法人格否認の法理の適用には明瞭性と慎重な考慮が必要といえよう。

2. 法人格否認の法理の内容

法人格否認の法理が認められる類型は，問題となる法人の法人格形骸化の場合と，法人格濫用の場合との2つの類型が存する。

そのうち，法人格形骸化の場合とは，法人格が全くの形だけに過ぎない場合であり，先例的な裁判例としては最判昭和47・3・9（判時663号88頁）がある。これは，株式会社が実質的に一人株主会社であり，総会開催もなく他の代表取締役選任手続もなく他の役員も代表取締役のために名義を貸しているに過ぎないといった事案において，当該株式会社はその代表取締役個人の企業と異なるところはないとしたものである。

他方，法人格濫用の場合とは，法人格が法律の適用を回避するために濫用される場合であり，同じく先例的裁判例としては，最判昭和48・10・26（判時723号37頁）がある。これは，取引相手方からの債務履行請求手続を誤らせる手段として，旧株式会社の営業財産をそのまま流用し，商号，代表取締役，営業目的，従業員などが旧会社と同一の新会社を設立したという事案において，新会社の設立は会社制度の濫用であるとして，取引相手方は新旧両会社のいずれにも債務の責任を追及できるとしたものである。

法人格の形骸化，濫用とは，具体的事実関係を裏付けとしつつも最後は評価の問題であり，その具体的判断基準の把握には，裁判例の理解が欠かせない。

3. 裁判例

以下に法人格否認の法理に関する裁判例を紹介するが，ここにおいても，制度としての法人制度がある以上，法人の法人格は認められるのが原則であり，法人格否認が肯定されることが例外であるといえることより，否定例を先に紹介することとする。

(1) 否定例

(a) 親子会社間

まず，親子会社間における法人格の否認が問題となった事案について，比

較的近年の裁判例としては，大森陸運ほか2社事件判決（大阪高判平成15・11・13労判886号75頁）がある。これは，子会社が業績不振を理由に解散し従業員を解雇したが，その機材を親会社の関係会社に譲渡し，かつ，子会社の従業員の数名が当該関係会社に雇用されていたことについて，解雇された元子会社従業員が，上記解散は上記子会社から労働組合を排除することを目的とした解散であり無効として，上記子会社および親会社に労働契約上の地位確認等を求めた事案である。同判決はまず，法人格の形骸化の点については一審判決（神戸地判平成15・3・26労判857号77頁）の事実認定を引用して，当該子会社は親会社の100%子会社であったこと，子会社の代表取締役，労務担当者は当該親会社の現役または定年退職した役員等で構成されていたこと，子会社の業務はその大部分が当該親会社からの発注によるものであったこと，女性従業員の制服が親子会社間で一緒であったこと等を認定しつつも，それらの事実からだけでは当該子会社の法人格が形骸化していたものとはいえないとした。また，法人格の濫用の点についても，労働組合との労使協議の経緯からは，当該親会社，子会社が上記労働組合を欺罔したものとはいえず，また，子会社より当該親会社の関係会社（子会社の従業員の数名を雇用した会社）へ営業譲渡が行われたということもない以上，子会社の解散をもって偽装解散と評価することはできず，法人格の濫用もあったとはいえないとした。

　なお，他に，実質的な親子会社間につき法人格否認の法理の適用が問題となり，これを否定した例として，大阪証券取引所（仲立証券）事件判決（大阪高判平成15・6・26労判858号69頁）等がある。

(b)　派遣先と派遣元

　次に，派遣先と派遣元との間の法人格否認の法理の適用が問題となった例に，マイスタッフ（一橋出版）事件判決（東京高判平成18・6・29労判921号5頁）がある。これは，派遣元に雇用され派遣先に派遣され就業していた派遣労働者が，派遣先と派遣元との労働者派遣契約が打ち切られた際，派遣先は派遣元と一体であるとして派遣先にも労働契約上の権利の確認を求めた事案である。同判決は，当該派遣先は派遣元の株式の約17.5%を保有するに過ぎないこと，派遣元は当該派遣先以外に常時100名以上を派遣し，その売上げのうち当該派遣先の占める割合は15%に過ぎないこと等を理由に，当該派遣先が派遣元を支配しているとはいえないとして，法人格の濫用を否定している。

なお，他に，労働者派遣に関連して，法人格濫用が否定された例として，日建設計事件判決（大阪高判平成18・5・30労判928号78頁）も存する。

(c)　その他

　さらに，継続的な取引関係にあった会社間における法人格否認の法理が問題となった例として，大阪空港事業（関西航業）事件判決（大阪高判平成15・1・30労判845号5頁）は，請負企業が，自社の業務の6割を占める業務を発注していた注文者企業より契約を解除されたため経営困難に陥り，事業を閉鎖して全従業員を解雇したところ，解雇された従業員が注文者企業と請負企業との法人格の同一性を主張し，注文者企業に対して従業員としての地位の確認等を求めた事案である。これに対して同判決は，まず，法人格の濫用による法人格の否認については「法人を道具として意のままに支配しているという『支配』の要件が必要不可欠であり，また，法的安定性の要請から『違法又は不当な目的』という『目的の要件』も必要とされるのであり…上記『支配の要件』と『目的の要件』の双方を満たすことが必要である」とし，さらに，「雇用関係という継続的かつ一定程度包括的な法律関係の…場合には，上記『支配の要件』における支配の程度は，…背後にある法人が雇用主と同視できる程度に従業員の雇用及びその基本的な労働条件等について具体的に決定できる支配力を有していたことを要する」との基準を説示した。そして，当該注文者企業は，取引上優越的立場にあり，経営面，労使問題等においても事実上強い影響力を有していたとしながらも，株式の保有関係や役員の派遣等の人的交流がないこと，請負企業の個々の従業員の採用，配置，賃金支給額は請負企業が独自に決定していたこと，請負企業の従業員が注文者企業の指揮命令下に作業を行うといったことはなかったこと等を挙げつつ，「被控訴人［註：注文者企業］の…影響力は，取引上の優越的な立場に基づく事実上のものにとどまるものであって，…従業員の雇用及びその基本的な労働条件等を具体的に決定することができる支配力を有し，あるいはこれを行使してきたとまで認めることはできないから，法人格の濫用による法人格否認の法理の適用の要件としての…支配があったということはできない」と判示した。

　なお，営業譲渡（事業譲渡）を行った当事者の間で法人格否認の法理の適用が問題となり，適用を否定した例として，JR東日本（千葉鉄道管理局）事件判決（東京高判平成7・5・23労判681号37頁），東京日新学園事件判決（東京高判平成17・7・13労判899号19頁）などが存するが，これらは労働契

約承継の問題でもあるので，Chap. 6 に譲ることとする。

(2) 肯定例

　法人格否認の法理の適用を肯定した代表的な裁判例としては，近時では，第一交通産業ほか（佐野第一交通）事件判決（大阪高判平成 19・10・26 労判 975 号 50 頁）が挙げられる。これは解散した子会社を解雇された当該子会社の元従業員らの一部が，親会社に対して，労働契約上の地位確認および未払賃金の支払等を求めた事案である（なお，当該子会社の元従業員の多数は，当該子会社と同地域で同業種を行うこととなった他の子会社に移籍している）。同判決は，まず判断基準として以下の通り述べている。

　すなわち，法人格否認の法理のうち法人格形骸化が認められる場合については「法人とは名ばかりであって子会社が親会社の営業の一部門にすぎないような場合，すなわち，株式の所有関係，役員派遣，営業財産の所有関係，専属的取引関係などを通じて親会社が子会社を支配し，両者間で業務や財産が継続的に混同され，その事業が実質上同一であると評価できる場合」とし，また，法人格濫用が認められる場合については「親会社が，子会社の法人格を意のままに道具として実質的・現実的に支配し（支配の要件），その支配力を利用することによって，子会社に存する労働組合を壊滅させる等の違法，不当な目的を達するため（目的の要件），その手段として子会社を解散したなど，法人格が違法に濫用されその濫用の程度が顕著かつ明白であると認められる場合」とした。その上で，当該事案につき，まず法人格形骸化については，当該子会社の全株式を当該親会社が保有していたこと，子会社の労働条件について親会社が決定し，親会社が派遣した役員や管理職によって実現してきたこと，日々の売上げ管理，日常経理業務，決算業務も当該親会社が行っていたこと等，当該親会社は子会社を実質的・現実的に支配していたものの，当該子会社はもともと親会社とは別グループの会社であり全く独立した会社であったこと，当該子会社の財産と収支は親会社のものとは区別され混同されることがなかったこと等より，当該子会社が親会社の一部門とみられるような状態に至っていたとまでは認められないとして，法人格の形骸化については否定した。しかし，法人格濫用については，上述の通り，当該親会社は子会社を実質的，現実的に支配していたこと（「支配の要件」を肯定）に加え，「1 審被告第一交通［註：親会社］は，泉州交通圏におけるタクシー事業を新賃金体系の下で早急に行っていくために，新賃金体系の導入に反対

していた原告組合を排斥するという不当な目的を実現することを決定的な動機として，実質的・現実的に支配している佐野第一［註：子会社］に対する影響力を利用して佐野第一を解散したものであると認められるから，佐野第一の解散は，1審被告第一交通が佐野第一の法人格を違法に濫用して行ったものであるというのが相当である」として，上記の「目的の要件」も認定した上で，結論として「1審原告組合員である1審原告らは，親会社である1審被告第一交通による法人格の濫用の程度が顕著かつ明白であるとして，1審被告第一交通に対して，佐野第一解散後も継続的，包括的な雇用契約上の責任を追及することができる」と判示した。すなわち，法人格濫用には「支配の要件」，「目的の要件」を要件とするとした上で，結論としても，両要件を充足していると認定し，法人格濫用を肯定している。

　また，肯定例として，クリエイティヴインターナショナルコーポレーション事件判決（札幌地判平成3・8・29労判596号26頁）は，出向元会社より出向先会社に出向していた従業員が，出向先会社に労働契約上の賃金請求権を主張した事案について，出向元会社は専用の事務所や専属の従業員を持たず，専ら出向先会社等の便宜のために設立された形骸のみの会社である上に，同社で使用する従業員の社会保険適用を回避するための手段として法人格が濫用されていたものとし，出向元会社と出向先会社は実質的に同一であるとして，上記従業員の請求を認めている。

　他に肯定例としては黒川建設事件判決（東京地判平成13・7・25労判813号15頁）がある。これは，ある会社を退職した元従業員が，その会社の50％の株式を保有する別会社を相手として退職金請求を行った事案であるが，「株式会社において，法人格が全くの形骸にすぎないというためには，…当該株式会社に対し支配を及ぼしているというのみでは足りず（私的独占の禁止及び公正取引の確保に関する法律9条は他社の事業活動を支配することを主たる事業とする持株会社を原則として適法とすることが参照されるべきである。），当該会社の業務執行，財産管理，会計区分等の実態を総合考慮して，法人としての実体が形骸にすぎないかどうかを判断するべき」とした上で，元従業員が退職した会社は，設立当初より，事業の執行，財産管理，人事その他内外の業務執行の主要なものについて極めて制限された範囲内でしか独自の権限がなく，実態は，当該別会社の一事業部門とかわるところがなかったこと，退職した会社，当該別会社を含めた企業グループの社主が，それらの会社を直接意のままに自由に支配・操作していたこと等を理由に，元

従業員が退職した会社の法人格の形骸化を認め，その法人格を否認した。なお，営業譲渡（事業譲渡）の譲渡会社・譲受会社間における法人格否認の法理の適用を肯定した例として，新関西通信システムズ事件決定（大阪地決平成 6・8・5 労判 668 号 48 頁）やサカキ運輸ほか（法人格濫用）事件判決（長崎地判平成 27・6・16 労判 1121 号 20 頁）があるが，これらも労働契約の承継の問題でもあるので，やはり，Chap. 6 に譲ることとする。

4. 実務の具体的対応

　諸裁判例から見ても，実務としては，使用者側弁護士は，法人格否認の法理の適用を否定する立場で主張・立証（もしくは紛争予防）をすることが多いと思われるが，法人格否認の法理の適用には裁判例からしてもかなり厳格な要件が課せられていると解すべきである。すなわち，労働者と直接に労働契約関係に立っている当事者の会社が，別会社から，一定の関係（親子会社，継続的取引関係，労働者派遣関係）を原因として相当の影響を受ける立場にあるとしても，それだけでは法人格を超えて，当該別会社が労働契約の使用者としての立場となり義務を負うということにはなり得ない。実務においては，法人格否認の法理のうち，より問題となる（労働者側より主張されがちである）のは，法人格形骸化のケースよりも法人格濫用のケースであるが，前掲第一交通産業ほか（佐野第一交通）事件判決の説示を借りれば，「子会社の法人格を意のままに道具として実質的・現実的に支配」しているという支配の要件と，「その支配力を利用することによって，子会社に存する労働組合を壊滅させる等の違法，不当な目的を達するため」という目的の要件の双方が必要である。支配の要件については，仮に資本関係や役員派遣関係では使用者としては主張できるところが少ないような事案でも（そのような事案は決して少なくはない），日常的な業務，管理，経理等の会社活動において独立性を認められるような事実関係を整理・主張すべきである。目的の要件については，何よりも，直接労働者と労働契約にある会社が，何ゆえに紛争の契機となるような人事措置（問題になる代表的ケースは，会社解散，経営難による人員削減等による解雇であろうが）を行わなければならないのか，についての合理的な理由を整理，主張できるようにすることで，違法な「目的」を認定されることを防ぐことが肝要である（例えば，上述の代表的なケースでいえば，整理解雇における実践知を踏まえることが肝要である）。

CHAPTER 5　使用者

実践知！

　法人格否認の法理が問題となった場合には，まずは，形骸化の場合と濫用の場合とで分けて考えること。当然ながら，裁判例上，法人格否認の法理の要件は，両者で異なることに留意すべきである。

　法人格形骸化の場合は，会社間の重要事項の混同（収支，財産の管理等）や一方の会社が他方の会社を「意のままになるよう」に現実的・日常的に支配（人事，企業活動等）していることが要件となるのが一般的である（形骸化が認められる場合には，他方の会社の独立性がほぼ無いに等しいことが通常求められる）。

　法人格濫用の場合は，やはりある程度強いレベルでの支配と濫用目的の２つが要件となるのが一般的である。

　濫用目的については，事業が事実上継続する場合において，恣意的な労働者排除（不当労働行為がその典型だが，恣意的判断によるローパフォーマーの排除といったものもあり得る）と解されないよう留意すること。

　多くの組織的法律関係の実務においては，ヒト，モノ，カネ，信用の側面から使用者の特性と実情を見ると，手がかりが見つかる場合が少なくない。法人格否認の法理の場合も，役員・上級管理職の人的関係等（ヒト），会社設備・取引先関係等（モノ），資本関係（カネ），資金調達関係（信用）の観点から，問題とされた複数の会社の関係を概観するのも一策である。大抵の場合，何かしら使用者の主張に有益な材料が見つかるものである。

CHAPTER

06 労働契約の承継

Ⅰ. 問題の所在

　企業は，営利を目的として活動する社会的実体であるが，それを取り巻く社会的環境は常に変動し続ける。昨今の目覚ましい技術革新とグローバル化などはその代表的な要因である。そこで，企業はその成長のみならず存続を維持するためにも，自らの組織を再編することが必要なときがある。こうした企業組織の再編は，企業をそのまま買収する企業買収（多くの場合は株式会社の株式を買収する方策をとる）の場合を除けば，なんらかの形で企業組織自体に変化が及び，その結果，企業の中における労働契約関係にも影響が及ぶこととなり，労働契約の使用者の地位がどのように変動するのか（労働契約の承継の有無）といった問題が現れる。そしてその事前，事後の対処を誤れば，想定していた新組織，新定員での事業ができなくなり，せっかくの企業再編の効果も減殺されることになりかねない。

　本章では，企業組織の再編の代表例である会社の合併，事業譲渡，会社分割の場合における問題について述べることとする。

Ⅱ. 会社の合併

1. 会社合併の意義

　会社の合併とは，2つ以上の会社が合体して1つの会社となることである。その中には，A社とB社とが合併するというサンプルでいえば，A社もしくはB社が他方を吸収し，吸収された会社が消滅して吸収した会社の法人格がそのまま存続する吸収合併の場合（会社法2条27号）と，A社とB社の両方が消滅し1つになって新しい法人格としてC社が生ずる新設合併の場合（会社法2条28号）とがある。

2. 労働契約の承継の内容

　会社の合併により消滅する会社の労働契約関係は，存続もしくは新設され

る会社へと当然に包括承継される（会社法750条1項，754条1項）。したがって，労働契約の承継は，当該労働者の労働条件（賃金，労働時間，勤続年数等）がそのままの状態で承継されるため，合併自体により労働者における不利益は格段想定されず，労働法上の問題となることもあまりない。

　もっとも，実務的には，複数の会社が合併した場合（殊に3つ以上の会社が合併した場合），合併前の会社における労働条件がまちまちであることが多く，その労働条件をそのままにしては，合併後の会社の労務管理上，不都合が生ずることがあり得る（例えば，同じ仕事をしながら，出身会社の違いにより給与水準が異なれば労働者間の不公平感が生ずるし，同じ職場で労働時間が異なる場合は，不公平感のみならず，集団的・組織的労働に支障が生ずる可能性もある）。この場合，労働条件の統一を図ることが多く，その結果として労働条件が不利益となる一部の者との間で，就業規則の不利益変更の問題が生じることがある（例として，大曲市農協事件判決〔最判昭和63・2・16労判512号7頁〕）。

Ⅲ. 事業譲渡

1. 事業譲渡の意義

　事業譲渡とは，営業目的のために組織された有機的一体性のある財産としての「事業」を譲渡することとされる。ここでいう「事業」とは，有体物（土地，施設，商品等）や権利義務関係（債権，債務）だけではなく，得意先関係，仕入れ先関係，販売の機会，営業上の秘訣，経営の組織等経済的価値のあるものも含まれる（菅野・労働法〔12版〕764頁）。

2. 事業譲渡による労働契約承継の効果

　会社合併とは異なり，事業譲渡は当事者間の契約により，事業を譲渡させるものであるので，一次的には，譲渡対象となる事業も当事者間の合意による契約により決定されると解するのが一般である（例として，東京日新学園事件判決〔東京高判平成17・7・13労判899号19頁〕等）。そのため，事業が譲渡されることで承継される労働契約の範囲も，事業譲渡人と事業譲受人という事業譲渡の当事者間の合意により決定されることとなるので，ある労働契約は事業譲渡人から事業譲受人へ譲渡・承継されつつ，別の労働契約は譲渡・承継の対象にならない，といったことも起こり得る。それにより，ある

労働者個人が自己の労働契約について事業譲受人への承継を希望しながら承継の範囲から外れたり，あるいはその逆のことが起こり，紛争となることもあり得る。

　そこで，現時点における裁判例の傾向を一般論でいえば，原則としては事業譲渡における労働契約承継の範囲（全く承継されない場合も含む）は，事業譲渡当事者間の事業譲渡契約による合意内容で決定されると解しつつ，事案の特性によっては，当事者間の黙示的な意思を合理的に解釈したり（タジマヤ〔解雇〕事件判決〔大阪地判平成11・12・8労判777号25頁〕），あるいは事業譲渡人と事業譲受人との間に法人格否認の法理を適用したり（例えば，新関西通信システムズ事件決定〔大阪地決平成6・8・5労判668号48頁〕），あるいは事業譲渡人と事業譲受人を実質的に同一であると解釈するなど（日進工機事件決定〔奈良地決平成11・1・11労判753号15頁〕），例外的な法理を適用することとなっている。

　なお，基本的に，民法625条1項より，事業譲渡の場合といえども，当該労働者の個別同意なくして，事業譲渡人より事業譲受人への労働契約の承継は行われないとされている（本位田建築事務所事件判決〔東京地判平成9・1・31労判712号17頁〕）。

3.　裁判例

　事業譲渡をめぐる裁判例は，論点が複層的なところがあるので，問題となっている争点を把握して，段階的に理解することが重要である。

(1)　労働契約の承継の基準

　事業譲渡において，事業譲渡人の有する労働契約が事業譲受人に承継される基準について，従前は，例えば播磨鉄鋼事件判決（大阪高判昭和38・3・26判時341号37頁）のように，事業譲渡において企業組織が縮小変更されることなく同一性を維持しつつなされるときは，組織内に配置された集団的労働関係もそのままの状態で，新主体に当然承継されると解する裁判例も少なからずみられたが，近時では，東京日新学園事件判決（東京高判平成17・7・13労判899号19頁）の「営業譲渡契約は，債権行為であって，契約の定めるところに従い，当事者間に営業に属する各種の財産…を移転すべき債権債務を生ずるにとどまるものである上，営業の譲渡人と従業員との間の雇用契約関係を譲受人が承継するかどうかは，譲渡契約当事者の合意により自由に定め

られるべきものであり，営業譲渡の性質として雇用契約関係が当然に譲受人に承継されることになるものと解することはできない」との説示にあるように，事業譲渡においては，労働契約は当然に承継されるものではなく，事業譲渡契約の内容によるとするのが一般である（同様の説示の裁判例として，本位田建築事務所事件判決〔東京地判平成9・1・31労判712号17頁〕等）。また，学説もほぼ同様に解するに至っている（菅野・労働法〔12版〕765頁）。

(2) 労働契約承継の合意の解釈

前述(1)の通り，事業譲渡による労働契約承継は，一次的には事業譲渡契約での当事者間の合意内容によるが，事業が譲渡される場合，それに従事していた労働者としては事業とともに自らの労働契約（雇用）も譲渡される（労働契約が承継される）ことを希望する場合が少なくなく，裁判例の中には，事業譲渡契約の当事者である事業譲渡人，事業譲受人の合意を合理的に解釈し，労働契約の承継を認めるものがある。

例えば，タジマヤ（解雇）事件判決（大阪地判平成11・12・8労判777号25頁）は，事業譲受人が事業譲渡人の従業員全員を雇用していることからすれば，譲渡の対象となった事業には従業員との雇用契約も含むものとして事業譲渡がなされたものと推認し，事業譲渡人より無効な解雇をされた労働者の雇用契約は事業譲受人に承継されたものと判示している。また，エーシーニールセン・コーポレーション事件判決（東京高判平成16・11・16労判909号77頁）は，そもそも使用者がその事業を他に譲渡した場合には，使用者と事業譲渡の対象とされた業務に従事していた従業員との間の労働契約上の地位は，事業譲渡当事者間において特段の定めをしない限り，譲受人に承継されると説示した上で，当該事業譲渡契約書には，事業譲渡人が全ての従業員を引き続き雇用するとあること等，労働契約上の地位を承継しない旨の定めがあるとみられなくもないとしつつも，事業譲渡後も事業譲渡人の従業員は事業譲受人からのサービス契約に基づいて業務についていたこと，また，事業譲渡契約書日の1年余り後，事業譲受人は事業譲渡人の従業員を受け入れるとの基本方針を示し，現に希望者全員に事業譲受人における従業員の格付けと新基本給を記載した書面を交付し，事業譲受人に転籍させていること等より，事業譲渡会社との間に事業譲渡の対象となった業務に従事する従業員の労働契約を承継する旨の合意をしていたと認定している（なお，同判決で直接の係争となったのは，事業譲受人における新人事制度の適用の可否であり，

それを否定する労働者らの請求は棄却されている）。

　ただし，これらの裁判例はあくまで当事者の意思の合理的解釈の限りであり，例えば，日本大学（医学部）事件判決（東京地判平成9・2・19労判712号6頁）は，事業譲渡人の労働契約を譲渡人において清算すること，事業譲渡人に雇用されていた労働者が事業譲受人に雇用されることを希望する場合には，所定の手続を経て採用を決定するが，事業譲渡人における役職者についての役職は承継しないこと，といった内容の意思を予め事業譲受人が契約において開示していた事案について，事業譲渡における労働契約承継の合意が否定されている。また，東京日新学園事件判決（東京高判平成17・7・13労判899号19頁）では，事業譲渡における覚書には労働契約を承継しないという文言の条項はなかったものの，事業譲渡人がその労働者を全員解雇した上で，事業譲受人がその運営に必要な者を新規に採用することが明確に合意されていた事案において，事業譲受人への労働契約承継は否定されている。南海大阪ゴルフクラブほか事件判決（大阪地判平成21・1・15労判985号72頁）も，事業譲渡契約書に明確に労働契約について事業譲受人に承継しない旨の記載があった事案において，やはり当事者の合意による労働契約承継を否定している。同様の例を他に挙げれば，前掲本位田建築事務所事件判決（東京地判平成9・1・31労判712号17頁），更生会社フットワーク物流ほか事件判決（大阪地判平成18・9・20労判928号58頁），Ｃ病院（地位確認等）事件判決（盛岡地判平成20・3・28労判965号30頁）等，労働契約の承継の合意を否定する裁判例は多く，労働契約の当事者間において，労働契約の承継を否定する明白な合意がある場合には，合理的意思解釈による合意の推認は成り立たないと解される。

(3)　法人格否認の法理，実質的同一性

　事業譲渡においては，事業譲渡契約の当事者間に労働契約承継の合意（合理的意思解釈により認定される黙示の労働契約承継の合意を含む）がない場合は，事業譲受人への労働契約の承継は認められないのが原則である。しかし，その労働契約承継の合意が認められなくとも，労働契約承継の有無は法人格否認の法理，事業譲渡人と事業譲受人の実質的同一性等の法理の適用の可否を通して問題となる。以下，これらの法理の裁判例について紹介する。

ⅰ　肯定例

　これらの法理を適用して労働契約の承継を肯定した裁判例として，まず，

新関西通信システムズ事件決定（大阪地決平成6・8・5労判668号48頁）は，譲渡会社がその資産と債務を新会社に譲渡して会社解散の際に全従業員を解雇しつつ，譲受人たる新会社は上記従業員のほとんどを採用したものの数名を採用しなかったため，不採用者の一人が提訴したという事案について，譲渡会社と譲受人たる新会社とでは，役員構成がほぼ同一であること，資産および債務がほとんど承継されたこと，本店所在地も同一であり従業員もほとんど同一であること，新会社の設立は，譲渡会社による事業継続意思の喪失というより，債権者からの差押，取引先との信用失墜といった事態を避けるための法技術を利用したものであるとの経緯等を考慮すれば，譲渡会社と新会社との間には実質的同一性が認められ，譲受人たる新会社が譲渡会社との法人格の別異性等を主張し，不採用者との雇用関係を否定することは，法人格の濫用であると説示し，結論として，新会社と当該提訴者との間の労働契約関係を肯定している。また，日進工機事件決定（奈良地決平成11・1・11労判753号15頁）は，元使用者が事業廃止のため雇用していた労働者を解雇（後に会社解散）した事案について，元使用者の実質的オーナーは別会社の代表取締役であり，その別会社は元使用者の製造した製品を付加加工し販売していたという事情下において，元使用者は事業廃止に際して，機械工具類一式をその別会社に，資産の不動産をその別会社の代表取締役であり元使用者の実質的オーナーでもある者に売却していること等より，元使用者の事業は元使用者の実質オーナーが実質的には一体として経営している当該別会社へと承継されており，元使用者の事業廃止は仮装に過ぎないとし，上記解雇を無効とした上で，労働契約も当該別会社に承継されるものと判示している。他にもAラーメン事件判決（仙台高判平成20・7・25労判968号29頁）は，旧会社の代表取締役だった者が，当該会社の解散後，同一の屋号，設備，従業員等を用いて，今度は個人事業主として事業を営んでいた事案において，旧会社と当該個人事業主との間に実質的同一性を肯定している。また，最近の例では，サカキ運輸ほか（法人格濫用）事件判決（長崎地判平成27・6・16労判1121号20頁）は，事業譲受会社は事業譲渡会社と別個の法人としての独立性があるとはいい難く，譲渡会社の関連会社の援助を受け，重要な取引先については譲渡会社の名義もしくはその下請として譲渡会社を通して取引しており，さらに譲渡会社と譲受会社の代表者が深い人的関係にあること等より，譲受会社は譲渡会社の支配下にあり，また，当該事業譲渡は労働組合員を譲渡会社より排除し実質的に組合員のみを解雇した不当労働行為である

と認定し，結論として，法人格否認の法理により労働契約の承継を認めている。

ii 否定例

　これに対し，事業譲渡における労働契約承継の問題につき，法人格否認の法理や実質的同一性の主張を否定した裁判例も多い。例えば静岡フジカラーほか2社事件判決（東京高判平成17・4・27労判896号19頁）は，同一の親会社の子会社同士間で行われた事業譲渡が問題となった事案であり，事業譲渡会社がその事業を事業譲受会社に譲渡した上で，会社解散により労働者を解雇したところ，解雇された労働者らが，親会社および事業譲渡人，事業譲受人の両子会社の同一性を主張するとともに，事業譲受人に対して労働契約の承継を求めた事案である。同判決は，両子会社の役員のうち親会社出身は半数に止まること，両子会社の営業区域は重複しており親会社がその営業区域の棲み分けをしていたとはいえないこと等の事実より，上記3社の経営主体が同一であるとはいえないと説示し，結論として，当該労働者らの事業譲受人への労働契約の承継の主張を斥けている。同じく，事業譲渡人と事業譲受人の実質的同一性を否定した事例として，東北造船事件決定（仙台地決昭和63・7・1労判526号38頁）は，解散した事業譲渡人と新設された事業譲受人とでは株主構成が異なること，役員構成も兼務の者は1名であること，両者の役員構成はいずれも事業譲渡人の親会社を中心とする同一企業グループ出身者という共通性はあるが，事業譲渡人は独立採算により独自に企業活動を行っていたこと等の事実より，事業譲渡人と事業譲受人との間の実質的同一性を否定し，事業譲渡人による会社解散，解雇を有効と判示している。また，東京日新学園事件判決（東京高判平成17・7・13労判899号19頁）は，専門学校を経営する学校法人が経営悪化により，新法人に事業譲渡を行い，当該新法人が事業譲渡法人の雇用していた労働者の大多数を雇用しつつ数名を雇用しなかった事案について，事業譲渡法人と新法人との間の実質的同一性を否定し，また，労働契約承継を主張した者については，新法人による面接の結果が最下位であること，授業の面でも不採用として特に不都合はないことより，その不採用には労働組合壊滅や排除といった事実もないとして，やはり，労働契約承継を否定している。さらに，南海大阪ゴルフクラブほか事件判決（大阪地判平成21・1・15労判985号72頁）も，権利能力なき社団がゴルフ場を経営していたところ，電鉄会社が設立した子会社がゴルフ場の事業を譲受したという事案について，上記電鉄会社（親会社）はもとも

と上記社団にゴルフ場の運営を委託し，元電鉄会社の役員を上記社団の役員に派遣する等，上記社団と密接な関係にはあったものの，上記社団と事業を譲受した当該子会社の独立性が形骸化している実態はないこと，上記社団は会員数 1000 名を超える独立性を持った社団であって，その社員総会，理事会の決議などには独自の判断が必要であったこと等より，上記社団と当該子会社とは法的に一体のものと捉えることはできないと説示し，結論としても，上記社団の労働者であった者の当該子会社に対する賃金請求（労働契約上の地位を前提とする）を否定している。

4. 実務の具体的対応

　事業譲渡とは事業の売却・購入であるから，それ自体はビジネス上の行為であるが，通常の場合，当該事業には労働者が就業しており，その事業が他社に譲渡されつつも労働者の労働契約が譲渡されなかったとしても，労働者の譲渡会社に対する労働契約上の権利が当然に消滅するものではない。ただし，例えば，事業譲渡を契機に，譲渡会社側において，自社を存続させつつ人員削減が行われるような場合，労働者に与える影響が大きい以上，譲渡会社側としては自らの行為（事業譲渡，人員削減）について，合理的な理由を説明できることが求められる。なお，譲渡会社が全事業を廃止（または譲渡）し，会社解散するような場合，会社にも営業廃止の自由が存するので，原則論としては特に合理的な理由を要さないといえるが，何らかの不当な目的（例として，事業に従事していた労働者の一部を恣意的に排除しつつ事業譲受人に事業を継続させるような目的）があるような場合は問題となるため，現実としては，要らぬ嫌疑を受けぬよう，労働者に対する公正な措置が求められる。また，このような不当な目的が認められる場合，事業譲渡人のみならず事業譲受人も，法人格濫用法理の適用などで，労働者に対する雇用責任等を追及されることもあり得る。

　譲渡会社が存続しつつ人員を削減するような場合は，事業譲渡～業務の縮小～必要人員の減少～人員削減，という形式的論理だけでなく，事業譲渡に及んだ合理的な理由を説明できることが望ましい（多くの場合は，譲渡した事業の採算性，事業譲渡の対価の必要性，といったところであろう）。その上で，人員削減を正当化する事実関係（通常は，整理解雇の 4 要素を構成する事実）の整理，主張が問題となる。

> 事業譲渡を行うことおよびその内容（労働契約が事業譲受人に承継されるか否か）は会社の契約自由の範疇であるが，事業譲渡人と譲受人が実質的に同一と認められるような場合には，例外的に，譲受人に労働契約が承継されると認められる場合が存する。
>
> 実質的同一性の判断の要素には，種々のものが含まれるが，資本関係，人事関係（役員構成を含む）といった外形的な要素の他に，事業活動の独立性といった事業内容面が，重要な判断要素の例として挙げられる。すなわち，日常の事業活動（およびその意思決定）において，事業譲渡元および事業譲渡先の各々が独立性を有していることは，両者の実質的同一性に相反する事情となり得るが，それを，どのように説明できるかが肝要であり，ここでも，使用者側弁護士としては，当該使用者の事業・営業の実態を正しく具体的に把握することが有益である。
>
> また，事業譲渡が，例えば一部労働者を恣意的に排除するといったような不当な目的によりなされているような場合，事業譲渡人はもとより，事業譲受人にも，労働者に対する雇用責任が追及されることもあり得る。この場合，Chap. 5 で説明した法人格否認の法理（特に法人格濫用の法理）にも関わることが考えられる。
>
> 事業譲渡会社が全事業を譲渡し，営業廃止・会社解散に及ぶような場合でも，現実には，労働者には公正な取扱いが求められる（例えば，退職条件，再就職先への斡旋において，不合理な格差を設ける等は問題となる）。

実践知！

Ⅳ. 会社分割

1. 会社分割の意義

　会社分割とは，1つの会社を2つ以上の会社に分けることである（菅野・労働法〔12 版〕767 頁）。その会社分割には，元の会社（分割会社）がその事業に関して有する権利義務の全部または一部を分割して新たな会社を設立する新設分割（会社法2条30号）と，元の会社（分割会社）の事業の全部または一部を，既存の別会社に吸収させる吸収分割（会社法2条29号）とが存す

CHAPTER 6 　労働契約の承継　　**47**

る。会社分割は，後述2の会社分割の手続を経て，その事業に関して有する権利義務の全部または一部の部分的包括承継をしてなされる点が事業譲渡とは異なる。したがって，承継される事業に伴う労働契約の承継も包括承継として行われ，会社分割それ自体によっては労働条件に変動もなく，承継される事業に主として従事する労働者についてはその労働者が元の会社に留まる意思を有している場合でも，労働契約が承継される点で，会社合併の場合に類似するが，元の会社（分割会社）が消滅しない点で，会社合併と異なる。

2. 会社分割の法制度

(1) 概要

　会社分割は，分割会社を割り，その事業に関して有する権利義務の全部または一部を他に承継させるものであるので，分割会社の利害関係人（特に債権者）にとって，影響が大きい。そのため，会社法により一定の手続が定められており，その概要は以下の通りである。

(a)　新設分割の場合は分割計画の作成，吸収分割の場合は分割契約の締結（会社法757条，762条）

(b)　分割計画等の書類，分割契約等の書類の本店における備置（同法782条，794条，803条）

(c)　株主総会での特別決議（同法783条，795条，804条）

(d)　債権者への異議申述の公告・催告，異議を述べた債権者への弁済・担保提供等（同法789条，799条，810条）

(e)　分割登記（同法923条，924条）

(f)　分割事項を記載した書面等の事後の開示（同法782条，794条，803条）

　上記(d)の保護手続の対象となる債権者は，一定の要件の上で会社分割の無効の訴えを起こすことができる（会社法828条2項9号，10号）。ただし，「将来の労働契約上の債権を有するに過ぎない労働者には分割無効の訴えの提起権が認められていない」（日本アイ・ビー・エム〔会社分割〕事件判決〔東京高判平成20・6・26労判963号16頁〕）ため，労働者は上記の「債権者」に含まれないと解されている。

⑵ 会社分割による労働契約承継の効果と手続

i 労働契約承継の効果

会社分割とは，分割会社から（新設もしくは既存の）別会社に対して，分割会社の全部の事業または一部の事業を分割して，その事業ごと包括承継するものであり，当該事業に係る労働契約も，当然に，その労働契約内容に変更を加えることなく，労働者の意向に関わりなく，分割会社から新設会社もしくは既存の別会社に承継される。

労働者本人の意思にかかわらず承継されるのは，分割される事業に「主として従事する労働者」に係る労働契約で分割計画に記載されている場合である（会社分割に伴う労働契約の承継等に関する法律〔以下「労働契約承継法」という〕2条1項1号，3条）。「主として従事する労働者」以外の労働者の労働契約は，承継されるものと分割計画に記載された場合でも，異議を述べることで承継されず，希望によって分割会社に残ることができる（労働契約承継法2条1項2号，5条）。一方，分割される事業に主として従事する労働者の労働契約であっても，分割計画に記載されていなければ承継されないが，当該労働者がそれに了承できなければ，異議を述べることで労働契約が承継される（労働契約承継法2条1項1号，4条1項）。

ii 「主として従事する労働者」の判断

前述iのように，分割される事業に「主として従事する労働者」であるか否かは，労働者にとっては重要な法的効果の差異がある。「主として従事する労働者」の判断基準については，労働契約承継法につき厚労省が定めている規則や指針（各々，「会社分割に伴う労働契約の承継等に関する法律施行規則（平成12年労働省令48号）」，「分割会社及び承継会社等が講ずべき当該分割会社が締結している労働契約及び労働協約の承継に関する措置の適切な実施を図るための指針（平成12年労働省告示127号）」。以下，「厚生労働省規則」，「厚生労働省指針」という）により，内容が明らかにされている。その概要は，簡単には以下の通りである。

まず，会社分割時を基本とし

(a) 承継される事業に専ら従事する者は「主として従事する」者とする。

(b) 承継される事業以外の事業にも従事する者は，それぞれの事業に従事する時間，果たしている役割等を総合的に判断する。

(c) 総務，人事，経理，銀行業における資産運用等間接部門に従事する者については，上記(a)，(b)の方法で判断する。

(d)　間接部門に従事する者で，上記(a)，(b)の方法で判断できない者については，それらの労働者を除いた分割会社の雇用する労働者の過半数の労働者が新設会社または既存の別の会社に承継される場合には，それらの労働者も「主として従事する」者とする。

　また，分割計画以前において分割会社が承継される事業以外の事業に一時的に主として従事するよう命じられた者，休業を開始した者その他分割計画時に主として従事していない者のうち，分割計画時後に上記の承継される事業に主として従事することが明らかな者については，「主として従事する」者とする。

(3)　労働契約承継の手続

　会社分割において生ずる労働契約の承継は，当該労働者にとっては自己の意思にかかわらず生ずるものであることに鑑み，労働契約承継法は，会社と労働者との協議を尽くさせるべく，大要，以下の通りの規定を設けている。

i　労働契約承継法7条の措置（7条措置）

　会社分割の背景および理由，分割会社，分割される事業の受け手の新設会社もしくは既存の別会社が負担する債務の履行の見込み，分割される事業に主として従事する者の判断基準，労働協約承継に関する事項，会社分割にあたり分割会社・新設会社および既存の別会社と労働組合・労働者との間に生じた労働関係上の問題解決のための手続等について，すべての事業場において，労働者の過半数を組織する労働組合または過半数を代表する者との協議を行い，労働者の理解と協力を得るように努めなければならない（労働契約承継法7条）。ただし，この義務は努力義務に止まり，この不履行により，即，会社分割に伴う労働契約承継の効力が否定されるといったことはない（日本アイ・ビー・エム〔会社分割〕事件判決〔最判平成22・7・12労判1010号5頁〕）。また，この7条措置は，後述ⅱの5条協議とは異なり，分割会社の労働者全体の理解と協力を得るべく，その代表者と協議すべき措置である。

ⅱ　商法等改正法附則5条の協議（5条措置）

　分割会社は，分割する事業に関わる労働者（つまりは，会社分割により労働契約が承継される労働者）を定めていく段階で，労働契約承継法2条3項規定の通知をすべき日（株主総会の2週間前の日の前日）までに，承継される事業に従事する労働者の労働契約が承継されるか否かを個別の労働者に説明し，個別の労働者の希望を聞いた上で労働契約を承継することとなるか否かを協

議しなければならない（平成12年商法等改正法附則5条1項）。ただし，あくまで協議であるので，十分な協議の結果同意を得られなかったとしても，5条協議違反になるということではない。この5条協議について，前記厚生労働省指針は，個別労働者が勤務することとなる会社の概要，個別労働者が「主として従事する」者に該当するか否かの考え方等を十分に説明し，労働契約を承継するとした場合とそうでない場合との，個別労働者が従事することを予定する業務内容，就業場所その他の就業形態等について協議することを求めている。

この5条協議を懈怠した場合については直接の規定はないが，5条協議が行われなかったか，行われたとしても分割会社からの説明，協議が著しく不足している場合には，当該労働者は労働契約承継の効果を争うことができると解されている（日本アイ・ビー・エム〔会社分割〕事件判決〔最判平成22・7・12労判1010号5頁〕）。

iii 労働者，労働組合への通知

分割会社は，株主総会の2週間前の日の前日までに，承継される事業に従事する労働者およびそうでなくとも新設会社または既存の別会社に労働契約が承継される労働者各人に対し，分割契約において労働契約に承継される対象とされたか否か，異議申出期限，個別の労働者が主として従事する者かそうでないのか，承継される事業の概要，分割会社および新設会社または既存の別会社の概要（名称，所在地，事業内容等），分割効力日，分割日以後の個別の労働者の業務内容，就業場所，その他の就業形態等々を通知しなければならない（労働契約承継法2条1項，3項，同法施行規則1条）。

また，分割会社は，労働協約を締結している労働組合に対しても，承継される事業の概要，分割会社および新設会社または既存の別会社の概要（名称，所在地，事業内容等），分割効力日，承継される労働契約の範囲，承継される労働協約の内容等々を通知しなければならない（労働契約承継法2条2項，同法施行規則3条）。

以上からわかるように，実務上，紛争の焦点となりやすいのは，上記iiの5条協議ではあるが，他の手続もゆるがせにしてよいというわけではない。

3. 裁判例

(1) 労働契約承継肯定例

裁判例としてまず挙げられるのが，日本アイ・ビー・エム（会社分割）事

件判決（最判平成22・7・12労判1010号5頁）である。これは，分割会社がその一部門の事業を別会社に承継させる会社分割を行った際，当該一部門が行っていた事業に主として従事していたとして，別会社に自らの労働契約が承継される者と分割計画書に記載された労働者が，労働契約承継の効力を争い，分割会社との労働契約上の地位の確認等を求めた事案であり，結局，最高裁判決に至り，以下の通りの解釈が説示された。すなわち，会社分割の労働契約承継について，分割会社が行うべき手続には前述2(3)の商法等改正法附則5条1項の手続（5条協議。5条措置ともいう）と労働契約承継法7条の手続（7条措置）が存するが，まず5条協議については，「法は，労働契約の承継につき…定める一方で，5条協議として，会社の分割に伴う労働契約の承継に関し…労働者と協議することを分割会社に求めている（商法等改正法附則5条1項）。これは，…分割会社が…承継される営業に従事する個々の労働者との間で協議を行わせ，当該労働者の希望等をも踏まえつつ分割会社に承継の判断をさせることによって，労働者の保護を図ろうとする趣旨に出たものと解される」，「承継法3条所定の場合には労働者はその労働契約の承継に係る分割会社の決定に対して異議を申し出ることができない立場にあるが，上記のような5条協議の趣旨からすると，…上記立場にある特定の労働者との関係において5条協議が全く行われなかったときには，当該労働者は承継法3条の定める労働契約承継の効力を争うことができる…。また，5条協議が行われた場合であっても，その際の分割会社からの説明や協議の内容が著しく不十分である…場合には，…当該労働者は承継法3条の定める労働契約承継の効力を争うことができる」と説示し，5条協議が形式的のみならず実質的にも著しく不履行だった場合には，労働契約承継の効力が否定されることとなると説示している。同判決は，その一方で，7条措置については，「分割会社は，7条措置として，…その雇用する労働者の理解と協力を得るよう努めるものとされているが（承継法7条），これは分割会社に対して努力義務を課したものと解され，これに違反したこと自体は労働契約承継の効力を左右する事由になるものではない」として，その有無・程度は直接には労働契約承継の効力を左右するものではないが，「7条措置において十分な情報提供等がされなかったがために5条協議がその実質を欠くことになったといった特段の事情がある場合に，5条協議義務違反の有無を判断する一事情として7条措置のいかんが問題になる」ともしており，間接的には労働契約承継に影響を及ぼし得るとしている。換言すれば，例え

ば労働者代表者に対して充実した資料を元に丁寧な手続をもって7条措置を履践すれば，実務としては，自ずと上記資料や説明は5条協議の場合にも一部活用できるであろうし，5条協議の達成についても事実上プラスに働くのが一般といえよう。なお，同判決の具体的な結論としては，労働契約承継の効力の有無を左右する5条協議につき，不十分とはいえないとして労働者らの主張（分割会社との労働契約上の地位の確認）を斥けており，その理由としては，分割会社は，まず7条措置として従業員代表者への会社分割の目的と背景，承継される労働契約の判断基準等の説明に用いた資料を使用し，かつ，労働契約承継に賛成しない従業員に最低3回の協議を行い，当該裁判を提起するに至った労働者らを代理する労働組合との間に7回の団体交渉を行うとともに書面のやり取りも行い，労働契約が承継されることとなる会社の概要や労働契約承継の有無の判別結果を伝え説明するなどしており，これらが5条協議の説明事項につき規定している厚生労働省指針の趣旨にかなっていることを説示した（私見ではあるが，この判決を通読して筆者が思うことは，最高裁判決の論理的明快さと結論の妥当性への丁寧な配慮である。分割会社から新設会社等への労働契約承継を定めた労働契約承継法3条と5条協議の趣旨を勘案し，5条協議が労働契約承継の前提となっており，その不履行は労働契約承継を否定しかねないとする一方で，7条措置については，理屈からいっても個別の労働者にではなく労働者全体への対応であることからか，個別の労働契約承継の効力を左右するところではないと判断するなど，極めて理論の上でも結論の上でも明瞭かつ妥当なものと思われる）。

(2) 労働契約承継否定例

否定例の裁判例としては，エイボン・プロダクツ事件判決（東京地判平成29・3・28労判1164号71頁）が挙げられる。これは，会社分割（新設分割）により自社工場を分社化したところ，会社分割により設立された新設会社へと労働契約を承継するとされた労働者が，その労働契約の承継の効力を争った事案である（なお，当該新設会社は，1年半後に解散し，当該労働者は失職に至っている）。上記判決は，まず一般論として，「商法等改正法附則5条1項に基づく労働契約の承継に関する協議（5条協議）が全く行われなかった場合，又は，上記協議が行われたものの，その際の当該会社からの説明や協議の内容が著しく不十分であるため法が上記協議を求めた趣旨に反することが明らかな場合には，当該労働者は当該承継の効力を争うことができ…るもの

と解される」と前掲日本アイ・ビー・エム（会社分割）事件判決を踏襲した上で，5条協議等の内容等については，厚生労働省指針に沿って行われたものであるか否かも十分に考慮されるべき，と説示した。その上で，事案への当てはめとしては，「①…社長が…一定の役職にある者や，その他の一般従業員に対し，OEM市場への参入等によるビジネス拡大を実現するために本件会社分割を実施することを決定した旨を公表したほか，②B工場長が，…工場での朝礼で，原告［註：労働契約が承継されるとした労働者］を含む従業員に対し，OEM市場への参入等を目的として同工場が分社化されるが，従業員の労働条件（勤務場所，業務内容及び賃金の額等）には特段変更がない旨を説明し，③さらに，…通知書で，原告について，その労働契約が被告［註：分割会社］からA社に承継されることが決定された旨を通知した後であるが，同月7日，被告の人事労務担当者…が，…工場の従業員に対し，被告の生産・物流本部に属する従業員全員の労働契約がA社に承継されること，労働契約を承継されない者については一定の期間異議申立てをすることができるが，労働契約を承継されると決定された者については承継されたくない旨を申し立てることはできないこと，何か不明な点があれば個別の質問を受け付ける旨を説明したこと」より，「被告は，本件会社分割に係る事項について承認する株主総会の開催日から逆算して当初想定される通知期限日までに，原告に対して，少なくとも，本件会社分割の目的…や，それによる労働条件（勤務場所，業務内容及び賃金の額等）の変更が特段ない旨を大まかに説明していた」とはしたものの，「結局のところ，原告とB工場長との間の個別の話合いにおいては，リストラや，労働組合に加入してリストラに抗うことでもって不利益を被る蓋然性が高いことを示唆される中で，労働組合を脱退することと引替えに労働契約のA社への承継の選択を迫られたにすぎず，そのような話合いの内容は，原告が労働契約をA社に承継されることに関する希望の聴取とは程遠く，これをもって5条協議というに値するか甚だ疑問であるし，少なくとも，法が同協議を求めた趣旨に反することが明らかであると認められる」とし，当該労働者は労働契約承継の効力を争うことができる，とした。すなわち，会社分割における5条協議とは，労働者集団に対する一方的な公表，説明（上記判決での社長，工場長による説明）では足りず，個別の面談による必要があり，その内容としても個々人の意向を丁寧に聴取した上で協議を行う必要がある，ということである。

4. 実務の具体的対応

　会社分割は，労働者個々人の意思によらずに，分割して移動する事業に主として従事する労働者の労働契約を承継せしめる（つまりは契約相手方である使用者を変更せしめる）効力を有している。これは，労働者に相当なリスクを負わせるものであることを使用者としても重々自覚すべきであることを理解しつつ，前掲エイボン・プロダクツ事件判決の通り，前記厚生労働省指針に沿い，万全を期して5条協議を行うことが肝要である。また，会社分割は，企業の再編（例えば分社化による事業の独立採算性の実現，ひいては事業の効率性の向上など）といった企業目的のためには有用な手段であるが，その濫用は厳に避けるべきである。例えば，労働組合員など，使用者が恣意的に選んだ労働者を分割会社より排除して新設会社に承継させた上で新設会社を閉鎖せしめる，などといった所為は，事実上，分割会社による不当解雇の潜脱に過ぎず，違法性を有することはもちろんである（ほぼこれに当てはまる実例として，生コン製販会社経営者ら〔会社分割〕事件判決〔大阪高判平成27・12・11労判1135号29頁〕がある）。

　最後に，会社分割における労働契約承継については，前述3で紹介した裁判例で焦点となった5条協議の問題以外にも，会社分割により分割，承継される事業に主として従事する労働者（つまりは，労働契約が承継される労働者）の範囲が争われる場合の判断基準の問題もあるし，さらにいえば，労働契約承継が行われてから比較的短期間（例えば1年以内とか）に，労働契約承継先の会社において労働条件の不利益変更や人員整理があった場合の法効果等の問題も生じ得る。その意味で，会社分割と労働契約承継に関しては，司法が未判断の問題点は少なくない。

実践知！

　会社分割においては，まずは，厚生労働省指針に沿って丁寧に5条協議を尽くすことを心掛けるべきである。それを怠ると，会社分割の予定する労働契約承継の効力が否定されることがある（5条協議の履行には，7条措置の履行も，実務上，有意である場合もあろう）。5条協議を尽くす際には，尽くしたことを証跡に残すことが肝要であり，実務的には，一定の資料をもって説明（具体的内容を持った書面や資料の交付・共有）することが有用である。

5条協議は，原則としては，労働者全体への説明，協議に留まらず，個々人との面談において，その意向の聴取と協議を行うべきである。

会社分割の実務は，会社分割の効力発生時期の調整，承継される事業と従業員の範囲の調整，会社分割とは無関係の人事異動との調整，労働契約の承継とともに事実上避けられない新会社における労働条件の調整といったような，使用者側の事情により，それこそ事案ごとに異なる実務的な調整が求められる（感覚としては，マルチタスク的な処理が必要といえる）。それを，ある時は法的手続きに沿って，ある時は合意によって進めていくといった，一見，方針として一貫しないように見える方策の選択が肝要となる。

なお，会社分割には，労働契約が承継される労働者の範囲という後の司法判断が待たれる問題があり，特に，人事部や総務部といった間接部門の労働者について簡明には判断できない場合がある。この判断においても，各使用者およびその事業の実情を踏まえた上で，承継が問題となる労働者の業務の解析を行うことが有益である。

CHAPTER

07 試用期間

I. 問題の所在

　いったん成約した労働契約を使用者から解約するには，それが期間の定めのない労働契約の場合，客観的に合理的な理由を欠き社会通念上相当であると認められない場合には認められないこととなるし（労契法16条），期間の定めがある場合には「やむを得ない事由がある場合」でなければ，期間中途で解約することはできない（労契法17条）。しかし，使用者としては，採用手続における短期間の観察で，採用者の適性を正確に把握・評価することは困難なことが少なくなく，採用後の一定期間を評価期間として就業させることで，採用者に本当に適性があるか否かを判断することが必要な場合がある。この一定期間が社会的にいう試用期間である（各労働契約によるが，試用期間は，通常，1〜6か月が一般的であり，実務的に一番多くみられるのは3か月である）。使用者としては，採用した労働者が適性に欠けると判断すれば，本採用を拒否するということとなり，そうでなければ，試用期間満了時に本採用ということとなる。

　紛争としては，試用期間中もしくは満了時に使用者側からの本採用拒否があった場合，労働者側が，労働者としての地位，権利を主張することで起こるのが一般的である。

II. 試用期間および本採用拒否の法的性質，有効性の判断基準の考察

1. 試用期間の法的性質

　試用期間中の契約関係（試用契約）の法的性質には諸説が存するが，実務においては，試用期間があってもその当初より通常の労働契約であり，試用期間中に従業員としての適性が否定された場合には解約し得る解約権が大幅に留保されている契約であるとする説（解約権留保付労働契約説）が一般である（荒木・労働法〔4版〕372頁）。この説によれば，試用期間中の解約はも

CHAPTER 7　試用期間　　57

ちろん，試用期間満了後の本採用拒否も解雇に類似のものとなり，一定の制約を受けることになる。もっとも，本採用拒否は，解約し得る権利が留保された解約権の行使ということになるから，本採用後の解雇と同様には解し得ない（本採用後の解雇よりは，解雇が認められやすいこととなる）。

裁判例を見ても，試用期間の法的性質について触れた代表的裁判例である，三菱樹脂本採用拒否事件判決（最判昭和 48・12・12 労判 189 号 16 頁）は，「試用契約の性質をどう判断するかについては，就業規則の規定の文言のみならず，当該企業内において試用契約の下に雇傭された者に対する処遇の実情，とくに本採用との関係における取扱についての事実上の慣行のいかんをも重視すべき」，「大学卒業の新規採用者を試用期間終了後に本採用しなかった事例はかつてなく，雇入れについて別段契約書の作成をすることもな」いという事実関係においては，当該事案の「雇傭契約を解約権留保付の雇傭契約と認め，右の本採用拒否は雇入れ後における解雇にあたる」との原審判決（東京高判昭和 43・6・12 労判 61 号 2 頁）の説示を正当と判示している。

2．本採用拒否の有効性

前述 1 の通り，試用期間中およびその満了時の本採用拒否の法的性質が解雇であると解されるとなると（ただし，通常の解雇と同様には解されない），本採用拒否も解雇を制約する法規（労契法 16 条，17 条）の適用を受けることとなり，当該事案において，無効とされる場合もあり得る。そこで，使用者側弁護士としては，本採用拒否が問題となる紛争に遭遇した場合，当該本採用拒否（≒解雇）の有効・無効について的確に判断できる必要がある。そこで以下に，裁判例を俯瞰する。

まず，有効・無効の判断基準について述べた裁判例を挙げれば，以下の 2 つの最高裁判例となる。

前掲三菱樹脂本採用拒否事件判決（最判昭和 48・12・12 労判 189 号 16 頁）は，試用期間を解約権留保付労働契約と解した上で，「解約権の留保は，…採否決定の当初においては，…適切な判定資料を十分に蒐集することができないため，後日における調査や観察に基づく最終的決定を留保する趣旨でされるものと解される…，…それゆえ，右の留保解約権に基づく解雇は，これを通常の解雇と全く同一に論ずることはできず，前者については，後者の場合よりも広い範囲における解雇の自由が認められてもしかるべき」，「しかしながら，…前記留保解約権の行使は，上述した解約権留保の趣旨，目的に照

らして，客観的に合理的な理由が存し社会通念上相当として是認されうる場合のみ許される…換言すれば，企業者が，採用決定後における調査の結果により，または試用中の勤務状態等により，当初知ることができず，また知ることが期待できないような事実を知るに至つた場合において，そのような事実に照らしその者を引き続き当該企業に雇傭しておくのが適当でないと判断することが，上記解約権留保の趣旨，目的に徴して，客観的に相当であると認められる場合には，さきに留保した解約権を行使することができるが，その程度に至らない場合には，これを行使することはできない」と判示している。また，神戸弘陵学園事件判決（最判平成2・6・5労判564号7頁）も，「解約権留保付雇用契約における解約権の行使は，解約権留保の趣旨・目的に照らして，客観的に合理的な理由があり社会通念上相当として是認される場合に許される」，「通常の雇用契約における解雇の場合よりもより広い範囲における解雇の自由が認められてしかるべき」と判示している。

このような基準（「解約権留保の趣旨・目的に照らして，客観的に合理的な理由があり社会通念上相当として是認される場合」に本採用拒否は有効）を前提に，実際に具体的事案への適用についての裁判例を，以下にいくつか挙げてみる。

まず，本採用拒否を有効と解した裁判例として，ブレーンベース事件判決（東京地判平成13・12・25労経速1789号22頁）は，試用期間者が緊急の業務指示に対し応じない態度でいたこと，採用面接時にはパソコンに精通していると申告していたにもかかわらず採用後には満足に使用できなかったこと，重要な商品発表会の翌日には重要な業務（お礼の電話をかける，商品販売交渉の段取りを行う）があり，社員は必ず出勤する慣行になっていたのに2回休暇をとったこと，といった事由がみられた事案において，本採用拒否を有効とした。

一方，本採用拒否等を無効にした裁判例として，まず，オープンタイドジャパン事件判決（東京地判平成14・8・9労判836号94頁）は，取締役への昇進が予定されていた事業開発部長という高級管理職として採用された試用期間中の者に関する事案につき，業務遂行の状況は不良とはいえないこと，たとえ事業開発部長としての能力が使用者の期待通りではなかったとしても，2か月弱でそのような職責を果たすことは困難であり，雇用を継続した場合に職責を果たせなかったであろうとは認められないこと等を理由に，上記試用期間中の者に対する解約権の行使を無効とした。また，ニュース証券事件判決（東京地判平成21・1・30労判980号18頁）は，6か月の試用期間が設け

られていたにもかかわらず，業務開始後3か月の成績不振等を理由に試用期間中に解約された証券会社の営業職に対する解約権の行使を無効とした。これらをみるに，使用者としては，試用期間中の解約権行使は，試用期間満了時における本採用拒否に比較しても，より慎重に考える必要があると思われる。

3. 試用期間の長さ

　試用期間は，あくまで，採用した者の適性を見極めるためのものである以上，その目的に鑑みて過度に長期間であることは問題があり，「一定の合理的期間」でなければならない。もっとも，法的に具体的制約があるわけではなく，各事案により裁判例の判断を元に考察される。この点に関わる裁判例として，ブラザー工業事件判決（名古屋地判昭和59・3・23労判439号64頁）は，中途採用者は全て見習社員として採用され，採用時から6か月経過後に3か月ごとに行われる試用社員登用試験に3回以内に合格したら試用社員となった上で（合格しなければ解雇），試用社員となった者はその6か月後から3か月ごとに行われる社員登用試験に3回以内に合格すれば社員になる（ここでも合格しなければ解雇），といった制度が設けられていた状況にあって，試用社員にまでは登用されたものの社員登用試験に3回不合格となり解雇となった者について，「少なくとも女子の現業従業員の場合は，見習社員としての試用期間（最短の者で6か月ないし9か月，最長の者で1年ないし1年3か月）中に，『会社従業員としての会社における業務に対する適性』を会社が判断することは充分可能」，「従って，…試用社員としての試用期間は，その全体が右の合理的範囲を超えている」と判示し，使用者の試用期間における解約権留保の特約を公序良俗に反し無効と判断し，結論も解雇無効とした。付言すれば，上記判決では，現業従業員である旨が判示の中に散見され，特別な技能等を要さず，適正に出勤・就業していれば適性を認めることができ，それほど長期の試用期間を要さない，との判断があったと思われる。

4. 試用期間の延長をめぐる裁判例

　まず，前提として，就業規則に規定する試用期間よりも長期の試用期間を設けることについては，光洋精工解雇事件判決（徳島地判昭和45・3・31労民集21巻2号451頁）は，試用期間を2か月と定める就業規則がある場合は，試用期間を1年と定める労働契約は，就業規則の労働条件より不利益なも

のであるから旧労基法93条（現労契法12条）違反として無効としている。

　もっとも，使用者としては，就業規則で定められた試用期間がいったんは経過しても，その従業員の適性につき判断しがたい場合もある。そこで，以下のような紛争例および裁判例が生じてきている。

　まず，大阪読売新聞社事件判決（大阪高判昭和45・7・10労判112号35頁）は，採用者の勤務成績に問題があるとされた事案について，試用期間の延長が認められる場合について，「既に社員として不適格と認められるけれども，なお本人の爾後の態度（反省）如何によつては，登用してもよいとして即時不採用とせず，試用の状態を続けていくとき，…即時不適格と断定して企業から排除することはできないけれども，他方適格性に疑問があつて，本採用して企業内に抱え込むことがためらわれる相当な事由が認められるためなお，選考の期間を必要とするとき」と判示している。また，採用者の勤務態度が不良であるとして2度にわたり試用期間を延長した上で，なお態度が改まらず解雇に及んだ事案である雅叙園観光事件判決（東京地判昭和60・11・20労判464号17頁）も，1度目の試用期間延長について「試用期間満了時に一応職務不適格と判断された者について，…更に職務適格性を見いだすために，試用期間を引き続き一定の期間延長することも許される」としており，前掲大阪読売新聞社事件判決の判示と同様に解している。ただし，試用期間の延長は，就業規則などで延長の可能性，事由，期間などが明定されていなければ，原則として認められないと一般的に解されていることには注意を要する（菅野・労働法〔12版〕243頁）。

5. 有期労働契約が試用期間と解釈された裁判例

　実務では，まず有期労働契約を締結し，その期間中に従業員として適性ありと認められたら，有期労働契約期間満了時に期間の定めない労働契約が締結される，という運用をとる場合が存する。この場合，労働者によっては，最初の有期労働契約の終了時に，期間の定めのない労働契約が締結されないことがあり，当該労働者側より，労働契約上の地位を主張して紛争となることがある。直接的には有期労働契約の雇用に関する紛争なのであるが，法的には試用期間の解釈が問題となる裁判例も存するのでここで挙げておく。

　このような場合につき，神戸弘陵学園事件判決（最判平成2・6・5労判564号7頁）は，常勤講師が使用者より，最初の契約を期間1年の有期契約とした上で，その間の勤務状態をみて期間の定めなく再雇用するか否かの判定を

する旨の説明を受けていたところ，最初の契約期間1年間の終了時に，再雇用されることなく雇用を終了された事案について，「使用者が労働者を新規に採用するに当たり，その雇用契約に期間を設けた場合において，その設けた趣旨・目的が労働者の適性を評価・判断するためのものであるときは，…特段の事情が認められる場合を除き，右期間は契約の存続期間ではなく，試用期間であると解するのが相当である…試用期間中の労働者が試用期間の付いていない労働者と同じ職場で同じ職務に従事し，使用者の取扱いにも格段変わったところはなく，また，試用期間満了時に再雇用（すなわち本採用）に関する契約書作成の手続が採られていないような場合には，他に特段の事情が認められない限り，これを解約権留保付雇用契約であると解するのが相当である」と判示した。その上で，仮に上記の説示する特段の事情が認められず雇用契約期間（1年間）が試用期間であると解された場合に，当該事案が試用期間に留保された解約権の行使が許される場合であるか否かについての審理を尽くさせるべく，事件を原審（大阪高裁）に差し戻すに及んだ（もっとも有力学説からは，批判的に評されている〔菅野・労働法〔12版〕241頁〕）。

下級審裁判例のうち，有期労働契約について，実質的に試用期間であると解した例としては，愛徳姉妹会（本採用拒否）事件判決（大阪地判平成15・4・25労判850号27頁）があり，これも，採用時に有期労働契約（契約期間1年）が締結された趣旨・目的が労働者の適性を評価・判断することにあると認められる場合には，「特段の事情」なき限り当該有期労働契約期間は試用期間であると解するのが妥当であると判示した上で，当該労働者が有期労働契約を締結するまでの3年度，毎年職員を採用していることから，当該労働者を採用した年度に限って期限付きの職員を採用する必要は認めがたいこと等の諸事実より，使用者と当該労働者との間には，契約期間満了をもって契約が当然に終了するといった「特段の事情」は存しないとした。さらに，同趣旨の下級審裁判例としては，龍澤学館事件判決（盛岡地判平成13・2・2労判803号26頁）も挙げられる。

逆に，有期労働契約につき，実質的に試用期間には当たらないと解した例としては，ロイター・ジャパン事件判決（東京地判平成11・1・29労判760号54頁）があり，これは，有期労働契約（契約期間1年）が締結された際に，使用者担当者が，採用者の勤務成績によっては契約更新あるいは正社員としての採用を考慮したものの，使用者側としては契約期間中の中間のパフォー

マンス・レビュー時においては期間満了後については白紙状態と考えていたこと，正社員には3か月の試用期間が定められているが契約社員には適用されていないことおよび使用者担当者もそれを認識していたこと等より，使用者側の認識としては，勤務態度によっては正社員として採用することもあり得るという程度の認識であったというべきである点で前掲神戸弘陵学園事件判決とは事案が異なるとした。加えて，前掲神戸弘陵学園事件判決は有期労働契約を締結した多数の者の雇用継続を当然に予定していた事案であった一方で，当該事案にはそのような事情は窺えず，当該従業員の勤務態度がよければ，正社員として採用するというのはあくまで契約終了，契約更新，正社員としての採用という3つの選択肢の一つに過ぎなかったというべきであり，上記有期労働契約につき試用期間とみることができる程度に正社員としての採用の期待を当該従業員に抱かせるものではなかった，とも判示している。

Ⅲ．実務の具体的対応

　試用期間をめぐる争点は前述Ⅱの通りかなり広範囲にわたるので，まず，実際に遭遇した事案が前述Ⅱ2〜5（1はその前提としての法的性質論である）のいずれの論点が問題となる事案であるかを見極めることが出発点である（これを間違えたら，法的判断の俎上にも載らない）。その上で，前述Ⅱの裁判例に沿って使用者側の主張が法的に通るか否かを判断することとなる。
　そのうち，特に前述Ⅱ2（本採用拒否の有効性）などは，一応，本採用拒否は普通解雇よりは解雇が認められやすいとはされてはいるが，どの程度認められやすくなるかは裁判例をみても判然とせず，実務としては，本採用前に相談を受けた場合であれば，普通解雇に準ずるような準備（注意・指導の繰り返し，当該従業員の問題点を証明する材料の確保等）を行ってから本採用拒否を行うのが適切であろう。ただし，本採用拒否後に相談を受け始めた場合には，通常の普通解雇の場合でも挙がりそうな事由だけでなく，特に本採用拒否が普通解雇よりも広く認められなければならない事由（採用時には判明しなかった問題点であり，かつ，使用者にとっては重大なものであること等）を使用者からのヒヤリング等により聴取する，といった作業が必要となる。

実践知！

　試用期間中でも満了時でも，当然に解雇ができるわけではない。むしろ，実務的には普通解雇と同程度の準備をもって紛争に臨むことが妥当である。

　また，有期雇用の後に無期雇用が続くことが構造的に予定されているような場合，有期雇用自体が試用期間と解釈されることもある。そもそも試用期間と解されるか否かの判断においては，当該有期労働契約が，当該労働者の適性の評価・判断をどの程度目的としているかが重要だが，その背景事実として，当該有期労働契約の後の正社員登用がどの程度想定されていたか，が判断の分かれ目の一つになると思われる。よって，事実上，当該使用者が有期契約労働者をどのように取り扱っていたか（有期契約労働者の多くが，有期労働契約後に無期契約労働者に登用されていたというような実態があるか）などの事情がポイントになることはいうまでもない。

CHAPTER

08 賃金（残業の問題を含む）

労働契約は，原則として，労働者が労働時間において使用者に対して労務を提供し，その対価としての賃金を得るということを根幹としている。そのため，労働契約における最も基本的な労働条件は，賃金，労働時間，労務の内容（業務内容）であるということができる。そこで，本章では，その３つの要素のうち，一番労働者にとって切実であり，解決に時間を要すると思われる賃金に関する紛争について，検討することとする。なお，労働紛争において，賃金に関する紛争は，労働時間に関する紛争と並んで，多種多様であるため，多くの類型について触れるのは困難であり，実務上，比較的多発する類型に絞って言及することとする。

I．残業代に関する紛争

1．問題の所在

労働契約関係における賃金に関する紛争で，近年の実務上，まず目につくのは，残業代に関する紛争である。無論，請求するのは労働者側であり，請求されるのは使用者側である。ここで，残業についての意味を確認しておくと，広い意味では，実務上，残業とは，労働契約上の所定労働時間（労働契約上，労働するように規定された時間）以外に行う労働，および所定労働日（労働契約上，労働するように規定された日）以外に行う労働を含めていうことが多い。なお，労働法上は，時間外労働とは，労基法32条による，1日8時間，1週40時間の労働時間規制を超える労働をいい，休日労働とは，週1日の法定休日における労働をいう（菅野・労働法〔12版〕502頁）。しかし，ここでは，実務における紛争の原因として，所定賃金以外の賃金の支払が問題となるかどうかという見地より，「残業」と捉えることとする。

残業代に関する紛争の背景としては，労働時間についての使用者と労働者との認識の差異から生ずるのであるが，差異が生ずる対象について，主なものを，若干，具体的に挙げると，

(a) 労働をしていた時間帯（労働時間の長さ）

(b) そもそも残業代が必要な労働時間になるか否か（換言すれば，労働者が指揮命令下にあるか否か）

(c) 残業代の支払が必要な場合であるか否か（事業場外みなし，固定残業代制，管理監督者の該当性等の問題）

といったものが挙げられる。

そこで，次項以降では，そういった紛争例についての対応（主に法的判断）につき，言及していくこととする。

2. 労働している時間帯が問題となる紛争類型

(1) 労働時間の把握

いうまでもなく，所定労働時間外の労働という事実がなければ，残業代の支払義務は生じ得ない。そこで，当該労働者の労働時間の適正な把握が最初に問題となる。

この点につき，使用者側弁護士が最初に認識しておかねばならないのは，厚生労働省が出している「労働時間の適正な把握のために使用者が講ずべき措置に関するガイドライン」（https://www.mhlw.go.jp/file/06-Seisakujouhou-11200000-Roudoukijunkyoku/0000149439.pdf）の「4 労働時間の適正な把握のために使用者が講ずべき措置」の部分である。なお，従前，労働時間の適正な把握のための指針とされてきた「労働時間の適正な把握のために使用者が講ずべき措置に関する基準について」（平成13・4・6基発339号）は，平29・1・20基発0120号3号により廃止されている（ただし，上記ガイドラインは，廃止された上記基準と大きくは異なるものではない。）。

ガイドラインの詳細は，上記ページを参照されたいが，特に注意すべき重要部分を抜粋しつつ説明すれば，大要，以下の通りである。

(a) 使用者は，労働者の労働日ごとの始業・終業時刻を確認し，これを記録すること。

(b) 始業・終業時刻を確認し，記録する方法としては，原則として次のいずれかの方法によること。

ア 使用者の自らの現認

イ タイムカード，ICカード，パソコンの使用時間の記録等の客観的な記録

(c) 上記(b)の方法によることなく，自己申告制によりこれを行わざるを得ない場合，使用者は次の措置を講ずること。

ア　本ガイドラインを踏まえ，労働時間の実態を正しく記録し，適正に
自己申告を行うことなどについての，自己申告制の対象となる労働者
に対する十分な説明

イ　自己申告制の適正な運用を含め，本ガイドラインに従い講ずべき措
置についての，労働時間を管理する者に対する，十分な説明

ウ　自己申告により把握した労働時間が実際の労働時間と合致している
か否かについて，必要に応じた実態調査と所要の労働時間の補正（特
に，入退場記録やパソコンの使用時間の記録など，事業場内にいた時間の
分かるデータを有している場合に，労働者からの自己申告により把握した
労働時間と当該データで分かった事業場内にいた時間との間に著しい乖離
が生じているとき）

エ　自己申告した労働時間を超えて事業場内にいる時間について，その
理由等を労働者に報告させる場合における，当該報告が適正に行われ
ているかについての確認（休憩や自主的な研修，教育訓練，学習等であ
るため労働時間ではないと報告されていても，実際には，使用者の指示に
より業務に従事しているなど使用者の指揮命令下に置かれていたと認めら
れる時間については，労働時間として扱うこと）

　本来，訴訟においては，原告がその請求の要件事実を主張・立証するのが
原則であり，残業代訴訟においても，一次的には残業時間を労働者の側で主
張・立証することとなるが，上述の通り，使用者側に，労働時間を適正に把
握する義務があるので，残業代訴訟においては，使用者側としては，請求し
てきた労働者の労働時間について，自らの側でも自らが把握している労働時
間数を明らかにしなければならないこととなりがちである。残業代訴訟の使
用者が，請求してきた労働者の労働時間を適切に管理していなかった場合で
も，即，使用者側が敗訴するというものでもないが，本来，義務として行う
べきだった労働時間の適正な管理を怠ったということは，使用者にとって事
実上不利に働くことは少なくない。そうした裁判例については，(2)で後述す
る。

(2)　裁判例の俯瞰

　労働時間の把握が問題となった裁判例について，若干，触れておく。まず，
日本コンベンションサービス（割増賃金請求）事件判決（大阪高判平成12・
6・30労判792号103頁）は，使用者側が残業代を請求してきた労働者の一

部に対しタイムカードを打刻させていなかった事案における残業代（時間外労働割増賃金）の算定について，「時間外労働時間は変動するものであり，個人差もあるから，その推計は容易ではない。しかし，第一審原告 X_1 及び同 X_{15} ［註：労働者］が，同人らが主張している労働時間…の 2 分の 1 の時間外労働にも従事していないなどということは，…他の第一審原告らの労働状況に照らしても考えられない」と判示し，当該従業員主張の時間外労働の半分につき，残業代請求を認容している。なお，タイムカードの記録があるような場合については，丸栄西野事件判決（大阪地判平成 20・1・11 労判 957 号 5 頁）は，「被告［註：使用者］は，原告［註：労働者］の実労働時間がタイムカードの記載より少ない旨主張するが，可能性を指摘するにとどまるもので，喫茶店での休憩や業務外でのインターネットの使用等を裏付ける証拠は見あたらない」などとし，タイムカードの記録に基づいて，労働時間（時間外労働を含め）を算定している（他にも，タイムカードの記録通りに労働時間を算定したものとして，京電工事件判決〔仙台地判平成 21・4・23 労判 988 号 53 頁〕がある）。

3. 実務の具体的対応

使用者側にとって，労働時間を把握していないという事態は，場合によっては，本来の必要以上に残業代の支払いを強いられるという危険を含むものとなる。一方，後述する，残業代の支払いが必要なくなる管理監督者（労基法 41 条 2 号）に該当する労働者に対しては，むしろ勤怠の自由を認め厳格には時間管理をしないことが一般であるから，使用者が管理監督者だと認識していた者が，法的に管理監督者と認められなかった場合，労働時間の把握が困難という事態が生じ得る。この場合，パソコンを貸与されている（あるいは自己のパソコンを使用している）労働者であれば，そのログイン，ログオフの時刻を手掛かりに労働時間が認定されることが多い。使用者側の率直な実感としては，ログインとログオフの間中，労働していたわけではないという認識を持たざるを得ない事例が少なくないのであるが，前掲丸栄西野事件判決等の趣旨に鑑みれば，ログインとログオフの時間中に，当該労働者が労働をしていない事実を使用者側が反証できない限り，ログイン，ログオフ間の労働時間が認められてしまう場合もある。

なお，労働時間の把握方法として自己申告制がとられている場合，その自己申告した労働時間が実態にあっているか否か，問題となる場合がある（タ

イムカード，パソコンのログイン，ログオフ等と自己申告の時間が整合しない場合等）。本来であれば，労働者自身が自ら認識し自己申告している労働時間が適正な労働時間と認められるとも思われるが，自己申告と客観的時間との乖離の大きさ，形状によっては，必ずしもそうはいえない場合もあり得る。また，厚生労働省が出している「労働時間の適正な把握のために使用者が講ずべき措置に関するガイドライン」では，自己申告制の適正のための措置として，対象となる労働者や管理者への十分な説明，自己申告による時間が実際の労働時間と合致しているかについての実態調査，所要の労働時間の補正等が求められている関係で，事案によっては，これらの措置がとられていないことを理由として，申告していない労働時間についても残業代の支払を認めた裁判例（技研製作所ほか1社事件判決〔東京地判平成 15・5・19 労判 852 号86 頁〕）があることには留意すべきである。

> **実践知！**
>
> 実務的には，労働時間の適正な把握は難しい場合があるが，電磁的記録等によっている場合は，労働者各人の電磁記録上の労働時間について，その負荷と仕事の均衡がとれているかに留意すべきこととなる（不可解な時間があれば，いかような過ごし方をしているかを確認することも必要となる）。自己申告制によっている場合は，自己申告制の前提となるべき措置（厚生労働省「労働時間の適正な把握のために使用者が講ずべき措置に関するガイドライン」）を丁寧に履行することが肝要である。

4. 労働時間に該当するかが問題となる紛争類型

(1) 労働時間の定義

労働時間とは，「労働者が使用者の指揮監督の下にある時間」とされている（厚生労働省労働基準局・労働基準法（上）399 頁等）。なお，似た概念に拘束時間というものがあるが，これは，労働時間に休憩時間を合わせた，労働者が使用者の下に事実上拘束されている時間をいうものである（例えば，始業 9 時，終業 18 時で，休憩時間が 12〜13 時の間だとした場合，労働時間は 8 時間となるが，拘束時間は 9 時間となる）。

残業代をめぐる労働紛争においては，この労働時間，すなわち使用者の指

CHAPTER 8 賃金（残業の問題を含む）

69

揮命令下にある時間といえるか否かが問題となることが少なくない。イメージを持つためにあらかじめいえば，更衣時間，作業場などの手待（待機）時間，警備員・管理人等の仮眠時間，その他，といったものである。

(2)　裁判例の俯瞰

　前述(1)につき，正確な法的判断のために，ここでも裁判例の俯瞰から入る必要があるが，労働時間の定義（該当性）をめぐる労働紛争は，それだけでもある程度の類型に分かれる。

i　朝礼，更衣時間等に関する紛争についての裁判例

　この点で，著名な最高裁判例であり，労働事件に携わる弁護士として押さえておかねばならない判例は，三菱重工業長崎造船所（1次訴訟・会社側上告）事件判決（最判平成12・3・9労判778号11頁）である。同判決は，「労働基準法…32条の労働時間（以下「労働基準法上の労働時間」という。）とは，労働者が使用者の指揮命令下に置かれている時間をいい，右の労働時間に該当するか否かは，労働者の行為が使用者の指揮命令下に置かれたものと評価することができるか否かにより客観的に定まるものであって，労働契約，就業規則，労働協約等の定めのいかんにより決定されるべきものではないと解するのが相当である」と，労働時間についての大原則を提示した。その上で，更衣時間等の仕事への準備行為について，「労働者が，就業を命じられた業務の準備行為等を事業所内において行うことを使用者から義務付けられ…たときは，当該行為を所定労働時間外において行うものとされている場合であっても，当該行為は，特段の事情のない限り，使用者の指揮命令下に置かれたものと評価することができ，当該行為に要した時間は，それが社会通念上必要と認められるものである限り，労働基準法の労働時間に該当すると解される」と説示した。これを前提に，具体的事案への当てはめとしては，労働者は使用者から「実作業に当たり，作業服及び保護具等の装着を義務付けられ，また，右装着を事業所内の所定の更衣所等において行うものとされていたというのであるから，右装着及び更衣所等から準備体操場までの移動は，上告人［註：使用者］の指揮命令下に置かれたものと評価することができる。また，被上告人［註：労働者］らの副資材等の受出し及び散水も同様である。さらに，被上告人らは，実作業の終了後も，更衣所等において作業服及び保護具等の脱離等を終えるまでは，いまだ上告人の指揮命令下に置かれているものと評価することができる」とし，実作業の前後の更衣所，準備

体操場における所要時間等も労働時間とした（なお，その一方で，三菱重工業長崎造船所〔1次訴訟・組合側上告〕事件判決〔最判平成12・3・9労判778号8頁〕では，入退場門から更衣所への移動時間および休憩中の着脱時間，入浴時間等については，使用者の指揮命令下にある時間とはいえず，労働時間に該当しないとしている）。

　他にも裁判例は多々あるが，実作業への準備作業につき労働時間性を比較的広く否定したものとして，オリエンタルモーター（割増賃金）事件判決（東京高判平成25・11・21労判1086号52頁）は，労働者側より，早朝出勤して掃除をしていたこと，事業所における着替えや朝礼，朝のラジオ体操への参加が労働時間であると主張されていた事案について，「事業所におけるラジオ体操や朝礼への参加は任意であり…，被控訴人〔註：労働者〕主張の着替えや掃除が義務付けられていたことを認めるに足りる証拠はない」として，所定始業時間前の掃除，着替えや朝礼，朝のラジオ体操について，労働時間性を否定している（すなわち，その分につき，残業代を支払う義務はないとしている）。これは，作業服の着脱時間につき，労働時間性を認めた前掲三菱重工業長崎造船所（1次訴訟・会社側上告）事件判決と一見，認定の方向が異なるようにみえるが，前掲三菱重工業長崎造船所（1次訴訟・会社側上告）事件判決では，従事する業務（造船所での就業）の性質上，作業服の着用が不可欠である以上，使用者によって義務付けられていたと評価できる一方，前掲オリエンタルモーター（割増賃金）事件判決では，高裁の認定した事実からすれば，使用者が事業所における着替えを義務付けていたとまでは評価できない，といった点に違いがあったと思われる。なお，問題となった時間帯につき，労働時間と認める部分とそうでない部分とを区分けした参考になる裁判例として，東京急行電鉄事件判決（東京地判平成14・2・28労判824号5頁）がある。これは，鉄道会社の駅務員の業務の一部が労働時間であるか否かが問題となった事案であるが，所定の始業時刻前に行うこととされている点呼，その後の勤務場所への移動，および所定の終業時刻後の点呼については，使用者の指揮命令下にあるとして労働時間とされた一方で（その部分については，使用者に残業代支払義務が生ずる），前任者との間での引継ぎについては，始業時刻前に行うことは使用者から義務付けられてはおらず，任意に行われたものにすぎないとして，労働時間性を否定している。

ⅱ　手待ち時間・待機時間に関する紛争についての裁判例

　労働者の就業の中には，外形的には何らの作業を行っていないように見え

る時間帯でも，使用者の指示があれば直ちに何らかの業務に従事せねばならぬ状態にいることがある。いわゆる，手待ち時間ともいわれるものである。こうした状態にある時間帯も，使用者の指揮命令下にあると認められる場合には労働時間とされる。以下，裁判例を俯瞰する。

　まず，後述ⅲの，ビルやマンションの警備員・管理人以外の事例としては，すし店の板前見習および洗い場等裏方の仕事に従事している店員について判示したすし処「杉」事件判決（大阪地判昭和 56・3・24 労経速 1091 号 3 頁）や，観光バス運転手について判示した大阪淡路交通事件判決（大阪地判昭和 57・3・29 労判 386 号 16 頁）等がある。このうち，すし処「杉」事件判決は，使用者がすし店店員に対し，勤務時間中，客の途切れた時などを見計らって適宜休憩してよいとしていた時間について，実態としては，現に客が来店した際には即時その業務に従事しなければならなかったことからすると，完全に労働から離れることを保障する旨の休憩時間について約定したものということができず，上記休憩は手待時間であって労基法 34 条所定の休憩時間ではないとして，労働時間に含まれるとした（したがって，その分も労働時間として算定した上で，当該労働者の労働時間が所定労働時間を上回っている場合には，残業代支払義務が必要となる）。また，前掲大阪淡路交通事件判決は，バス運転手が出勤してから出庫時刻 20 分前までの時間，入庫してから 40 分後から退勤時間までの時間，さらには駐，停車時間の労働時間性が問題となったが，前者については，「客からのいわゆる飛び込みの注文や，利用方法の変更あるいはその他突発的事態にできるだけ対応し易くするため，運転手の員数に余裕をもたせる実効をあげるべく，運転手を常時待機させるなどの手段として，右時間における勤務を督励しているからであり，その時間は，仮眠をしたり私用をしたりするなどの運転手の自由な利用に委ねられている面が多いとはいえ，被告［註：使用者］の指示があれば，それに応ずることができるよう所在を明らかにしておくなどの準備を要求され，また，各運転手の受持ちのバスの清掃，点検等をなすことを期待されていた…，右時間は，運転手による自由な利用が十分に保障されたところの休憩時間ではなく，手待ち時間たる労働時間であると認められ」るとした。また，後者については，「運転手は，駐，停車時間…においても，客とのスケジュールの確認，客の乗降の安全の確認，車輌の清掃，点検，車輌の内外の監視，駐車場の整理に伴う車輌の移動，車内に残留ないしは途中で車内へ戻ってきた客との応接もしくはその安全の確保，客の要請によるなどの運行スケジュールの変更への

対応の準備など，運転そのもの以外の付随的作業をなすことや，いつでも運行できるよう待機する必要があることが認められ，…右駐，停車時間は，労働時間であるというべき」とし，さらには，「駐車場や休憩所が完備している場所での駐車時間においては，運転及びその付随作業から長時間解放され，運転手の自由になる時間が多いことが認められるが，…そのようなことがあるからといって，労働密度が薄いか，たまたま休憩時間と同様の状態が生ずるに過ぎず，前記認定にかかる駐，停車時間の性質自体を左右する事由とはいえ」ないと説示している。

iii　警備員・管理人の仮眠時間等

　前述の手待ち時間（不活動時間）の労働時間性の問題は，多くの裁判例が，ビル，マンションの警備員・管理人の事案で生じてきた。すなわち，このような警備員・管理人の業務は，警報や故障，緊急連絡があったりした場合には直ちに対応しなければならない反面，それがない場合は事実上作業がない（仮眠もとれる）状態にあることもあり，労働時間をいかように判断するか，問題となることが多い。裁判例は多数あるが，本書では，著名な最高裁判例2つを中心に取り上げる。

　まず，大星ビル管理事件判決（最判平成14・2・28労判822号5頁）は，ビル管理人が従事する泊り勤務の間に設定されている「仮眠時間についてみるに，…上告人〔註：ビル管理人〕らは，本件仮眠時間中，労働契約に基づく義務として，仮眠室における待機と警報や電話等に対して直ちに相当の対応をすることを義務付けられているのであり，実作業への従事がその必要が生じた場合に限られるとしても，その必要が生じることが皆無に等しいなど実質的に上記のような義務付けがされていないと認めることができるような事情も存しないから，本件仮眠時間は全体として労働からの解放が保障されているとはいえず，労働契約上の役務の提供が義務付けられていると評価することができる。したがって，上告人らは，本件仮眠時間中は不活動仮眠時間も含めて被上告人〔註：使用者〕の指揮命令下に置かれているものであり，本件仮眠時間は労基法上の労働時間に当たるというべきである」と説示している。つまりは，ビル管理会社は，管理人が仮眠時間中に実際に作業（警報が鳴った場合の対応，水漏れや蛍光灯の不点灯の発見の連絡，工事業者が打合せをするために仮眠室に電話をしてきたような場合，現場に行って補修をする等の対応等）した時間について，残業代（時間外労働手当）を支払っていたが，そのような実作業時間以外の仮眠時間全体につき，残業代支払義務があるとし

たのが上記判決の説示である。

　もう一つ著名な最高裁判例として，大林ファシリティーズ（オークビルサービス）事件判決（最判平成19・10・19労判946号31頁）は，夫婦住み込みで勤務していたマンション管理人についての事案であるが，上記判決は，会社は，被上告人である管理人らに対し，「所定労働時間外においても，管理員室の照明の点消灯，ごみ置場の扉の開閉，テナント部分の冷暖房装置の運転の開始及び停止等の断続的な業務に従事すべき旨を指示し，…また，本件会社は，被上告人らに対し，午前7時から午後10時まで管理員室の照明を点灯しておくよう指示していたところ，本件マニュアルには，被上告人らは，所定労働時間外においても，住民や外来者から宅配物の受渡し等の要望が出される都度，これに随時対応すべき旨が記載されていたというのであるから，午前7時から午後10時までの時間は，…被上告人らとしても，…事実上待機せざるを得ない状態に置かれていたものというべきである。さらに，本件会社は，被上告人らから管理日報等の提出を受けるなどして定期的に業務の報告を受け，適宜業務についての指示をしていたというのであるから，…住民等からの要望への対応について本件会社による黙示の指示があったものというべきである。…被上告人らは，管理員室の隣の居室における不活動時間も含めて，本件会社の指揮命令下に置かれていたものであり，上記時間は，労基法上の労働時間に当たるというべきである」と，同じく，必要に応じて即応すべく待機している不活動時間については，労基法上の労働時間に当たると説示している。

　なお，以上の2つの最高裁判例は，あくまで，労働時間とされた不活動時間（仮眠時間，待機時間）に，ある程度の，即応を要する実作業の発生する可能性を前提としている（大星ビル管理事件判決同様，仮眠時間に即応する必要のある実作業が発生することをとり上げたものとして，日本郵便逓送事件判決〔京都地判平成12・12・22労判806号43頁〕等もある）。したがって，可能性が皆無に等しい場合は，その前提が成り立たないということとなる。

　例えば，ビル代行（宿直勤務）事件判決（東京高判平成17・7・20労判899号13頁）は，「シフト上，仮眠時間とされている者は，…仮眠室に滞在することとされていたが，仮眠室等では制服を脱いでパジャマに着替えて仮眠していた。仮眠時間がとられていた午後10時以降の業務量は少なく，一定の限られた業務しか発生しない状況にあった。…警備員は，当該部屋に出向いて施錠を確認する業務を日常的に行っており，…仮眠者を起こして施錠確認

をさせることは予定していなかった。…本件ビルの駐車場スロープに浮浪者や泥酔者等の不審者が入り込むことがあり，この場合には，控訴人〔註：使用者〕の警備員が対応することがあったが，…警備員が単独で行っており，不審者への対応の都度，仮眠者を起こすことはなかった。…被控訴人〔註：警備員〕らは，救急車への対応，施錠依頼，警報の発報などのため，しばしば仮眠者を起こさねばならなかったと主張し，救急車連絡要請表，過勤届，施錠確認表等を書証として提出している…ものの，当日の勤務表の提出はなく，実際に，仮眠者が出動したか否かは明らかではない上，…実際には，仮眠者を起こした事実はない旨の〇〇の陳述書…に照らすと，…仮眠者が出動したか否かは明らかではない」，「認定事実からすると，本件の仮眠時間については，実作業への従事の必要が生じることが皆無に等しいなど実質的に警備員として相当の対応をすべき義務付けがされていないと認めることができるような事情があるというべきである。したがって，本件の仮眠時間について労働基準法32条の労働時間に当たると認めることはできない」と説示している（なお，このビル代行事件判決は，上告，上告受理申立てがなされたが，いずれも棄却，不受理決定が出て確定している〔最決平成 18・6・13 労経速 1948 号 12 頁〕）。なお，類似の事例として，ビソー工業事件判決（仙台高判平成 25・2・13 労判 1113 号 57 頁）も，警備員の仮眠・休憩時間の労働時間性について問題となった事案であるが，仮眠時間を中断して実作業に従事した件数は 1 人当たりの平均で 1 年に 1 件にも満たないこと，警備員にはローテーション制がとられており，配置された 4 名中の 2 名が実作業に従事することとなっていたことといった事実に鑑み，仮眠・休憩時間中，実際に作業に従事した時間に限り残業代の支払を命じている。

iv　その他使用者からの残業指示の有無に関する紛争についての裁判例

待機時間，不活動時間が問題となった ii，iii の場合とは別に，労働者の就業の中には，実際に作業を行っている外形的な事実は存するものの，それが，使用者の指示に基づいているものであるか，問題となることがある。すなわち，残業代支払義務は，所定労働時間以外に労働時間があることを前提としてその時間分生ずるものであるが，労働時間とは労働者が使用者の指揮命令下におかれていることが要件となるので（三菱重工業長崎造船所〔1 次訴訟・会社側上告〕事件判決〔最判平成 12・3・9 労判 778 号 11 頁〕），労働者に対する残業指示が前提となる。

この残業指示の有無が問題となった事案で，その存在を認定し，使用者の

残業代支払義務を肯定した裁判例の一部を挙げれば，まず，京都銀行事件判決（大阪高判平成13・6・28労判811号5頁）である。控訴人が労働者，被控訴人が使用者という控訴審において，「紫野支店においては，多数の男子行員が午後7時以降も業務に従事していたこと，このような実態は，被控訴人の支店において特殊なものではなかったこと，紫野支店では，…勤務終了予定時間を記載した予定表が作成されていたことなどからすると，…少なくとも午後7時までの間の勤務については，被控訴人の黙示の指示による労働時間と評価でき，原則として時間外勤務に該当する」として，明示の残業指示がなくとも，事実関係から認め得る黙示の残業指示を認定し，使用者側への残業代支払義務を認めている。また，徳洲会野崎徳洲会病院事件判決（大阪地判平成15・4・25労判849号151頁）は，「使用者が労働基準法37条に基づき，労働者に対し時間外労働割増賃金の支払義務を負うというためには，使用者において労働者に対し当該時間外勤務を命じたことを要する…が，…前記命令は常に明示的になされなければならないものではなく，…本件において，…レセプトの作成やそのために関連する作業については病棟担当業務及び外来業務を通じて提出期限が毎月10日（労災保険関係は12日）とされたほか，病棟担当業務のうち，入院患者の自己負担分の医療費請求（中間診療費請求）については毎月3回，退院患者への医療費請求については退院時が期限とされていたし，それら以外の入退院に関連した業務，又は外来業務における各業務についても，毎日の通院患者等を処理しなければならない以上，遅滞させることは許されなかったのであるから，これらの業務に関して原告［註：労働者］が所定労働時間外に勤務してそれらを処理することは命令権者において当然容認されていたというべきであり，原告の時間外労働については被告［註：使用者］の黙示の業務命令に基づくものと評価できる」として，明示に拠らない残業指示による残業代支払義務を認めている。やや珍しい事案として，エアースタジオ事件判決（東京高判令和2・9・3労判1236号35頁）は，劇団員が従事していたセット入替え，音響照明および小道具の各劇団業務について，担当するか否かの諾否の自由がなく，時間的，場所的な拘束もあったこと等から，劇団の指揮命令に従って業務遂行していたと認定した。公演への出演，演出および稽古についても，事前に出演希望を提出できるものの，劇団員らは公演への出演を希望して劇団員となっており，これを断ることは通常考え難いこと等により，指揮命令に服する業務であると認定した。

一方，残業指示を否定した裁判例として，神代学園ミューズ音楽院事件判決（東京高判平成 17・3・30 労判 905 号 72 頁）は，「被告 Y₁［註：学園理事］は，…繰り返し 36 協定が締結されるまで残業を禁止する旨の業務命令を発し，残務がある場合には役職者に引き継ぐことを命じ，この命令を徹底していたものであるから，…原告［註：労働者］らが時間外又は深夜にわたり業務を行ったとしても，…使用者の指揮命令下にある労働時間と評価することはできない」として，残業代支払義務の発生を否定している。また，同種の裁判例のうち，説示が明瞭なものに高島屋工作所事件判決（大阪地判平成 5・12・24 労判 645 号 53 頁）があり，大要，残業については上司への申請と許可の手続がとられていること，当該労働者についても残業申請の取下げや不許可の処置がとられてきたこと，休憩時間は交替制で付与されていること等から，当該労働者が外形上就業しているとしても，黙示の時間外労働命令を受けて就労したとはいえないとした。なお，NTT 西日本ほか（全社員販売等）事件判決（大阪高判平成 22・11・19 労判 1168 号 105 頁）は，全社員販売（会社グループの商品を，友人，知人らに購入してもらう活動）や，WEB 学習時間（業務関連知識習得のため）について，前者は，作業の時間，場所，方法は従業員が任意にこれを決定できるものであること，後者は，使用者会社が利潤を得るための業務ではなく，各従業員がその自主的な意思によって作業することでスキルアップを図るものであること，といった事実を挙げ，いずれも労働時間性を否定している。

(3)　実務の具体的対応

　前述(2)の i（朝礼，更衣時間等に関する紛争について），ii・iii（手待ち時間・待機時間・仮眠時間に関する紛争について），iv（使用者からの残業指示の有無に関する紛争について）に共通してまず行われていることは，労働者側より問題とされている残業時間が，前掲三菱重工業長崎造船所（1 次訴訟・会社側上告）事件判決（最判平成 12・3・9 労判 778 号 11 頁）のいうところの「労働者が使用者の指揮命令下に置かれている時間」に該当するか否かについての検討である。この検討は，それこそ，千差万別の具体的事実に沿って判断されるのであろうが，中心的部分は，当該労働者がその時間中，自由に行動し得ることが保障されているかどうかであると考えられる。例えば，i（朝礼，更衣時間等に関する紛争について）についてなら，問題となっている時間帯に朝礼・更衣が使用者によって強制されておらず，不参加・不作為の自

由があるか否かが問われる（上記のうち，更衣時間の労働時間性が問題となる場合，業務での制服の着用自体は使用者によって義務付けられているのであれば，更衣，すなわち制服の着脱が，当該更衣時間に行わなければならないものなのか否か——換言すれば，所定の就業時間内や，あるいは自宅での自由時間にでも行ってもよいとされていた否か——などが問題となる）。また，ⅱ・ⅲ（手待ち時間・待機時間・仮眠時間に関する紛争について）であれば，問題となっている手待ち時間，待機時間が，使用者の指示により業務から解放された自由が保障されているか否かが問題となる（メルクマールとしては，よくみられるのが，外出の自由の有無，業務指示を受けた場合に，即対応しなくともよい自由の有無，といったものである）。もっとも，具体的な実務においては，自由の「有」「無」といわれても，単純にゼロ・ワンでは割り切れないこともあるので，実質的考慮が必要となることもある（仮眠時間中の業務対応の義務の有無につき，「実作業への従事の必要が生じることが皆無に等しいなど実質的」に義務の有無を判断した前掲ビル代行〔宿直勤務〕事件判決〔東京高判平成 17・7・20 労判 899 号 13 頁〕参照）。

> **実践知！**
>
> 労働時間性が問題になる場合，使用者側弁護士としては，労働者側より主張された残業時間につき，当該時間の労働者の自由性（指揮命令下にはないこと）を裏付ける具体的事実関係を，どこまで当事者，職場の関係者より聴取して主張として整理できるかが重要な課題となる。多くの場合，一番分かりやすいのは場所的および時間的な自由だが，他のものを拾い集める努力も必要である。

5. 残業代の支払が必要な場合であるか否かが問題となる紛争類型
（事業場外みなし，固定残業代制，管理監督者への該当性等の問題）

(1) 問題の所在

労働者が現実に就業している労働時間（残業時間）が，使用者の指揮命令下におかれている状態にあり，それが所定外労働時間であれば残業に該当し，使用者は当該労働者に残業代支払義務を負うこととなる。しかし，上述のような状況があっても，使用者が残業代支払義務を負わない場合もいくつか存

する。ここでは，実務上よく出てくるいくつかの場合について，紹介する。

⑵　固定残業代制についての紛争

ⅰ　問題の所在

　固定残業代とは，一般には，労基法所定の割増賃金（つまりは残業代）に代えて一定額の手当（固定残業代）を支払うという，使用者所定の制度である。しかし，残業代（本書では，時間外労働割増賃金，休日労働割増賃金を併せたものとして考えている）の支払は，労基法 37 条により，その支払義務とその内容（算定方法）が規定されている。労基法は強行法規であるから，仮に，上記の固定残業代について，労使双方の合意により定められたものだとしても，労基法 37 条の規定に反する内容のものであれば，法的に無効となる。つまりは，上記の固定残業代としての金額が，当該労働者が労基法 37 条の規定により算出されるべき残業代よりも多額でなければならない。

　それゆえ，後述 ⅱ で言及するように，裁判例も多々存し，それを踏まえた検討が，実務的対応には必須となる。

ⅱ　裁判例の俯瞰

⒜　リーディングケース

　固定残業代制が認められるためには，時間外労働割増賃金や休日労働割増賃金として労基法 37 条が規定している金額以上のものが，一定額として支払われていることが判定できるように，通常の労働時間の賃金部分（つまりは，所定労働時間のみ労働した場合に支払われる賃金の部分）と割増賃金相当部分（固定残業代として支払われる部分）とを区分できるようになっていることが肝要である。付言すれば，近時の裁判例では，固定残業代の支払額が，実際の残業時間による残業代と概ね均衡がとれていることも考慮するものが少なくない（後掲日本ケミカル事件最高裁判決）。

　まず，リーディングケースを挙げれば，小里機材事件判決（最判昭和 63・7・14 労判 523 号 6 頁）は，一審判決（東京地判昭和 62・1・30 労判 523 号 10 頁），原審判決（東京高判昭和 62・11・30 労判 523 号 14 頁）をほぼ維持したものであるが，上記一審判決では，「仮に，月 15 時間の時間外労働に対する割増賃金を基本給に含める旨の合意がされたとしても，その基本給のうち割増賃金に当たる部分が明確に区分されて合意がされ，かつ労基法所定の計算方法による額がその額を上回るときはその差額を当該賃金の支払期に支払うことが合意されている場合にのみ，その予定割増賃金分を当該月の割増賃金

の一部又は全部とすることができるものと解すべき」であって，当該事案に
おいては，「原告［註：労働者］…の基本給が上昇する都度…予定割増賃金分
が明確に区分されて合意がされた旨の主張立証も，労基法所定の計算方法に
よる額がその額を上回るときはその差額を当該賃金の支払期に支払うことが
合意されていた旨の主張立証もない本件においては，被告［註：使用者］の
［註：固定残業代についての］主張はいずれにしても採用の限りではない」と
説示している。上記の，固定残業代制の要件として，通常の労働時間の賃金
部分（つまりは，所定労働時間のみ労働した場合に支払われる賃金の部分）と割
増賃金相当部分（固定残業代として支払われる部分）とが明確に区分されてい
ることが必要との理は，後の最高裁判例だけでなく下級審裁判例においても，
同様に踏襲されている（下級審の裁判例の主なものとして，国際情報産業事件判
決〔東京地判平成 3・8・27 労判 596 号 29 頁〕，創栄コンサルタント事件判決〔大
阪地判平成 14・5・17 労判 828 号 14 頁〕等がある）。

　固定残業代制に関する裁判例も多数存するので，ここでは最高裁判例の一
部を中心に紹介しておく。まず，高知県観光事件判決（最判平成 6・6・13 労
判 653 号 12 頁）は，タクシー運転手の歩合給が残業代の割増賃金を含むも
のといえるか（すなわち，固定残業代といえるか）が問題となった事案である
が，「歩合給の額が，…時間外及び深夜の労働を行った場合においても増額
されるものではなく，通常の労働時間の賃金に当たる部分と時間外及び深夜
の割増賃金に当たる部分とを判別することもできないものであったことから
して，この歩合給の支給によって，上告人［註：運転手］らに対して［労働
基準］法 37 条の規定する時間外及び深夜の割増賃金が支払われたとするこ
とは困難なものというべき」と説示し，残業代の支払となることを否定した。
また，多少複雑な事案となるが，テックジャパン事件判決（最判平成 24・
3・8 労判 1060 号 5 頁）は，「基本給を月額 41 万円とした上で，1 か月間の労
働時間の合計（以下「月間総労働時間」という。）が 180 時間を超えた場合
にはその超えた時間につき 1 時間当たり 2560 円を支払うが，月間総労働時
間が 140 時間に満たない場合にはその満たない時間につき 1 時間当たり
2920 円を控除する旨の約定」がなされていた事案において，「月額 41 万円
の基本給について，通常の労働時間の賃金に当たる部分と同項［註：労基法
37 条 1 項］の規定する時間外の割増賃金に当たる部分とを判別することはで
きない」として，「月額 41 万円の基本給の支払を受けたとしても，その支
払によって，月間 180 時間以内の労働時間中の時間外労働について労働基

準法 37 条 1 項の規定する割増賃金が支払われたとすることはできないというべき」と説示した（所定労働時間は月間 160 時間であり，月給 41 万円の対価として約定されていた月間 180 時間の中には，20 時間分の時間外労働が含まれていた）。医療法人社団康心会事件判決（最判平成 29・7・7 労判 1168 号 49 頁）は，医師との雇用契約において，年俸（1700 万円）の中に残業代も含まれている旨が合意されていたものの，上記年俸中残業代に当たる部分が明らかにされていなかったという事案において，上記合意によっては医師に支払われた賃金のうち残業代として支払われた金額を特定することすらできないことから，通常の労働時間の賃金に当たる部分と残業代に当たる部分とを判別することができず，上記年俸の支払により残業代が支払われたということはできない，としている。

　一方，固定残業制の効力を肯定した例として，日本ケミカル事件判決（最判平成 30・7・19 労判 1186 号 5 頁）は，「業務手当が何時間分の時間外手当に当たるのかが被上告人［註：労働者］に伝えられておらず，…業務手当を上回る時間外手当が発生しているか否かを被上告人が認識することができない」として，業務手当による固定残業制の効力を否定した原審判決（東京高判平成 29・2・1 労判 1186 号 11 頁）を覆し，「本件雇用契約に係る契約書及び採用条件確認書並びに上告人［註：使用者］の賃金規程において，月々支払われる所定賃金のうち業務手当が時間外労働に対する対価として支払われる旨が記載されていた…というのであるから，上告人の賃金体系においては，業務手当が時間外労働等に対する対価として支払われるものと位置付けられていたということができる。さらに，被上告人に支払われた業務手当は，1 か月当たりの平均所定労働時間（157.3 時間）を基に算定すると，約 28 時間分の時間外労働に対する割増賃金に相当するものであり，被上告人の実際の時間外労働等の状況…と大きくかい離するものではない」ことより，業務手当による固定残業制の効力を認めている。

　(b)　歩合給と固定残業代との関係をめぐる近時の裁判例

　一方，前掲高知県観光事件判決のような歩合給をもって固定残業代支払といえるかという問題の裏返しとして，歩合給の算定から残業代を控除し得るかが問題となった例として，国際自動車事件判決（最判平成 29・2・28 労判 1152 号 5 頁）がある。同判決は，タクシー乗務員の歩合給について残業手当等に相当する分を控除する旨の使用者の賃金規則が労基法 37 条に違反するか否かについて，以下のように説示し，同条に違反しないとした（実質的に

前掲高知県観光事件判決とは逆の効果をもたらす結論といえる）。すなわち，「労働基準法 37 条は，…労働基準法 37 条等に定められた方法により算定された額を下回らない額の割増賃金を支払うことを義務付けるにとどまり，使用者に対し，労働契約における割増賃金の定めを労働基準法 37 条等に定められた算定方法と同一のものとし，これに基づいて割増賃金を支払うことを義務付けるものとは解されない」，「使用者が，労働者に対し，時間外労働等の対価として労働基準法 37 条の定める割増賃金を支払ったとすることができるか否かを判断するには，労働契約における賃金の定めにつき，それが通常の労働時間の賃金に当たる部分と同条の定める割増賃金に当たる部分とに判別することができるか否かを検討した上で，そのような判別をすることができる場合に，割増賃金として支払われた金額が，通常の労働時間の賃金に相当する部分の金額を基礎として，労働基準法 37 条等に定められた方法により算定した割増賃金の額を下回らないか否かを検討すべきであり，…上記割増賃金として支払われた金額が労働基準法 37 条等に定められた方法により算定した割増賃金の額を下回るときは，使用者がその差額を労働者に支払う義務を負うというべきである」，「他方において，労働基準法 37 条は，労働契約における通常の労働時間の賃金をどのように定めるかについて特に規定をしていないことに鑑みると，労働契約において売上高等の一定割合に相当する金額から同条に定める割増賃金に相当する額を控除したものを通常の労働時間の賃金とする旨が定められていた場合に，当該定めに基づく割増賃金の支払が同条の定める割増賃金の支払といえるか否かは問題となり得るものの，当該定めが当然に同条の趣旨に反するものとして公序良俗に反し，無効であると解することはできない」と判示している。ただし，同判決が，賃金規則における賃金の定め等につき審理を尽くす必要があるとして原審に差戻したところ，その差戻し原審判決（東京高判平成 30・2・15 労判 1173 号 34 頁）が歩合給から残業代相当額を控除する旨の当該使用者の規定を有効としたことを受け，今度は労働者側が上告し，国際自動車（第二次上告審）事件判決（最判令和 2・3・30 労判 1220 号 5 頁）が下されている。同判決は，時間外労働の「割増金の額が大きくなり歩合給…が 0 円となる場合には，出来高払制の賃金部分について，割増金のみが支払われることとなるところ，この場合における割増金を時間外労働等に対する対価とみるとすれば，出来高払制の賃金部分につき通常の労働時間の賃金に当たる部分はなく，全てが割増賃金であることとなるが，これは，法定の労働時間を超えた労働に対する

割増分として支払われるという労働基準法37条の定める割増賃金の本質から逸脱したもの」であること等により，当該使用者の規定は，その実質において，元来は歩合給に当たる賃金を，時間外労働等がある場合にはその一部につき名目のみを割増金に置き換えて支払うこととするものであり，当該賃金規則における賃金の定めにつき，通常の労働時間の賃金に当たる部分と労基法37条の定める割増賃金に当たる部分とを判別することはできず，使用者の割増金の支払により，労基法37条の定める割増賃金が支払われたということはできないとして，再度，原審に差戻している。

　なお，最高裁判例ではないが，前掲国際自動車事件判決を受けてのもので，実務上参考になるものとして紹介すると，歩合的要素を含む手当の支払を残業代の支払として有効とした裁判例として，ヒサゴサービス事件判決（東京地判平成31・1・23労経速2380号23頁）がある。これは，貨物自動車運送事業の会社において，「時間外労働割増賃金，休日労働割増賃金及び深夜割増賃金は，基本運行時間外手当，加算運行時間外手当，休日手当及び深夜手当の合算額として支給する」，「基本運行時間外手当，加算運行時間外手当，深夜手当及び休日手当の合算額が，時間外労働割増賃金，休日労働割増賃金及び深夜割増賃金の額に満たないときは，別途差額を支給する」，「基本運行時間外手当は，時間外労働，深夜労働，休日労働を行った場合に，運転職の運転日報に基づき労基法の規定する割増賃金の計算式に従い算定した額を支給するものであり，…加算運行時間外手当は，運転職の社内基準売上高に15.5パーセントを乗じた額が前条の基本運行時間外手当を超える場合に当該差額を支給するものであり，…その全額を…割増賃金に該当する賃金として支給する」と規定していた事案であるが，上記の運行時間外手当は，他の給与支給項目と明確に区分されて支給されていることより明確性の要件に問題はなく，また，「売上高に連動し…時間外労働の時間数に比例して定められるものではないものの，就業規則等の規定上も割増賃金の趣旨で支払われることが明示され，かつ，従業員に対しても説明会において同様の説明がされていたものであって，割増賃金の趣旨で支払われてきたものと認めるのが相当であ」り，（時間外労働等への）対価性の要件にも問題はなく，上記運行時間外手当は，時間外労働への割増賃金の支払として有効とした。

(3) 実務の具体的対応

　最初に，固定残業代の制度は，法的には，裁判例の多くが説示するように，

適切に
  (a) 「割増賃金に当たる部分が明確に区分されて合意がされ」ること,
  (b) 「労基法所定の計算方法による額がその額を上回るときはその差額を当該賃金の支払期に支払うことが合意されている」こと,
といった要件が充足されていなければ,原則としては,使用者側にとって想定の目的は達せられない。すなわち,上記(b)が充足されるということは,結局,労基法通りに算定した残業代が固定残業代を超過した場合には,超過分を支払わなくてはならないということであるから,法的にみれば,固定残業代制とは使用者にとって,残業代を余分に払うことがある（固定残業代が労基法通りに算定した残業代を上回る場合）だけの制度,ということになる。

それにもかかわらず,固定残業代制度は実務的にはかなりの企業で採用されている。その目的は,成果主義的な趣旨（労働時間と成果が必ずしも比例しない業務で,裁量労働までは適用できない業務において用いられる場合）,賃金保障的な趣旨（残業せずとも一定賃金までは保障する。採用難の状況での中途採用者などで多くみられる）,労働時間算定の手数回避の趣旨,と企業ごとにまちまちであるが,残念ながら固定残業代を支払えばそれで残業代の支給は行わないとしている例も少なからずあり,そのような例に遭遇した場合は,紛争発生後はもちろん,紛争前においても,裁判例に沿った対応を行う旨を依頼者に具申する姿勢が重要である。

なお,固定残業代制の最重要の要件に,割増賃金に当たる部分が明確に区分されていることがあるが（上記(a)）,これは,固定残業代に当たる部分が何時間の残業代に匹敵するか（換言すれば,何時間以上残業すれば,労基法通りに算定した残業代が固定残業代を超過するか）を労働者に明瞭にすべきという趣旨であるから,依頼者が紛争前に固定残業代を採用している場合には,極力,固定残業代分を独立の手当として（最低限,他の手当に含ませるとしてもそのどこまでの金額の部分が固定残業代分になるかを明示して）,残業代見合い分であることを明記するといった規定（就業規則,賃金規則等）を設けることが肝要である。

固定残業代制が有効に作用するためには,最低限,割増賃金に当たる部分とそうでない部分とが明確に区分されていることが必要である。それは,労働者が時間外労働等を行った場合,

<table>
<tr><td>実践知！</td><td>割増賃金に当る部分でもって足りているか否かを算定・判断できることが肝要である（よって，一見，区分されていても，微妙に割増賃金部分のなかにそうでない賃金が混在しているとリスクが生ずる）。そのためには，割増賃金に当たる部分（固定残業代部分）が，残業代見合い分であることを明記する規定（就業規則，賃金規則等）を設けておくことが実務では必要である。なお，不幸にして紛争になり，かつ，上述のような規定が直接にはない場合，労使間の書面，メールでのやり取り，説明資料，給与明細等といった他の証拠を探すこととなる。</td></tr>
</table>

(4) 管理監督者についての紛争

i はじめに

労基法 41 条 2 号では，「監督若しくは管理の地位にある者」（以下，「管理監督者」ともいう）については，労基法の労働時間・休憩・休日の規制を適用されない労働者と規定している。すなわち，こうした管理監督者については，時間外労働，休日労働の有無・多寡にかかわらず，残業代請求権を有しないこととなる（ただし，管理監督者であっても，深夜労働の規制は除外されていないので，深夜労働に従事した場合，労基法 37 条 4 項により，通常の労働時間の賃金の計算額の 2 割 5 分以上の率の割増賃金を支払わなければならない）。

社会の実情においては，法律が想定しているよりもかなり多くの労働者が管理監督者として扱われている（その結果，残業代が支給されないこととなっている）。そのような労働者は，これまで当該企業においては，終身雇用制下において比較的上位に扱われており，当該企業に対し異を唱えないことも多かった。しかし，昨今の権利意識の高まり，終身雇用制の希薄化にともない，残業代請求に及ぶ事例が増えてきている。殊に，管理監督者として扱われていた労働者が，定年を待つことなく退職した際に，在職時の未払残業代を請求するというパターンが多くみられるようになっている。

ii 行政上の指針

行政通達（昭和 63・3・14 基発 150 号）では，「法第 41 条第 2 号に定める『監督若しくは管理の地位にある者』とは，一般的には，部長，工場長等労働条件の決定その他労務管理について経営者と一体的な立場にある者の意であり，名称にとらわれず，実態に即して判断すべきものである」としている。具体的には，大要，

CHAPTER 8　賃金（残業の問題を含む）　　85

(a) 経営者と一体的な立場で仕事をするために，経営者から管理監督，指揮命令にかかる一定の権限を委ねられていること。

(b) 出社，退社や勤務時間について厳格な制限を受けていないこと。

(c) 地位，給料その他の待遇において一般社員と比較して相応の待遇がなされていること。

といった，権限(a)，勤怠の自由(b)，待遇(c)の3要素が判断基準とされるのが一般である。

　なお，上記(a)～(c)の判断要素を若干詳しく解説したもののうち，参考になるものとして，厚労省ほかによる「労働基準法における管理監督者の範囲の適正化のために」（https://www.mhlw.go.jp/bunya/roudoukijun/dl/kanri.pdf）などがあげられるので，適宜，参照すれば有益である。

iii　裁判例の俯瞰

　管理監督者（の残業代請求）をめぐる紛争についても，幾多の裁判例が存するが，ここではその中でも特に著名かつ実務の参考になるものを掲げることとする。

(a)　日本マクドナルド事件判決

　管理監督者に関する裁判例として最も著名なものの一つとして，日本マクドナルド事件判決（東京地判平成20・1・28労判953号10頁）が挙げられる。これは，ファーストフード・チェーン店の店長が，アルバイト従業員の採用，時給額，人事考課，勤務シフトの等の決定といった労務上の権限を有し，自己の勤務スケジュールの決定権も有し勤怠の自由も有していたという例において，結論からいえば，下述の説示を以て，管理監督者性を否定している。

　まず，権限（前述 ii の(a)）については，アルバイトについての人事上の権限を有していることは認めるものの，「将来，アシスタントマネージャーや店長に昇格していく社員を採用する権限はないし…，アシスタントマネージャーに対する一次評価者として，その人事考課に関与するものの，その最終的な決定までには，OC［註：店長の上司］による二次評価のほか，上記の三者面談や評価会議が予定されているのであるから，…労務管理に関し，経営者と一体的立場にあったとはいい難い」，「本社がブランドイメージを構築するために打ち出した店舗の営業時間の設定には，事実上，これに従うことが余儀なくされるし，全国展開する飲食店という性質上，店舗で独自のメニューを開発したり，原材料の仕入れ先を自由に選定したり，商品の価格を設定するということは予定されていない」，「各種会議に参加しているが，…その

場で被告の企業全体としての経営方針等の決定に店長が関与するというものではない」、「以上によれば、被告における店長は、…店長の職務、権限は店舗内の事項に限られるのであって、企業経営上の必要から、経営者との一体的な立場において、労働基準法の労働時間等の枠を超えて事業活動することを要請されてもやむを得ないものといえ〔る〕ような重要な職務と権限を付与されているとは認められない」とした。

　次に、勤怠の自由（前述ⅱの(b)）については、「店長は、自らのスケジュールを決定する権限を有し、早退や遅刻に関して、上司であるOCの許可を得る必要はないなど、形式的には労働時間に裁量があるといえるものの、実際には、店長として固有の業務を遂行するだけで相応の時間を要するうえ（原告〔註：労働者〕や証人Cの試算では、月150時間程度となっている。…）、上記のとおり、店舗の各営業時間帯には必ずシフトマネージャーを置かなければならないという被告の勤務態勢上の必要性から、自らシフトマネージャーとして勤務することなどにより、法定労働時間を超える長時間の時間外労働を余儀なくされるのであるから、かかる勤務実態からすると、労働時間に関する自由裁量性があったとは認められない〔註：時間外労働が月100時間を超える場合もあった〕」とした。

　また、処遇（前述ⅱの(c)）については、「店長であった者の平均年収は707万184円…で、年間を通じてファーストアシスタントマネージャーであった者の平均年収は590万5057円（時間外割増賃金を含む）で…管理監督者として扱われている店長と管理監督者として扱われていないファーストアシスタントマネージャーとの収入には、相応の差異が設けられているようにも見える。しかしながら、…B評価の店長の年額賃金は635万2000円、C評価の店長の年額賃金は579万2000円であり、そのうち店長全体の10パーセントに当たるC評価の店長の年額賃金は、下位の職位であるファーストアシスタントマネージャーの平均年収より低額である…。また、店長全体の40パーセントに当たるB評価の店長の年額賃金は、ファーストアシスタントマネージャーの平均年収を上回るものの、その差は年額で44万6943円にとどまっている…。…店長の週40時間を超える労働時間は、月平均39.28時間であり、ファーストアシスタントマネージャーの月平均38.65時間を超えている…、店長のかかる勤務実態を併せ考慮すると、…労働時間等の規定の適用を排除される管理監督者に対する待遇としては、十分であるといい難い」とした。

この日本マクドナルド事件判決は，独立した職場の長（店長）がある程度の権限を有していたにもかかわらず，管理監督者性を否定されたものとして，当時の労務実務にかなりの衝撃を与えた裁判例であり，あらためて，残業代支払義務が生じない管理監督者について，実務上の扱いと労基法上の想定するところとの乖離が露わになった。もっとも，現在からみれば，上記日本マクドナルド事件判決は，理屈の側面では「経営者と一体的な立場」という要素を，企業全体の運営への関与を要すると誤解しているきらいがあり，担当する組織部分（上記判決でいえば店舗）について経営者の分身として経営者に変わって管理を行う立場にあることをもって「経営者と一体の立場」であると考えるべき（菅野・労働法〔12版〕492頁）という評価を受けている。ただし，店長がシフトマネージャーという営業業務にも従事したことにより，実態として，相当の長時間労働となってしまっていることもあり，個別の事案の結論としては，必ずしも失当とはいえないとも思われる。

(b)　裁判例一般

①管理監督者否定例

　日本マクドナルド事件判決以前に，管理監督者性を否定したものとして，静岡銀行事件判決（静岡地判昭和53・3・28労判297号39頁）は，銀行の支店長代理につき，部下の人事や考課に関与しないなど権限がなく，所定の就業時間に拘束されて出退勤の自由がないという事案において，管理監督者性を否定した。また神代学園ミューズ音楽院事件判決（東京高判平成17・3・30労判905号72頁）は，音楽学校の教務部長，教務課長，事業部長（後に学校法人の事業部長）の地位にあった3名について，大要，「いずれもタイムカードにより出退勤が管理され」ていたこと，業務権限については，採用面接，講師雇用の人選や，従業員の人事考課および講師の人事評価を行っていたことや，経理支出に関与していたことはあったとしても，「被告 Y_1 の指示や承諾を得ることなく，同原告の裁量で教務部にかかわる業務を行っていたとの被告 Y_1 主張の事実やそのような大きな権限が原告 X_7 に付与されていた事実」や「経理にかかわる権限を一手に掌握し，被告 Y_1 の指示や承諾を得ることなく，多額の出資を同原告の判断で行っていたとの被告ら主張の事実やそのような大きな権限が原告 X_8 に付与されていた事実」は認められず，結局，管理監督者性を否定している。また，前掲日本マクドナルド事件判決以降でも，スタジオツインク事件判決（東京地判平成23・10・25労判1041号62頁）は，従業員兼務取締役，課長として勤務していた者2名につき管理

監督者性を否定している点で目立つところである。参考までに，そのうちの1名についての説示の要点を挙げれば，まずは地位権限については「原告 X_1 は，専ら個々の…現業業務に従事し，そちらの業務で忙殺されていた上，…部下は数名しかおらず，従業員の労務管理・人事考課について格別の権限を有していたわけではなかった。また…役員会に出席していたとはいっても，…取締役会の構成員として，代表取締役に対する監督権限を行使するなど，実質的な形で被告［註：使用者］の経営に関与していた形跡はない。…労務管理について経営者と一体的な立場にあるとか，重要な職務権限を付与されていたとまで認めることはできない」とし，勤怠の自由については「原告 X_1 において，自らが取締役という地位にあり，時間外手当等の支給が受けられないという素朴な認識を抱いていたからこそ，タイムカードの打刻をしなかったにすぎないとも考えられるのであって，原告 X_1 のタイムカードの内容から，直ちに同原告が自由な時間帯に出退勤していたことが裏付けられるものではない」とし，待遇については「原告 X_1 の…月額 40 万円という給与額は，労働時間等の規制を超えて活動することを要請されてもやむを得ないといえるほどに優遇されているとまではいえない。特に，原告 X_1 は，…現業的業務に従事し，それにより被告の売上面で大きく貢献していたものであって…，上記給与額はこの点を重視してのものであると推認されるから，原告 X_1 が得ていた給与は，従業員の管理監督に対する対価という側面が希薄というべき」とした上で，管理監督者性を否定するに至っている。なお，最近目立った例では，コナミスポーツクラブ事件判決（東京高判平成 30・11・22 労判 1202 号 70 頁）も，スポーツクラブを運営する会社の支店長について，権限，勤怠の自由，処遇のいずれにおいても，管理監督者にふさわしくないとして管理監督者性を否定している。また，日産自動車（管理監督者性）事件判決（横浜地判平成 31・3・26 労判 1208 号 46 頁）は，課長職の者につき，自己の労働時間について裁量があり，待遇（年収約 1200 万円）も管理監督者にふさわしいものの，実質的に経営者と一体的な立場にあるといえるだけの職責，権限はなかった（例えば，重要会議で重要項目を企画立案することはできても実際の提案は行わず，会議への影響力も間接的であったこと等）として，管理監督者性を否定している。

②管理監督者性肯定例

管理監督者を肯定した裁判例の主なものを挙げれば，まず，姪浜タクシー事件判決（福岡地判平成 19・4・26 労判 948 号 41 頁）は，提訴した労働者は，

「営業部次長として，終業点呼や出庫点呼等を通じて，多数の乗務員を直接
に指導・監督する立場にあった…。また，乗務員の募集についても，面接に
携わってその採否に重要な役割を果たして」いたこと，「出退勤時間について
も，多忙なために自由になる時間は少なかったと認められるものの，唯一
の上司というべきB専務から何らの指示を受けておらず，会社への連絡だ
けで出先から帰宅することができる状況にあった」こと，「他の従業員に比
べ，基本給及び役務給を含めて700万円余の高額の報酬を得ていたのであ
り，被告［註：使用者］の従業員の中で最高額であった」こと，会社の「取
締役や主要な従業員の出席する経営協議会のメンバーであったことや，B専
務に代わり，被告の代表として会議等へ出席していたことなどの付随的な事
情」もあったこと等より，当該労働者の管理監督者性を肯定している。また，
徳洲会事件判決（大阪地判昭和62・3・31労判497号65頁）は，提訴した労
働者は，看護婦の募集業務全般につき権限を与えられている病院職員であり，
「看護婦の採否の決定，配置等労務管理について経営者と一体的な立場にあ」
ること，「出勤，退勤等にそれぞれタイムカードに刻時すべき義務を負って
いるものの，それは精々拘束時間の長さを示すだけにとどまり，その間の実
際の労働時間は原告の自由裁量に任せられ」ていること，「実際の労働時間
に応じた時間外手当等が支給されない代わりに，責任手当，特別調整手当が
支給されていること」等より，管理監督者性を肯定している。また，ピュア
ルネッサンス事件判決（東京地判平成24・5・16労判1057号96頁）も，管理
監督者性を肯定した数少ない裁判例のうちの一つであるが，これは取締役兼
部長が問題となった事案であり，当該取締役兼部長がタイムカードを打刻し
ていることから勤怠の自由が問題となったが，労働時間として打刻されてい
る時間帯に，パーティーや懇親会，麻雀などへの参加時間も含まれているこ
と等より，労働時間について広い裁量があったとされている。もっとも，前
掲スタジオツインク事件判決（東京地判平成23・10・25労判1041号62頁）
のように，取締役兼務の役職者であっても，管理監督者性が肯定されるとは
限らないことには注意が必要である。

iv 実務の具体的対応

　管理監督者性の有無は，労基法の労働時間・休日についての規制の適用除
外の有無であり，その実益の多くの部分は，残業代支払義務の有無である。
管理監督者性については，前述の通り，実務での取扱いと労基法の想定する
ところとの乖離が少なくないので，かなりの場合，企業では管理監督者扱い

されている役職者でも，法的判断（判決）となれば，管理監督者が否定される事例が少なくない（つまりは残業代支払義務を命じられる）。この場合，難点は，通常の企業においては，その雇用している管理監督者は，当該提訴者だけではないであろうから，実際に提訴してきた労働者との関係で管理監督者性が，公開の法廷における判決で否定されてしまうと，当該企業における他の管理監督者扱いされている者との間でも問題が生じ得る（中には，自らも提訴してくる者もあるかも知れない）。したがって，使用者側弁護士としては，管理監督者性が問題となる事件に関与する際には，判決となった場合の企業内の影響について慎重に検討する必要があるし，場合によっては，判決によらない解決（和解等）を依頼者に勧告し，推進することも必要となってくる。

　個別の事件については，前述 ii の通り，問題となった労働者ごとに，権限（地位，立場を含む），勤怠の自由，待遇の 3 要素に焦点を合わせて検討することとなる。この場合，権限については，人事労務上の権限が重視されている。また，全従業員に占める管理監督者の割合も「管理監督」の立場からすれば看過できない（もっとも，筆者の労働審判などでの経験では，企業内で約10% という上位者でも，裁判官の心証としては管理監督者性の肯定に消極的であった場合もある）。なお，権限につき一点付言すれば，一時期の裁判例では，管理監督者の権限には全社的（全企業的）な運営への関与を要件とするような表現もあり，そのように解説している文献もみられるが，企業運営とは，企業内の一部分の管理を管理職が担当しつつ，それらが統合されて行われるという実態に照らして，管理監督者も自己の担当する組織部分につき経営者に代わって管理を行う権限を有していれば，管理監督者足り得ると考えられるようになっている（菅野・労働法〔12 版〕492 頁等）。使用者側の弁護士としては，この点について，過度には謙抑的にならぬよう，注意が必要である。

　勤怠の自由については，まず，管理監督者に対して，所定労働時間（始業時刻，終業時刻）を規定していれば，管理監督者性が否定されやすい（規定している始業時刻に遅刻したり，終業時刻より早退した場合に，賃金をカットしている場合などが明瞭である）。さらには，前掲日本マクドナルド事件判決（東京地判平成 20・1・28 労判 953 号 10 頁）のように，管理監督以外の業務（管理監督者以外の者でも行う業務）によって長時間労働に至っている場合には，「形式的」には自らの労働時間を自由に決定できることとなっていても，「実質的」にはその自由度が希薄となってくることに注意が必要である。

待遇，報酬の面でいえば，当該企業における相対的地位（報酬上位層の何割程度に入っているか）とともに，非管理監督者との相違（大きいほど管理監督者性が肯定される方向に働く），報酬の絶対額（労働審判での裁判官の心証開示などに鑑みれば，現時点では，約700〜約800万円あたりが境界ゾーンとなっているのが筆者の個人的感覚である）といった判断要素が存する（無論，この境界はおおよそ，一般的なものである）。

> **実践知！**
>
> 管理監督者の扱いについては，実務での取扱いと労基法の想定するところとの乖離が少なくない。法的判断の見通しには慎重さが要求されるとともに，万一，訴訟になった場合，他の従業員への波及的効果を考え，状況次第で，判決によらない解決（和解等）を依頼者に勧告し，推進することも必要である。
>
> 管理監督者性が問題となった労働者について調査すべき点としては，非管理監督者から管理監督者に昇格した際の，権限と職務，および賃金についての変化がある（管理監督者になった際に，明瞭な変化があるという立論ができることが望ましい）。

(5) 事業場外みなし制と裁量労働制

i はじめに

労働者が時間外労働，休日労働に基づく残業代請求を行ってきた場合，その労働の有無，多寡以前に，当該労働者に残業代支払が存しないことを使用者側が主張する場合として，管理監督者性の主張以外にみられるものとしては，事業場外みなし制の適用（労基法38条の2第1項）と，裁量労働制（労基法38条の3，4）の主張がある。これらも，管理監督者性（労基法41条2号）同様に，かなり厳格な法律上の要件が課せられてはいるものの，実務上，管理監督者性の問題ほど，問題発生は多くはない。これは，企業組織の実務として，一定の年功，功労のある者は，その権限，職責にかかわらず，管理監督者として遇することが労働者のロイヤリティー，モチベーションを維持するのに現実に必要である一方で，事業場外みなし制，裁量労働制はそこまで（法的にはやや無理をして）適用するほどの必要性はない，ということにもよると思われる。

ii　事業場外みなし制

(a)　法規制の内容

　労働者が労働時間の全部または一部について事業場施設外で業務に従事した場合において，労働時間を算定しがたいときは，所定労働時間だけ労働したものとみなす制度である。ただし，当該業務を遂行するために通常所定労働時間をこえて労働することが必要となる場合，当該業務の遂行に通常必要とされる時間労働したものとみなされる（以上，労基法38条の2第1項）。なお，後者の場合には，事業場の労使協定があれば，その協定に定める時間が当該業務の遂行に通常必要とされる時間とみなされる（労基法38条の2第2項）。ここで，実務上，紛争となる場合の大半は，当該労働者につき，「労働時間を算定し難いとき」といえるか否か，という論点である。

(b)　裁判例の俯瞰

　事業場外みなし制に関する裁判例はさほど多くはなく，知られているものとしては，国内旅行ツアー添乗員の労働時間が算定し難いときといえるか否かで問題となった阪急トラベルサポート（派遣添乗員・第1）事件判決（東京高判平成23・9・14労判1036号14頁。国内ツアーの事案），国外旅行ツアー添乗員につき問題となった阪急トラベルサポート（派遣添乗員・第2）事件判決（最判平成26・1・24労判1088号5頁）等があげられる。いずれも，労基法38条の2第1項にいう「労働時間を算定し難いとき」には当たらないとして事業場外みなし制の適用を否定したものである。上記最高裁の判示としては，「本件添乗業務は，…ツアーの旅行日程は，本件会社とツアー参加者との間の契約内容としてその日時や目的地等を明らかにして定められており，…旅行日程が上記のとおりその日時や目的地等を明らかにして定められることによって，業務の内容があらかじめ具体的に確定されており，添乗員が自ら決定できる事項の範囲及びその決定に係る選択の幅は限られている」，「ツアーの開始前には，本件会社は，添乗員に対し，本件会社とツアー参加者との間の契約内容等を記載したパンフレットや最終日程表及びこれに沿った手配状況を示したアイテナリーにより具体的な目的地及びその場所において行うべき観光等の内容や手順等を示すとともに，添乗員用のマニュアルにより具体的な業務の内容を示し，これらに従った業務を行うことを命じている。そして，ツアーの実施中においても，本件会社は，添乗員に対し，携帯電話を所持して常時電源を入れておき，ツアー参加者との間で契約上の問題やクレームが生じ得る旅行日程の変更が必要となる場合には，本件会社に報告し

て指示を受けることを求めている。さらに，ツアーの終了後においては，本件会社は，添乗員に対し，前記のとおり旅程の管理等の状況を具体的に把握することができる添乗日報によって，業務の遂行の状況等の詳細かつ正確な報告を求めている」ことから，「本件添乗業務について，本件会社は，添乗員との間で，あらかじめ定められた旅行日程に沿った旅程の管理等の業務を行うべきことを具体的に指示した上で，予定された旅行日程に途中で相応の変更を要する事態が生じた場合にはその時点で個別の指示をするものとされ，旅行日程の終了後は内容の正確性を確認し得る添乗日報によって業務の遂行の状況等につき詳細な報告を受けるものとされているということができる」として，「添乗員の勤務の状況を具体的に把握することが困難であったとは認め難」いとした。

　なお，付言すれば，使用者が，上記最高裁判決等を受けて，それまでの日当制から時給制にする等した就業規則の変更は，内容の相当性や必要性，労働組合等との交渉経緯等から，変更の効力が認められている（阪急トラベルサポート〔派遣添乗員・就業規則変更〕事件判決〔東京高判平成30・11・15労判1194号13頁〕）。

　「労働時間を算定し難いとき」であることを肯定し，事業場外みなし制の適用を肯定した裁判例として，日本インシュアランスサービス（休日労働手当・第1）事件判決（東京地判平成21・2・16労判983号51頁）は，業務職員らの「業務遂行の仕方は，被告〔註：使用者〕の本支店には原則として出社することなく，自宅を本拠地として，自宅に被告から送付されてくる資料等を受領し，指定された確認項目に従い，自宅から確認先等（保険契約者宅，被保険者宅・病院・警察・事故現場等）を訪問し，事実関係の確認を実施し，その確認作業の結果を確認報告書にまとめて，本社ないしは支社に郵送又はメール等でこれを送付する，というものである。このように，…被告の管理下で行われるものではなく，本質的に原告〔註：労働者〕らの裁量に委ねられたものである。したがって，…使用者が労働時間を厳密に管理することは不可能であり，むしろ管理することになじみにくいといえる」として，平日のみならず当該事案で問題となった休日労働についても，事業場外みなし制の適用を認めている。

> 実践知！
>
> 通信機器・通信技術の進展により，使用者は労働者の勤務状況を把握しやすくなってきているとはいえる。しかし「直行」「直帰」が多かったり，顧客とのアポイントメントが時間的に不規則であったりして，労働時間と休憩時間の把握が非現実的な業態も存在する。労働時間を算定しがたいか否かは，一定程度継続的なまとまった時間帯ごとに労働，不労働の時間の区別ができるかどうかが判断基準になるとも思われる。

iii 裁量労働制

(a) 法規制の内容

裁量労働制には，専門業務型裁量労働制（労基法38条の3）と，企画業務型裁量労働制（労基法38条の4）とが存する。ごく簡単にいえば，前者は，業務の性質上，その遂行の方法を大幅に労働者の裁量にゆだねる必要があるような業務に従事する場合について認められるものであり，後者は，事業活動の中枢にある労働者に創造的な能力を発揮させたいとか，自分の能力を生かして労働時間や仕事の進め方につき主体的に働きたいという，企業や労働者の要望により設けられたものである。いずれも，その対象業務については，法令により，かなり厳密な規制がなされており（専門業務型裁量労働制については，労基則24条の2の2第2項，企画業務型裁量労働制については労基法38条の4第1項），その対象業務の要件にあてはまるかどうかの検討が必要となる。もっとも，企画業務型裁量労働制の方は，現在の法制では対象労働者の同意も適用の要件となっているため（同項6号），実際上は，紛争が起きにくい構造になっている（裁量労働制の適用をめぐって争うくらいならば，ほとんどの場合，最初から企画業務型裁量労働制に必要とされている同意などはしないであろう）。

(b) 裁判例の俯瞰

裁量労働制に関する裁判例は少ない。その中で，ドワンゴ事件判決（京都地判平成18・5・29労判920号57頁）は，専門業務型裁量労働制に関する合意がなされていたが，要件である労使協定は本社でのみ締結・届出がなされ，当該労働者の勤務地ではなされていなかった事案において，労使協定の必要な「事業場」とは「工場，事務所，店舗等のように一定の場所において，相

関連する組織の基で業として継続的に行われる作業の一体が行われている場」であり，当該従業員の勤務地と本社は別個の事業場といえることから，当該勤務地においては労使協定の締結・届出が行われていないとし，裁量労働制の適用を否定している。労使協定の締結・届出の実務において，留意すべき裁判例であろう。

また，最近の例では，乙山彩色工房こと乙山次郎事件判決（京都地判平成29・4・27労判1168号80頁）も，専門業務型裁量労働制の適用の可否が問題となった事案であるが，専門業務型裁量労働制には，事業場の労働者の過半数で組織する労働組合または労働者の過半数を代表する者との書面による協定を行うことを要し（労基法38条の3第1項），また，個別の労働者との関係では，就業規則の改定等により，専門業務型裁量労働制が適用されることが労働契約の内容となることを要すると説示した上で，当該事案では労働者の過半数の代表者の選出手段，方法が不明であり，労働者代表が適法に選出されたことをうかがわせる事情は何ら認められないこと，裁量労働制採用の際に適切な具体的な説明がなされたことを認めることのできる客観的な証拠はないこと，就業規則が，裁量労働制採用の際に使用者の事務所内の棚に保管され，従業員が手に取れる状態となっていなかったこと，また，その保管場所が従業員に周知されていたことを裏付ける客観的な証拠もないこと等より，専門業務型裁量労働制の適用を否定している。この裁判例からしても，裁量労働制の採用には，形式的要件（労使協定の適切な締結，就業規則の変更・周知）の丁寧な充足が重視されていることが明らかである。

実践知！

　裁量労働制に関する紛争は，多くの場合，当該労働者の業務が，裁量労働制（特に専門業務型裁量労働制）の対象業務に該当するか否かの問題である。本来，対象業務への該当性の有無は，当該職場ごとや部署ごとではなく，最終的には各個人ごとに判断されるべきものであるが，使用者側としては，同一職場，同一部署の各構成員につき，裁量労働制の適用の有無を分けることは煩瑣に過ぎ，部署ごと，あるいは部署内の職位・職階ごとに裁量労働制の適用の有無の線引きをせざるを得ないところがある。紛争に至った場合，事件処理に当たる使用者側弁護士としては，部署，職位・職階ごとの業務のみならず，実際に問題と

> なっている労働者の業務が，当該部署，職位・職階において想
> 定されたものであるか否かの検証も行うべきこととなる。

Ⅱ．賃金の金額の減額をめぐる紛争

　賃金の金額（額面）自体を，一時的にではなく，事後続行する形で減額す
ることについての紛争は，まさに賃金をめぐる紛争の中心的課題であるが，
これは，労働条件の不利益にかかる問題であるので，Chap. 17 において，
他の労働条件の不利益にかかる問題とあわせて説明する。

Ⅲ．賃金支払いの 4 原則をめぐる紛争

1．賃金支払いの 4 原則の概論

　労基法 24 条は，労働者保護の見地より，賃金の支払いについて，
(a)　通貨払いの原則（賃金は通貨で支払わなければならない）
(b)　直接払いの原則（賃金は労働者に直接支払わなければならない──中間搾
　　取等の禁止）
(c)　全額払いの原則（賃金はその全額を支払わなければならない──使用者に
　　よる一方的控除の禁止）
(d)　毎月 1 回以上一定期日払いの原則（賃金は毎月 1 回以上一定期日を定め
　　て支払わなければならない──ただし，臨時に支払われる賃金や賞与等はこ
　　の限りではない）
の 4 原則を定めている。
　このうち実務において紛争，相談案件が生じやすいのは全額払いの原則に
ついてである。よって，本書ではそれに絞って，簡単に紛争類型と対応につ
いて説明する。

2．全額払いの原則についての紛争

(1)　裁判例

　全額払いをめぐる紛争は，主として，使用者から労働者への何らかの債権
と労働者から使用者への賃金債権の相殺の可否という形で現れる。

CHAPTER 8　賃金（残業の問題を含む）　　97

労働者側から行う相殺について，全額払いの原則違反は成立しないが（菅野・労働法〔12 版〕455 頁等），使用者側から行う相殺については，原則として，全額払いの原則違反となり，相殺を行ったとしても使用者は全額賃金を支払わなければならない（関西精機事件判決〔最判昭和 31・11・2 民集 10 巻 11 号 1413 頁〕，日本勧業経済会事件判決〔最判昭和 36・5・31 民集 15 巻 5 号 1482 頁〕等）。

ただし，例外もあり，例えば，福島県教組賃金支払請求上告事件判決（最判昭和 44・12・18 労判 103 号 17 頁）は，以前にあった給与過払による使用者からの不当利得返還債権を自働債権，労働者からの賃金債権を受働債権として使用者が行った相殺につき，過払のあった時期と賃金の清算調整の実を失わない程度に合理的に接着した時期においてされ，かつ，あらかじめ労働者に告知されるとかその額が多額にわたらない等労働者の経済生活の安定を脅かすおそれのないものであるときは，全額払いの原則に違背しないとしている。

なお，使用者側からの一方的相殺ではなく，労使合意による相殺については，日新製鋼事件判決（最判平成 2・11・26 労判 584 号 6 頁）は，使用者が労働者の同意を得て労働者の退職金債権に対してする相殺については，同意が労働者の自由な意思に基づいてされたものであると認めるに足りる合理的な理由が客観的に存在するときは，全額払いの原則に違反しないとした上で，労働者側が銀行等から住宅資金の貸付けを受けるに当たり，自らの退職時には使用者からの退職金等により融資残債務を一括返済し，同会社に対しその返済手続を委任する等の約定をし，同使用者が，上記委任に基づく労働者への返済費用前払請求権と労働者の退職金債権等とを相殺した事案につき，労働者側が，上記返済に関する手続を自発的に依頼していたこと，上記貸付けが低利かつ相当長期の分割弁済の約定の下にされたものであり，その利子の一部を使用者が負担する措置が執られたことなどの事情を考慮して，上記相殺は，労働者の自由な意思に基づくものと認めるに足りる合理的な理由が客観的に存在したものとして，相殺を有効と解している（同様の手法のもと，相殺の効力を判断した裁判例として，山一證券破産管財人事件判決〔東京地判平成 13・2・27 労判 804 号 33 頁〕，全日本空輸〔取立債権請求〕事件判決〔東京地判平成 20・3・24 労判 963 号 47 頁〕等）。

賃金債権の相殺ではないが，賃金債権の放棄が問題となった裁判例についてもここで簡単に俯瞰する。本来，権利者である労働者がその意思により自

らの権利である賃金債権を放棄するのであれば，特に法的に問題はないとも思われるが，労働者における賃金債権の重要性に鑑みて，裁判例はその放棄の効力（債権の消滅）につき，慎重を期している。古くは，シンガー・ソーイング・メシーン・カムパニー事件判決（最判昭和48・1・19民集27巻1号27頁）は，賃金（退職金債権）放棄は，労働者の自由な意思に基づくと認め得る合理的な理由が客観的に存在するときは有効との判断基準を示し，退職する高位の労働者（使用者での西日本における総責任者）が，退職後ただちに競争会社に就職することが使用者に判明しており，また，労働者の在職中における経費の使用につき書面上つじつまの合わない点につき使用者が疑惑を抱き，その疑惑にかかる損害の一部を填補させる趣旨で当該労働者に退職債権の放棄を求めていたという事案において，労働者の退職金債権放棄は，自由な意思に基づくものであると認めるに足りる合理的な理由があるとして，放棄を有効としている。ちなみに近年の例では，北海道国際航空事件判決（最判平成15・12・18労判866号14頁）が，労働者による賃金債権の放棄には，自由な意思に基づくものと認めるに足りる合理的な理由が必要として，年俸額減額の同意の一部の効力を否定している。

(2) 実務の具体的対応

　使用者側より労働者に請求したい債権（例として，労働者の業務上の不始末により使用者に損害が生じた場合の損害賠償請求権等）があったとしても，労働者の明瞭な同意があり，それが客観的に合理性を有する理由がない限りは，相殺に及ぶことは慎重を期すべきである。労働者へ過払い済の賃金の返還を求めるような，賃金に関係する債権を使用者が有しているような場合であっても，労働者の生活に配慮すること（一度に相殺額が大きくならないように，適宜分割での相殺にすること）が相殺の有効性においては重要な要素であるが，これは，労働者の同意による相殺，あるいは債権放棄における場合においても同様と思われる。労働者への生活の配慮の強弱という点で，より労働者の自由な意思の有無を裏付ける要素になるからである。

> **実践知！** 　使用者が労働者に対して有する債権の回収を労働者の賃金との相殺で行うことは，実務的には，労働者との明瞭な合意がない限りは困難なことがほとんどである。

Ⅳ．賞与，退職金，年俸をめぐる紛争

　労働者の賃金の構成は，各使用者によって千差万別であることはいうまでもないが，そのなかでも，賞与，退職金は労働者にとって臨時的，特殊かつ多額な賃金である上に，労使間での解釈の幅が分かれやすく，紛争となりやすい。また，年俸制は，従前からの労基法が当初からは想定していなかった賃金制度であり，これも労使間の解釈の幅が分かれやすく，比較的紛争が生じやすい。以下，3点について，裁判例を前提に，使用者側の弁護士としての具体的対応を概観することとする。

1．賞与に関する紛争について

(1)　はじめに

　賞与とは，通常，毎月にではなくある程度長期的な期間ごとに（多くの企業では，毎年夏と冬の2回），毎月支払われる賃金（月給）とは別に労働者に支給される賃金をいうが，その支給時期，金額（金額決定基準を含む），支給条件等については，労働契約および就業規則（就業規則より委任を受けた賃金規程等を含む）の定めるところによって決定されることが一般であり，労働法上，この点について規制はない。実務上は，この労働契約上の賞与についての決定内容をめぐり，金額，時期，支給条件等が問題となることが多い。

(2)　裁判例

i　金額について

　賞与は，「○○万円」，「月給○か月分」と労働契約および就業規則等で定められることも散見されるが，多くの場合は，「毎年○月と○月，会社の及び各人の業績を勘案して支給する」などといった例のように，具体的金額および簡明な算定基準を定めていない。したがって，使用者が，賞与支給時期ごとに具体的な金額や算定基準を決定し（算定基準の中には，企業業績や労働

100　　　　　PART 1　個別的労働紛争

者の考課，査定結果が含まれていることもある），はじめて賞与の具体的金額が決定されることが多い。このような場合には，使用者による具体的な金額や算定基準の決定によってはじめて，労働者の賞与の具体的請求権が発生すると解されている。例えば，クレディ・スイス証券事件判決（最判平成27・3・5判時2265号120頁）は，上記の使用者の決定または労使間の合意もしくは労使慣行が存在しないという事情の下では，具体的な請求権は発生していないとして，労働者からの賞与請求権を退けている。なお，同種の最高裁判例として，福岡雙葉学園事件判決（最判平成19・12・18労判951号5頁）がある。下級審裁判例では，須賀工業事件判決（東京地判平成12・2・14労判780号9頁），N興業事件判決（東京地判平成15・10・29労判867号46頁）等がある。

ii 支給時期および支給条件について

　賞与を支給する多くの使用者では，賞与の支給日について使用者側の裁量によるが，その中でも，比較的多くの使用者が，退職などの事情で賞与支給日に在籍していない労働者に対しては賞与を支給しないという規則（いわゆる，在籍条項）を定めている。これは，一般には，賞与が，それまでの労働者の実績への報酬という側面だけではなく，将来の期待の表明，就労意欲の動機づけ，という側面を有することの反映といわれている。

　代表的な裁判例としては，大和銀行事件判決（最判昭和57・10・7労判399号11頁）は，下述する「就業規則32条」にて賞与の在籍条項を規定していたところ，「被上告銀行においては，本件就業規則32条の改訂前から年2回の決算期の中間時点を支給日と定めて当該支給日に在籍している者に対してのみ右決算期間を対象とする賞与が支給されるという慣行が存在し，右規則32条の改訂は単に被上告銀行の従業員組合の要請によって右慣行を明文化したにとどまるものであって，その内容においても合理性を有する」として，在籍条項の効力を肯定し，支給日前に退職していた労働者の賞与請求を退けた。なお，この在籍条項は，希望退職優遇制度の利用者の事案でも，さらには，退職日を自らは選択できない定年退職の場合でも，有効とされている（前者について，コープこうべ事件判決〔神戸地判平成15・2・12労判853号80頁〕等，後者についてはカツデン事件判決〔東京地判平成8・10・29労経速1639号3頁〕，JR東日本〔退職年度期末手当〕事件判決〔東京地判平成29・6・29労判1164号36頁〕）。これは，前述したような賞与の多面性（特に，将来の期待の表明）を考慮したものと思われるが，賞与の在籍条項の有効性にも限度はあり，例えば，須賀工業事件判決（東京地判平成12・2・14労判780号

9頁）は，会社側が賞与支給につき在籍要件を定めることは不合理であるとは一概にはいえないとした上で，在籍条項の「支給日」とは，支給が予定されていた日と解するべきであり，本来の支給日に在籍していた労働者は，賞与の支給が予定より遅れたことで，支給日には退職していたとしても賞与請求権を有するとした。

(3) 実務の具体的対応

前述(2)を基に，使用者側弁護士として労働者からの賞与請求権に対応する場合，まず，賞与の支給額の算定基準，支給条件を就業規則等により確認することが重要である。そこで，どこまで具体的な算定基準が定められているか，支給条件として在籍条項があるかなどを確認することとなる。請求権の成否および支給金額については，予め定めていた規則等があれば，概ね，その内容が肯定されるのは前述(2)の通りであるが，これは常に使用者側に有利というわけではない。最近のある程度の規模の企業は，賞与の支給算定基準の中に各個人の考課結果を要素として取り入れていることが多いが，その考課については考課基準の定めがあることが多く，結果として，考課自体が適切に考課基準の定めに沿ってなされていなければ，その考課を賞与算定基準に当てはめて算出された賞与支給額自体が誤りということとなる。この場合，当該労働者としては，適切な考課であれば算出されたであろう賞与額と，現実に算出されていた賞与額との差額を請求できることがある。

> **実践知！**
>
> 労働者からの賞与請求権については，どこまで具体的な算定基準を定めているかを最初に点検すべきである（具体性が強いほど，その基準に沿って請求する労働者側の主張は認められやすくなる）。なお，かような具体的な基準がなくとも，実務的には，ほぼ慣習で定まっている場合（しかも，使用者もそれを前提とする旨を表明している場合）も存するので，実態の確認も重要である。

2. 退職金に関する紛争について

(1) はじめに

退職金とは，退職した労働者に対し支払われる金員のことであり，我が国

では広く採用されているものであるが，法定された制度ではなく，退職金制度を設けなくても違法ではないし，その内容は，各企業個別に定められるものであって，賞与同様に千差万別である。その性質は，基本的には賃金の後払いとされており，終身雇用制を基調とした我が国においては，雇用の定着を目途としてきたこともあり，これが広く採用されてきた理由と思われる。

退職金においてよく問題となるのは，就業規則等（退職金規程を含む）において退職時に労働者が受給できると想定されていた退職金が不支給となるか減額となる場合である。

退職金の不支給についての紛争として，使用者側弁護士の立場としてよく遭遇するのは，懲戒解雇における退職金不支給・減額の場合，または競合他社への就職などといった非違行為を理由とする不支給・減額の場合の2つであるので，本書でもそれらを中心に検討する。

(2) 裁判例
i 懲戒解雇における退職金不支給・減額の場合

雇用の定着性を最大の特色とする現在の我が国の労働実務においては，多くの企業で退職金制度を有しているが，そのうちの多くの企業は，何らかの事由がある場合には労働者に支払われる退職金を不支給もしくは減額する条項を，就業規則（もしくは賃金規程，退職金規程等）上設けており，その事由とされているもののうちの典型的なものの一つが，労働者が懲戒解雇された場合である。

懲戒解雇自体についての考え方は Chap. 15 に譲るとして，退職金の性格の主たるところは，一般に「賃金の後払い」とされており（菅野・労働法〔12版〕439頁等），たとえ雇用終了の契機が懲戒解雇であったとしても，直ちに就業規則等の規定通りに，退職金を不支給もしくは減額し得るということではない。以下の通り，裁判例も事案に即して，退職金の不支給・減額の有効性の有無を検討している。

退職金の不支給・減額条項を有効とした裁判例では，東京地判平成21・9・3判例集未登載は，使用者の退職金「不支給条項によれば，懲戒解雇された者に対しては原則として退職金は支給しないとされている…原告［註：労働者］に対する本件懲戒解雇は有効であり，懲戒解雇権濫用の事実も存在しない。そして…原告の横領行為，その後の横領の隠ぺい行為及び被告［註：使用者］に原告に対する事情聴取等の調査を余儀なくさせたことは，原

告のそれまでの勤続の功を抹消するほどの著しく信義に反する背信的行為であると認めるのが相当である」として，懲戒解雇された労働者への退職金支払義務がないとしている。なお，このような裁判例は他にも，ソニー生命保険事件判決（東京地判平成11・3・26労判771号77頁），日音（退職金）事件判決（東京地判平成18・1・25労判912号63頁），東京地判平成24・2・17判例集未登載等がある。また，後述するピアス事件判決（大阪地判平成21・3・30労判987号60頁）は，懲戒解雇された労働者の退職金についても問題になっているが，退職金不支給を肯定している。

　一方，退職金不支給，減額条項を否定した裁判例として，日本高圧瓦斯工業事件判決（大阪高判昭和59・11・29労判453号156頁）は，懲戒解雇等円満退職でないときは退職金を支給しない旨の就業規則上の規定があっても，労働者に永年勤続の功労を抹消してしまうほどの不信行為がない限り，退職金の不支給は許されないとした一審判決（大阪地判昭和59・7・25労判451号64頁）の説示を引用した上で，労働者が使用者会社の「営業所の責任者であつて同営業所の運営の衝に当たつていたところ，突如として退職届を提出し，その後は右営業所の運営を放置して残務整理をせず，その後任者に対しても何らの引継をしないまま退職するなどの行為をした…としても，その行為は，責められるべきものであるけれども，未だもつて…永年勤続の功労を抹消してしまうほどの不信行為に該当するものと解することができない」として，退職金不支給条項の効力を否定した。こうした否定例は，他にも，トヨタ工業事件判決（東京地判平成6・6・28労判655号17頁），日本コンベンションサービス（退職金請求）事件判決（大阪高判平成10・5・29労判745号42頁）等がある。

　なお，実務では，使用者が退職金を不支給にしたところ，一部支給を命じる裁判例が少なくなく，例えば，代表的な裁判例ともいえる小田急電鉄（退職金請求）事件判決（東京高判平成15・12・11労判867号5頁）は，痴漢行為で刑事処罰を受けたことで懲戒解雇された電鉄会社の元職員について，「行為が悪質なものであり，…また，…過去に3度にわたり，痴漢行為で検挙され…約半年前にも痴漢行為で逮捕され，罰金刑に処せられたこと，…引き続き被控訴人［註：使用者］における勤務を続けながら，やり直しの機会を与えられたにもかかわらず，さらに同種行為で検挙され，正式に起訴されるに至った…こと，…痴漢行為を率先して防止，撲滅すべき電鉄会社の社員であったこと」から，「永年の勤続の功を抹消してしまうほどの重大な不信行

為があったと評価する余地もないではない」としながらも，「本件行為及び控訴人［註：元職員］の過去の痴漢行為は，…会社の業務自体とは関係なくなされた，控訴人の私生活上の行為である。…報道等によって，社外にその事実が明らかにされたわけではなく，被控訴人の社会的評価や信用の低下や毀損が現実に生じたわけではない。…雇用を継続するか否かの判断においてはともかく，賃金の後払い的な要素を含む退職金の支給・不支給の点について，決定的な影響を及ぼすような事情であるとは認め難い」などとした上で，使用者は「退職金の全額について，支給を拒むことはできないというべきである。しかし，他方，上記のように，本件行為が職務外の行為であるとはいえ，会社及び従業員を挙げて痴漢撲滅に取り組んでいる被控訴人にとって，相当の不信行為であることは否定できないのであるから，本件がその全額を支給すべき事案であるとは認め難い」とし，結論として，「本来の退職金の支給額の3割」につき，当該労働者に支払うべきと判示している。退職金の一部減額が妥当と判断した裁判例としては，他に，橋元運輸事件判決（名古屋地判昭和47・4・28判時680号88頁），日本通運事件判決（東京地判平成29・10・23労経速2340号3頁）があり，各々，6割，5割までの減額（没収）が可能と判示している。

ⅱ　競合他社への就職などといった非違行為を理由とする不支給・減額の場合

　懲戒解雇を伴わない事案でも，労働者の在籍中，さらには退職後の所為までを理由として，退職金の不支給または減額が問題となることは少なくない。この場合，労働者が退職していないか，退職していても，退職金が未支給であれば文字通り退職金の不支給，減額をめぐる紛争となるが，すでに退職金が支給済みであるような場合は，使用者から労働者への退職金の（全部または一部の）返還請求をめぐる紛争となる。つまり，使用者が訴える側になる。

　まず，使用者による退職金の不支給が認められた裁判例を挙げるに，ピアス事件判決（大阪地判平成21・3・30労判987号60頁）は，「懲戒解雇による場合に退職金を不支給又は減額にすることができる旨の退職金規程等の定めがあるとしても，この定めをもって直ちに退職金を不支給又は減額にすることはできない」「しかし，…退職金の性格（特に功労報償的性格）に照らすと，同労働者において，それまでの勤続の功を抹消又は減殺する程度にまで著しく信義に反する行為があったと認められるときは，使用者は，同労働者による退職金請求の全部又は一部が権利の濫用に当たるとして，同労働者に対する退職金を不支給又は減額にすることができる」と一般論を説示した上

で，「①被告［註：使用者］に在職していた間に，…被告の…事業と競合する事業を目的とするリューヴィ社を設立し，出資金を負担して，同社設立に関する準備行為をして，同社取締役に就任した…，②被告に在職していた間…，リューヴィ社の共同経営者として，リューヴィの開業準備行為（店舗の準備，従業員の雇用，店舗で販売する製品の準備，店舗ホームページの掲載等）を主宰した…，③被告に在職していた間に修得した…技術を，被告の退職後にリューヴィで提供している」といった当該労働者の行為は，使用者における勤続の功を抹消する程度にまで著しく信義に反する行為であったとして，当該労働者の退職金請求は，その全額において権利の濫用に当たり，認められないとした（上記事件判決と類似の件として，イーライフ事件判決〔東京地判平成25・2・28労判1074号47頁〕は，在職中の競業行為等への加担があった労働者につき，勤続の功を抹消するほどの背信的行為があったとして，退職金請求が認められないとした）。

　また，全額不支給までではないが，NTT東日本（退職金請求）事件判決（東京高判平成24・9・28労判1063号20頁）は，非違行為による逮捕後に，合意退職した労働者が，使用者に対して退職金の支払を求めた事案につき，「非違行為は，…その犯行態様も悪質で，わいせつな行為にとどまらず，傷害の結果まで生じていることから，…懲役3年（5年間の保護観察付き執行猶予）という決して軽いとはいえない量刑の判決が下されたものであり，当該行為自体が相当強い非難に値する行為であるといわなければならない。…逮捕直後や裁判時などに複数のマスメディアや公開の法廷で明らかにされ，雇用主として謝罪のコメントを求められるなどしたことによって，控訴人［註：使用者］の名誉や信用が失墜させられたことは否定し難く…，また，控訴人には，報道対応や任意捜査への協力によって，本件非違行為がなければ生ずることのなかった業務への支障も現実に生じたものである」「このようなことからすれば，本件非違行為が…私生活上の非行であること，…被控訴人［註：労働者］は本件非違行為に至るまで一度も懲戒処分を受けたことがなく，部内の表彰を受けたこともあることなどから本件非違行為がそれまでの被控訴人の勤続の功労を抹消してしまうほどのものとはいえないけれども，…上記功労を著しく減殺するものとはいわざるを得ず，以上のような諸般の事情を総合的に考慮すれば，この減殺の程度は7割と認めるのが相当である」として大幅な減額を肯定している。上述のピアス事件判決，NTT東日本（退職金請求）事件判決はいずれも使用者に退職の場合（解雇の場合ではな

く）における退職金不支給・減額条項が規定されていなかった場合であるが，退職金不支給・減額が認められている点は留意すべきである。さらに，近年の例としては，医療法人貴医会事件判決（大阪地判平成 28・12・9 労判 1162号 84 頁）は，在職中に診療情報システムの診療情報の改ざんを行っていた労働者が，これを問い質された際に改ざんを否定しつつ退職したところ，使用者側が退職日後に退職日に遡って懲戒解雇した上で退職金を不支給とした事案について，退職した場合（退職後）は，使用者は懲戒解雇をすることはできず，懲戒解雇を理由とする退職金不支給条項は適用できないものの，当該使用者の退職金は功労報償的性格も有していること，問題となった改ざん行為は懲戒解雇事由に該当する悪質な行為であること，使用者の信用失墜には至らなかったことといったことを理由として，退職金を 2 分の 1 に減額した。また，Ｙ社事件判決（東京地判平成 27・7・17 労経速 2553 号 18 頁）も，在職中，多数回の遅刻による出勤停止処分以後も遅刻を繰り返し，その理由を問われても，無視，趣旨不明な反論等を行った労働者を懲戒解雇した際の退職金につき，所定の 3 分の 1 に限定して支給した使用者の措置を是認している。

　一方，退職金不支給・一部減額を否定した裁判例としては，これも労働者が退職後に競合他社に就職した事案について，中部日本広告社事件判決（名古屋高判平成 2・8・31 労判 569 号 37 頁）は，使用者における「退職後 6 か月以内に同業他社に就職した場合には退職金は支給されない」との退職金支給規定に基づいたとしても，退職金を支給しないことが許されるか否かは，使用者の「本件不支給条項の必要性，退職従業員の退職に至る経緯，退職の目的，退職従業員が競業関係に立つ業務に従事したことによって第一審被告［註：使用者］の被った損害などの諸般の事情を総合的に考慮すべきである」と説示した上で，当該労働者は，「自らの不相当な行為に起因するところがあるとはいえ，第一審被告から，一部違法な賃金削減を含む厳しい対応をされ，事実上，退職に追い込まれて同被告を退職し，その生活のために，同被告と競業関係に立つ広告代理業を自営するに至ったものと判断され，退職に当たり第一審被告に損害を与える目的があったなど，第一審原告［註：労働者］の退職時の事情として，特に非難されるべき事情があったと認定することは困難である」として，使用者は退職金支払義務を有するものとした。

　なお，退職後すでに退職金を受領している労働者に対する元使用者からの退職金返還請求権の肯否が問題となった裁判例として有名なものに，三晃社

事件判決（最判昭和 52・8・9 労経速 958 号 25 頁）がある。これは前掲の中部日本広告社事件同様，使用者において退職後の一定期間内に同業他社に転職した場合は自己都合退職金の 2 分の 1 のみを支給するとの規定がある事案について，使用者が「退職後の同業他社への就職をある程度の期間制限することをもって直ちに社員の職業の自由等を不当に拘束するものとは認められず，したがって，被上告会社［註：使用者］がその退職金規則において，右制限に反して同業他社に就職した退職社員に支給すべき退職金につき，その点を考慮して，支給額を一般の自己都合による退職の場合の半額と定めることも，本件退職金が功労報償的な性格を併せ有することにかんがみれば，合理性のない措置であるとすることはできない」としており，使用者からの退職金返還請求権を肯定した。

(3) 実務の具体的対応

退職金の主な性格が賃金の後払い的なものとされている以上，当然ながら，その全部または一部を不支給とすることには，使用者としては慎重に考える必要がある。特に，退職金の全部を不支給とするには，懲戒解雇相当の事由以上に当該労働者に責められるべき事由がないと困難といえる（裁判例の表現だと，退職までの勤続の功を抹消するほどの著しく信義に反する背信的行為といったもの）。もっとも，懲戒解雇事由が認められる場合には，当該労働者に相当の問題行為があることがほとんどであろうし，その場合，退職金全額の不支給はともかく，相当部分（5 割とか 7 割とか）の不支給は肯定されることも少なくない（前掲小田急電鉄〔退職金請求〕事件判決〔東京高判平成 15・12・11 労判 867 号 5 頁〕等）。使用者側としては，労働者の非違，問題点として主張できる材料を収集・整理した上で，法的判断を検討する（求める）ということとなろう。

実践知！

訴訟前の段階においては，退職金の不支給条項の整備が重要（ただし，この条項が退職金の不支給・減額に必須というほどではない）。殊に，懲戒解雇の場合には退職金を不支給とする旨の条項は多くの使用者でみられるが，自己都合退職の場合についても労働者の在籍中に問題行為がみられた場合には退職金を全部または一部不支給としたり，退職金を支給済みの場合にはその返還

を求めることがある旨の条項は，まだまだ設けられていない企業が多く，規定の整備が望ましい。

3. 年俸に関する紛争について

(1) はじめに

比較的成果主義的要素が薄い現在の我が国の労働制度（および賃金制度）においても，長い目で見れば，徐々に，特に上位層の労働者において，成果主義的な制度が導入されつつあり，その一つに年俸制といわれるものがある。それは一般に，「賃金の全部または相当部分を労働者の業績等に関する目標の達成度を評価して年単位に設定する制度」等の説明がされている（菅野・労働法〔12 版〕436 頁）。

年俸制をめぐる紛争も，その種類は決して少なくはないが，現状，実務上みられるものの多くは，年俸制の切下げの問題（年単位の期間中になされる場合と，年単位の切替えの際になされる場合とに大別される），残業代の要否および金額，といったものである。前者（年俸額切下げの問題）については，労働者の不利益措置の問題として，Chap. 17 に詳述することとして，後者（残業代の問題）についてのみ，若干付言する。

(2) 年俸制に関する残業代についての行政通達，裁判例

実務としてたまにみられる誤解に，年俸制が適用される者には残業代の必要がない，というものがあるが，残業代の支払義務は強行法規たる労基法上の義務であり，法令の根拠なくして例外は認められない。したがって，仮に年俸制適用者が比較的上位者であったとしても，労基法 41 条 2 号でいう管理監督者に該当するなどといった事情がない限りは，残業代の支払を免れないこととなる（裁判例として，システムワークス事件判決〔大阪地判平成 14・10・25 労判 844 号 79 頁〕）。

年俸制については，年俸総額を 12 で除した均等額を毎月労働者に支給する方式もあれば，夏・冬に，通常の月に支払う月給とは別に賞与として支給する方式もある。賞与は，原則として，1 か月を超える期間ごとに支払われる賃金として，残業代の算定の基礎賃金につき定める労基法 37 条 1 項，4 項における割増賃金の算定基礎に含まれないが（労基則 21 条 5 号），年俸制

においては，年単位の賃金である年俸総額が決まっていることが多く，その場合，賞与もあらかじめ一定の額で決まっていることが多い（例えば，年に夏・冬の2回に月給2か月分の賞与を支給する場合，年俸総額は月給16か月分と等しくなるから，1回の賞与額は，「年俸総額÷16×2」となる）。このように賞与でも予め支給金額が決まっている場合には，残業代算定の基礎賃金から控除することはできず（平成12・3・8基収78号），年俸総額を年間の所定労働時間数で除して基礎賃金を算定することとなる（裁判例として，中山書店事件判決〔東京地判平成19・3・26労判943号41頁〕等）。

(3) 実務の具体的対応

年俸制といえども，残業代の支払義務，あるいは残業代の基礎賃金の算定において，当然には労基法の適用を免れるものではないことは留意しておくべきである。換言すれば，年俸制とは使用者が任意に（法令とは関係なく）設定，運用する賃金制度であって，既存の法令の適用に消長を来たすものではないということである。

実践知！　使用者（依頼者）が，年俸の中に残業代を含ませる意思を有しているような場合，年俸額の中に固定残業代を適切に設定すること（それが残業代支払として認められるための要件については本章I参照）を助言すべきであろう。

CHAPTER

09 労働時間

　前章でも述べた通り，労働契約における最も基本的な労働条件は，賃金，
労働時間，労務の内容（業務内容）であるということができる。本章では，
その３つの要素のうち，労働者の生活，ひいては人生の送り方に密接に関
係すると思われる労働時間および労働日に関する紛争について，検討するこ
ととする。なお，賃金の場合と同様，労働時間および労働日に関する紛争も，
多種多様であるため，多くの類型について触れるのは困難であり，前章と同
様，実務上，比較的多くみられる類型に絞って言及することとする。

I．１日の労働時間に関する紛争

1．時間外労働と業務命令

(1)　問題の所在

　労基法32条により，労働者は１日８時間，１週間40時間以上の労働は禁
じられており，その例外として，労基法36条所定の労使協定，いわゆる36
（さぶろく）協定を締結した場合，使用者としてはその36協定に沿って労働
者に時間外労働を行わせることが許される。

　なお，時間外労働を行った場合，原則として法定労働時間内の労働の２
割５分増の賃金，１か月の合計が60時間を超えた場合，５割増の賃金を支
払う必要がある（労基法37条１項本文，２項，割増賃金率令〔平成６・１・４政
令５号〕）。

　36協定を締結せずに法所定の上限を超える時間外労働を行わせた場合，
労基法119条により使用者には罰則（６か月以下の懲役または30万円以下の罰
金）が科せられる可能性がある（もっとも，いきなり罰則が科せられることは
希少であり，それ以前に何らかの行政上の措置〔指導，是正勧告〕を経ることが
ほとんどであるが）。

　実務上では，この36協定の締結のしかた（その要件である労働者代表者の
選出のしかた），締結した際の効力（労働者に時間外労働を行わせることが許さ
れることを越えて，労働者に業務命令をもって行わせることが可能であるか否か），

CHAPTER 9　労働時間　　111

が問題となる。

⑵ 36協定の締結のしかたに関する法令，裁判例

36協定は，使用者と，「当該事業場に，労働者の過半数で組織する労働組合がある場合においてはその労働組合，労働者の過半数で組織する労働組合がない場合においては労働者の過半数を代表する者との書面による協定」を締結することで成立する（労基法36条）。近時，労働組合の組織率の低下に伴い，36協定のほとんどは，「労働者の過半数を代表する者」（以下，「過半数代表者」ともいう）との間で締結される（厚生労働省「令和2年労働組合基礎調査の概況」によれば，推定組織率は令和2年で17.1％であり，年々減少傾向にある）。ただ，労働組合の場合と違って，いわば労使協定を締結するために選出される者であるので，その選出方法の適正性をめぐって，実務上，問題になることがある。

　この点については，労基則6条の2第1項が，「過半数代表者」につき，労基法41条2号にいう管理監督者ではないことと（同項1号），法に規定する協定等をする者を選出することを明らかにして実施される投票，挙手等の方法による手続により選出された者であること（同項2号）を規定している。したがって，例えば，使用者側がある労働者を指名して，その者との間で36協定を締結する（残念ながら，創業期の中小企業などでは少なからずみられる）といった手法は，適正な選出方法とはいい難い。一般的な例としては，(a)36協定を締結するための過半数代表者の候補者を募集し（応募者が出てこないような場合，使用者より，特定の労働者に対し，その応募を勧奨することはよく行われている），(b)立候補者が複数いる場合は，投票・挙手等で選挙を行う，ということとなる。実務上，多いのは，候補者が一人しかいない場合で，この場合，信任投票ということとなるが，その中でよくみられるのが，持ち回りの信任投票である。この方法も合法とされてはいるが，賛成にも反対にも入れなかった者につき，信任としてよいかどうかは，議論が分かれるところであり，実務としては，賛否を明らかにする形で投票をとり，賛成票の過半数を得た過半数代表者との間で36協定を締結することが無難である。

　裁判例としては，トーコロ事件判決（最判平成13・6・22労判808号11頁）は，労働者の親睦団体の代表者が自動的に労働者の過半数代表となって締結された36協定を無効とした原審判決を維持している。なお，原審判決（東京高判平成9・11・17労判729号44頁）の要部に触れれば，親睦団体は，「原

判決判示のとおり，役員を含めた控訴人［註：使用者］の全従業員によって構成され…労働組合でないことは明らかであり」，その「代表者として自動的に本件三六協定を締結したにすぎないときには，Ａ［註：親睦団体代表者］は労働組合の代表者でもなく，『労働者の過半数を代表する者』でもないから，本件三六協定は無効というべきである」としている。

(3) 時間外労働の業務命令の可否についての裁判例

　36 協定が適正に締結されたとした場合，使用者が労働者に，時間外労働を業務命令として命じ得るか（つまりは，時間外労働の指示に従わない労働者に対して懲戒処分などの人事上の措置をとり得るか）が一応問題となる。

　この点，代表的な裁判例である日立製作所武蔵工場事件判決（最判平成 3・11・28 労判 594 号 7 頁）は，「使用者が，当該事業場の労働者の過半数で組織する労働組合等と書面による協定（いわゆる三六協定）を締結し，これを所轄労働基準監督署長に届け出た場合において，使用者が当該事業場に適用される就業規則に当該三六協定の範囲内で一定の業務上の事由があれば労働契約に定める労働時間を延長して労働者を労働させることができる旨定めているときは，当該就業規則の規定の内容が合理的なものである限り，それが具体的労働契約の内容をなすから，右就業規則の規定の適用を受ける労働者は，その定めるところに従い，労働契約に定める労働時間を超えて労働をする義務を負う」とした上で，当該事案については，「本件三六協定は，被上告人（武蔵工場）が上告人ら労働者に時間外労働を命ずるについて，その時間を限定し，かつ，前記①ないし⑦所定の事由を必要としているのであるから，結局，本件就業規則の規定は合理的なものというべきである。なお，右の事由のうち⑤ないし⑦所定の事由は，いささか概括的，網羅的であることは否定できないが，企業が需給関係に即応した生産計画を適正かつ円滑に実施する必要性は同法 36 条の予定するところと解される上，原審の認定した被上告人（武蔵工場）の事業の内容，上告人ら労働者の担当する業務，具体的な作業の手順ないし経過等にかんがみると，右の⑤ないし⑦所定の事由が相当性を欠くということはできない」とし，結果的には，使用者が行った懲戒処分を有効としている。これからみると，36 協定が適正に締結され，就業規則も労働者に対する時間外労働義務を規定し，当該 36 協定の内容が合理的であれば，使用者は業務命令として労働者に時間外労働を命じることができ，違背した場合には懲戒権も行使できるということとなる。

⑷ 実務の具体的対応

　まず使用者が労働者に時間外労働を行わせるためには，適正な36協定が締結されていなければならず，そのためには，特に，過半数代表者が適正に選出されたものであるか否かが重要である。36協定が適正に成立していない場合，36協定を締結し直す必要があるが，この場合，36協定の問題点を指摘した労働者およびその同調者（さらにはそれを支援する労働組合）が，新たな過半数代表者の候補者に立候補することが紛争の実態としてよくみられるので，選出のみならず立候補のプロセス双方（過半数代表者立候補者募集の公示，立候補の方法および期限，選出日・期間，選出方法）に留意し，立候補の機会を保障しなかったという指摘を受けることのないようにしておくことが肝要である。具体的には，上記の立候補および選出のプロセスを，予め周知しておくことが望ましい。なお，使用者側としては，36協定の再締結を極力急ぎたいのが心情であろうが，あまりに，プロセスの日程につき余裕がないものを組むと，上記の指摘（立候補の機会を保障しなかったという指摘）を受け，最悪の場合，再締結した36協定も適正ではないという評価を受けかねないので，慎重さも必要である。

　時間外労働の業務命令については，前掲日立製作所武蔵工場事件判決の通り，使用者側が時間外労働拒否者に懲戒処分を行い得るが，これは，36協定の内容が合理的でなければならず，しかも，実際に問題となった個別の時間外労働拒否について，当該時間外労働の必要性が存しなかったり，労働者側に拒否する正当な事由がある場合は，やはり懲戒処分はなし得ない。また，懲戒処分をなし得る場合であっても，過度に重い処分が法的に許されないのは，懲戒処分一般の場合と同様であり（労契法15条），当該時間外労働拒否による使用者側の障害（業務上および秩序上のマイナス等）との均衡に留意することが必要である。

> **実践知！**　36協定の締結プロセスには慎重を期するべきである。昨今の働き方改革の流れからしても，適切な36協定なくして時間外労働を労働者に課せば，法的にも社会的にもより強い非難を受けることがある。

2. 変形労働時間制

(1) 制度の概要

　変形労働時間制とは，単位（月，年，週）となる期間内において，所定労働時間を平均して週法定労働時間を超えなければ，期間内の一部の日または週において所定労働時間が1日または1週の法定労働時間を超えても，所定労働時間の限度で，法定労働時間を超えたことの取扱いをしない，という制度とされている（菅野・労働法〔12版〕525頁）。

　変形労働時間制には，(a)1か月以内の期間の変形労働時間制（労基法32条の2第1項），(b)1年以内の期間の変形労働時間制（労基法32条の4），(c)1週間単位の非定型的変形労働時間制（労基法32条の5）があり，各々，前述の「単位となる期間」が異なる。実務上，問題となることが多いのは，上記のうち(a)，(b)である。

　これは，使用者が変形労働制に沿っての労働を労働者に命じたところ，労働者が，通常の所定労働時間の労働時間帯にはない時間帯での労働を拒否するか，労働をするとしても残業代を要求し，また，所定労働時間の労働時間帯であり変形労働時間では労働時間帯となっていない時間帯につき，就労と（就労をしていないとしても，会社の命令で就労していなかったのだとして）賃金支払を要求する，といったことで問題化する。すなわち，使用者が変形労働時間制を採用するとしても，法令の要件に沿った採用をしないと，労働者からの上述の請求に対応できないこととなる。その意味で，まず，変形労働時間制の紛争例である裁判例から俯瞰することとする。

(2) 裁判例

　変形労働時間制に関する裁判例としては，まずは，1か月単位での変形労働時間制の適否が問題となった大星ビル管理事件判決（最判平成14・2・28労判822号5頁）は，労基法32条の2「の定める1箇月単位の変形労働時間制…の規定が適用されるためには，単位期間内の各週，各日の所定労働時間を就業規則において特定する必要があるものと解される」と説示し，「労働協約又は改正就業規則において，業務の都合により4週間ないし1箇月を通じ，1週平均38時間以内の範囲内で就業させることがある旨が定められていることをもって，上告人［註：労働者］らについて変形労働時間制が適用されていたとするが，そのような定めをもって直ちに変形労働時間制を適

用する要件が具備されているものと解することは相当ではない」とした。

　なお，業務の実態上，予め就業規則（1か月単位での変形労働時間制の場合）または労使協定（1か月単位，1年単位双方での変形労働時間制の場合）にて労働日ごとの労働時間の特定が困難な場合には，一定の事項（変形の期間，各直勤務の始業就業時刻，各直勤務の組合せ方の考え方，勤務割表の作成手続・周知方法）を就業規則または労使協定で定めた上，各人の各日の労働時間を1か月ごとなどに勤務割表によって特定する，という方法でも合法とされている（昭和 63・3・14 基発 150 号）。つまりは，ある程度の期間（例えば1か月ごと等）の余裕をもって，労働者各人に，各日の労働時間の予測がつくようにしておく必要がある，ということである。なお，労働時間の特定がなされておらず，変形労働時間制の適用を否定した裁判例としては，他に，日本レストランシステム事件判決（東京地判平成 22・4・7 判時 2118 号 142 頁）がある。

　また，いったん，特定された労働時間について，使用者側としても業務の状況によっては変更する必要があることもあるが，これについて，JR 東日本（横浜土木技術センター）事件判決（東京地判平成 12・4・27 労判 782 号 6頁）は，1か月単位の変形労働時間制の下において，就業規則上，いったん特定された労働時間の変更に関する条項を置き，上記条項に基づいて労働時間を変更することが，労基法 32 条の 2 の労働時間の特定の要件に適合するか否かについて，「労基法 32 条の 2 が就業規則による労働時間の特定を要求した趣旨が，労働者の生活に与える不利益を最小限にとどめようとするところにあるとすれば，就業規則上，労働者の生活に対して大きな不利益を及ぼすことのないような内容の変更条項を定めることは，同条が特定を要求した趣旨に反しないものというべきである…。もっとも，労基法 32 条の 2 が就業規則による労働時間の特定を要求した趣旨が，以上のとおりであることからすれば，就業規則の変更条項は，労働者から見てどのような場合に変更が行われるのかを予測することが可能な程度に変更事由を具体的に定めることが必要であるというべきであって，もしも，変更条項が，労働者から見てどのような場合に変更が行われるのかを予測することが可能な程度に変更事由を具体的に定めていないようなものである場合には，使用者の裁量により労働時間を変更することと何ら選ぶところがない結果となるから，…違法，無効なものとなるというべきである」「被告［註：使用者］就業規則 63 条 2項にいう『業務上の必要がある場合，指定した勤務を変更する』との定めを見ると，…社員においてどのような場合に変更が行われるのかを予測するこ

とが到底不可能であることは明らかであり，労基法32条の2…が求める『特定』の要件に欠ける違法，無効なものというべきである」と説示し，変形労働時間制における労働時間の変更について，やはり労働者の予測可能性を吟味しつつ有効性を判断している。

(3) 実務の具体的対応

　変形労働時間制は，労働の負荷を決定する労働時間を変形しようとするものであるから，その要件は厳格に解されざるを得ない。その際，1か月単位での変形労働時間制の場合は就業規則または労使協定で（労基法32条の2），1年単位での変形労働時間制の場合は労使協定（労基法32条の4）で，単位当たりの労働時間が週40時間を超えないよう定めるとともに，各日の労働時間を特定しなければならないのは裁判例でも見た通りであるが，まずその前の段階として，単位（1か月とか1年とか）を決定するには，単位の起算日も決める必要がある（労基則12条の2第1項）。実務では，これが失念されている例が少なからずみられるが，これを欠いては，変形労働時間制として認められないということとなる。そうなれば，変形労働時間制では労働時間となっている時間帯について労働させてしまうと時間外労働として対応すること（つまりは残業代を支払うこと）が必要となってしまい，使用者側としては，わざわざ変形労働時間制を取り入れた目的を達し得ないこととなる。無論，前述(2)で裁判例を俯瞰した通り，変形労働時間制下において，各日の労働時間を特定，予測（もしくは特定，予測し得る）ことは同制度の厳格な有効要件となっていると解さざるを得ず，時々刻々と変化する業務の状況に合わせて各日の労働時間を対応（変化）させたいという使用者側の経営上の希望を常にかなえることはできないが，変形労働時間制は月間，年間における繁閑の差（による繁忙期の時間外労働コストの削減）に多少なりとも対応できる法制度ではあるので，就業規則，労使協定を適切に整備すれば相応のメリットがあることは事実である。

実践知！　変形労働時間制の導入にあたっては，単位の起算日も忘れずに就業規則・労使協定を完備することが必要である。

Ⅱ．労働日に関する紛争

1．法定休日について

(1) 法定休日の特定

　労基法 35 条 1 項により，労働者は毎週少なくとも 1 回の休日が保障されている（いわゆる週休 1 日制度）。ここで保障されている休日とは法定休日のことであり，実社会で広まっている週休 2 日制における休日とは異なる（当該 2 日の休日のいずれか 1 日が法定休日扱いとなる）。休日は，就業規則においてなるべく特定されているのが望ましく，行政上もそのように指導する方針がとられてはいるが（昭和 23・5・5 基発 682 号，昭和 63・3・14 基発 150 号），法的には，必ずしも休日の特定は必須ではないと解されている（菅野・労働法〔12 版〕488 頁）。なお，上述の通り，週休 1 日制が原則であるが，労基法 35 条 2 項は，4 週間を通じ 4 日以上の休日が保障されれば，週休 1 日制の原則の適用を受けないとも規定している（いわゆる，変形週休制）。この場合，就業規則において，単位となる 4 週間の起算日を定めておく必要がある（労基則 12 条の 2 第 2 項。単位となる 4 週間のどの週に何日休日を与えるのか，あるいは与えないのか，については事前の特定は必要ないとされており，この点は変形労働時間制と異なる）。

　法定休日に労働を行った場合，通常日・時間の労働の 3 割 5 分増の賃金を支払う必要がある（労基法 37 条 1 項本文，2 項，割増賃金率令）。

　労働時間の場合と同様，週休 1 日制度の例外として，労基法 36 条所定の労使協定，いわゆる 36 協定を締結した場合，使用者としてはその 36 協定にそって労働者に法定休日にも労働を行わせることが許される。36 協定を締結せずに法所定の上限を超える時間外労働を行わせた場合，労基法 119 条により使用者には罰則（6 か月以下の懲役または 30 万円以下の罰金）が科せられる可能性がある。実務上では，この 36 協定の締結のしかた，効力等が問題となること等は，労働時間について述べたところ（Ⅰ）と同様である。

(2) 休日の振替

i 法規制

　休日の問題で，比較的紛争となることが多いのは，休日の振替の問題である。ここでいう休日とは，法定休日も含むが，使用者の就業規則等による所

定の法定外休日も含まれる。休日の振替とは，使用者の都合で，就業規則上休日と定められた特定の日を労働日に変更し，代わりにその前後の労働日である特定の日を休日に変更することをいう（菅野・労働法〔12 版〕489 頁）。

　休日の振替には，大別して，休日とされていた日の労働を行う前に振替を行う事前の休日振替と，休日とされていた日の労働を行った後に振替を行う事後の休日振替とがある。両者とも，労働契約上の根拠（就業規則または労働協約上の規定）が必要であり，それがなければ労働者の個別的同意が必要である。

　なお，事前の休日振替については，与える休日は労働日の前でも後でもよい（例えば日曜日に休日労働させるとき，その前の金曜を振替休日としてもよいし，翌日の月曜を振替休日としてもよい）。

　事前の休日振替は，労基法 35 条の週休 1 日制の要件を充たす限りは，休日自体が入れ替わることとなるので，代わりの日の労働は休日労働ではなくなり，36 協定上の根拠や休日労働の割増賃金も不要ということとなる。一方，事後の振替の場合は，すでに休日労働自体が行われてしまってからの振替（労働日であった 1 日を休日として付与する）となるから，36 協定による休日労働の規定が必要であるし，休日労働の割増賃金の支払も必要である（ただし，代わりの休日を付与するので，通常，支払分は，法定休日労働の場合 35% の割増，法定外休日労働の場合は 25% の割増となる）。

ⅱ　裁判例および実務の具体的対応

　休日の振替をめぐる裁判例として，株式会社ほるぷ事件判決（東京地判平成 9・8・1 労判 722 号 62 頁）は，「就業規則において休日を特定したとしても，別に休日の振替を必要とする場合に休日を振り替えることができる旨の就業規則等を設け，これによって休日を振り替える前にあらかじめ振り替えるべき日を特定して振り替えた場合は，当該休日は労働日となるので休日に労働させたことにはならないものと認められるところ（休日に労働させた後に勤務を要しない代休を与えたとしても休日振替がなされたものとは認められない）…被告［註：使用者］の水戸支店，埼玉支店及び長岡支店においては，右のとおり休日振替を行う旨の取扱いについて被告と当該事業所の従業員との間で合意（少なくとも黙示の合意）が存したと窺われる…ものの，原告［註：労働者］A が所属していた東京南支店並びに原告 B 及び同 C が所属していた東京西営業所においては，休日展覧会での展示販売が行われた場合に，展覧会終了日の翌日ないし翌々日も現実には原告らが出勤している場合

がほとんどである…こと等を考慮すると，右慣行の存在を述べるF証人の証言及び陳述書…の記載は採用できず，他にこれを認めるに足りる証拠はない」と説示し，事前の休日振替がなされたことを認められないとして，使用者側の休日労働の割増賃金の支払義務を肯定した。休日の割増賃金の支払義務を免れるためには，「事前の」休日の振替が必要であることはもちろん，その振替については，職場の慣行（あるいは黙示の了解）などといった不明瞭なものによるのではなく，使用者側より明瞭なる指示を労働者に出しておくことが肝要である。休日振替につき，事前の振替があり休日振替の必要性もあったとしてその効力を認めたものとして，三菱重工横浜造船所事件判決（横浜地判昭和55・3・28労判339号20頁）があり，一方，休日振替が事前に行われていなかったとして，使用者側に割増賃金支払義務を命じたものとして，ドワンゴ事件判決（京都地判平成18・5・29労判920号57頁）がある。前者の判決の事案では，交通ストライキに対する対応として，緊急を要していたこともあり，使用者側は，所長通達，構内放送，掲示，所属長からの口頭指示といった多種の方策で休日振替指示の周知を図っていた。

> **実践知！** 休日振替については，「事前の」休日の振替が必要であるとともに，できれば，書面，メール，掲示といった形に残る方法で，使用者より明瞭に指示を出すことが望ましい。

2. 年次有給休暇

(1) 法規制

　年次有給休暇の制度とは，労働者の健康で文化的な生活の実現に資するために，労働者に対し，休日のほかに毎年一定日数の休暇を有給で保障する制度である（菅野・労働法〔12版〕557頁）。

　年次有給休暇（以下「年休」ともいう）の権利は，6か月継続勤務し全労働日の8割以上を出勤することにより当然に発生する（労基法39条1項）。なお，最初の6か月経過時に発生する年休の日数は10日であるが，その後は1年ごとに新しく，徐々に増加した日数（最大は20日である）につき発生する（労基法39条2項。具体的な増加日数は同条項参照）。

なお，週所定労働日数が4日以下のパートタイム労働者については，所定労働日数に応じた年休が発生する（労基法39条3項。具体的日数については労基則24条の3参照）。

　年休に関する紛争として実務上，比較的多くみられるものは，労働者がある特定の日につき年休を取得する旨を申し出た場合に，使用者がその業務の都合により当該労働者の年休を変更することの可否（使用者の時季変更権の行使）と，労働者の年休の取得目的の範囲，年休を取得したことによる労働者側の不利益取扱いの成否，といった諸問題であり，以下でもこれらにつき述べることとする。

(2)　年休使用の使途および目的について

i　法規制

　労働者の年休の利用目的は労基法の関知しないところであり（年休自由利用の原則），休暇をどのように用いるかは，使用者の干渉を許さない労働者の自由である（全林野白石営林署未払賃金請求事件判決〔最判昭和48・3・2労判171号16頁〕）。実務上，散見される事態に，虚偽の目的を会社に告げて年休を取得する（例として，親族の葬儀に出ると称して，旅行に行くために年休を取得するとか），といったことがあるが，これも，通常の場合では，年休自由利用の原則の範疇といわざるを得ない。もっとも，使用者側の注意・指導，場合によっては懲戒権の行使の範囲に属する余地があるというべきであろう。なお，利用目的の点についても，やはり，若干の紛争例およびそれに関する裁判例が存する（年休届出の書面に利用目的の記載欄がある場合に，これに真実を記載することが必要であることを説示したものとして，古河鉱業足尾製作所高崎工場事件判決〔東京高判昭和55・2・18労民集31巻1号49頁〕）がある。

ii　裁判例

　前述iの通り，年休自由利用の原則が存するが，その例外として，利用目的の濫用とされたものとして，まず，日本交通ほか（年休）事件判決（東京地判平成9・10・29労判731号28頁）は，使用者が「実施したナイト乗務は，深夜におけるタクシー不足の解消や労働時間の短縮という社会的，政策的要請に基づくものであり，認可された夜間専用車両をすべて稼働させるため，ナイト乗務を実施する必要性は極めて高かったということができ，加えて，ナイト乗務は，タクシー乗務員全員を対象に等しく夜間の日勤勤務に就くものであり，…被告〔註：使用者〕らが作成した勤務編成表に従って平等にナ

イト乗務に従事していた状況において，タクシー乗務員の年次休暇権の行使によるナイト乗務の就労拒否を認めたならば，社内に嫌な仕事に対しては年次休暇権を行使してこれを回避しようとする風潮を生み出し，他のタクシー乗務員に対して不公平感を生じさせ，職場秩序が保てず，ひいてはナイト乗務という業務の正常な運営に支障を来すことは明白であり，…本来の年次休暇制度の趣旨に反することからすれば，このような年次休暇の時季指定は，年次休暇権行使の濫用として許されない」とし，ナイト乗務回避のために年休日を指定したと認められた労働者の年休取得を無効とした。

　年休を争議目的に利用することの可否につき論じた有名な裁判例として，全林野白石営林署未払賃金請求事件判決（最判昭和48・3・2労判171号16頁）は，「休暇の利用目的に関連して，いわゆる一斉休暇闘争の場合を論ずるが，いわゆる一斉休暇闘争とは，これを，労働者がその所属の事業場において，その業務の正常な運営の阻害を目的として，全員一斉に休暇届を提出して職場を放棄・離脱するものと解するときは，その実質は，年次休暇に名を藉りた同盟罷業にほかならない。したがつて，その形式いかんにかかわらず，本来の年次休暇権の行使ではない」，「しかし，以上の見地は，当該労働者の所属する事業場においていわゆる一斉休暇闘争が行なわれた場合についてのみ妥当しうることであり，他の事業場における争議行為等に休暇中の労働者が参加したか否かは，なんら当該年次休暇の成否に影響するところはない。けだし，年次有給休暇の権利を所得した労働者が，その有する休暇日数の範囲内で休暇の時季指定をしたときは，使用者による適法な時季変更権の行使がないかぎり，指定された時季に年次休暇が成立するのであり，労基法39条3項但書にいう『事業の正常な運営を妨げる』か否かの判断は，当該労働者の所属する事業場を基準として決すべきものであるからである」として，争議目的での年休権の行使につき，一定基準の下で合法（違法）としている。なお，年休を取得した後に，自己の所属する事業場において成立したストライキ（争議）に参加した場合でも，前掲全林野白石営林署未払賃金請求事件判決の理は通用し，年休制度の趣旨に反し年休の効果は認められないとされている（国鉄津田沼電車区事件判決〔最判平成3・11・19労判599号6頁〕）。

　もっとも，自己の所属する事業場の争議への参加の場合であっても，もともとスト対象者から除外されていた労働者が，あえて年休を取得して，自己の所属する事業場におけるストライキでの職場集会に参加したような場合は，

同人らの業務とスト対象者の業務とは内容が異なるとして，前掲全林野白石営林署未払賃金請求事件判決でいう「他の事業場における争議行為等に休暇中の労働者が参加」した場合と同様に，年休取得を有効（使用者による当該日の賃金カットを違法無効）としていることには注意を要する（国鉄直方自動車営業所事件判決〔最判平成 8・9・13 労判 702 号 23 頁〕）。裁判所の実質的考慮（使用者の時季変更権の行使の機会が実質的に保障されているか否か）の傾向が看取されるところである。

iii 実務の具体的対応

前述 ii の裁判例に沿って考えるに，大原則としての年休自由利用の原則があり，これに反する事由が成立するのは例外的場合であると考えるべきである。ただし，労働者には年休を取得する権利があると同様に，使用者側にも，(3)で後述するように，事業の正常な運営を確保するための時季変更権があり，その行使の機会，適切な行使のための事実認識を害するような年休権の行使は，例外的に認められなくなる。こうした文脈で，前掲の古河鉱業足尾製作所高崎工場事件判決（労働者が年休届の使用目的欄に虚偽を記載した場合，使用者側の時季変更権行使の判断を誤らせる可能性があることを説示している），前掲全林野白石営林署未払賃金請求事件判決および国鉄直方自動車営業所事件判決等も理解できる。前掲日本交通ほか（年休）事件判決も，ある意味では，使用者の時季変更権の行使との関係では，ナイト乗務の負担の不均衡という従業員間の不公平（ひいては事業の正常な運営）を是正できないという場合であると解することも可能と思われる。

> **実践知！**
>
> **労働者の年休自由利用の原則は尊重されるべきである。ただし，使用者にも事業を運営する必要があり，殊に，適切な労働者間の負担の公平（実質的公平）の見地からは，労働者の自由利用に委ねきれない場合もあり，その場合は，当該労働者に対する説諭から入り，あまりに謙抑的になることなく，時季変更権を行使すべきである。**

CHAPTER 9 労働時間   123

⑶　使用者の時季変更権および計画年休制について

ⅰ　法規制

　年休の権利は労働者の一定の継続勤務により生ずるものであり，労働者が具体的に時季（始期と終期）を指定した場合に，その時季につき労働者に年休が成立する。この例外が，使用者による時季変更権の行使（労基法 39 条 5 項但書）と労使協定による計画年休制（労基法 39 条 6 項）である。

　使用者による時季変更権の行使（労基法 39 条 5 条但書）は，当該労働者が時季を指定してきた年休につき，他の時季にこれを与えることとするものである。ただし，使用者が他の時季を指定することまでは必要ないとされている（菅野・労働法〔12 版〕566 頁）。また，使用者側の時季変更は，労働者側の指定してきた休暇の全部ではなく一部に対しても可能であり（時事通信社事件判決〔最判平成 4・6・23 労判 613 号 6 頁〕），労働者側の年休日指定に時間的余裕がなかった場合は，年休開始後に時季変更権を行使することも可能である（電電公社此花局事件判決〔最判昭和 57・3・18 労判 381 号 20 頁〕）。なお，時季変更権は，他に年休日を与えることができることが前提となっているので，労働者が退職の意思表示をすると同時に，意思表示日から退職日までの労働を，残存年休日として指定するような場合，使用者がこれに対して時季変更権を行使することはできない。実務上，よくみられる現象であり，使用者としては業務に少なからず支障が生ずることがあるが，現下の労基法の解釈下ではやむを得ないということとなる。使用者としては，当該労働者（退職者）との間の協議により，退職日を伸ばしてもらいつつ就業日数を確保するなど，年休指定につき当該労働者の配慮を求めるより外にない。

　労使協定による計画年休制（労基法 39 条 6 項）は，労働者につき 5 日を超える日数の年休については，労使協定により年休を与える時季を指定することにより，年休日を計画化するというものである。この場合の労使協定の当事者は，使用者と，事業場の半数労働者を組織する労働組合または過半数労働者を代表する者（つまりは 36 協定の場合と同じ）である。

　以上両者のうち，紛争となり得ることが多いのは，使用者による時季変更権の行使の場合である。すなわち，時季変更権は，労働者の指定してきた年休の時季では，「事業の正常な運営を妨げる」事由が存在する場合に行使できるものとされているので（労基法 39 条 5 項但書），使用者の時季変更権の行使がこの要件を充たすか否かが紛争となり，裁判例もみられるところである。

なお，昨今の働き方改革の一環として，年休が10日以上付与される労働者を対象として，年休を付与した日（基準日）から1年以内に5日について，時季を指定して年休を取得させる義務が使用者に課せられた（労基法39条7項）。ただし，上述の計画年休により年休を付与した日数分は，この義務が生じないとされている（同条8項）。

ⅱ　裁判例

　時季変更権の行使に関する裁判例は多くみられるので，ここでは最高裁判例に限って紹介することとする。

　使用者側の時季変更権につき有効としたものとして，NTT（年休）事件判決（最判平成12・3・31労判781号18頁）は，年休取得を申し出た労働者が従事することとなっていた「訓練は，上告人［註：使用者］の事業遂行に必要なディジタル交換機の保守技術者の養成と能力向上を図るため，各職場の代表を参加させて，一箇月に満たない比較的短期間に集中的に高度な知識，技能を修得させ，これを所属の職場に持ち帰らせることによって，各職場全体の業務の改善，向上に資することを目的として行われ…特段の事情のない限り，訓練参加者が訓練を一部でも欠席することは，…訓練の目的を十全に達成することができない結果を招く…。…このような訓練の期間中に年休が請求されたときは，使用者は，当該請求に係る年休の期間における具体的な訓練の内容が，これを欠席しても予定された知識，技能の修得に不足を生じさせないものであると認められない限り，年休取得が事業の正常な運営を妨げるものとして時季変更権を行使することができる」とした。また，時事通信社事件判決（最判平成4・6・23労判613号6頁）は，社会部の報道記者が1か月にわたる24日間の連続休暇の年休指定をしてきたのに対し，使用者が後半の12日間につき時季変更権を行使した事案について，「労働者が長期かつ連続の年次有給休暇を取得しようとする場合においては，それが長期のものであればあるほど，使用者において代替勤務者を確保することの困難さが増大するなど事業の正常な運営に支障を来す蓋然性が高くなり，使用者の業務計画，他の労働者の休暇予定等との事前の調整を図る必要が生ずるのが通常である。…使用者にとっては，労働者が時季指定をした時点において，その長期休暇期間中の当該労働者の所属する事業場において予想される業務量の程度，代替勤務者確保の可能性の有無，同じ時季に休暇を指定する他の労働者の人数等の事業活動の正常な運営の確保にかかわる諸般の事情について，これを正確に予測することは困難であり，当該労働者の休暇の取得がも

たらす事業運営への支障の有無，程度につき，蓋然性に基づく判断をせざるを得ないことを考えると，労働者が，右の調整を経ることなく，その有する年次有給休暇の日数の範囲内で始期と終期を特定して長期かつ連続の年次有給休暇の時季指定をした場合には，これに対する使用者の時季変更権の行使については，右休暇が事業運営にどのような支障をもたらすか，右休暇の時期，期間につきどの程度の修正，変更を行うかに関し，使用者にある程度の裁量的判断の余地を認めざるを得ない」とした上で，「社会部内において前記の専門的知識を要する被上告人［註：労働者］の担当職務を支障なく代替し得る記者の確保が困難であった昭和55年7，8月当時の状況の下において，上告会社が，被上告人に対し，本件時季指定どおりの長期にわたる年次有給休暇を与えることが『事業の正常な運営を妨げる場合』に該当するとして，その休暇の一部について本件時季変更権を行使したことは，その裁量的判断が，労働基準法39条の趣旨に反する不合理なものであるとはいえ」ないとして，使用者の時季変更権の行使を有効とした。

　一方，時季変更権の行使を無効としたものとして，横手統制電話中継所事件判決（最判昭和62・9・22労判503号6頁）は，「使用者としての通常の配慮をすれば，代替勤務者を確保して勤務割を変更することが客観的に可能であると認められるにもかかわらず，使用者がそのための配慮をしなかった結果，代替勤務者が配置されなかったときは，必要配置人員を欠くことをもって事業の正常な運営を妨げる場合に当たるということはできない…。…代替勤務者を確保して勤務割を変更することが可能な状況にあるにもかかわらず，休暇の利用目的のいかんによってそのための配慮をせずに時季変更権を行使するということは，利用目的を考慮して年次休暇を与えないというに等しく，許されないものであり，右時季変更権の行使は，結局，事業の正常な運営を妨げる場合に当たらないものとして，無効といわなければならない」とした上で，「所長は，上告人［註：労働者］の休暇の利用目的が成田空港開港反対現地集会に参加することにあるものと推測し，そのために代替勤務者を確保してまで上告人に年次休暇を取得させるのは相当でないと判断してそのための配慮を」しないでなされた時季変更権の行使は無効と判示している。また，類似の裁判例として，弘前電報電話局事件判決（最判昭和62・7・10労判499号19頁）がある。ただし，電電公社関東電気通信局事件判決（最判平成元・7・4労判543号7頁）は，労働者が勤務割による勤務予定日につき年次休暇の時季指定をした事案に対し，使用者が代替勤務者確保のための配慮をせず

に時季変更権を行使したとしても，当該職場の状況からは，配慮による具体的措置により代替要員を確保することが困難であるような場合には，時季変更権の行使は有効であるとしている。

iii 実務の具体的対応

使用者側に，時季変更権の行使が認められる代表的な場合は，代替要員が確保できない場合（前掲NTT（年休）事件判決の事案のように，質的に確保できない場合も含む）であるが，これは，労働者が年休日を指定してきた際のみならず，日常において，労働者の年休指定があっても対応できるような体制を準備しつつも，それでも，当該年休日の指定に対応できないような場合に許容されると考えるべきである（前掲横手統制電話中継所事件判決参照）。

| 実践知！ | 労働者の年休日指定があることを前提に体制を整える必要があるというのが法の要請であり，ある労働者より年休日指定があったことにより途端に人員不足になり業務がひっ迫するようなことでは，時季変更権の行使は法的に是認されない，と考えておくべきである。 |

(4) 年休取得と不利益取扱い

i 法規制

労基法136条は，「使用者は，第39条第1項から第4項までの規定による有給休暇を取得した労働者に対して，賃金の減額その他不利益な取扱いをしないようにしなければならない」と定めている。これは，文言上「…しないようにしなければならない」となっており，「…してはならない」とはなっておらず，使用者側としては，年休を取得した労働者に対して，どこまで不利益を及ぼすことがないようにしなければならないのか（換言すれば，年休を取得した労働者への事実上の不利益となる使用者側の措置が無効となるのか），解釈がわかれ，紛争および裁判が生じているところである。

ii 裁判例

代表的な裁判例として，タクシー会社が，勤務予定表が作成された後に乗務員が年次有給休暇を取得した場合には皆勤手当を支給しない旨の約定をしたところ，その約定の有効性が問題となった事案について，沼津交通事件判

決（最判平成 5・6・25 労判 636 号 11 頁）は，旧労基法 134 条（年休取得者への不利益取扱いの禁止）「の規定は，…使用者の努力義務を定めたものであって，労働者の年次有給休暇の取得を理由とする不利益取扱いの私法上の効果を否定するまでの効力を有するものとは解されない。…その効力については，その趣旨，目的，労働者が失う経済的利益の程度，年次有給休暇の取得に対する事実上の抑止力の強弱等諸般の事情を総合して，年次有給休暇を取得する権利の行使を抑制し，ひいては同法が労働者に右権利を保障した趣旨を実質的に失わせるものと認められるものでない限り，公序に反して無効となるとすることはできないと解するのが相当である」とした上で，「タクシー業者の経営は運賃収入に依存しているため自動車を効率的に運行させる必要性が大きく，交番表が作成された後に乗務員が年次有給休暇を取得した場合には代替要員の手配が困難となり，自動車の実働率が低下するという事態が生ずることから，このような形で年次有給休暇を取得することを避ける配慮をした乗務員については皆勤手当を支給することとしたものと解されるのであって，右措置は，年次有給休暇の取得を一般的に抑制する趣旨に出たものではないと見るのが相当であり，また，乗務員が年次有給休暇を取得したことにより控除される皆勤手当の額が相対的に大きいものではないことなどからして，この措置が乗務員の年次有給休暇の取得を事実上抑止する力は大きなものではなかったというべきである」とし，結論として，皆勤手当の不支給について，公序に反する無効なものとまではいえないとした。

　一方，不利益取扱いを無効としたものも少なくなく，賃金引上げ対象者から前年の稼働率が 80 パーセント以下の者を除外するという趣旨の条項が問題となった日本シェーリング事件判決（最判平成元・12・14 労判 553 号 16 頁）は，同条項が，「労基法又は労組法上の権利に基づくもの以外の不就労を基礎として稼働率を算定するものであれば，それを違法であるとすべきものではない。そして，当該制度が，労基法又は労組法上の権利に基づく不就労を含めて稼働率を算定するものである場合においては，…権利の行使を抑制し，ひいては右各法が労働者に各権利を保障した趣旨を実質的に失わせるものと認められるときに，…無効となると解するのが相当である」とした上で，「稼働率算定の基礎となる不就労には，…労基法又は労組法上の権利に基づくものがすべて含まれている…。また，本件 80 パーセント条項に該当した者につき除外される賃金引上げにはベースアップ分も含まれているのであり，…賃金引上げ対象者から除外されていったん生じた不利益は後続年度

の賃金において残存し，ひいては退職金額にも影響するものと考えられるのであり，同条項に該当した者の受ける経済的不利益は大きなものである。そして，本件80パーセント条項において基準となっている80パーセントという稼働率の数値からみて，従業員が，産前産後の休業，労働災害による休業などの比較的長期間の不就労を余儀なくされたような場合には，それだけで，あるいはそれに加えてわずかの日数の年次有給休暇を取るだけで同条項に該当し，翌年度の賃金引上げ対象者から除外されることも十分考えられるのである。こうみると，本件80パーセント条項の制度の下では，一般的に労基法又は労組法上の権利の行使をなるべく差し控えようとする機運を生じさせるものと考えられ，その権利行使に対する事実上の抑制力は相当強い」とし，結論として，年休権の行使を含め，労基法または労組法上の権利に基づく不就労を稼働率算定の基礎としている点は，公序に反し無効であると判示した。

　また，賞与額算定につき，年次有給休暇の取得日を欠勤日として扱い，賞与を減額した事案として，エス・ウント・エー事件判決（最判平成4・2・18労判609号12頁）も，使用者に対し年次有給休暇の期間について一定の賃金の支払を義務付けている旧労基法39条4項（註：現9項）の規定の趣旨を理由に，使用者は，年次休暇の取得日の属する期間に対応する賞与の計算上この日を欠勤として扱うことはできないとし，上述の賞与減額につき，無効としている。

　最近の例では，八千代交通（年休権）事件判決（最判平成25・6・6労判1075号21頁）は，無効な解雇による不就労日を，年休の成立要件である出勤率の算定についていかように扱うべきかが問題となった事案について，「無効な解雇の場合のように労働者が使用者から正当な理由なく就労を拒まれたために就労することができなかった日は，労働者の責めに帰すべき事由によるとはいえない不就労日であり，このような日は使用者の責めに帰すべき事由による不就労日であっても当事者間の衡平等の観点から出勤日数に算入するのが相当でなく全労働日から除かれるべきものとはいえないから，法39条1項及び2項における出勤率の算定に当たっては，出勤日数に算入すべきものとして全労働日に含まれるものというべきである」，「法39条2項における出勤率の算定に当たっては，請求の前年度における出勤日数に算入すべきものとして全労働日に含まれるものというべきである」と判示している。

iii 実務の具体的対応

年休権の行使（年休日の指定による年休の取得）については，原則としては，当該年休日は当該労働者が出勤してきた場合と同じように解されると考えるのが無難であろう。もっとも，前掲沼津交通事件（最判平成5・6・25労判636号11頁）のような，年休取得者の側にやや問題があるような事情が存する場合，上述の理解に固執する必要はないということでもある。すなわち，そのような場合に，年休権の行使を理由に，ある程度の不利益を課したところで，当該職場の労働者一般に対し，年休権行使につき，抑止的効果を及ぼす場合に該当するとはいえないことが多いからである。

前掲八千代交通（年休権）事件判決（最判平成25・6・6労判1075号21頁）は，使用者の責めに帰すべき不就労日でなくとも，労働者の責めにも帰すべき場合でなければ，年休権の成立要件については出勤と見做すと判示したもので，実務上，参考にすべきことが今後多くなりそうである。

> **実践知！**
>
> 年休権の行使に対する不利益変更は，使用者側にある程度特別な不利益が生ずるような場合（前掲沼津交通事件判決参照）でない限り，原則としてはこれを避けることが望ましい。昨今の趨勢からすれば，その流れはさらに強くなるものと思われる。

CHAPTER

10 配転・出向・転籍

労働者が使用者に入社した後，就業する段階において，使用者が，仕事の場所，内容，所属する組織等の変更を指示することがある。本章ではそうした，変更の指示をめぐる紛争について検討する。

I. 配転

1. 配転の概念

配転とは，使用者の命令による労働者の配置の転換であって，職務内容または勤務場所が相当の長期間にわたって変更されるものをいう（菅野・労働法〔12版〕727頁等）。配転に類似の概念として，転勤，出張，応援等がある。このうち転勤とは，配転のうち転居を伴うものである。出張とは，長期間ではなく一時的に（多くの場合，数日から長くて数週間）職務場所が変更するものである。応援とは，本来的な職務内容または勤務場所はそのまま維持した上で，臨時的，付加的に他部署，場所の業務を行うというものを指すことが多い。

2. 配転命令の限界

使用者が命じた配転を労働者が拒否した場合には労使間に紛争が生じる。そこで，配転命令の是非（有効・無効）を理解するため，まず，配転命令の限界の一般論を理解しておく必要がある。

就業規則や労働契約において，使用者の配転権が根拠づけられている場合，一般的に使用者が配転命令権を有するとしても，無制限ではないことは，労働法の領域における使用者の他の人事権（解雇権，降格権等）と同様である。配転命令権の限界としては，通常，(a)労働契約当事者間の合意により職種・勤務地の限定がある場合，(b)使用者の配転命令が権利濫用である場合，が代表的なものである。

労働契約締結の際や，その後の使用者と労働者の合意により，職種や勤務地を限定する合意がなされている場合（上記(a)の場合），使用者は，当該労働

者の合意なくして，職種や勤務地を変更する配転命令をなし得ない。なお，医師，看護師，アナウンサーのような特殊な技能を要するとされる職種の場合，合意による限定が比較的認められやすい。職種の限定にしても，勤務地の限定にしても，正社員と期間契約社員・パート労働者（有期雇用者）とでは，後者の方が合意による限定が認められやすいことはいうまでもないが，これは，正社員の場合は長期雇用が前提とされているので，その長期間の間に使用者としては，必要な人材を必要な職種・勤務地に配置できなければその不都合が大きく，ひいては使用者の業務の悪化，雇用確保の困難を招くからである。ただし，合意による職種や勤務地限定が認められるような場合でも，使用者側に特殊な事情があれば，職種を変更させる配転命令も認められる裁判例があり（東京海上日動火災保険〔契約係社員〕事件判決〔東京地判平成19・3・26労判941号33頁〕等），職種や勤務地の限定の合意が100%貫徹されるとは限らない。

　次に，使用者の権限行使一般と同様，配転権の行使にも権利濫用は許されない（上記(b)の場合）。この点についての代表的な裁判例は東亜ペイント事件判決（最判昭和61・7・14労判477号6頁）である。詳細は後述するとしてここでは簡単に触れれば，

　　ア　使用者側に一定の業務上の必要性があり，不当な動機・目的がないこと（例えば当該労働者を退職に追い込むなどといった目的は，不当な目的となる）

　　イ　使用者の業務上の必要性に比較して労働者側の不利益が著しく大きいといった事情がないこと（労働者側の不利益は，多くの場合はその私生活上の不利益であり，典型的な例としては，介護が必要な同居の肉親を抱えている労働者の遠隔地への転動である）

が，当該配転命令が有効となるための一般的な判断要素となる。

　ただし，最近，上述ア，イ以外の要素として留意すべきものとして，配転命令に伴う使用者の労働者に対する手続，説明義務の履行の程度がある（使用者の説明の薄さを問題とした例に，日本レストランシステム事件判決〔大阪高判平成17・1・25労判890号27頁〕等）。もっとも，使用者としては業務の必要性により，配転命令につきどの程度手続を尽くせるか（時間を使えるか）は当該配転命令ごとに異なるから，いかなる事案においても過度に重きを置くことは妥当ではないとも思われる。

3. 裁判例

⑴ 職種の限定・勤務地の限定について

i 職種の限定の合意の有無について

職種限定の合意を肯定した裁判例としては，まず，女性アナウンサーを審査室考査部に配転する命令の事案についての，日本テレビ放送網事件決定（東京地決昭和 51・7・23 労判 257 号 23 頁）があり，アナウンサーという特殊な職務の従業員として採用されたこと，配転命令まで約 17 年間，一貫してアナウンス業務にのみ従事してきたことを理由として，アナウンサーから他職種の配転命令に従う必要はないとした（同じくアナウンサーにつき職種限定の合意を認めたものとして，アール・エフ・ラジオ日本事件判決〔東京高判昭和 58・5・25 労判 411 号 36 頁〕がある）。アナウンサー以外では，東武スポーツ（宮の森カントリー倶楽部・配転）事件決定（宇都宮地決平成 18・12・28 労判 932 号 14 頁）はゴルフ場のキャディ職につき，当該労働者らは「キャディ職従業員の募集に応募して採用され，一般職とは異なる就業規則及び給与規定の適用を受けてきたこと，キャディ職は一定の専門的知識を必要とする職種であり，…キャディ職としての研修を継続して受けながら，長期間勤務を継続してきたこと，キャディ職従業員が他の職種へ配置転換されるのは例外的な場合であったこと」を理由として，職種限定の合意を肯定した。

一方，職種限定の合意を否定した裁判例は多いが，その中でも前掲日本テレビ放送網事件決定と対をなすものとして，九州朝日放送事件判決（最判平成 10・9・10 労判 757 号 20 頁）は，「アナウンサーだけに特殊技能の修得，保有が要求されるわけではない」，「就業規則等をみてみると，本件就業規則に職種限定の定めはなく，本件労働契約締結にあたっても明示的に職種を限定する合意はなされていない」，「本件就業規則には，…配転対象者からアナウンサーを除外してはいない」等と説示し，24 年間アナウンサーとして勤務してきた女性労働者に対する報道局情報センターへの配転命令を肯定した第 2 審判決（福岡高判平成 8・7・30 労判 757 号 21 頁）を維持している。前掲日本テレビ放送網事件決定と結論が異なった理由としては，アナウンサー職務の特殊性についての理解の相違と，就業規則や労働契約に職種限定の定め，合意がないことが考えられる。アナウンサー以外の事案でも，現在の裁判例は，前掲九州朝日放送事件判決のように，長期間特定の職種に従事しても，それだけでは職種の限定の合意を認めない傾向が強く，日産自動車村山工場

事件判決（最判平成元・12・7労判554号6頁）なども，10数年から20数年にわたって機械工の業務に従事してきた労働者らへの組立作業等への配転命令につき，二審判決（東京高判昭和62・12・24労判512号66頁）が，「被控訴人［註：労働者］らを機械工以外の職種には一切就かせないという趣旨の職種限定の合意が明示又は黙示に成立したものとまでは認めることができない」こと，「就業規則にも，…『業務上必要があるときは，従業員に対し，転勤，転属，出向，駐在又は応援を命じることができる。…業務上必要があるときは，従業員に対し，職種変更又は勤務地変更を命じることができる…』との規定があり，本件配転前にも機械工を含めて職種間の異動が行われた例があることが認められること」，「我が国の経済の伸展及び産業構造の変化等に伴い，多くの分野で職種変更を含めた配転を必要とする機会が増加し，配転の対象及び範囲等も拡張するのが時代の一般的趨勢であること」を理由として職種の限定の合意を否定した判断につき，維持している。他には，東京サレジオ学園事件判決（東京高判平成15・9・24労判864号34頁）は，児童福祉施設で18年間児童指導員として勤務していた労働者につき，職種限定の合意を否定している。

　さらに，客室乗務員（フライトアテンダント。以下「FA」という）が問題となった事案においてノース・ウエスト航空（FA配転）事件判決（東京高判平成20・3・27労判959号18頁）は，就業規則上に配転条項があること，労働協約上もFAも含めて従業員の配転がある旨の規定があること，会社においては個々人のFAの合意を得ないで地上職に配転した例が少なからずあったこと等を理由に，職種限定の合意を否定した。正社員の終身雇用の社会的実態に鑑みれば，肯定例の裁判例は，自然なところである。すなわち，労働者が長期間特定の職務に従事したからといって，使用者としては，その従事してきた期間以上の長期間につき，特定の職務の縮小存続にかかわらず，当該労働者の雇用確保に努める必要があるからである。

ii　勤務地限定の合意の有無について

　勤務地限定の合意の肯定例としては，まず，品川工業事件決定（大阪地決昭和53・3・17労判298号66頁）は，親会社構内の出張所で就業している下請会社従業員に対し，下請会社工場へ配転命令を行った事案について，「当初から佐野安船渠出張所［註：親会社］を就業場所とする労働契約の申込をし，…会社はこれを応諾した」，入社時の「就業規則に，勤務場所に関する特段の条項が見当たらない」と説示し，勤務地限定の合意を認め当該配転命

令を無効とした。また，新日本通信事件判決（大阪地判平成 9・3・24 労判 715 号 42 頁）は，当該労働者は「採用面接において，…家庭の事情で仙台以外には転勤できない旨明確に述べ」，採用担当者は「勤務地を仙台に限定することを否定しなかったこと…，本社に採用の稟議を上げる際，原告［註：労働者］が転勤を拒否していることを伝えたのに対し，本社からは何の留保を付することなく採用許可の通知が来たこと，その後…何らの留保を付することなく採用し，原告がこれに応じたこと」を認定し，勤務地限定の合意を肯定して，限定勤務地以外への配転命令を無効とした。また，日本レストランシステム事件判決（大阪高判平成 17・1・25 労判 890 号 27 頁）も勤務地限定の黙示の合意を認めた裁判例であるが，同時に，仮に合意が認められなかったとしても，使用者には当該労働者の勤務地を限定すべくできる限りの配慮をすべき信義則上の義務があったとも説示している。

　一方，勤務地限定の合意を否定した裁判例としては，著名なものとして東亜ペイント事件判決（最判昭和 61・7・14 労判 477 号 6 頁）がある。同判決は，「労働協約及び就業規則には，上告会社は業務上の都合により従業員に転勤を命ずることができる旨の定めがあり，現に上告会社では，全国に十数カ所の営業所等を置き，その間において従業員，特に営業担当者の転勤を頻繁に行っており，被上告人［註：労働者］は大学卒業資格の営業担当者として上告会社に入社したもので，両者の間で労働契約が成立した際にも勤務地を大阪に限定する旨の合意はなされなかった」ことを認定し，勤務地限定の合意を否定した。就業規則上，配転条項がある場合は，労働者がある特定の地域で採用された場合でもこれに従うのが原則であり，例えばエフピコ事件判決（東京高判平成 12・5・24 労判 785 号 22 頁）は，関東工場に現地採用された工場労働者を広島県に配転命令した事案について，「就業規則…上も，『会社は業務上の必要があるときは転勤，長期出張を命ずることがある。…』旨明記されているのであって，被控訴人［註：労働者］らもこれを承知した上で勤務してきたものと認められる」として，勤務地限定の合意を否定して本件配転命令を肯定している。また，新日本製鐵（総合技術センター）事件判決（福岡高判平成 13・8・21 労判 819 号 57 頁）も，作業員に対する北九州市から千葉県への配転命令についての事案につき，入社時までの転勤実績，会社の発展，事業拡大に伴う転勤は予測できたこと等を挙げつつ，「明確な取決めがない本件において，勤務地限定の合意を認めることは困難」とした。

　以上の肯定例，否定例の裁判例を概観するに，勤務地限定の合意の有無は，

就業規則上における配転条項の有無，使用者と労働者との間に相当程度に明確な合意があるか否かによって結論が分かれるものと解される。

iii　職種の限定・勤務地限定合意が認められる場合の配転命令の効力について

職種の限定・勤務地限定の合意が認められる場合には，その合意に反する配転命令は無効となるのが原則であるが，職種の限定・勤務地限定の合意があることを認めつつ，その合意に反する配転命令の効力が認められる例外的な場合もある。例えば，大成会福岡記念病院事件決定（福岡地決昭和58・2・24労判404号25頁）は，「一般的に言って労働契約において職種の限定がある場合であっても，当該労働者側にとって解雇よりも配置転換の方がその被る不利益が少ない場合が多いと考えられること，他方，使用者側にとっても当該の部署ないし職種を廃止することなどに伴って生ずる剰員を直ちに解雇することなく，当該企業内において既存あるいは新設の部署ないし職種に配置し，引き続きその労働力を使用することに利益を有する場合もあると考えられるから，使用者が経営上の合理的理由に基づき一定の部署ないし職種を廃止する措置をとることを必要とする場合において，…剰員につき解雇の方途を選ばずあえて配転を命ずることとした場合に当該労働者がこれに応諾しないことが労働契約上の信義に反すると認められる特段の事情があるときは，当該労働者の同意を欠いてもなお配転を適法有効に命ずることができると解する余地がないとは言いきれない」とした（ただし，同判決は，結論としては，労働協約違反を理由に配転命令を無効としている）。また，東京海上日動火災保険（契約係社員）事件判決（東京地判平成19・3・26労判941号33頁）は，損害保険の契約募集等に従事する外勤の正規従業員である「契約係社員」（以下，「RA」という）を，RAの制度が廃止されることに伴い，他職種に継続して雇用することを通知したところ，RAらが職種の限定の合意を主張して提訴したという事案について，RAの職種限定の合意を肯定した上で，「社会情勢の変動に伴う経営事情により当該職種を廃止せざるを得なくなるなど，当該職種に就いている労働者をやむなく他職種に配転する必要性が生じるような事態が起こることも否定し難い現実である。このような場合に，労働者の個別の同意がない以上，使用者が他職種への配転を命ずることができないとすることは，あまりにも非現実的であり，労働契約を締結した当事者の合理的意思に合致するものとはいえない」と，他職種への配転の可否を判断する基準としては，「そのような場合には，職種限定の合意を伴う労働契約関

係にある場合でも，採用経緯と当該職種の内容，使用者における職種変更の
必要性の有無及びその程度，変更後の業務内容の相当性，他職種への配転に
よる労働者の不利益の有無及び程度，それを補うだけの代替措置又は労働条
件の改善の有無等を考慮し，他職種への配転を命ずるについて正当な理由が
あるとの特段の事情が認められる場合には，当該他職種への配転を有効と認
めるのが相当である」とした（ただし，結論としては，当該職種変更に伴う労
働者の不利益が大きいこと〔9～17% 以上の収入減，転勤の可能性の発生等〕を理
由に，当該職種変更を無効としている）。

(2) 配転命令の権利濫用の有無について

ⅰ 権利濫用の判断基準──東亜ペイント事件判決

　使用者の配転権においても権利の濫用は許されない。その配転命令の濫用
の判断基準についての代表的裁判例が前掲東亜ペイント事件判決（最判昭和
61・7・14 労判 477 号 6 頁）である。同判決は，「使用者の転勤命令権は無制
約に行使することができるものではなく，これを濫用することの許されない
ことはいうまでもないところ，当該転勤命令につき業務上の必要性が存しな
い場合又は業務上の必要性が存する場合であっても，当該転勤命令が他の不
当な動機・目的をもってなされたものであるとき若しくは労働者に対し通常
甘受すべき程度を著しく超える不利益を負わせるものであるとき等，特段の
事情の存する場合でない限りは，当該転勤命令は権利の濫用になるものでは
ない」と判示した。そして，上述の業務上の必要性の具体的判断について，
「業務上の必要性についても，当該転勤先への異動が余人をもっては容易に
替え難いといった高度の必要性に限定することは相当でなく，労働力の適正
配置，業務の能率増進，労働者の能力開発，勤務意欲の高揚，業務運営の円
滑化など企業の合理的運営に寄与する点が認められる限りは，業務上の必要
性の存在を肯定すべきである」とも判示した。なお，事案への当てはめとし
ては，当該配転命令によって大阪から名古屋営業所への転勤となるが，労働
者の母親，妻および長女との別居を余儀なくされ，相当の犠牲を強いられる
点については，「家庭生活上の不利益は，転勤に伴い通常甘受すべき程度の
ものというべきである」と判示し，一般的な夫婦・家族別居という可能性だ
けでは配転命令を権利濫用とするには当たらない，としている。同判決の示
した，権利濫用の判断基準，「業務上の必要性」の判断，労働者が「通常甘
受すべき程度」の判断は，以後の裁判例の指針となっており，実務上，重要

な判例である。

ii　業務の必要性および配転命令における動機・目的について

　前掲東亜ペイント事件判決（最判昭和 61・7・14 労判 477 号 6 頁）に沿うに，配転命令に，業務上の必要性が欠如していたり，不当な動機・目的があるような場合は，当該配転命令は権利濫用となることが多い。この点についての裁判例をみるに，まず，日本レストランシステム事件判決（大阪高判平成 17・1・25 労判 890 号 27 頁）は，関西地区マネージャーから東京地区の店長への配転命令について，勤務地を関西地区と限定する黙示の合意が成立していたと認定しつつ，「仮に，上記のとおり認定できないとしても，…特段の事情がない限り，勤務地を関西地区に限定するようできる限り配慮する旨の意向を示し，その旨の信義則上の義務を負っていたと認定すべき」とした。さらに，管理者として問題のあった当該労働者の改善につき，「控訴人［註：労働者］を…，東京に異動させない限り，控訴人の改善を期待できなかったものとは認め難く，この点において，本件配転命令に業務上の必要性があったとまではいい難い」と判示し，併せて，長女の病気といった事情（転勤による労働者の不利益），配転に際して使用者が当該労働者に説明義務を十分に果たさなかったこと等を考慮して，当該配転命令を権利濫用とした。

　また，配転命令の動機・目的の問題性を取り上げた裁判例として，朝日火災海上保険（木更津営業所）事件決定（東京地決平成 4・6・23 労判 613 号 31 頁）は，会社の方針に強く反抗してきた元労働組合の幹部に対する配転命令について，「米子営業所への本件配転命令は，債務者会社［註：使用者］のこれまでの高齢者の人事異動からすると異例なものであり，しかも，その業務上の必要性は…極めて疑問であり，更にこれまでの債権者［註：労働者］と債務者会社との前記関係からして債務者会社においては債権者を嫌悪していたことが窺われることからすると，…債権者がこれまで債務者会社の諸方針に反対し，組合内で会社に強く対抗する姿勢を取ってきたこと及び組合の指導部を退いた後も，自らと同じ姿勢をとる者と会社との訴訟において中心となってこれを支援し，訴訟において会社を批判する証言をし，また，現在も会社に対して中心となって不当労働行為救済申立てを続けている債権者を嫌悪し，これに対し不利益な取扱いをなしたものと推認することができ…本件配転命令は，不当な動機・目的をもってなされたものとして権利の濫用に該当し，無効である」と判示している。また，比較的類似の動機・目的の例として，マリンクロットメディカル事件決定（東京地決平成 7・3・31 労判 680

号75頁）は，当該配転命令は，当該労働者が「社長の経営に批判的なグループを代表する立場にあったなどの理由から…東京本社から排除し，あるいは，右配転命令に応じられない債権者［註：労働者］が退職することを期待するなどの不当な動機・目的を有していたが故であることが一応認められ，結局本件配転命令は配転命令権の濫用として無効というべき」と判示している。つまりは，従業員を退職に追い込むことや，会社に反抗する者への不利益な取扱いを動機・目的とする配転命令は，権利濫用として無効となるところである。前述の2つの事件で問題となった配転命令は，いずれも会社内のそれまでの例から異例な内容のものであったこと，業務上の必要性がおよそ希薄であったことが，上述の不当な動機・目的と認定された主な原因と解される。

なお，同様の裁判例として，フジシール（配転・降格）事件判決（大阪地判平成12・8・28労判793号13頁）は，退職勧奨に応じない労働者に対して会社が行った配転命令が権利濫用とされており，また，東海旅客鉄道（新幹線運行本部）事件判決（大阪地判平成10・12・21労判758号18頁）は，新幹線「のぞみ」の減速闘争を背景に新幹線運転士が車内券発行機等を持ち帰ったこと等をきっかけに，当該運転士が新幹線運転士の適性を欠くとしてなされた配転命令（新幹線運転士から車両技術係へ）を無効としている。また，比較的珍しい事案としてオリンパス事件判決（東京高判平成23・8・31労判1035号42頁）は，社内のコンプライアンス室への通報をその動機の一つとしてなされた配転を無効としている。

また，業務上の必要性について否定した裁判例として，学校法人原田学園事件判決（広島高岡山支判平成30・3・29労判1185号27頁）は，疾患のため文字の判読が困難となった准教授に対し，授業を担当させずに学科事務のみを担当させ，従前の研究室からキャリア支援室に研究室を変更するように命じた配転につき，「控訴人［註：使用者］が本件職務変更命令の必要性として指摘する点は，…控訴人が実施している授業内容改善のための各種取組み等による授業内容の改善や，補佐員による視覚補助により解決すべきものであり，…キャリア支援室において，被控訴人［註：准教授］が担当する学科事務の内容は具体的に決まっておらず，検討もされていなかったのであるから，…配転命令である本件職務変更命令の必要性を基礎づけることはできない」と判示している。

iii 労働者の不利益の程度について

　配転命令に業務上の必要性がなかったり，違法・不当な動機・目的を有している，といったような事情がない場合でも，当該配転命令による労働者の不利益が著しければ，当該配転命令は無効となる（前述 i 東亜ペイント事件判決参照）。配転命令には，大別して，職種を変更するものと勤務地を変更するものがあるが，比較すれば，勤務地を変更する配転命令についての方が，より，当該労働者の私生活へ影響を与えやすく，労働者の著しい不利益の程度が問題となることが多い。以下，概観する。

　配転命令による労働者への著しい不利益が認められ，当該配転命令が無効とされた高裁裁判例で比較的有名なものとしては，まず，北海道コカ・コーラボトリング事件決定（札幌地決平成 9・7・23 労判 723 号 62 頁）がある。これは，長女，次女がともに病気に罹患し，両親も体調不良で家業の農業を事実上面倒を見ていたという労働者に対する，帯広から札幌への配転命令が問題となった事案であるが，当該労働者が家族帯同で札幌に転居することは困難であり，単身赴任することは，当該労働者の妻が病気の長女，次女のみならず当該労働者の両親の面倒を一人でみることとなり過大な負担となること，帯広工場には当該労働者の他にも札幌への配転（転勤）の要件を充たすものが 5 名いること等を理由に，上記配転命令は当該労働者の甘受すべき程度を著しく超える不利益を負わせるもので無効としている。また，ネスレ日本（配転本訴）事件判決（大阪高判平成 18・4・14 労判 915 号 60 頁）は，家族が病気に罹患していた労働者らへの姫路から霞ヶ浦への転居を伴う配転命令の事案につき，妻が非定型精神病（要介護状態には至っていない）に罹患している労働者に対する配転命令については，もし当該労働者が単身赴任をしても家族帯同で赴任をしても，その妻の病状悪化に結びつく可能性があり，配転命令による不利益は非常に大きいこと，また，母親が要介護状態に至っている労働者に対する配転命令については，当該労働者が夜間に母の監視や介助をしてきたことより，やはり単身赴任であれ家族帯同であれ，上記配転命令に応じることは困難であるとした。

　一方，労働者の不利益が問題となりつつも，配転命令を有効とした裁判例としては，まず帝国臓器製薬（単身赴任）事件判決（最判平成 11・9・17 労判 768 号 16 頁）がある。これは，同じ会社で働いている夫婦のうち夫を東京から名古屋へ配転（転勤）した事案であるが，原審判決（東京高判平成 8・5・29 労判 694 号 29 頁）の，会社は「人材育成と人的組織の有効活用の観点か

ら，…広域的な人事異動を実施しているところ，晴男［註：労働者］は，…都内を担当する職員の中で最も担当期間の長い職員の一人であったことに照らすならば，晴男についてのみ，特別の事情もなく，異動の対象から除外することは，かえって公平を欠く」，「本件転勤命令によって晴男の受ける…不利益は…社会通念上甘受すべき範囲内のもの」（当該労働者の具体的な不利益は，同じ会社で勤めている妻および3人の子供と別居せざるを得なくなるというものであった），「転勤先である名古屋と東京とは，新幹線を利用すれば，約2時間程で往来できる距離であって，子供の養育監護等の必要性に応じて協力することが全く不可能ないし著しく困難であるとはいえない」，「被控訴人会社は，支給基準を充たしていないにもかかわらず，別居手当を支給したほか，住宅手当（赴任後1年間）を支給したことなど一応の措置を講じていること」等と説示して当該配転命令を有効とした等の判示を維持している。

　また，ケンウッド事件判決（最判平成12・1・28労判774号7頁）は，3歳児を保育園に預けて働いている共働きの女性（当時東京都品川区在住）に対し，東京都目黒区の本社より東京都八王子市の事務所へ配転命令を行った事案について，会社の「八王子事業所…は…退職予定の従業員の補充を早急に行う必要があり…40歳未満の者という人選基準を設け，これに基づき同年内に上告人［註：労働者］を選定した上本件異動命令が発令されたというのであるから，…業務上の必要性があり，…不当な動機・目的をもってされたものとはいえない」，「上告人が負うことになる不利益は，必ずしも小さくはないが，なお通常甘受すべき程度を著しく超えるとまではいえない」とし，当該配転命令は権利の濫用には該当しないとした。なお，当該事案における当該労働者の具体的な不利益は，配転前は通勤時間が約50分であったところ配転後には約1時間45分となったため，子供を送り迎えする夫婦分担の状況上，水曜日の保育園への送りとその他の曜日における午後6時50分から午後7時35分ころまでの保育に支障が生じる，というものであり，同判決は，配転先（八王子事業所）の近辺には，転居可能な住居が多数あること，そこから別会社に勤めている夫の通勤時間は約1時間であること，同事業所の近隣に定員に余裕のある保育園があることを説示しているのであるが，最後の説示については，現在のように，保育園に余裕があるとは限らない時勢，あるいは地域では必ずしも当てはまらないこともあり得る。

　上記2つの最高裁以外の裁判例では，例えば，新日本製鐵（総合技術センター）事件判決（福岡高判平成13・8・21労判819号57頁）は，北九州市より

CHAPTER 10　配転・出向・転籍　　141

千葉県への配転（転勤）の事案につき，配転元と配転先の距離，当該労働者の単身赴任生活が長期間に及んでいること，転勤までは長年北九州で家族を含めた生活を送っていたことより，上記配転命令による当該労働者の不利益は小さなものではないが，会社は，当該労働者が単身赴任するか家族帯同で赴任するかの選択に際して，家族の事情について，共稼ぎの妻に対し，配転先地域での勤務先を紹介する等の一定の配慮を行っていること，単身赴任による不利益に対し，社宅（寮）の貸与，諸手当の支給等各種の転勤援助措置を講じていること等を挙げて，労働者が通常甘受すべき程度を著しく超えていると認められないとして，当該配転命令を有効とした。

　使用者の配転命令につき，一部の者を権利濫用とし，一部の者を権利濫用ではない（配転命令を有効）としたものとして，NTT西日本（大阪・名古屋配転）事件判決（大阪高判平成21・1・15労判977号5頁）があり，まず，中国・四国・九州地方より近畿地方へ転勤となる4名の配転命令については，会社の構造改革により配転元で担当していた業務のなくなった従業員に対する新たな業務を創出する必要性，子の養育または家族の介護などといった遠隔地への配転を避けなければならないような個人的事情がないこと，各自の単身赴任に伴う負担は一般的な単身赴任に伴う負担として甘受すべき範囲を超えるものではないこと等を理由に，権利の濫用には当たらないとした一方で，京阪地区より名古屋に配転となった17名については，新幹線通勤や単身赴任という不利益を負担させてまで配転を行うほどの業務上の必要性は認められないとして，当該配転命令は権利濫用に当たるとした。労働者ごとに，配転命令の濫用の有無を判断した結果といえよう。

iv　配転命令の有効性と配転命令に従わない労働者に対する解雇の効力との関係

　配転命令は業務命令であり，労働者が配転命令に従わなければ，使用者としてはその想定する職種，勤務地において当該労働者から労務の提供を受け得ない以上，当該労働者に対して解雇（懲戒解雇か普通解雇かの違いはあるが）をもって臨まざるを得ないのが通常であり，配転命令が有効な場合には，それに違背した労働者に対する解雇は原則として有効とされる（もっとも，実務においては，労働者側が，配転命令には異議を述べながらも一応従いつつ，配転先での就労義務の無効確認や，配転による損害賠償請求を行う例もみられる）。しかし，裁判例には，配転命令を有効としつつ，配転命令に従わない労働者の解雇については無効としたものがある。例えば，メレスグリオ事件判決

（東京高判平成 12・11・29 労判 799 号 17 頁）は，一般論として「配転命令自体は権利濫用と評されるものでない場合であっても，懲戒解雇に至るまでの経緯によっては，配転命令に従わないことを理由とする懲戒解雇は，なお，権利濫用としてその効力を否定されうる」とし，「本件配転命令は，控訴人［註：労働者］の職務内容に変更を生じるものでなく，通勤所要時間が約 2 倍となる等の不利益をもたらすものの，権利濫用と評すべきものでないが，被控訴人［註：使用者］は，控訴人に対し，職務内容に変更を生じないことを説明したにとどまり，本件配転後の通勤所要時間，経路等，控訴人において本件配転に伴う利害得失を考慮して…控訴人が判断するのに必要な情報を提供することなくしてされた本件配転命令に従わなかったことを理由とする懲戒解雇は，性急」として，当該解雇を無効とした。また，三和事件判決（東京地判平成 12・2・18 労判 783 号 102 頁）も，配転命令は有効としながらも，それを拒否した当該労働者らに対する懲戒解雇については，「原告［註：労働者］らは本件配転命令を拒否していたとはいえ，話し合い等により納得すれば配置転換に応ずる旨述べていたこと，原告らの採用の経緯にかんがみれば，原告らが本件配転命令に難色を示すのも無理からぬものがあること，仮に三和労組［註：当該労働者が結成した労働組合］が本件配転命令後に結成されたものであるとしても，本件配転命令は原告らの労働条件に関わるものであるから，被告［註：使用者］にはこの問題に関し団体交渉に応ずる義務があったにもかかわらず，これを拒否した…ことからすれば，被告は，少なくとも，団体交渉の継続を約束した上で，就労開始日以降の業務部での就労を求めるべきであって，右のような手続を経ることなく，就労開始日を待たずにされた本件懲戒解雇は，…手続の適正を欠き，解雇権を濫用するものとして無効」とした。

　以上より，配転命令の有効性とそれに違背する者への解雇の有効性とは必ずしも連動しない場合があり，裁判例は使用者側に対し，配転命令が有効である場合であっても，配転命令に違背した当該労働者側に対し，説明，説得の手順を尽くすことを求めているものといえよう。

4．実務の具体的対応

　配転命令が紛争となった場合，第一には，使用者が当該配転命令をなし得る権限を有しているかどうかの検証が必要であり，労働者との労働契約において，職種や勤務地等の限定がなされているか（多くの場合，限定の合意）を

検討することとなる。最終的には事案における具体的な事実関係によるというほかはないが，使用者における配転条項を含んだ就業規則等の存在（前掲東亜ペイント事件判決等），労働契約書の内容，労働契約締結時に労働者が勤務地限定の合意を明確に申し出ることが必要な事情があったか否か（前掲新日本通信事件判決），使用者の業務の実情から勤務地限定を認めることが合理的か否か（前掲東亜ペイント事件判決，同新日本製鐵〔総合技術センター〕事件判決）といった諸要素は，上記の認定に影響を与える事情となる。

　第二には，職種や勤務地の限定の合意がない場合，問題となった配転命令の権利濫用性を検討することとなる。その際，前述した裁判例は，実務上最大の指針とすべきことは当然であるが，労働者側の不利益の程度の解釈については，近時のワーク・ライフ・バランス重視の潮流からすれば，今後は，より労働者の不利益を慎重に検討する必要性がある。大要，現在までの裁判例から考えるに配転命令が権利濫用となる程の労働者の不利益とは，通勤時間の増加，単身赴任による経済的・身体的負担などといったものでは足りず，病気に罹患している家族の介護への支障，あるいは本人の病気治療の継続への支障が大きいといった特殊な事情が必要と解されてきた。ただし，勤務地の変更を伴う配転命令を有効とした裁判例も，使用者側が何等かの配慮を労働者に示している事案も多く（前掲帝国臓器製薬〔単身赴任〕事件判決，新日本製鐵〔総合技術センター〕事件判決等），使用者側としては，労働者の不利益を緩和する手段を相応に講じるとともに，労働者に対して配転命令の目的・必要性を説明する手続を踏むことが，実務としては肝要となっている。

　なお，職種限定の合意のある労働者が従事している職種そのものを使用者が廃止する場合がある。この場合，使用者としては，雇用確保の見地より，職種限定合意のある当該労働者に対し，他職種への配転を持ちかけることは実務上あり得るとしても，職種の限定合意がある当該労働者に対し，解雇する前に職種を変更するような配転命令を行う必要があるか否かは，別の問題と思われる。すなわち，前掲大成会福岡記念病院事件決定（福岡地決昭和58・2・24労判404号25頁）の説示を借りれば，「使用者側にとっても当該の部署ないし職種を廃止することなどに伴って生ずる剰員を直ちに解雇することなく，当該企業内において既存あるいは新設の部署ないし職種に配置し，引き続きその労働力を使用することに利益を有する場合」ばかりとは限らないのである。これは，解雇権濫用法理の中の一事情として考慮されることになると思われる。

> 実践知！
>
> 配転命令に関する相談，紛争処理については，まずは配転命令権の確認が重要であり，次に職務・勤務地限定の合意の有無を確認する必要がある。
> 　上記の確認においては，就業規則，契約書，採用入社時のやり取り，入社以後の同業種の労働者の異動の実績，などといった事情等が主な判断要素となる。
> 　配転命令権の濫用をめぐる判断については，諸裁判例の判示が最も参考になることはもちろんであるが，昨今のワーク・ライフ・バランス重視の社会的趨勢に留意することも必要と思われる。

Ⅱ．出向・転籍

1．出向・転籍の意義，異同

　出向とは，労働者が自己の雇用先の企業に在籍のまま，他の企業の従業員（ないし役員）となって相当長期間にわたって当該他企業の業務に従事することをいう（菅野・労働法〔12版〕735頁）。この場合，出向した労働者は，出向を命じた企業とは労働契約関係にありながら労務を提供しないという状態になる。

　一方，転籍とは，労働者が自己の雇用先の企業から他の企業に籍を移して当該他企業の業務に従事することをいう（菅野・労働法〔12版〕735頁）。その法形式は，当該企業からの退社および別企業への入社（移籍）である。

　なお，Ⅰで取り上げた配転は，あくまで同一企業内においてその職種・勤務地に変更がある点で，転籍はもちろん，出向とも異なる。

　出向は，当初在籍していた企業から関連企業に対して，(a)関連企業への経営・技術指導，(b)人事交流，(c)従業員の能力開発，(d)雇用調整，(e)中高年齢者の処遇，といった目的で行われることが多い。転籍も，出向ほどではないが，主として上記のような目的で行われる。このうち，(d)や(e)は，長期雇用を旨とする我が国の法規制からなる雇用吸収努力の一環として行われることがある。

2. 出向・転籍の要件および限界

(1) 出向の場合

　前述 1 の通り，出向は当該労働者にとっては，使用者の変更を伴うものである。したがって，まず，労働契約当事者間の合意が必要とされる。この同意は，個別の出向命令の時点の合意であることまでは必ずしも必要ではないとするのが一般であり，採用時の予めの合意でもよい。

　また，当事者間の個別の合意がなくとも，就業規則上や労働協約上の出向についての規定があれば，出向命令の根拠になる（新日本製鐵〔日鐵運輸第2〕事件判決〔最判平成 15・4・18 労判 847 号 14 頁〕等）。なお，出向についての就業規則等の根拠規定は，出向命令を受けた当該労働者の採用時に存在していたものはもちろん，採用時には存在しなくともその後に創設され就業規則に規定されたものでも，根拠規定たり得る（ゴールド・マリタイム事件判決〔大阪高判平成 2・7・26 労判 572 号 114 頁〕，川崎製鉄〔出向〕事件判決〔大阪高判平成 12・7・27 労判 792 号 70 頁〕等）。

　逆に，当事者の合意もなく，就業規則等の明示の根拠もない場合には，出向命令はなし得ない（日東タイヤ事件判決〔最判昭和 48・10・19 労判 189 号 53 頁〕等）。また，就業規則等に出向についての根拠規定があれば，常に出向命令が有効というわけではなく，出向命令が対象労働者の選定に係る事情その他の事情に照らして，使用者の権利濫用と認められる場合には，その出向命令は無効となる（労契法 14 条。裁判例として，前掲ゴールド・マリタイム事件判決〔高裁判決〕およびその上告審判決である最判平成 4・1・24 労判 604 号 14 頁等）。

　出向命令は，労働者の合意がなかった場合は相当の法的問題になり得るが，出向命令が終了または解除となり労働者を出向先より出向元に復帰させる場合には，当該労働者の合意なくしてなし得るとされる（古河電気工業・原子燃料工業事件判決〔最判昭和 60・4・5 労判 450 号 48 頁〕等）。

(2) 転籍の場合

　前述 1 の通り，転籍の本質は，転籍元会社退社・転籍先会社入社であり，退社および入社について労働者の合意が必要である。また，出向の場合とは異なり，特段の事情がない限り，採用時といった予めの同意ではなく，転籍時の個別具体的な同意が必要である（三和機材事件判決〔東京地判平成 7・

12・25 労判 689 号 31 頁〕）。もっとも，例外として，日立精機事件判決（千葉地判昭和 56・5・25 労判 372 号 49 頁）があるが，これはやや事案が特殊な例である（詳細は後述）。

3. 裁判例

(1) 出向についての裁判例

使用者が労働者に出向命令を出す場合，当該出向命令の根拠の有無と権利の濫用の有無が問題となる。以下，順を追って裁判例を俯瞰する。

i 出向命令の根拠について

日東タイヤ事件判決（最判昭和 48・10・19 労判 189 号 53 頁）は，当該出向について当事者間の合意もなく，就業規則等上の根拠規定もない事案について，出向とは指揮命令権の帰属者を変更することを意味するから，多くの場合不利益な労働条件の変更であり，原則として労働者の個別の合意が必要であり，就業規則上明白に出向義務を規定する必要があると説示して，当該出向命令を無効とした。

同じく最高裁判例である新日本製鐵（日鐵運輸第 2）事件判決（最判平成 15・4・18 労判 847 号 14 頁）は，「被上告人［註：使用者］の就業規則には，『会社は従業員に対し業務上の必要によって社外勤務をさせることがある。』という規定があること，…上告人［註：労働者］らに適用される労働協約にも社外勤務条項として同旨の規定があり，労働協約である社外勤務協定において，社外勤務の定義，出向期間，出向中の社員の地位，賃金，退職金，各種の出向手当，昇格・昇給等の査定その他処遇等に関して出向労働者の利益に配慮した詳細な規定が設けられていること，という事情がある。以上のような事情の下においては，被上告人は，上告人らに対し，その個別的同意なしに，…本件各出向命令を発令することができる」と判示した。なお，同様の説示を行った高裁裁判例としては，前掲ゴールド・マリタイム事件判決（大阪高判平成 2・7・26 労判 572 号 114 頁。最高裁判決でそのまま維持），川崎製鉄（出向）事件判決（大阪高判平成 12・7・27 労判 792 号 70 頁），新日本製鐵（日鐵運輸）事件判決（福岡高判平成 12・11・28 労判 806 号 58 頁）等がある。

前掲新日本製鐵（日鐵運輸第 2）事件判決は，出向命令についての就業規則上の根拠規程，労働協約上の根拠規定，出向中の労働条件等を定めた協約をもって，当該出向命令についての当該労働者の個別同意を不要としたものである。

ii　出向命令と権利濫用の有無について

　出向命令に根拠があっても，当該出向命令が権利濫用にあたれば当該出向命令は無効となる（労契法14条）。

　まず，出向命令が権利濫用であることを肯定した最高裁判例としては，前掲ゴールド・マリタイム事件判決（最判平成4・1・24労判604号14頁）がある。同判決は，その原審判決（大阪高判平成2・7・26労判572号114頁）が「控訴人［註：出向元］においても，辰巳商会［註：出向先］…との間で人事交流に関する確認書を作成して相互に社員を出向させることとしたが，辰巳商会へ出向させるべき人物は，…有能な人物と考えていた。しかるに，控訴人は，被控訴人［註：出向労働者］について，協調性がなく勤務態度も不良で，管理者としての適性を欠き，第一次解雇を取り消した後も控訴人の職場内には復帰させるべき余地のない人物であると評価していた」，「被控訴人は控訴人に入社以来，…辰巳商会とは職務上の関係もなく，また，被控訴人が本件出向を拒否した後，現在に至るまで，被控訴人に代わり，辰巳商会に出向した者はいない」との事実認定の上で，当該出向命令につき「業務上の必要性，人選上の合理性があるとは到底認められ」ないとして出向命令を無効とした判断を維持している。

　次に，出向命令による労働者の不利益が大きいとみられた例としては，新日本ハイパック事件決定（長野地松本支決平成元・2・3労判538号69頁）は，仕事上のミスをした労働者の研修を理由とする出向命令について，その理由を当該労働者に明示していないこと，出向先で研修しなければならない合理的な理由はないこと，当該出向命令は松本工場より福島に最長3年間出向させるものであり，家庭生活上重大な支障を来す上，使用者がなんら配慮した形跡がないこと等を説示して，当該出向命令を権利濫用により無効と判示した（なお，同決定は，使用者には出向の諸条件について具体的に定めた規定は存しなかったが，就業規則と労働協約をもって，当該出向命令の根拠となり得ると判示している）。同様に，リコー（子会社出向）事件判決（東京地判平成25・11・12労判1085号19頁）は，希望退職募集を拒否した者につき子会社への出向命令が問題となった事案であるが，全社的に部門一律に余剰人員を一定率（6%）に設定した上で希望退職を拒否した者を出向命令としている点で合理的な人選とはいえないこと，複数回の退職勧奨の後に出向命令がなされたこと，出向先の職務が立ち作業や単純作業が中心で精神的・身体的負担が大きいこと等を理由に，当該出向命令を無効としている。また，佐世保重工

業事件判決（長崎地佐世保支判昭和59・7・16労判438号34頁）のように，病気の母親の介護ができなくなるという不利益の大きさを理由に，出向命令を無効とした例もある。

　やや特殊な例としては，大王製紙事件判決（東京高判平成28・1・14労判1140号68頁）は，虚偽の内部告発および使用者の秘密を漏えいした課長が，降格処分とともに，物流関係会社の北海道の営業所長への出向命令を受けたところ，これを拒否した件について，同判決は，当該労働者を重要な機密情報を取り扱わない部署に配置する必要があったことは認められるものの，当該労働者は物流業務の経験がほぼなく，かつ，上記所長は事実上一担当者に過ぎず，配転先としては不相応であるとして，当該出向命令を無効としている。

　一方，出向命令を権利濫用には当たらないとした最高裁判例としては，まず，新日本製鐵（日鐵運輸第2）事件判決（最判平成15・4・18労判847号14頁）があり，同判決は「被上告人［註：使用者］が…一定の業務を日鐵運輸に委託することとした経営判断が合理性を欠くものとはいえず，…委託される業務に従事していた被上告人の従業員につき出向措置を講ずる必要性があったということができ，出向措置の対象となる者の人選基準には合理性があり，…本件各出向命令によって上告人［註：労働者］らの労務提供先は変わるものの，その従事する業務内容や勤務場所には何らの変更はなく，上記社外勤務協定による出向中の社員の地位，賃金，退職金，各種の出向手当，昇格・昇給等の査定その他処遇等に関する規定等を勘案すれば，上告人らがその生活関係，労働条件等において著しい不利益を受けるものとはいえない」として，当該出向命令について権利濫用とはいえないとしている。他にも，川崎製鉄（出向）事件判決（大阪高判平成12・7・27労判792号70頁）は，「出向について相当の業務上の必要性がなければならないのはもちろん，出向先の労働条件が通勤事情等をも付随的に考慮して出向元のそれに比べて著しく劣悪なものとなるか否か，対象者の人選が合理性を有し妥当なものであるか否か，出向の際の手続に関する労使間の協定が遵守されているか否か等の諸点を総合考慮して，出向命令が人事権の濫用に当たると解されるときには，当該出向命令は無効というべき」とした上で，その一審判決（神戸地判平成12・1・28労判778号16頁）の認定した事実関係の下では（労働条件に関する部分としては，出向により年間総所定労働時間が59時間長くなったこと，業務付加給が年間6万円減少したこと，他方で出向手当11万円が支給されているこ

と等がある），当該労働者の労働条件が大幅に低下し，著しい不利益を受けているとまでは認められないとして，当該出向命令は権利濫用には当たらないとしている。これらを俯瞰するに，業務上の必要性があり，当該出向による不利益がさほど大きなものではなく，使用者が当該出向に際して手続をそれなりに尽くしていれば，権利濫用と認められる可能性は少なくなる，ということとなろう（その意味で，配転命令の有効性の審査の枠組みにかなりの類似性があるといえる）。

(2) 転籍についての裁判例

　前述2の通り，転籍は，当事者間の転籍が具体的に実行されることとなった時点での個別的合意が存することが必要である。三和機材事件判決（東京地判平成7・12・25労判689号31頁）は，使用者が就業規則を変更し，当該使用者より出向先への転籍命令についての根拠を定めたという事案について，「変更された就業規則に基づく業務命令として従業員に対して転籍出向を命じうるためには，特段の事情がない限り，こうした不利益を受ける可能性のある従業員の転籍出向することについての個々の同意が必要である」と説示し，転籍出向についての根拠を就業規則に定めた場合でも，転籍出向命令は当該労働者の合意がなければ効力を生じないとした。この事案は，いったん倒産し，裁判所で認可された和議条件の履行のために，会社がその一部たる営業部門を別会社として設立し，その別会社へ営業部門の全労働者43名を転籍せしめるものであり，当該労働者を除いて全員転籍に合意しており，必要性も相当に存在していたと思われる事案ではあったが，それでも，転籍には個々の労働者の個別同意が必要とされている。なお，同事案では，転籍に合意しなかった当該労働者は，結局，使用者により解雇されたところ，判決は，当該解雇が有効となるには整理解雇の法理に照らして止むを得ないものであることを要するとし，結論として，当該解雇を無効としている。同様に，千代田化工建設（本訴）事件判決（東京高判平成5・3・31労判629号19頁）も，会社再建のために会社の一部を独立させた新会社への転籍を拒否した労働者に対する解雇について，当該労働者以外は全員転籍に同意していたという状況下においても，転籍は労働者の個別の同意が必要であるとした上で，問題となった解雇に整理解雇の法理を適用し，当該解雇を無効と判示している。なお，問題となった人事異動が実質的には出向か転籍かが争われた事案として，国立研究開発法人国立循環器病研究センター事件判決（大阪地

判平成 30・3・7 労判 1177 号 5 頁）がある。この事案では，異動の前後を通して退職金は期間通算されるものの，異動元の退職手続と異動先の採用手続がとられること，異動後は異動先の就業規則のみが適用され，当該職員が異動元に何らかの権利を有するとは認められないこと等から，当該異動は転籍と解され，当該職員の同意がない以上無効であり，当該異動を拒否したことを理由とする異動元の解雇も無効とされている。

　例外的に，労働者の合意なくして転籍命令を有効とした例としては，日立精機事件判決（千葉地判昭和 56・5・25 労判 372 号 49 頁）がある。これは，会社が入社後約 1 年の社員を関連会社に転籍させることの可否が問題となった事案であるが，同判決は，転籍について「債権者［註：労働者］の同意を要すると解さざるを得ない」との原則論を確認しつつも，転籍先（セイキインターナショナル KK）が「『入社案内』には勤務場所の一つとして…明記されているが，債権者は…『入社案内』を読んでいること」，債権者が提出した身上調書には，その質問事項の一つとして「『本社…セイキインターナショナル KK（輸出部独立）のいずれにも勤務できるか』との質問に対し…可に丸印をつけ」ていること，面接試験の際にも，「セイキインターに転属することがありうる旨の説明に対し…異議のない旨応答し」ていることを認定した上で，「転属先の労働条件等から転属が著しく不利益であったり，同意の後の不利益な事情変更により当初の同意を根拠に転属を命ずることが不当と認められるなど特段の事情のない限り，入社の際の包括的同意を根拠に転属を命じうると解するのが相当である」とし，「債権者は入社時における債権者の包括的同意及び債務者会社就業規則第 8 条を根拠として，債権者に対してセイキインターに転属すべきことを命じうる」とした。この判決は，転籍時点での合意はないものの，入社時に，転籍先までも具体的に明示されつつ，そこでの勤務（転籍）に同意した点に事案の特色があるが，実務的にはかなり特殊な事案によるものと解するのが妥当であろう。

4.　実務の具体的対応

　まず，転籍については，当該労働者の個別合意が必要という理解でほぼ問題はないと思われる（前掲日立精機事件判決も，転籍時での個別合意こそなかったものの，転籍時 1 年前の入社時に，相当程度に具体的な同意をとっていた事案であり，実質的には当該労働者の同意が認められたに等しい事案ともいえる）。一方，出向については，理論の面（出向命令権の存否）でも実質面（権利濫用の

有無）でも争点となり，その有効性の判断が微妙な事案も見受けられる。出向命令権の存否は，就業規則およびそれに関連する規程（出向規程等），労働協約，労働契約書といった書面資料を検討すれば比較的明瞭になるが（逆にいえば，これらを検証しないで判断するようなことは不適切である），権利濫用の有無は，事案ごとにあらゆる事象を取り入れて判断せざるを得ない。もっとも，その中でも，中心となる要素は，前掲の2つの最高裁判例（ゴールド・マリタイム事件判決：権利濫用性を肯定，新日本製鐵〔日鐵運輸第2〕事件判決：権利濫用性否定）に鑑みれば，当該出向についての使用者側の必要性（それまでの実績も含めて），人選の適切性・出向の目的との整合性（恣意性の有無も含めて），当該出向による労働条件の変化（地位，賃金，労働時間，さらには業務内容，勤務場所）といった諸事情であろう。

実践知！

　出向命令については，まずは形式（就業規則，労働協約等）の確認を最初に行わなければならない。なお，形式的根拠については，出向中の労働条件等について具体的に定めた規定が必要であるとの有力見解もあり（菅野・労働法〔12版〕736頁等），紛争前の規定整備の措置としては留意することが望ましい。

　その上で，使用者の必要性，人選，目的，当該労働者の不利益，といった諸要素を勘案して，権利濫用（労契法14条）と評価されないか否かを検討することとなり，その検討は配転における権利濫用の有無の判断と類似するところがある。

CHAPTER
11 昇格・降格

　国際競争の激化，技術革新の影響の下，我が国の日本の企業の一部でも成果主義，抜擢人事等の導入が進められているが，実際の多くの企業では，今なお昔ながらの終身雇用・年功序列が原則とされており，そのため，同一の企業におけるキャリアの中の業務の変更が想定されている。この章では，そのうち，業務内容の種類の変更ではなく，役割，責任の高低の変更である，昇格・降格について言及することとする。

Ⅰ．昇格

1．昇格の法的意義

　昇格といっても，大別して，昇進と昇格（狭義）との2種類がある。一般には，労働者の職場における地位を引き上げるものと解されるが，この「地位」とは，企業組織における指揮命令系統上における職務上の地位を意味することもあれば（通常，職制上の役職・職位といわれることが多く，部長，課長，係長などと区分されることが一般である），現実の職務というよりは，企業内における従業員の職務遂行能力の資格，格付け，等級を意味することもある。このうち，前者を引き上げることを昇進と理解し，後者を引き上げることを昇格と理解するのが簡明と思われる（菅野・労働法〔12版〕721，723頁）。この2つの大きな違いは，昇進は職務（仕事）の変更，高度化を予定しているのが原則であるが，昇格は，あくまで職務遂行能力の評価の上昇であり，昇格直ちに職務の変更とは限らないということである。

　昇進も昇格も，使用者の広汎な裁量に属しているが，下記の例のように一定の事由を理由とする差別は禁止されている。

　＊国籍，社会的身分または信条による差別（労基法3条）

　＊男女差別（均等法5条）

　＊労働組合員に対する不当労働行為（労組法7条）

2. 昇格についての裁判例

(1) 昇格差別の合法・違法性について

前述1の通り，昇格は使用者の総合的裁量が広く認められる人事措置であるため，原則としては，差別問題以外に法的な紛争にはなり難い。ここでは，類型としてよくみられる例として，男女差別の例，労働組合員差別の例およびその他の例を挙げることとする。

i 男女差別の例

男女差別の裁判例として代表的なものに，芝信用金庫事件判決（東京高判平成12・12・22労判796号5頁）がある。これは，女性労働者（一審原告）らが男性に比較して昇格を不当に抑えられたとの主張について，被告となった会社による「意図的な男女差別の存在を認めることは困難」ではあるものの，「男性職員については，…最終的には，係長にある男性職員のほぼ全員が副参事に昇格しているにもかかわらず，女性職員については，…その殆ど全てが副参事に昇格していないのであって，…極めて特異な現象である…右のような事態が昇格試験制度等における当然の結果であると認めるべき合理的事情…を認めるに足りる証拠はない。…性質上，一審被告［註：使用者］による男女差別の意図等を直接証拠によって証明することは殆ど不可能に近く，格差の存在という結果から推認する方法によらざるを得ないことなどを総合考慮すると…，昇格試験における学科試験及び論文試験について，不公正・不公平とすべき事由は見出せないのであるが，評定者となっている幹部職員…が，年功序列的な人事運用から完全に脱却することができないままに，…なかなか合格しない係長である男性職員に…対してのみ，…特に人事考課において優遇していたものと推認せざるを得ない」と判示し，昇格における男女差別の存在を認めている。その他の裁判例としては，以前は男女別コース制度（概ね，男性は基幹社員として採用，処遇し，女性は補助要員として採用，処遇するというもの）についての裁判例が多々みられたが，近年は，こうした男女別コース制度自体がみられなくなっている。

ii 労働組合員差別の例

労働組合員の労働組合活動を理由としての昇進・昇格差別についての裁判例についていうと，この問題は本来，労組法7条1号もしくは3号の不当労働行為の成否の問題であり，労働委員会において一次的な判断がなされ，労働委員会の命令に対する取消訴訟（行政訴訟）として裁判に上がることが

通常である。昇進・昇格についての組合差別が問題となった裁判例を挙げれ
ば，紅屋商事事件判決（最判昭和 61・1・24 労判 467 号 6 頁），中労委（芝信
用金庫従組）事件判決（東京高判平成 12・4・19 労判 783 号 36 頁。なお，これ
は，前掲芝信用金庫事件判決〔東京高判平成 12・12・22 労判 796 号 5 頁〕とは別
判決である），中労委（オリエンタルモーター）事件判決（東京高判平成 15・
12・17 労判 868 号 20 頁）等が挙げられる。これらは基本的に不当労働行為
の問題である（本書 Pt. 2 参照）。

　上記の他に，集団としての組合員全体ではなく，組合員一個人の不昇進・
不昇格の取扱いが問題となった例としては，ヤマト運輸事件判決（静岡地判
平成 9・6・20 労判 721 号 37 頁）と男鹿市農協事件判決（仙台高判秋田支判平成
3・11・20 労判 603 号 34 頁）が挙げられる。

　まず，ヤマト運輸事件判決は，当該労働者（組合員）が，昇格が行われな
いこと，整備管理者にされないことについて，労組法 7 条 1 号所定の労働
組合員であること等を理由とする不当な差別（不当労働行為）を会社が行っ
ていると主張した事案である。判決は，まず「労働基準法 3 条にせよ，労
働組合法 7 条にせよ，それらに違反する使用者の行為が私法上無効となる
ことがあるからといって，使用者がそれらの定めに違反しないように何らか
行為すべき雇用契約上の義務を負っていると考えることができない」と述べ
た上で，「賃金上の処遇については，被告［註：使用者］がその処遇制度上
個々の労働者に対して…一定の条件を失わない限り従前より悪い条件のもと
に待遇されることがないことを具体的に期待させる取扱を続けていたような
場合には，…不法行為となる余地がある」とし，「原告［註：労働者］は一応
の能力を備えるだけでなく，周囲の者からも良好な評価を得ているにもかか
わらず，これまで長い間 4 級に留めおかれ，他に能力において劣っている
と認めるに足りる状況にある者との格差が放置されて来たことは明らか」
「被告は原告所属組合を嫌忌していたことを推認することができる」として，
使用者は不法行為に基づく損害賠償の責任を負うとしている。

　男鹿市農協事件判決は，「課長」が労働組合員の範囲に含まれるか否かに
ついて会社と労働組合との間で争いがある状況において，労働組合の積極的
活動家を課長職に配置しなかったことが不当労働行為となるか否か，が問題
となった事案である。上記判決は一審判決（秋田地判平成 2・12・17 労判 581
号 54 頁）を維持したものであるが，その一審判決は，当該農協（使用者）が
当該労働者を課長職にしなかったのは，当該労働者が課長になっても組合員

CHAPTER 11　昇格・降格

をやめないことを理由とするものであることが推認されるとしながらも，「企業において，管理職ポストは，企業の方針貫徹のための指揮命令系統の中枢を形成し，企業の人事権に本来委ねられるべきものであるから，右のようなポストにある人物を起用しないことが当該労働者にとって『不利益取扱』であるというためには，当該労働者の保有している条件の下では，通常，そのような昇格がほぼ例外なく行われていて，そのように処遇されないことが他の労働者に比較して待遇の上で公平を欠く，というような特別の事情が必要」とした上で，当該農協においては「課長職は勤続年数に応じて誰もが均等に昇格できるようなポストではなく，…課長職が，いわゆる『利益代表者』には該当しないとしても，その極く密接な周辺部分に位置する上級職制である」こと等より，「課長になっても組合を止めないことを理由としたものではあるけれども，他方で，…上級職制たる…課長にはふさわしくないと判断した結果であるとみることもできる」とし，結論としては，不当労働行為の成立を否定している。

iii　その他の例

その他，使用者の昇格の扱いが問題とされた裁判例として，光洋精工事件判決（大阪高判平成 9・11・25 労判 729 号 39 頁）は，既婚の女性労働者が，会社の職能資格等級制度の運用にあたり，使用者が人事考課の裁量権を逸脱した違法・不当な評価をした結果，賃金・退職金が同僚に対して低く抑えられたとして，使用者に対して不法行為による損害賠償を求めた事案について，「職能資格等級制度は，年功序列制度と異なり，人事考課によって，同等の勤続年数の従業員間に級の差がでることを当然に予定していること，…統計的に見ると，原告［註：労働者］は，中途入社したことから退職までの勤続年数が…他の退職者の平均勤続年数より約 9 年短く，原告より勤続年数の長い従業員が多数原告と同じ級に格付けされており…原告は，…作業能率が高かったとはいえず，協調性，積極性等に問題があ」る等を説示した一審判決を引用して，使用者の人事考課に裁量権の逸脱・濫用があったとはいえないとした。

(2)　昇格差別があった場合の救済方法について

労働者に対する昇格差別が存在する場合であっても，法的救済としては，原則，不法行為としての損害賠償を請求できるに留まる。裁判例を挙げれば，まず，社会保険診療報酬支払基金事件判決（東京地判平成 2・7・4 労判 565 号

7頁）は，昇格に関する男女差別の有無について肯定したものの，当該女性労働者の昇格した地位の確認を求めた請求については，「被告［註：使用者］における昇格とは…職務の複雑，困難性及び責任の度合いに基づいて区分された職務の等級を下位から上位へ格上げすることであり…原則として職務と一体になった等級を被告の人事上の裁量によって変更するものであり，あくまで被告の裁量権の行使である…。本件昇格措置が右のような性格である以上，これを男子職員についてのみ講じたことが男女差別であっても，女子職員については被告の決定がなければ本件昇格措置が取られたことにならないのが原則であり，この決定がないにもかかわらず昇格したものと扱うには，明確な根拠が必要なはずである」と説示し，当該労働者の上記請求を斥けている。なお，昇格差別が認められた場合に認容される不法行為による損害賠償請求における損害の算定について，同判決は，女子職員にはなかった昇格措置がなされたことによる差額賃金と差額退職金および慰藉料（さらには弁護士費用）を含めており，住友生命保険（既婚女性差別）事件判決（大阪地判平成13・6・27労判809号5頁）等も同様であるが，前掲ヤマト運輸事件判決（静岡地判平成9・6・20労判721号37頁）などは，提訴した労働者が公平に人事考課をされても当然に昇格するだけの競争条件が整っていたとまではいえないこと，当該労働者の主張する通りの昇格をさせることが必須というわけでもないことなどを考慮し，昇格差別による損害を，会社が「不当にも適正な人事考課を敢えて怠り，これにより当初から原告［註：労働者］が他の候補者と並んで競争する地位を奪ったことに対する精神的損害の賠償に止まり，それ以上に予定された賃金額との差額の支払いを求めることはできないというほかない」として，慰謝料のみを認めている。

　もっとも，裁判例の中には，昇進，昇格差別のあった場合に，不法行為による損害賠償を超えて，差別を受けた当該労働者に昇格請求権を認めたものがあり，前掲芝信用金庫事件判決（東京高判平成12・12・22労判796号5頁）は，「一審被告［註：使用者］が採用している職能資格制度においては，資格と職位とが峻別され，資格は職務能力とそれに対応した賃金の問題であるのに対して，昇進は職務能力とそれに応じた役職（職位）への配置の問題であり，給与面に関しては，後者は役職手当（責任加給）の有無に関連するのみであるのに対し，前者は本人給の問題であって性格を異にしている」と説示した上で，当該事案を「資格の付与が賃金額の増加に連動しており，かつ，資格を付与することと職位に付けることとが分離されている場合には，資格

の付与における差別は，賃金の差別と同様に観念することができる」と説示の上，資格の付与につき差別があったものと判断される場合には，労基法13条ないし93条の類推適用により，資格を付与されたものとして扱うことができるとした。なお，昇格請求権とは別に，昇進請求権については，前掲芝信用金庫事件判決も認めていない点は，留意すべきであろう。付言すれば，このように，当該労働者らに資格を付与することを認める（昇格請求権を認める）としても，昇格したと認定する資格の程度および昇格の時期について，いかに具体的に認定するかは困難な事案もあると思われる。ちなみに中労委（朝日火災海上保険）事件判決（東京高判平成15・9・30労判862号41頁）は，その原審判決（東京地判平成13・8・30労判816号27頁）の判断につき，課長格への格付けを認めた部分については維持しつつ，副部長格以上への格付けを認めた部分はこれを変更するに及んでいる。その理由としては，当該使用者において，当該労働者の同年男子入社者の80％が課長格に昇格しているが，副部長格については同年男子入社者の50％以下であること，課長格への昇格は従業員を経済的に処遇することを目的とした年功序列的色彩を残していた一方，副部長格への昇格は，基幹的職員であるべき管理職に相応しい者を，会社経営の観点から選抜する要素が強いことを挙げている。

3. 実務の具体的対応

　昇進，昇格は，基本的に労働者の利益であるので，実務上，問題になるとすれば，それが不合理な理由により差別される場合（男女間差別，労働組合員への差別，外国人差別など）がほとんどであると思われる。無論，このような差別は，法令に違反するところであり（労基法3条，均等法5条，労組法7条），意図して差別を行うことが違法なのは当然であるが，業務への適性による昇進者・昇格者の選別の結果，グループ間での昇進者・昇格者の割合に差異が生じてしまうこともあり得る。この場合，当該労働者の常日頃における業務実績の不足およびそれに対する指導の足跡といったところの主張立証（紛争予防的には，そういった指導を適宜・明瞭な形で行うこと）が重要になる。

| 実践知！ | 昇進・昇格に関しては，不合理な理由による差別（性別，国籍，労働組合員への差別）に留意すべきである。業務上の適性等を理由に昇進・昇格を行わないのは人事上，やむを得ないが，それが結果として集団的に生じた場合に備える意味でも，性別，国籍，労働組合員を分け隔てすることのない，日常の業務指導が肝要である。 |

Ⅱ．降格

1．降格の意義および種類

　降格とは，一般的にいえば昇進，昇格の反対措置である。したがって，一口に降格といっても，昇進（職制上の役職・職位を上昇させること）の反対措置の意味の場合もあれば，昇格（職務遂行能力の資格・等級・グレード等の地位を上昇させること）の反対措置の意味の場合も存する。

　降格につき，「資格制度上の資格を低下させるもの（昇格の反対措置）」と，「人事権の行使として行われる管理監督者としての地位を剥奪する『降格』（昇進の反対措置）」とが存することを明示する裁判例として，アーク証券（仮処分）事件決定（東京地決平成8・12・11労判711号57頁）がある。なお，上記決定は，降格について明快な検討がなされており，降格についての法的理解を得るために必読の裁判例である。

　なお，以上の2つの意味の他に，従業員への懲戒処分としての降格の場合も存する。

　このように，「降格」といっても，その有する法的意味は大きく分けて3通りあり，各々，要件および効果が異なるため，その違いを認識した上で検討することを要する。なお，いずれの降格にせよ，降格は従業員にとっては，賃金の減額を伴うことが多いだけではなく，従業員としての誇りの一部の否定に繋がりかねないため，解雇ほどではないにしても，法的紛争の生じる余地が多い人事措置であって，これを行う使用者としては，その根拠および根拠に当てはまる事実関係を明確にしつつ実行することが必要である。

2. 降格の各類型の法的性格

(1) 職制上の役職・職位を下げる降格の法的性質（昇進の反対措置）

　企業内においてどのようなポストを設置・配置し，それにどの従業員をもって充てるかは使用者の経営権の根幹たる人事権の一環であり，その過程で生じる，上記のような降格（職制上の役職・職位を下げる降格）もまた同様である。したがって，企業が有する本来的な権利である人事権の行使であるので，当該労働者の同意はもちろん，就業規則上の根拠は不要と解されている（エクイタブル生命保険事件決定〔東京地決平成 2・4・27 労判 565 号 79 頁〕等）。ただし，上述の経営上の人事権は，労働契約においてそのような人事権の行使が前提とされている場合であって（典型的には，いわゆる正社員雇用のように，労働契約時に職位，職種，職場が特定されていない場合），労働契約時に特定の役職・職位が前提となっている場合は，降格はその枠内に限られることになる。殊に近時，即戦力社員としての中途入社社員が増加している（外国資本系の企業はその傾向が強いが，能力主義の広がりと共に，日本企業でもその傾向は強まりつつある）。かような即戦力社員は，その期待される職種とともに，役職・職位が特定されてこそ，自らのパフォーマンスを発揮できる一方で，採用する企業としても，特定された職種，地位以外に企業内での活用の途を考えていないことが多い。このような場合，当該従業員が実績不良であれば，新卒・正社員とは異なり，降格ではなく解雇が検討されることが多いであろう。

　いずれにしても，このような職制上の役職・職位を下げる降格の場合も，仕事および責任の軽減が伴うことが多いので，賃金が減少することが一般であるが，賃金は就業規則上の絶対的記載事項でもあるので（労基法 89 条），それを労働者に不利に変更するとなれば，就業規則（多くの場合，賃金規程に委任されている）上の根拠が必要となるのが原則と解される（スリムビューティハウス事件判決〔東京地判平成 20・2・29 労判 968 号 124 頁〕等）。換言すれば，就業規則上の根拠があれば，賃金の減少について，原則として当該労働者の同意を要しない。

(2) 職務遂行能力の資格・等級・グレード等の地位を下げる降格（昇格の反対概念）の法的性質

　我が国の企業においては，従業員が現に従事している業務内容に関わりな

く，一定の資格（格付け，等級，グレードと呼ばれることも多い）を付与され，それが賃金の決定と結びついていることが今なお多い。いわゆる，職能資格制度と呼ばれるものである（もっとも，近年は漸減の流れにはある）。このような職能資格制度は，従業員の職務遂行能力に対する企業側の評価に基づくものであるところ，従来は，従業員の職務遂行能力の低下，つまりは従業員の有する資格・格付け，等級・グレードの低下は考えられていなかった。したがって，このような降格を可能にするには，職能資格制度を定めた規則・規程の中に，資格・等級・グレードの引下げがあり得る旨が規定されている必要があるとされている。この点で，前述(1)の職制上の役職・職位を下げる降格とは性格を異にする。

就業規則等に資格引下げに関する根拠があれば，形式上は資格を引き下げる降格も可能となるが，人事権の行使といえども，濫用は認められないことはもちろんである。なお，私見をいえば，従前から続いてきた職能資格制度についての解釈は，経験さえ増せば能力が向上し，低下に転じることはないという社会的・技術的前提に立つものであって，近年の市場環境・産業構造の劇的な変化を配慮せずに済んだ時代のもののように思われる。

(3) 懲戒処分としての降格

前述(1)(2)の降格の他に，実務上では，懲戒としての降格がある。これはあくまで懲戒処分であり，懲戒処分に関する法理が一般的に適用される（Chap. 15 参照）。ここでは形式面のみ簡単に述べれば，降格に処するには，就業規則上，懲戒処分の種類として降格が明示され，かつ，降格に処する原因たる非違行為が，就業規則上規定されている懲戒事由に該当しなければならない（菅野・労働法〔12 版〕725 頁）（懲戒処分一般について，その事由と手段を就業規則に明記することが必要とされる）。また，降格といっても，役職や職位の引下げもあれば，資格や等級の引下げといった種類の違いもある上に，何段階下がるのか，といった程度の問題もある。これも，懲戒処分としてなされるからには，そのあり得る内容について，就業規則に明記しておく必要がある。

3. 降格の裁判例

前述 2 の通り降格にはいくつかの類型があるので，その裁判例も，場合ごとに分けて概観するのが妥当である。なお，本章は，人事権行使としての

昇進・昇格・降格を扱っているので，懲戒処分としての降格についての裁判例は，Chap. 15 に譲ることとする。

(1) リーディングケース

職制上の役職・職位を下げる降格と職務遂行能力の資格・等級・グレード等の地位を下げる降格との区別につき明瞭にした裁判例として，アーク証券（仮処分）事件決定（東京地決平成8・12・11労判711号57頁）がある。これは，労働者に対する賃金引下げが問題となった事案であるが，使用者側からは，職能資格の引下げによる降格について，「一般に認められている降格であり，それに伴い賃金の減少が生じてもやむを得ない」との旨の主張がなされたところ，同判決は，当該使用者が行った「『降格』は，資格制度上の資格を低下させるもの（昇格の反対措置）であり，一般に認められている，人事権の行使として行われる管理監督者としての地位を剝奪する『降格』（昇進の反対措置）とは，その内容が異なる。資格制度における資格や等級を労働者の職務内容を変更することなく引き下げることは，同じ職務であるのに賃金を引き下げる措置」として，使用者の主張を斥けた。簡単にいえば，「職制上の役職・職位の降格（昇進の反対概念）」と「職務遂行能力の資格・等級・グレード等の地位を下げる降格（昇格の反対措置）」との区別は，職務内容（具体的にいえば，業務内容と責任の軽重）の変更を伴うか否かによると理解できる。

(2) 職制上の役職・職位の降格（昇進の反対概念）について

i 原則論および労働契約の内容からくる制約

前述1の通り，職制上の役職・職位の降格は，本来，使用者の人事権の行使の範疇であり，特に就業規則上の根拠を要さない。例えば，エクイタブル生命保険事件決定（東京地決平成2・4・27労判565号79頁）は，使用者が営業所長らを所長代理に，最終的には，被降格者本人らが右降格に承諾しなかったため支社長付へと降格させた事案につき，「役職者の任免は，使用者の人事権に属する事項であって使用者の自由裁量にゆだねられており」「債務者［註：使用者］の就業規則には懲戒処分の一種類として降格処分が規定されていることが一応認められるが，懲戒処分としての降格処分が定められているからといって，使用者の人事権に基づく降格処分の行使ができなくなるものと解するのは相当ではない」と判示している。同様に，星電社事件判

決（神戸地判平成 3・3・14 労判 584 号 61 頁）も，部長職から一般職への降格が問題となった事案について，「企業において通常昇格・降格等と称されるところの，その従業員中の誰を管理者たる地位に就け，またはその地位にあった者を何等かの理由…において更迭することは，その企業の使用者の人事権の裁量的行為であると一般的には解され…本件処分は就業規則にその根拠を有さない懲戒処分であるから無効である旨の原告［註：労働者］の主張は採用できない」と説示している。なお，ほぼ同様に，降格については使用者の人事権の裁量に属すると説示をなしたものとして，バンク オブ アメリカ イリノイ事件判決（東京地判平成 7・12・4 労判 685 号 17 頁）や上州屋事件判決（東京地判平成 11・10・29 労判 774 号 12 頁）がある。

　なお，職制上の役職・職位の降格（昇進の反対概念）については，使用者はその人事権の行使の裁量として行い得るのが原則であるが，使用者側があえて就業規則や労働契約等で制限を設けている場合は，それらに沿う必要がある。古い裁判例であるが，セーラー万年筆事件判決（東京地判昭和 54・12・11 労判 332 号 20 頁）は，「使用者が被雇用者をいかなる役職に就けるか，あるいはその役職を解くかは，雇用契約，就業規則等に特段の制限がない限り，雇用契約の性質上，使用者が…自由に決定する権限を有していると解するのが相当である」と説示している。例えば，中途入社者につき，労働契約上その職責を特定して採用したような場合，その中途入社者の適性が特定した職責に不足していたとしても，より低い責任・処遇の職位に降格するようなことは，本人の同意なくしてはできないこととなる。この場合，労働契約が予定した労務の提供を行うことができなかったということにもなり得るので，上述の中途入社者の能力が職責に適しない客観的な事象が認められるような場合には，解雇が問題となる（人事部長としての能力，適性の欠如を理由とする解雇について，フォード自動車〔日本〕事件判決〔東京高判昭和 59・3・30 労判 437 号 41 頁〕）。

ⅱ　権利濫用法理からくる制約

(a)　権利濫用の基準

　職制上の役職・職位の降格（昇進の反対概念）については，原則として使用者はその人事権の行使の裁量として行い得るとしても，他の人事権の行使と同じく，権利濫用の禁止の観点から，一定の限界は存する。例えば，バンク オブ アメリカ イリノイ事件判決（東京地判平成 7・12・4 労判 685 号 17 頁）は，「人事権の行使は，これが社会通念上著しく妥当を欠き，権利の濫

用に当たると認められる場合でない限り，違法とはならないものと解すべきである。しかし，右人事権の行使は，労働者の人格権を侵害する等の違法・不当な目的・態様をもってなされてはならないことはいうまでもなく，経営者に委ねられた右裁量判断を逸脱するものであるかどうかについては，使用者側における業務上・組織上の必要性の有無・程度，労働者がその職務・地位にふさわしい能力・適性を有するかどうか，労働者の受ける不利益の性質・程度等の諸点が考慮されるべきである」と説示している。医療法人財団東京厚生会（大森記念病院）事件判決（東京地判平成9・11・18労判728号36頁）は，前掲バンク オブ アメリカ イリノイ事件判決の挙げる判断要素（業務上・組織上の必要性の有無・程度等）を挙げるが，それらに加え，「当該企業体における昇進・降格の運用状況等の事情」をも含めている。なお，前掲バンク オブ アメリカ イリノイ事件判決等も，判示で具体的に挙げた要素のみに判断要素を絞る趣旨では全くなく，上述の諸裁判例はその説示するところは整合すると解される（無論，具体的事例への当てはめの結果・結論は異なることがあるのは当然である）。

(b) 職制上の役職・職位の降格を有効とした例

職制上の役職・職位の降格（昇進の反対概念）の権利濫用性の有無を具体的に判断した裁判例として，まず，降格を有効とした例から挙げると，前掲バンク オブ アメリカ イリノイ事件判決は，課長職からオペレーションズテクニシャン（課長補佐職相当）への降格の是非が問題となった事案について，使用者が赤字基調にあり，厳しい経営環境下での機構改革が急務となっていたことを認定しつつ，「被告銀行在日支店においては，…新経営方針の推進・徹底が急務とされ，…これに積極的に協力しない管理職を降格する業務上・組織上の高度の必要性があったと認められること，役職手当は，4万2000円から3万7000円に減額されるが，人事管理業務を遂行しなくなることに伴うものであること，原告［註：労働者］と同様に降格発令をされた多数の管理職らは，いずれも降格に異議を唱えておらず，被告銀行のとった措置をやむを得ないものと受けとめていたと推認されること等の事実からすれば，…被告銀行に委ねられた裁量権を逸脱した濫用的なものと認めることはできない」と判示した。また，前掲上州屋事件判決は，適性が認められないとされた販売店長が流通センターの主任へ降格された事案について，当該店長には，上司，部下，同僚といった内部での人間関係や接客態度に問題があったこと，まじめに勤務してはいても成績優秀者とはいえないこと，日常的

にルーズな金銭処理を行っていたこと等を認定した上で，当該労働者を「店長として不適格と判断し，金銭を取り扱わず，接客業務もない谷和原流通センターへ原告を異動させたことには，職種の変更を伴うものであるとはいえ，合理的な理由があったというべきである。もっとも，本件降格異動に伴い原告［註：労働者］の給与は，…併せて約9万円の減給となっており，原告の不利益は小さくはないが，職務等級にして一段階の降格であることや原告の店長としての勤務態度に照らせば，やむをえないものというほかない」と判示した。

最近の例では，例えば，Ｌ産業（職務等級降級）事件判決（東京地判平成27・10・30労判1132号20頁）は，医薬事業部の特命プロジェクト（時限組織）のチームリーダーであった者が，同チームが解散になったため職務を変更されグレードが降級となり賃金も減額（年間52〜68万円，年収の4.5%〜5.9%）となった事案において，まず，一般論として，配転についての基本的最高裁判例である前掲東亜ペイント事件判決（最判昭和61・7・14労判477号6頁）を引用し，当該労働者の担当職務の変更を内容とする人事発令については，業務上の必要性がない場合または業務上の必要性が存する場合であっても，それが他の不当な動機・目的を持ってされたものであるときもしくは当該労働者に通常甘受すべき程度を著しく超える不利益を負わせるものであるとき等，特段の事情がある場合には，人事権の濫用として無効になると解するのが相当とした上で，次いで，使用者の制度を検分して，「給与規則Ⅰ・Ⅱの内容，新制度導入時に社員に配布されたガイドブックの記載内容からすれば，…それぞれの職務の種類・内容，所掌の範囲やその重要性・責任の大小，要求される専門性の高さ等に応じて細分化したグレードを設定し，個々のグレードに対応する基本給の基準額とその範囲を定め，これを基礎にして支払給与及び賞与その他の処遇を定めているのであり，担当職務に変更が加わればこれに対応してグレード・基本給にも変更が生じることも当然に予定され，これらの点が就業規則・給与規則において具体的に明らかにされ，社員に対する周知の措置が講じられることにより，被告［註：使用者］と社員との労働契約の内容を成していたものと認めることができる」，「本件人事発令にあっては，マネジメント職からそれ以外の一般職というべきディベロップメント群に属する医療職への担当業務の変更が命じられたものであり，これに伴う給与規則所定のグレードの変更についても，担当職務の変更と一体のものとして，業務上の必要性の有無，不当な動機・目的の有無，通常甘

受すべき程度を著しく超える不利益の有無等について検討し，人事権の濫用となるかどうかという観点からその効力を検討するのが相当である」とし，当該人事発令については，チームリーダーの職務・役職自体がなくなったのであるから業務上の必要性が認められ，不当な動機や目的も認められず，当該労働者に生じた上記減収程度の不利益をもって通常甘受すべき程度を超えているとは認められないとして，結論として，当該人事発令（降格）を有効としている。

また，ファイザー事件判決（東京高判平成28・11・16労経速2298号22頁）は，就業規則に新設された専門管理職の一般社員へ降格する規定を根拠に，職務等級を降格され，標準年収も減額された（1322万8200円→1142万8200円）という事案につき，上記降格規定新設について，「専門管理職の業務の遂行に必要な能力を有していない者を一般社員に降格することができない状態から降格することも可能にするという就業規則の変更には，合理性がある」，「本件降格規定を新設しても，専門管理職として通常の勤務状態を維持し，通常期待される役割を果たしていれば，降格の検討対象となることはなく」，「本件降格規定は，…多くても全体の6%程度の専門管理職が降格や減給の対象となる可能性があるというにすぎない」，「したがって，本件降格規定は，…就業規則の変更により特定の集団の労働者に著しい不利益を生ずる場合には該当せず，専門管理職層の同意を得るか，同意を得るための交渉を尽くさなければ，就業規則の変更による本件降格規定の新設が無効であるとはいえない。そして，被控訴人［註：使用者］は，本件降格規定の新設の前に，専門管理職に対し，文書，ミーティング，電子メール，イントラネット上の資料・文書等による説明を行ったから…，専門管理職に対する説明もあったのであり，その過程が不合理であるとも認められない」とした。その上で，当該労働者は，「業務遂行において，作業に不備が多く，会議の状況を理解せず進行を妨げるような行為を行い，資料等は不十分なものしか作成することができず，関係上司の了解や責任者の確認を取らずに資料を他部門に送付することがあり，就業時間中に居眠りをしていることがあり」，使用者より「注意改善指導書を交付し，面談において注意するなどの指導を行ったが，改善は見られず，控訴人［註：労働者］は真摯な改善の姿勢を示すことがなかった」ことより，結論として，当該降格を有効としている。さらに，労働者の所属していた部署，役職が廃止された事案について，ELCジャパン事件判決（東京地判令和2・12・18労判1249号71頁）は，上述の事情によ

る業務上の必要性，不当な動機又は目的に基づくものではないこと，生じた
不利益も大きなものではないこと（当該雇用契約においてキャリア形成に対す
る期待が法的利益として保護されていたと認められないこと，本件降格後も降格
前と遜色ない額の給与が支払われていること）より，降格を有効としている。

　(c)　職制上の役職・職位の降格を無効とした例

　一方，降格を無効とした例としては，まず，前掲医療法人財団東京厚生会
（大森記念病院）事件判決は，病院において婦長を平看護婦に 2 段階降格した
事案につき，当該婦長が病院の各階の看護婦についての予定表を紛失したこ
とを理由に使用者が当該婦長を降格したものと認定した上で，「婦長と平看
護婦は待遇面では役付手当 5 万円が付くか否かにしか違いがないうえに，
本件降格が予定表という重要書類の紛失を理由としていることなどに照らす
と，被告［註：使用者］が降格を行うとの判断をしたことは一応理解できな
くはないけれども，一方，①本件降格が実施された直後に，原告［註：労働
者］が予定表を発見していることに照らすと，被告が原告に対し，紛失した
予定表を徹底的に探すように命じたのか否かにつき疑問も存し，予定表の発
見が遅れたことについて原告のみを責めることもできないこと，②予定表の
紛失は一過性のものであり，原告の管理職としての能力・適性を全く否定す
るものとは断じ難いこと，③近時，被告において降格は全く行われておらず，
また，④原告は婦長就任の含みで被告に採用された経緯が存すること，⑤勤
務表紛失によって被告に具体的な損害は全く発生していないこと等の事情も
認められるのであって，…婦長から平看護婦に二段階降格しなければならな
いほどの業務上の必要性があるとはいえ…ない」とした（なお，使用者側は，
予定表紛失以外にも，当該婦長の職場放棄，部下への差別，新入職員に対する退
職勧奨やいじめ等を主張したものの，判決により「時期や内容等が漠然としたも
のであるばかりか，…認めるに足る格別な証拠もなく」と斥けられている。もし
仮に，上述のような事実関係が存したのだとすれば，使用者側としては，常日頃
の労務管理において，適切に，問題点につき婦長に対して書面等により注意を繰
り返すべきであったといえよう）。また，明治ドレスナー・アセットマネジメ
ント事件判決（東京地判平成 18・9・29 労判 930 号 56 頁）は，部長として勤
務していた者が会社より退職勧奨を受け 1 年 4 か月にわたり自宅待機を命
じられた（ただし自宅待機期間中は有給）上で，係長に降格され給与を 2 分の
1 の年 750 万円に減額された，という事案につき，「このような本件給与減
額は，…労働契約における合意から基礎付けることのできるものとはいえず，

CHAPTER 11　昇格・降格　　　**167**

使用者の人事権の発動としても，発端は被告［註：使用者］からの一方的な
退職勧奨とそれに引き続く自宅待機命令に始まり，…原被告間で紛争状態と
なった労働関係について話し合いがまとまらない中で，さらに被告が退職勧
奨をするとともに一方的に原告［註：労働者］を部長から係長へ降格して給
与を従前の半額に減額したものであり，…人事権の濫用にわたるもの」と判
示し，当該降格とそれに伴う賃金減額を無効と判断している。

(d)　降格は有効でも賃金減額は無効とされた例

　職制上の役職・職位の降格（昇進の反対概念）に伴い，賃金をどのように
減額させるかについて，降格の効力とは別個のものとして検討している裁判
例があるので，留意が必要である。例えば，前掲のバンク オブ アメリカ
イリノイ事件判決（東京地判平成 7・12・4 労判 685 号 17 頁）等のように，降
格による賃金の低下額が，就業規則等会社の諸規程によって予め規定されて
いたこのような場合は，原則として降格に伴う賃金減額も認められやすい傾
向があるが，当該降格による賃金低下額が予定されていなかったような場合，
必ずしも賃金減額が認められない場合もある。例えば，スリムビューテイハ
ウス事件判決（東京地判平成 20・2・29 労判 968 号 124 頁）は，部長 1 級から
次長 1 級への降格による賃金減額について問題となった事案につき，「一般
的には，使用者の人事権の発動により降格処分が発令されれば，企業の賃金
体系が職位の格付けと関連づけられている場合が一般的であり，これに伴い
降格後の格付けに対応した賃金支給額に減額されることになっても当該減額
が客観的なもので賃金規定等就業規則の一部として労働契約の内容になって
いるものに従って減額後の賃金が算定されている限りにおいては，一定の合
理性のあるものとして肯定できる」としながらも，当該事案については，
「被告［註：使用者］から会社の賃金体系の全体が明らかにされておらず，賃
金規定も被告の『社規社則集』…によれば存在すると思われるところ証拠と
して提出・開示されておらず，減額の客観性及び合理性が主張・立証されて
いない」「減額基準の客観性及び合理性は明らかではなく，上記のように年
俸にして 450 万円以上のそれまでの年俸額の 4 割を超える金額にわたる減
額は，やや極端であり，部長 1 級から次長 1 級になったことに伴う減額幅
としては過大にすぎる」，「本来，本件降格が前記…のように有効であるとす
ると賃金がそれに従って減額となるのが一般的であるとしても，被告による
減額の合理性，客観性（公平性）が基礎付けられていない以上，…従来の給
与水準による賃金債権が認容されるのは致し方ない」とし，降格そのものは

168　　PART 1　個別的労働紛争

有効としつつも，降格に伴って実施された賃金減額については無効と解している（減額幅の客観的な基準が明らかでない上に，減額幅の大きさも重視しての判断と解される）。

⑶　職務遂行能力の資格・等級・グレード等の地位を下げる降格（昇格の反対概念）について

　ⅰ　職務遂行能力の資格・等級・グレード等の地位を下げる降格を有効とした例

　この領域における裁判例については，前述⑵の場合よりも，厳格に，使用者側の降格の措置の有効性が吟味される傾向がある。

　降格を有効とした裁判例として，まず，マナック事件判決（広島高判平成13・5・23労判811号21頁）は，会社経営陣を批判する言動を行い，上司より注意されたものの反省をせず，その後会社会長より反省を促されたにもかかわらずやはり反省の弁をなさなかった事件を起こした労働者が，職能資格等級を監督職の4等級から一般職の3等級に引き下げられた事案について，上記4級が管理職として下位従業員に対する指導力が要件とされていること，上記の事件前より監督職としての能力に疑問を示す評価がなされていたこと，上記事件は監督職として負の評価を受けてもやむを得ないこと等より，当該降格を有効とした（高裁レベルでの他の降格有効例として，エーシーニールセン・コーポレーション事件判決〔東京高判平成16・11・16労判909号77頁〕等）。地裁レベルの裁判例では，エフ・エフ・シー事件判決（東京地判平成16・9・1労判882号59頁）は，就業規則に明確な級級基準がなかった事案について，制度制定の趣旨と経緯からして1年2期の評価ポイントで決定するのが合理的であるとした上で，当該労働者の勤務ぶりを詳細に認定し，結論として同規定の基準に当てはめた上で，降格の効力を認めている。また，住友スリーエム（職務格付）事件判決（東京地判平成18・2・27労判914号32頁）は，新人事制度においてある等級に格付けされた労働者が，自らは一つ上位の等級に格付けされるべきと主張した事案につき，使用者は各種評価項目（自由裁量，売上責任，知識，リーダーシップ，折衝，難易度）の評価の結果を総合し，当該等級を当該労働者に相当と判断したものと判示した。

　ⅱ　職務遂行能力の資格・等級・グレード等の地位を下げる降格を無効とした例

　降格を無効にした例については，まずは，マッキャンエリクソン事件判決

（東京高判平成 19・2・22 労判 937 号 175 頁）は，賃金規程における降格の基準は，職務遂行上外部に表れた従業員の行為とその成果が当該資格に期待される水準に著しく劣っていることを降級の基準としているとし，降級を行うには具体的事実による根拠に基づいて本人の顕在能力と業績が属する資格（給与等級）に期待されるものと比べて著しく劣っていると判断することができることを要するとした上で，結論として，上記降格を無効とした一審判決（東京地判平成 18・10・25 労判 928 号 5 頁）を維持している。また，国際観光振興機構事件判決（東京地判平成 19・5・17 労判 949 号 66 頁）は，降格・降級が問題となった労働者の自己評価や直属の上長である事務所長評価に比して本部管理部長が低めに評価を修正した経緯につき，本部管理部長は評価の修正に際して事務所長に確認を行っていないこと，本部管理部長の人事評価作業は日程的にタイトであった上に，自身の企画・立案による人事制度についての当該労働者の無理解や態度に好感情を抱いていなかったこと等の事情を勘案して，本部管理部長の修正による当該従業員の評価は合理性を欠くとし，降格・降給を無効とした。さらに，アーク証券（本訴）事件判決（東京地判平成 12・1・31 労判 785 号 45 頁）は，元々人事考課，査定に基づいて降格または能力給の引下げもしくは手当の減額を予定していなかった企業において，就業規則の変更により降格・降級を基礎付ける変動賃金制を採用したものの，その就業規則変更には合理性がなく，結局，当該事案における降格・賃金減額は就業規則上の根拠を欠き無効であるとしている。

4. 実務の具体的対応

前述 1 の通り，降格という用語は多義的であり，その内容によって法的検討も異なるので，「降格」が問題となる事案においては，まずは，どの種類の降格が問題となっているのか，すなわち，

(a) 職制上の役職・職位を下げることの降格

(b) 職務遂行能力の資格・等級・グレード等の地位を下げることの降格

(c) 労働者への懲戒処分としての降格

のいずれが問題となっているかを正確に把握しなければならない（ここを間違えると，当初より法的考察を誤る危険がある）。

原則，就業規則上の根拠（職階規程，グレード規程のように，就業規則とは別個に使用者内において周知されている場合もある）が必要な場合でなかろうと（上記(a)の降格の場合），就業規則上の根拠が必要な場合であろうと（上記

(b)や(c)の降格の場合），降格が違法とされないためには，降格を行う理由（降格事由）が必要であるが，就業規則上の根拠が必要な場合では，就業規則に当てはまる事由（例えば就業規則上「○期連続評価△以下」となっている場合は，○期連続して評価が△以下に留まると判断されるに値する具体的事実）が必要とされる。したがって，他の多くの労働紛争同様に，最後には，当該労働者の業務ぶりの中に含まれる，降格事由を構成する具体的事実を主張・立証することが必要となる（例えば，店長を次長に降格するような場合，職制上の降格であるので必ずしも就業規則上の根拠は必要ないが，使用者として当該労働者を店長に置いておくことが不適当であると判断することとなった根拠の具体的事実を主張・立証することとなる）。

降格をめぐる裁判例で，当該降格措置が無効と判断される場合の大きな原因の一つに，当該労働者に酷である（不利益が大きい）ということがあり，主に降格による賃金減額の幅が大きい場合が多い。その賃金減額については，下げられる職位なり格付けなりグレードなりに，就業規則（賃金規程）により紐づけられた金額を当てはめた結果，その不利益が生ずる事案がほとんどであるが，労働者にとってはその生活原資である賃金の減額は，大きな不利益となり得るところであるので，使用者としては，減額幅が大きいような場合，とりあえず，減額幅をある程度の期間（年数）で分割するといった漸減措置を講ずることで，降格自体は行いつつも労働者への不利益を緩和するのも，適宜考えるのが妥当である。無論，そのような取扱いは，就業規則の規定にも沿わず，他の従業員との公平にも反するところは否定し得ないが，それを調整することが，中期的には妥当な労働環境，労使関係を構築することに資すると思われる。

実践知！

降格の検討にも，①職制上の役職・職位を下げる降格，②職務遂行能力の資格・等級・グレード等の地位を下げることの降格，③労働者への懲戒処分としての降格の類型を意識すること。
②③の降格には就業規則の根拠があるか留意すること。また，仮に就業規則等の根拠が存しない場合には，就業規則等にその根拠規定を設ける必要があるが，この場合，労働者にとっては新たに不利益の可能性を生ずる根拠を設けることになるので，就業規則の不利益変更の問題となる。その詳細は，本書Chap.17 に譲るが，この場合，総人件費の削減を目的とするも

のと解されるか，総原資は一定としつつ貢献度の差に応じた処遇の差異を設けることを目的としたものと解されるかで，不利益変更の合理性の認められるハードルは変わり得る（ただし，いずれの場合でも，不利益を受ける者の不利益の程度が大きい場合には，それへの配慮［激変緩和措置等］を設けることが妥当である）。

　いずれの降格にも，結局は具体的事実に基づいた理由が必要であり，その理由は降格者の業務上の問題点であるから，降格を理由づけるためには，日常において，その問題点を具体的に指摘しておくことが肝要である。

　降格において，労働者の生活を急変させるような賃金減額は避けるのが望ましい。大幅な役割低下がある場合でも，賃金は徐々に下げていくような配慮も検討することが望ましい。

CHAPTER

12 雇用平等, ワーク・ライフ・バランス

　我が国の法制は男女間の差別を禁じており，それは労働法においても例外ではない。しかし，現実の職場において，女性は男性に比較すれば弱い立場に置かれていることは否定できない。それは，賃金などの男女間差別といった直接的なものに限らず，育児介護休業に関する不利益取扱いのようなものも少なくない。本章では，こうした性別を理由とする不利益に関する紛争について，裁判例を踏まえた実務の対応を検討することとする。

I. 男女平等

1. 男女平等の原則とその法制

　労基法4条は，労働者が女性であることを理由として，賃金について男性と差別的取扱いを行うことを禁止している。ここで明記されているものは「賃金」であって，例えば，採用，配置，昇進，降格，教育訓練等といった，労働契約関係に関する他の条件，事象については規定されてはいないが，そういったものについても，男女雇用機会均等法（以下「均等法」という）が，男女差別を禁止している。

　均等法は，まず，賃金以外の労働条件・事象（採用，配置，昇進，教育訓練）および退職の勧奨，定年および解雇，労働契約の更新といった事象について，広く直接の男女差別を禁止している（均等法5条，6条）。また，女性労働者が婚姻，妊娠，出産したことを退職理由として予定すること，女性労働者が婚姻したことを理由とする解雇を禁止することに加え（各々均等法9条1項，2項），妊娠，出産，産前産後休業等といった女性に特有の事由を理由とした不利益取扱いを禁止している（均等法9条3項）。なお，不利益取扱いの具体例としては，解雇，有期雇用者に対する契約更新拒否，更新回数上限の回数の引下げ，退職強要，正社員を非正規社員とするような契約内容変更の強要，降格，就業環境を害すること，不利益な自宅待機，減給，賞与等における不利益な算定，昇進・昇格の人事考課における不利益な評価，不利益な配置変更，派遣先による当該派遣労働者に係る労働者派遣の役務の提供

CHAPTER 12　雇用平等, ワーク・ライフ・バランス　　173

拒否，といったものが挙げられている（「労働者に対する性別を理由とする差別の禁止等に関する規定に定める事項に関し，事業主が適切に対処するための指針」〔平成 18・10・11 厚労告 614 号〕第 4)。

　加えて，女性が主な被害者となっているセクシュアル・ハラスメントについて，事業主に対して必要な措置を講じるべき旨を求めている（均等法 11 条)。また，間接差別についても，厚生労働省令の定めるものという限定ではあるが，規定がなされている（均等法 7 条)。この間接差別について，平成 18 年厚労告 614 号第 3 は，①労働者の募集または採用にあたり，労働者の身長，体重または体力を要件とすること，②労働者の募集または採用にあたり，転居を伴う転勤に応じることを要件とすること，③労働者の昇進にあたり，転勤の経験があることを要件とすること，と定めている。ただし，上記①〜③も合理的な理由がある場合は禁止されない（均等法 7 条)。

　なお，上述の内容は，男女平等を図る法規制のうちの基本的部分であり，紛争，問題事案が生じた場合においては，さらに細かく法規制を調査する必要があることはもちろんである。

2．賃金差別について

(1)　裁判例

　労基法 4 条は男女間における賃金差別を禁止している。以前は男女別賃金表の設定，年齢給の差別的扱いといった露骨なものも散見されたが，近時は各種手当（住宅手当，家族手当等）に関する差別的取扱いが多数である。ここでいう差別的取扱いとは，女性であることそのこと自体を理由とするものであるから，他の理由（年齢，勤続年数，扶養家族の有無・数，職種，職務内容，能率等）からなる男女間の賃金の差異は，理屈の上では労基法 4 条に違反しないが，男女間に一般的な賃金格差が生じているような状況では，上記賃金格差が，女性であることを理由とするものではなく，他の理由（職務の違い等）によるものでなければならない。

　例えば，男女別の賃金表が設けられていた期間（昭和 63 年〜平成 7 年）における男女賃金格差が問題となった内山工業事件判決（広島高岡山支判平成 16・10・28 労判 884 号 13 頁）は，「男性従業員と女性従業員の労働内容は…明確な区分は認められない。控訴人［註：使用者］が主張する職務二分論では…合理的な説明になっておらず，…控訴人における男女間の賃金格差は，単に男性であるか女性であるかという性差のみを理由として区別されたもの

であると推認される」と判示している（同様に，男女間の賃金格差につき，使用者側に対して合理的理由に基づくものであることの主張立証責任を求めたものとして，石﨑本店事件判決〔広島地判平成 8・8・7 労判 701 号 22 頁〕等がある）。また，補助職として採用された女性社員の訴えについて，塩野義製薬（男女賃金差別）事件判決（大阪地判平成 11・7・28 労判 770 号 81 頁）は，使用者においては，男性社員は基幹社員として，女性社員のほとんどは補助職として採用しているという事実はあるものの，当該女性社員について採用時に担当職務の希望を聴取していること，同期の女性社員でも基幹職として採用されている者も存することを理由に，上記の区別自体は不合理な男女差別とまではいえないとする一方で，当該女性社員の職種が変更され男性社員と同じ量および質を担当させ始めて以降は，会社は原則として男性社員と同等の賃金を支給しなければならないと判示した。

　均等法の改正を経て，明確な男女別の賃金設定はほとんどみられなくなったが，例えば家族手当といった一定の賃金を「世帯主」だけに支給する，といった例は未だ散見される。この「世帯主」という概念は住民票上に記載があるが，社会的実態として「男性」とされていることが多く，男女間の賃金差別への該当性が問題となり得る。これにつき，家族手当は親族を実際に扶助している世帯主である従業員に支給するとされ，その世帯主は夫と妻のいずれか収入の多い方にするという取扱いがなされていた事案である日産自動車（家族手当）事件判決（東京地判平成元・1・26 労判 533 号 45 頁）は，「家族数の増加によって生ずる生計費等の不足を補うための生活補助費的性質が強い事実に鑑みると，家族手当を実質的意味の世帯主に支給する被告会社の運用は強ち不合理なものとはいい得ない。さらにまた右の基準を夫又は妻のいずれか収入の多い方に支給することは，一家の生計の主たる担い手が何人であるかを判定する具体的運用としては明確かつ一義的であ」るとして，不当とはいえないと判示した。その一方で，家族手当，世帯手当の支給対象者たる「世帯主」である男性行員についてはその妻が所得税法上の扶養控除対象限度額を超える所得があっても家族手当および世帯手当を支給しつつ，世帯主である女性行員についてはその夫が上記扶養控除対象限度額を超える所得がある場合には家族手当および世帯手当を支給しない，という取扱いが問題となった事案である岩手銀行事件判決（仙台高判平成 4・1・10 労判 605 号 98 頁）は，使用者銀行の規程にいう「世帯主」とは「世帯の生計という経済面にもっぱら関係する家族手当及び世帯手当等の支給対象者の認定という場面

において捉えなければならず，当然に世帯の代表者というよりも生計の維持者であるかどうかという点に重点が置かれるべき」とし，上述のような取扱いは「男女の性別のみによる賃金の差別扱いである」と判示した。なお，一見判断が微妙な例として，三陽物産（男女賃金差別）事件判決（東京地判平成6・6・16労判651号15頁）は，家族を有する世帯主従業員には実年齢に応じた本人給を支給しつつ，それ以外の非世帯主や独身の従業員には一定の年齢（26歳）で据え置いた本人給を支給していたという事案につき，上記基準は形式的には男女の差別を設けるものではないものの，女性の大多数が非世帯主もしくは独身の世帯主に該当するという社会的現実および当該会社の従業員構成に照らせば，女性従業員に一方的に不利益であるとして，労基法4条に違反するとしている。加えて，同判決は，本人給について，男性従業員は勤務地域を限定しないで勤務についている従業員として実年齢に応じた年齢給を支給しつつ，女性従業員は勤務地域を限定した従業員として一定の年齢で据え置いた本人給を支給しているという点について，当該使用者では広域配転に就く者が微々たるものであるという実情等より，労基法4条の男女同一賃金の原則に違反し無効であるとも判示している。

　なお，使用者が労基法4条に違反する男女間での賃金差別を行った場合，賃金差別を受けた女性労働者が男性労働者の賃金額との差額の支払を求める方法については，賃金の差額請求権として構成する考え方，不法行為による損害賠償請求権として構成する考え方等がある。この点は，労基法4条は差別的取扱いを禁止するに留まっている以上，同条によって直接に賃金の差額請求権を認めるのは困難であり，差別された労働者は，不法行為による損害賠償請求権により賃金差別の額および慰謝料を請求することができると解しつつ，労基法4条により使用者の賃金差別を無効とした後に，差別された女性労働者の賃金の基準が明確である場合においては，労基法4条と同法13条の趣旨や類推適用によって，差額請求権が生じ得ると解するのが，裁判例および学説では有力な見解であると思われる（菅野・労働法〔12版〕268頁等）。

(2) 実務の具体的対応

　前掲内山工業事件判決，同塩野義製薬（男女賃金差別）事件判決に鑑みれば，前掲日産自動車（家族手当）事件判決のいうところの，性別に関わらない「明確かつ一義的」な，いい意味で形式的な取扱いが妥当であるというこ

とは明らかである。もっとも，前掲三陽物産（男女賃金差別）事件判決のように，形式上は性別に着目した相違のない賃金制度もしくは支給運用を行っていたとしても，当該制度および運用を行うべき使用者側の業務上の必要性の有無や程度，当該制度および運用の実情，制定の契機といった諸事情によっては，労基法4条に違反することがあり得ることには注意が必要であり，一次的には形式を尊重しつつ，最終的には諸事情の実質的な検討も行うことが肝要，ということとなる。

実践知！

実務上，あからさまな男女間の賃金差別はなくなりつつあるが，三陽物産（男女賃金差別）事件判決のように，社会的実情に照らして，実質的な男女差別と解される例は，未だ散見される。職務の内容から正当化できるもの以外の賃金の性的相違については，なるべく慎重に考えるのが妥当であろう。

---

(3) 賃金差別以外の差別について——昇進・昇格差別，不利益取扱い等

均等法の 1997（平成9）年改正まで，募集，採用，配置，昇進に係る男女の差別的取扱いについては，努力義務による規制があるに過ぎなかった。だからといって，男女差別が必ずしも法的に不問に付されたわけではなく（不法行為の成立の余地がある），裁判例も少なからず存在した。1997（平成9）年，2006（同 18）年の均等法改正により，規程・制度上明らかな差別的取扱いは見られなくなりつつあり，今後，この種の紛争も減少していくと思われる。そのためここではごく簡単に，重要裁判例の俯瞰をしておくこととする。

男女別コース制度（概ね，男性は基幹社員として採用，処遇し，女性は補助要員として採用，処遇するというもの）については，採用，昇進等につき差別的取扱いを禁止することとなった 1997（平成9）年改正以前の時期の扱いについては合法と解されつつ，1997（平成9）年以降の時期の扱いについては違法と評価されることが多いようである（野村證券〔男女差別〕事件判決〔東京地判平成 14・2・20 労判 822 号 13 頁〕，岡谷鋼機〔男女差別〕事件判決〔名古屋地判平成 16・12・22 労判 888 号 28 頁〕等）。もっとも，例外的に，均等法改正以前の時期の扱いについて，違法と評価する裁判例もあることには，一応

CHAPTER 12 雇用平等，ワーク・ライフ・バランス　177

注意を要する（昭和シェル石油〔賃金差別〕事件判決〔東京地判平成15・1・29労判846号10頁〕，兼松〔男女差別〕事件判決〔東京高判平成20・1・31労判959号85頁〕等）。

Ⅱ．母性保護（産前産後休業等）

1．母性保護に関する法規制

　男女平等法制の展開とともに，女性労働者を女性であるがゆえに保護するという見地は徐々に縮小されてきている（例えば，1997〔平成9〕年の労基法改正により，女性労働者の時間外・休日労働の制限，深夜労働の禁止の保護規定は廃止された）。しかし，事実として，女性は母性機能を有し，男性労働者と全く同じ条件下におくことは，女性の就業条件・環境を悪化させる。そこで，我が国の労働法制としては，一定の母性保護規定をおいている。

　ここでは，以下に，基本的なもののみを紹介する。

①坑内労働の禁止（労基法64条の2）

②有害業務への就業禁止（労基法64条の3）

③産前産後休業（労基法65条1項，2項）

　6週間以内に出産する予定の女性が休業を請求した場合，あるいは産後8週間を経過しない女性は就業させてはならない。ただし，産後6週間を経過した女性については，医師の認定により例外がある。なお，休業中には賃金請求権が生じないのが原則である（ノーワーク・ノーペイの原則）。

④妊婦が請求した場合の軽易業務への転換（労基法65条3項）

　ただし，請求者のために業務を新設するまでは必要がないとされている（昭和61・3・20基収151号）。

⑤出産手当金（健康保険法102条，108条，109条）

　一定の条件の下，産前42日から産後56日までで労務に服さなかった期間，1日につき標準報酬月額を基準とした日給の2/3が支給される。

⑥解雇禁止（労基法19条1項）

　産休期間およびその後30日間は当該女性労働者を解雇できないとされている。これは形式的な解雇禁止であって，女性労働者に解雇事由（懲戒解雇事由も同様）があっても，上記期間中は解雇が禁じられる。ただし，この解雇禁止の規定は解雇そのものを禁止したものであって，解雇予告までを禁止

したものではないと解するのが有力である（東洋特殊土木事件判決〔水戸地龍ケ崎支判昭和 55・1・18 労経速 1056 号 21 頁〕）。

⑦有給休暇取得の条件（労基法 39 条 10 項）

出勤率の計算上，産休期間は出勤したものとみなされる。

⑧妊産婦の労働時間（労基法 66 条）

妊産婦が請求した場合，時間外労働や深夜労働をさせてはならない。

⑨育児時間（労基法 67 条）

1 歳未満の生児を育てる女性が請求した場合，法定の休憩時間（労基法 34 条）の他，1 日 2 回，各々少なくとも 30 分の生児を育てる時間を与えなければならない。

⑩生理休暇（労基法 68 条）

生理休暇は生理日の就業が著しく困難である女性が請求することが要件となるが，医師の診断書のような厳格な証明は不要であり，同僚の証言程度のように，一応事実を推認せしめるに足りれば十分である（昭和 23・5・5 基発 682 号，昭和 63・3・14 基発 150 号）。また，生理休暇日は原則無給とされている（昭和 23・6・11 基収 1898 号，昭和 63・3・14 基発 150 号）。

このような諸規定の多くは，実際の取扱いにおいて，若干，疑義を生じるものもなくはない。それについては，後述 2 のように紛争および裁判例として現れる。

2. 裁判例

母性保護法規制に関連するものとしての裁判例としては，まずは，産休期間等の不就労を理由として，昇給，昇格，賞与等について不利益に取り扱うことの可否が問題となるものが挙げられる。日本シェーリング事件判決（最判平成元・12・14 労判 553 号 16 頁）は，毎年の賃上げにおいて，会社と労働組合との間の労使協定の中の，稼働率 80% 以下の者を除くという条項（以下「本件 80% 条項」という）を前提に，使用者が，年次有給休暇，生理休暇，産前産後休暇，育児時間，労災による休業，通院，ストライキ等による不就労等も，賃上げの要件たる稼働率の算定において不就労時間として算入していた事案について，「稼働率の低い者につきある種の経済的利益を得られないこととする制度は，…労基法又は労組法上の権利に基づくもの以外の不就労を基礎として稼働率を算定するものであれば，それを違法であるとすべきものではない。…当該制度が，…権利の行使を抑制し，ひいては右各法が労

働者に各権利を保障した趣旨を実質的に失わせるものと認められるときに，…公序に反するものとして無効となると解するのが相当である。…本件80パーセント条項…における稼働率算定の基礎となる不就労には，…労基法又は労組法上の権利に基づくものがすべて含まれている…。また，…同条項に該当した者の受ける経済的不利益は大きなものである。…80パーセントという稼働率の数値からみて，従業員が，産前産後の休業，労働災害による休業などの比較的長期間の不就労を余儀なくされたような場合には，…同条項に該当し，翌年度の賃金引上げ対象者から除外されることも十分考えられる…。以上によれば，本件80パーセント条項は，労基法又は労組法上の権利に基づくもの以外の不就労を基礎として稼働率を算定する限りにおいては，その効力を否定すべきいわれはないが，…労基法又は労組法上の権利に基づく不就労を稼働率算定の基礎としている点は，…公序に反し無効である」と判示し，賃上げにおける稼働率算定において，産前産後休業，生理休暇等を不就労として算定することは許されないとした。

　また，東朋学園事件判決（最判平成15・12・4労判862号14頁）は，使用者の給与規程中に賞与の支給条件として支給対象期間の出勤率が90％であることを求める条項（以下「本件90％条項」という）があったため，産後8週間休業し，それに続いて育児休業法10条に基づき1日1時間15分の勤務時間短縮措置を受けた結果，上記の本件90％条項に抵触し賞与が不支給となった者が出た事案についての裁判例であるが，同判決は，前掲日本シェーリング事件判決を引きつつ，本件90％条項は労基法65条，67条，育児休業法10条の趣旨に反し，公序良俗に違反し無効であるとの原審判決（東京高判平成13・4・17労判803号11頁）を肯定する一方で，賞与全額の支払を命じた原審判決を修正し，当該会社における賞与支給の根拠規定は本件90％条項と不可分一体のものとは認められないこと，当該会社の賞与の計算式は産前産後休業の日数および育児のための勤務時間短縮措置による短縮時間分を欠勤日数に加算する旨を定めていること，さらに「上記各計算式は，本件90％条項とは異なり，賞与の額を一定の範囲内でその欠勤日数に応じて減額するにとどまるものであり，加えて，産前産後休業を取得し，又は育児のための勤務時間短縮措置を受けた労働者は，法律上，上記不就労期間に対応する賃金請求権を有しておらず，上告人［註：使用者］の就業規則においても，上記不就労期間は無給とされているのであるから，本件各除外条項［註：使用者が周知していた，産前産後休業及び育児時間を欠勤日数とする条項］

は，労働者の上記権利等の行使を抑制し，労働基準法等が上記権利等を保障した趣旨を実質的に失わせるものとまでは認められ」ないと判示し，結論として，賞与の算定において産前産後休業や勤務時間短縮の部分を欠勤として比例的に減額させることまでは許されるとした。産前産後休業や育児のための勤務時間短縮措置といえども，客観的には不就労ともいえ，その分までも出勤扱いにして賞与支給の対象とすると解するのは，本来，産前産後休業等が法律上も原則無給とされていること（ノーワーク・ノーペイの原則）からしても均衡を欠くという考慮であろう。

次に，生理休暇についての裁判例を若干挙げると，エヌー・ビー・シー工業事件判決（最判昭和 60・7・16 労判 455 号 16 頁）は，手当，昇給，賞与の査定において，生理休暇日を不就労の期間として算定することの可否が問題となった事案について，前掲日本シェーリング事件判決と同様に，上記の取扱いが，「生理休暇の取得を著しく困難とし同法［註：労基法］が女子労働者の保護を目的として生理休暇について特に規定を設けた趣旨を失わせるものと認められるのでない限り，これを同条に違反するものとすることはできない」と判示した上で，特定の労働組合に所属する女性労働者の生理休暇取得率が，他の労働組合の従業員等と比較して著しく高い等の事実を含む当該事案においては，使用者「が精皆勤手当を創設し次いでその金額を 2 倍に増額したのは，…生理休暇の取得を一般的に抑制する趣旨に出たものではないとみるのが相当であり…かかる措置は，…生理休暇について特に規定を設けた趣旨を失わせるものとは認められない」として，有効とした。

3. 実務の具体的対応

母性保護に関する紛争は，さすがに産休自体を取得させないといった使用者はあまりみられず，多くの場合，産休等を取得したことを原因として使用者側がとった措置（前述 2 の裁判例でいえば賞与カット等）の合法性をめぐるものである。前述 2 で裁判例を俯瞰したように，母性保護の制度は労働義務を免除または軽減したものではあるが，それによる休暇，業務軽減を理由とする賃金減額といった措置までを禁じたものでもない。もっとも，そういった賃金減額といった措置は，あくまで母性保護による労働義務の免除，軽減の程度に見合う程度のものでなければならず，その均衡を失さないように留意が必要である。この場合，休暇をとっていたり，労働義務の軽減の度合いが（労働時間などで）数量化できるような場合であれば，均衡の適否の判

断はさほど難しくないが，そうでない場合は，実際には均衡の適否の判断は
困難となることも予想される（実務的には，労働義務の軽減＝職務の変更に伴
い，職務に紐づいていた賃金分の減額，といったプロセスをとるのが望ましい）。

> **実践知！** 　**母性保護の法規制は遵守しなければならないが，その賃金上の取扱いについては，労務不提供の程度を超えての不利益（賃金減額）にならぬよう，留意すべきである。**

Ⅲ．育児介護休業

1．法規制

　育児・介護休業法（育介法）のごく簡単な骨子を述べれば，以下の通りである。なお，育介法上の保護規定（休業，時間外労働の制限等）は，原則として，労働者の使用者に対する請求を待って効力を生じる。

(1) 育児休業（主な内容）
　①全面休業（育介法5条）
・1歳未満の子を養育する労働者であること（育介法5条1項）。
・有期雇用者については，養育する子が1歳6か月に達する日までに更新されないことが明らかでないこと（育介法5条1項但書）。日々雇用される者は除く（育介法2条1号）。また，育休申出までに勤続1年未満の労働者は労使協定で除外が可能（注1）。
・原則として1人の子に1回，申し出る休業は連続した1つの期間（育介法5条2項）。ただし，一定の条件下で，子が2歳に達するまでの育児休業が認められる（育介法5条3項，4項）。
・父母の労働者がともに育児休業を取得する場合は1歳2か月までの間となる。ただし，父母1人ずつが取得できる育児休業の上限は1年間のまま（育介法9条の2）。
　②休業期間中の処遇
　無給が原則。ただし，育児休業給付がある（注2）。
　③子の看護休暇（育介法16条の2）

182　　　　　　　　　PART 1　個別的労働紛争

小学校就学の始期に達するまでの子を養育する労働者であること。1年度につき5日が限度であるが，小学校就学前の子が2人以上いる場合は10日までである（注3）。

④所定外労働の制限（育介法16条の8）

3歳に達しない子を養育する労働者であること（注4）。ただし，事業の正常な運営を妨げる場合はこの限りではないとされる。

⑤時間外労働の制限（育介法17条1項）

小学校就学の始期に達するまでの子を養育する労働者であること（注5）。なお，制限は，1月24時間，1年150時間以上の時間外労働である。ただし，事業の正常な運営を妨げる場合はこの限りではない。

⑥深夜業の制限（育介法19条）

小学校就学始期に達するまでの子を養育する労働者であること（注5-2）。これも事業の正常な運営を妨げる場合はこの限りではない。

⑦勤務時間短縮等の措置（育介法23条1項）

育児休業を取得しない3歳までの子を養育する労働者であることが要件である。1日の所定労働時間が6時間等に短縮される（育介則74条1項）（注6）。

⑧解雇等不利益取扱いの禁止（育介法10条，16条の4，18条の2，20条の2等）

育児休業の申出，取得，子の看護休暇の取得等による不利益取扱いは許されない（注7）。

⑨転勤における配慮義務（育介法26条）

転勤によって育児が困難となる労働者について，事業主はその育児の状況に配慮しなければならない。

※なお，2021（令和3）年6月より男性育休の規定が追加されており，子の出生後8週間以内に4週間まで，原則として休業の2週間前までの申請で（従前は1か月前まで），分割して2回取得可能（従前は分割不可）となっていることに留意。

（注1）労働者の過半数を組織する労働組合または労働者の過半数を代表する者との労使協定があれば，雇用期間が1年未満の者，休業申出の日から起算して1年以内に雇用契約が終了することが明らかな者，週の所定労働日数が2日以下の者は，育児休業の対象から外すことができる（育介法6条1項但書，育介則8条，平成

23・3・18 厚労告 58 号）。なお，有期労働者の雇用期間 1 年制限の撤廃および労使協定による対象からの除外については 2021（令和 3）年 6 月の改正法（2022〔令和 4〕年 4 月 1 日施行）による。

（注 2）給付額は，育児休業開始後 6 か月間は休業前賃金の 67％，その後は 50％とされている。

（注 3）労使協定によって，雇用期間が 6 か月未満の者，週の所定労働日数が 2 日以下の者は，対象から外される（育介法 16 条の 3 第 2 項，育介則 36 条，平成 23・3・18 厚労告 58 号）。

（注 4）労使協定によって，雇用期間が 1 年未満の者，週の所定労働日数が 2 日以下の者は，対象から外される（育介法 16 条の 8 第 1 項，育介則 44 条）。

（注 5）日々雇用の者，雇用期間が 1 年未満の者，週の労働日数が 2 日以下の者を除く（育介法 17 条 1 項，育介則 52 条）。

（注 5-2）日々雇用の者の他，雇用期間が 1 年未満の者，深夜において，当該子を保育できる同居の家族がいる者，1 週間の所定労働時間が 2 日以下の者，所定労働時間の全部が深夜にある者は対象に入らない（育介法 19 条 1 項）。上記除外は，労使協定を待たずに除外されることに注意。

（注 6）1 日の労働時間が 6 時間以下の労働者は対象から外される（育介則 72 条）。また，労使協定があれば，雇用期間 1 年未満の者，1 週間の所定労働日数が 2 日以下の者，業務の性質等より時間短縮の措置が困難と認められる者については，対象から外される（育介法 23 条 1 項但書）。

（注 7）なお，「子の養育又は家族の介護を行い，又は行うこととなる労働者の職業生活と家庭生活との両立が図られるようにするために事業主が講ずべき措置に関する指針」（平成 21・12・28 厚労告 509 号）中の「第 2」「11」では，不利益取扱いの例として，(イ) 解雇することの他に，(ロ) 期間雇用者について契約更新をしないこと，(ハ) 契約の更新回数上限を引き下げること，(ニ) 退職または正社員から非正規社員への変更を強要すること，(ホ) 自宅待機を命じること，(ヘ) 労働者が希望する期間を超えて，その意に反して所定外労働の制限，時間外労働の制限，深夜業の制限または所定労働時間の短縮措置等を適用すること，(ト) 降格させること，(チ) 減給しまたは賞与等において不利益な算定を行うこと，(リ) 昇進，昇格の人事考課において不利益な評価を行うこと，(ヌ) 不利益な配置の変更を行うこと，(ル) 就業環境を害することが挙げられている。

(2) 介護休業

①介護休業（育介法 11 条）

・要介護状態にある配偶者，父母，子または配偶者の父母を介護すべく，要介護者 1 人につき，要介護状態に至るごとに 1 回，通算 93 日まで，3 回を限度として介護休業を取得できる（注 1）（注 2）。

・有期雇用者については，介護休業開始予定日から 93 日を経過する日を

越えて引き続き雇用されることが見込まれること（93日を経過する日から6か月を経過する日までに労働契約期間が満了し，更新されないことが明らかな者を除く）（以上，育介法11条1項但書）。また日々雇用される者は除く（育介法2条1号）（注2）。

・事業主は，介護休業の申出による休業開始日につき，申出日より2週間経過日まで繰り下げることができる（育介法12条3項）。

②介護休業中の処遇

無給が原則。ただし，介護休業給付がある（注3）。

③介護休暇（育介法16条の5）

対象家族（注1参照）の介護，通院等の付添い等が必要なとき，1年度につき5日を限度として取得できる（注4）。

④時間外労働の制限（育介法18条）

要介護状態にある対象家族を有する労働者であること。ただし，事業の正常な運営を妨げる場合はこの限りではない（注5）。

⑤深夜業の制限（育介法20条）

要介護状態にある対象家族を有する労働者であること（注6）。

⑥所定労働時間の短縮等の措置（育介法23条3項）

要介護状態の対象家族を有する者が申し出た場合，所定労働時間の短縮等を講じる必要がある（注7）。

⑦解雇等不利益取扱いの禁止（育介法16条，16条の7，18条の2等）

育児休業等の場合同様，介護休業の申出，取得，介護休暇の取得等による不利益取扱いは許されない。

⑧転勤における配慮義務（育介法26条）

転勤によって介護が困難となる労働者について，事業主はその介護の状況に配慮しなければならない。

（注1）以上の者を総称して「対象家族」という（育介法2条4号，育介則3条）。

（注2）労働者の過半数を組織する労働組合または労働者の過半数を代表する者との労使協定があれば，雇用期間が1年に満たない者，93日以内に雇用が終了することが明らかな者，1週間の所定労働日数が2日以内の労働者等は対象より除外され得る（育介法12条2項）。なお，有期労働者の雇用期間1年制限の撤廃および労使協定による対象からの除外については2021（令和3）年6月の改正法（2022〔令和4〕年4月1日施行）による。

（注3）介護休業開始前2年間に賃金支払基礎日数が11日以上ある月が12か月以

上あることを要件として，休業前賃金の 67% が支給される（雇用保険法 61 条の 4，同法附則 12 条）。2020（令和 2）年 8 月 1 日以降に介護休業を開始した場合は，上記条件を満たさない場合，完全月で賃金の支払の基礎となった時間数が 80 時間以上の月を 1 か月として算定する。

(注 4) 労働者の過半数を組織する労働組合または労働者の過半数を代表する者との労使協定があれば，雇用されて 6 か月に満たない者，週の所定労働日数が 2 日以下の者については，除外できる（育介法 16 条の 6 第 2 項）。

(注 5) 日々雇用の者，雇用期間が 1 年未満の者，週の労働日数が 2 日以下の者を除く。

(注 6) 日々雇用の者の他，雇用期間が 1 年未満の者，深夜において，介護できる同居の家族がいる者，1 週間の所定労働時間が 2 日以下の者，所定労働時間の全部が深夜にある者は対象に入らない（育介法 19 条 1 項，育会則 61 条）。上記除外は，労使協定を待たずに除外されることに注意。

(注 7) 労使協定があれば，雇用期間 1 年未満の者，1 週間の所定労働日数が 2 日以下の者については，対象から外される（育介法 23 条 3 項但書）。

2. 裁判例

　育介法に関する問題は，まず，育児・介護（特に育児）者の権利の有無をめぐる紛争と，その権利行使に遭遇した使用者の措置の可否（不利益取扱い禁止規定に反するか），といった形において表れる。

　この点に関する，最近の最高裁判例として，広島中央保健生協（C 生協病院）事件判決（最判平成 26・10・23 労判 1100 号 5 頁）は，副主任の職位にあった理学療法士である女性従業員が，労基法 65 条 3 項に基づく妊娠中の軽易な業務への転換に際して副主任を免ぜられ，育児休業の終了後も副主任に任ぜられなかったことが均等法 9 条 3 項に違反するか否か（当該女性従業員は，管理職〔副主任〕手当の支払および債務不履行または不法行為に基づく損害賠償を請求した）が問題となった事案である。まず，同判決は「女性労働者につき妊娠中の軽易業務への転換を契機として降格させる事業主の措置は，原則として同項の禁止する取扱いに当たるものと解されるが，…当該労働者につき自由な意思に基づいて降格を承諾したものと認めるに足りる合理的な理由が客観的に存在するとき，又は事業主において当該労働者につき降格の措置を執ることなく軽易業務への転換をさせることに円滑な業務運営や人員の適正配置の確保などの業務上の必要性から支障がある場合であって，その業務上の必要性の内容や程度及び上記の有利又は不利な影響の内容や程度に照らして，上記措置につき同項の趣旨及び目的に実質的に反しないものと認

められる特段の事情が存在するときは，同項の禁止する取扱いに当たらない」，「上記の承諾に係る合理的な理由に関しては，上記の有利又は不利な影響の内容や程度の評価に当たって，上記措置の前後における職務内容の実質，業務上の負担の内容や程度，労働条件の内容等を勘案し，当該労働者が上記措置による影響につき事業主から適切な説明を受けて十分に理解した上でその諾否を決定し得たか否かという観点から，その存否を判断すべき」，「上記特段の事情に関しては，上記の業務上の必要性の有無及びその内容や程度の評価に当たって，当該労働者の転換後の業務の性質や内容，転換後の職場の組織や業務態勢及び人員配置の状況，当該労働者の知識や経験等を勘案するとともに，上記の有利又は不利な影響の内容や程度の評価に当たって，上記措置に係る経緯や当該労働者の意向等をも勘案して，その存否を判断すべき」と判断基準を提示した。その上で，上記「合理的理由」について，「軽易業務への転換及び本件措置により受けた有利な影響の内容や程度は明らかではない一方で，…本件措置により受けた不利な影響の内容や程度は管理職の地位と手当等の喪失という重大なものである上，本件措置による降格は，軽易業務への転換期間の経過後も副主任への復帰を予定していないものといわざるを得ず，上告人［註：女性労働者］の意向に反するものであった…。それにもかかわらず，育児休業終了後の副主任への復帰の可否等について…説明を受けた形跡はなく，…育児休業終了後の副主任への復帰の可否等につき事前に認識を得る機会を得られないまま，本件措置の時点では副主任を免ぜられることを渋々ながら受け入れたにとどまる」として，「合理的理由」を否定した。一方，「特段の事情」についても，「妊娠中の軽易業務への転換として…リハビリ科への異動を契機として，本件措置により管理職である副主任から非管理職の職員に降格されたものであるところ，リハビリ科においてその業務につき取りまとめを行うものとされる主任又は副主任の管理職としての職務内容の実質及び同科の組織や業務態勢等は判然とせず，仮に上告人が自らの理学療法士としての知識及び経験を踏まえて同科の主任とともにこれを補佐する副主任としてその業務につき取りまとめを行うものとされたとした場合に被上告人［註：使用者］の業務運営に支障が生ずるのか否か及びその程度は明らかではない…。そうすると…，降格の措置を執ることなく軽易業務への転換をさせることに業務上の必要性から支障があったか否か等は明らかではなく，前記のとおり，本件措置により上告人における業務上の負担の軽減が図られたか否か等も明らかではない一方で，上告人が本件措置

により受けた不利な影響の内容や程度は管理職の地位と手当等の喪失という重大なものである上，本件措置による降格は，軽易業務への転換期間の経過後も副主任への復帰を予定していないものといわざるを得ず，上告人の意向に反するものであったというべきであるから，本件措置については，被上告人における業務上の必要性の内容や程度，上告人における業務上の負担の軽減の内容や程度を基礎付ける事情の有無などの点が明らかにされない限り，…均等法9条3項の趣旨及び目的に実質的に反しないものと認められる特段の事情の存在を認めることはできない」として，「特段の事情」についても否定し，結論として，育児休業の終了後も副主任に任ぜられなかったことを均等法9条3項に違反しないとした原判決を破棄，高裁（広島高裁）に差し戻した。

また，別の最高裁判例としては，前掲東朋学園事件判決（最判平成15・12・4労判862号14頁）は，産前産後休業だけではなく，現行育介法23条1項に規定の，所定労働時間短縮措置についても問題となった裁判例であるが，賞与支給の条件を賞与支給対象期間の出勤率が90%以上であることと定める条項について，育児のための労働時間短縮措置を1日あたりで1時間15分受けると出勤率が90%を切ってしまい，賞与が一律に不支給となってしまうという実情等に鑑みて，公序良俗違反（民法90条）により無効とした一方で，育児休業により短縮された勤務時間分については，必ずしも賞与請求権が生じるものではなく，上記勤務時間分につき欠勤として賞与減額の対象とする規定（使用者側の取扱い）は，直ちに公序良俗に違背するとはいえないと判示している。

最高裁判例以外では，まず，日本航空インターナショナル事件判決（東京地判平成19・3・26労判937号54頁）は，客室乗務員らが育介法19条の深夜業の制限を申し出たところ，使用者の運航する路線は深夜時間帯にかかる国際線が多いことから，使用者側より当該客室乗務員らに対しては月1〜2日の乗務のみを割り当てることとなり，空いた就業日は無給とされたことに対し，当該客室乗務員らが無給日とされた賃金の支払を使用者側に請求した事案について，「深夜業免除者に対してより多くの深夜業免除パターンを割当てるために原告〔註：女性労働者〕らが指摘した各種方策は，仮にこれらを被告〔註：使用者〕に求めるとすれば，過大な負担を被告に課す結果となる…。…深夜業免除制度を定めた育介法は，就労を免除された深夜時間帯の勤務についてすら有給であることを保障してはいないのであって，ましてや上

記のような過大な負担を課す結果となることを使用者に義務付けていると解することは到底できない」としつつ，「客室乗務員の実際のパターン編成及び勤務割は，…必要に応じて随時柔軟に運用されており，…ベーシックパターンにない深夜業免除パターンが深夜業免除者に対してアサインされることもあることが認められる」とした上で，当該客室乗務員らが所属していた労働組合とは別の労働組合（別労組）に「所属の客室乗務員に対して，1か月に5日から13日（概ね10日前後）の乗務がアサインされていること…被告における深夜残業免除者の9割以上が」別労組「に所属していると認められる…ことも踏まえれば，原告ら」が所属している労働組合に所属の客室乗務員に対しても，別労組「所属の客室乗務員に対するのと同程度のアサインをすることは，十分に可能であった」とし，別労組の客室乗務員と当該客室乗務員らとの割当て日数の差の分については，民法536条2項に規定する使用者の責めに帰すべき事由による労働者の債務履行不能であるとして，賃金請求権が認められるものとした（もっとも，この判決の事案の実質は，組合間差別によるものとも思われる）。

　さらに，育児休業の取得に対する不利益取扱いの禁止（育介法10条）に抵触するかどうかが問題となった裁判例として参考になるものとして，コナミデジタルエンタテインメント事件判決（東京高判平成23・12・27労判1042号15頁）は，女性労働者が産休，育休取得後に復職したところ，担当職務の変更，役割等級制におけるグレード変更（引下げ），それに伴う給与減額といった措置を受けたという事案で，担当職務の変更については違法ではないとしたものの，グレード変更（引下げ）については「役割報酬の引下げは，…就業規則や年俸規程に明示的な根拠もなく，労働者の個別の同意もないまま，使用者の一方的な行為によって行うことは許されない…，…役割グレードの変更についても，そのような役割報酬の減額と連動するものとして行われるものである以上，労働者の個別の同意を得ることなく，使用者の一方的な行為によって行うことは，同じく許されないというべきであり，それが担当職務の変更を伴うものであっても，人事権の濫用として許されない」とした。なお，本判決は，使用者による，査定対象期間途中より育休等を取得して休業していたこと等を理由とする成果報酬ゼロ査定も無効としている。ただし，当該使用者の成果報酬は成果給であり，具体的な成果報酬支払請求権は，成果報酬額を具体的に決定して初めて発生するものと解され，当該労働者の成果報酬額はまだ定まっていない状態にあることより，具体的な成果報

CHAPTER 12　雇用平等，ワーク・ライフ・バランス

酬支払請求権の発生は否定している。医療法人稲門会（いわくら病院）事件判決（大阪高判平成 26・7・18 労判 1104 号 71 頁）は，3 か月の育児休業を取得した労働者に対し，使用者側が，職能給の昇給を見送り，かつ，昇格試験の受験機会を与えなかったことが問題となった事案であるが，一審判決（京都地判平成 25・9・24 労判 1104 号 80 頁）では受験機会を与えなかったことについてのみが違法とされていたところ，これに加えて，上記判決は，昇給を見送った点についても私傷病以外の他の欠勤，休暇，休業の取扱いよりも合理的理由なく育児休業を不利益に取り扱うものであるから育介法 10 条や公序に反し無効としている。また，最近では，学校法人近畿大学（講師・昇給等）事件判決（大阪地判平成 31・4・24 労判 1202 号 39 頁）が，改定前の旧規定について，年度の一部を育児休業した職員に対して昇給を不実施としていたことは，育介法 10 条で禁止される不利益取扱いに当たるとしている。

　一方，直接的には，育児・介護（特に育児）者の権利の有無や権利行使についての不利益に関する問題ではないが，育児休業明けに子供を預ける保育園がみつからず，退職を回避するために，いったん，無期契約労働社員（正社員）から週 3 日勤務の有期契約労働社員となった者が，後に正社員への復帰を申し入れたものの使用者より受け容れられなかった事案がある。ジャパンビジネスラボ事件判決（東京高判令和元・11・28 労判 1215 号 5 頁）は，当該労働者は，雇用形態として選択の対象とされていた中から正社員ではなく契約社員を選択し，使用者との間で期間を 1 年とする有期労働契約を締結し，正社員契約を解約したものと認められ，また，当該労働者は子を預ける保育園がみつからず，正社員として週 5 日の就労ができない状況にあったことから，週 3 日 4 時間勤務の契約社員を自らの意思で選択し，上記有期労働契約を締結したものであって，上記合意は，当該労働者の自由な意思に基づいてされたものと認めるに足りる合理的な理由が客観的に存在する，と判示している（付言すれば，同判決は，当該労働者がマスコミ等に事実と異なる情報を提供し，使用者の名誉・信用を毀損する行為に終始したこと等を理由に，使用者が当該労働者を雇止めとしたことについても合法としている）。

3. 実務の具体的対応

　前述 2 の通り，近時の育介法をめぐる紛争は，育児休業等を取得した労働者に対する不利益取扱いによるものが多数であるが，あからさまな育児休業取得者への解雇，降格というものはあまりみられず，育児休業を取得する

（した）ことによる業務量（作業面のみならず責任面も含め）の軽減を理由とする措置（給与減額，職務変更，職位変更等）の適法・違法が問題となるものが多い。

　まず，当該労働者の合意をとって行っている措置が争われた場合には，その合意が当該労働者にとって有する利害得失はもちろんのこと（前掲広島中央保健生協〔C生協病院〕事件判決），その合意に至る経緯，周囲の環境等，その合意が当該労働者にとって不合理な（本意ではない）合意ではないように十全な説明を行うとともに，紛争後は，合意に至るやり取りについての具体的な事実を整理・主張することが重要となる。また，当該労働者の合意なくして行った場合は，最初に社内規定の存在，内容の確認となろうが（前掲コナミデジタルエンタテインメント事件判決），社内規定に沿っていれば万全というものではなく，当該社内規定の内容およびその運用が育介法違反となっていないか注意しなければならない。前掲広島中央保健生協（C生協病院）事件判決で説示しているところの，「特段の事情」を構成する事実関係の検証が重要であり，それには，業務上の必要性の有無およびその内容や程度，ひいては，当該労働者の転換後の業務の性質や内容，転換後の職場の組織や業務態勢および人員配置の状況，当該労働者の知識や経験等といった，まさに，当該労働者およびその周囲の業務環境そのものを精査することが必要となる。いずれにせよ，育児休業により，いったん仕事を休んだ（もっと俗的な言い方をすれば，周囲の世話になった）のだから，周囲よりも若干の冷遇措置を受けてもやむを得ない，という感覚は危険であり，あくまで，当該労働者への措置は，使用者の業務の遂行に客観的な（冷徹な）必要性を有していなければならない。

　なお，近年注目されることも多いマタニティ・ハラスメント（マタハラ）は，これまで述べた①育児休業取得者に対する不利益取扱い（育介法10条）のみならず，②妊娠・出産・育児休業取得に当たって適切な就業環境の整備をしなかったり（均等法11条の3），③育児休業取得等に対する使用者の不適切な言動（育介法25条，25条の2）も含むものである。

近年，育介法の業務軽減措置をめぐる紛争が増加しているが，当該労働者の同意を得る場合には，当該軽減措置の内容，利害得失，将来の措置等を丁寧に説明した上で同意を得ることが

肝要である。この場合，やはり説明の事跡を残すべく，説明資料を用意するのが望ましい。

CHAPTER

13 ハラスメント

I. はじめに

　本来，労働契約においては，労働者は使用者に労務を提供し，使用者はその対価として賃金を支払うという関係が中心的な関係ではあるが，労務を提供する労働者が一個の人格を有する人間である以上，労務提供の手続，環境において，少なくともその人格的な利益が害されないようにすることは，労働契約上，求められていることである。その労働者の人格的利益を侵害するものとして問題視されることが多いのが，セクシュアル・ハラスメントとパワー・ハラスメントである。本章において各個に述べていく。

　なお，近年注目されることも多いマタニティ・ハラスメント（マタハラ）については Chap. 12 参照。

II. セクシュアル・ハラスメント

1. 定義および法令

　職場における嫌がらせ（ハラスメント）として，我が国で最初に問題となったと思われるものが，セクシュアル・ハラスメントである。男女雇用機会均等法（以下「均等法」）11 条 1 項によれば，「事業主は，職場において行われる性的な言動に対するその雇用する労働者の対応により当該労働者がその労働条件につき不利益を受け，又は当該性的な言動により当該労働者の就業環境が害されることのないよう，当該労働者からの相談に応じ，適切に対応するために必要な体制の整備その他の雇用管理上必要な措置を講じなければならない」とされており，セクシュアル・ハラスメントとは，大別して，「性的な言動に対するその雇用する労働者の対応により当該労働者がその労働条件につき不利益を受ける」こと（対価型セクハラ）および「性的な言動により当該労働者の就業環境が害されること」（環境型セクハラ）からなる。なお，使用者が雇用管理上講ずべき措置の指針としては，「事業主が職場における性的な言動に起因する問題に関して雇用管理上講ずべき措置等についての指針」（平成 18・10・11 厚労告 615 号　最終改正：令和 2・1・15 厚労告 6

CHAPTER 13　ハラスメント　　193

号）が出されており，典型的な例について触れてはいるものの，殊に環境型セクハラの場合，セクシュアル・ハラスメントの態様は広範な行為に及び，労働者の意に反する性的な言動であり，平均的な労働者にとってある程度（実は，この判断も難しいのであるが）の精神的苦痛を感じる行為は，セクシュアル・ハラスメントの範囲に含まれると考えるのが妥当であろう（現在，セクシュアル・ハラスメント防止のためのパンフレットが厚労省のホームページ上に掲載されている。詳細の紹介はここでは割愛するが，セクシュアル・ハラスメントの該当性について具体的な判断基準の例も掲載されているので，参照すると有益である）。

なお，2019（令和元）年に均等法が一部改正され，セクシュアル・ハラスメントに関する国・事業主・労働者の責務の明確化，自社の労働者が他社の労働者にセクシュアル・ハラスメントを行った場合の協力要請への努力義務などが規定されるに至っている。

2. セクシュアル・ハラスメント防止のため使用者が行うべき施策

前述1で紹介した，平成18年厚労告615号（以下「セクハラ指針」）は，セクシュアル・ハラスメントを防止するために使用者が実施すべき施策について，具体的に定めている。詳細は，セクハラ指針およびそれを解説紹介している厚労省ホームページ掲載のパンフレットを参照されたいが，重要な事項であるので，ここでも，その項目について紹介しておくこととする。なお，ここで求められている施策を怠ったところにセクシュアル・ハラスメントが生じた場合，使用者としてはセクシュアル・ハラスメント防止のための施策を怠っていたということとなり，被害者に対して，何らかの責任を負うことが多くなると思われる。

* セクハラの内容，セクハラがあってはならない旨の方針の明確化と周知・啓発
* 行為者への厳正な対処方針，内容の規定化と周知・啓発
* 相談窓口の設置
* 相談に対する適切な対応
* 事実関係の迅速かつ正確な確認
* 当事者に対する適正な措置の実施
* 再発防止措置の実施
* 当事者等のプライバシー保護のための措置の実施と周知

＊相談，協力等を理由に不利益な取扱いを行ってはならない旨の定めと周知・啓発

（以上，セクハラ指針より。なお，各項目について使用者が講ずべき具体的施策につき，セクハラ指針に規定されており，使用者としてはその遵守が必要なことに注意。）

3. セクシュアル・ハラスメントがあった場合の使用者の責任

職場においてセクシュアル・ハラスメントが生じた場合，直接の行為者が被害者に対して不法行為上の損害賠償責任を負うことはもちろんであるが，その行為者が使用者の被用者であった場合，使用者も被害者に対し，不法行為による損害賠償責任を問われる。これは，多くの場合は行為者の使用者としての責任（民法715条）が問題となるが，職場環境を調整・保全する義務を怠ったとして，直接の不法行為責任（民法709条）や，債務不履行責任（民法415条）として責任を問われることもある。不法行為にせよ，債務不履行にせよ，使用者に責任が認められるか否かは，前述2におけるセクハラ指針上求められている施策の順守の有無・程度により，かなりの部分，影響されることになると思われる（使用者責任につき，菅野・労働法〔12版〕281頁等）。

4. 裁判例

セクシュアル・ハラスメントを認めた裁判例も無数に存するが，知っておくと有益と思われるものについて，以下に紹介しておくこととする。

(1) 「職場」の認定

人事労務上問題となるセクシュアル・ハラスメントは，「職場」におけるものであるが，その該当性が問題となった例として，まず，横浜セクシュアル・ハラスメント事件判決（東京高判平成9・11・20労判728号12頁）は，社員が出向先でセクシュアル・ハラスメントを行った事案について，出向元には実質的な指揮監督関係がないとして責任を否定している。一方，狭い意味で業務を行う職場だけでなく，懇親会等での言動も「職場」でのセクシュアル・ハラスメントにあたり得るとされており（東京セクハラ〔T菓子店〕事件判決〔東京高判平成20・9・10労判969号5頁〕），さらに，業務出張中の社外での言動も同様とされている（青森セクハラ〔バス運送業〕事件判決〔青森

地判平成 16・12・24 労判 889 号 19 頁])。

(2) 使用者の防止義務

　使用者に求められる防止義務はどの程度であろうか。まず，下関セクハラ（食品会社営業所）事件判決（広島高判平成 16・9・2 労判 881 号 29 頁）は，社内でのセクシュアル・ハラスメントの被害につき公的機関（県の雇用均等室）より連絡を受けたにもかかわらず，セクシュアル・ハラスメントの被害が止まなかったという事案について，使用者は支店長・所長会議でセクハラの注意，防止を指示したにもかかわらず，会議の出席者である管理職が性的中傷行為に及んだことからみると十分な予防効果がなかったものとされ，公的機関から具体的な指摘を受けた以上，セクハラを実際に防止する，より強力な措置を講じる必要があったとして，加害者のみならず使用者も被害者に対して，不法行為責任を負うというべきとしている。また，京都セクシュアル・ハラスメント（呉服販売会社）事件判決（京都地判平成 9・4・17 労判 716 号 49 頁）は，女子更衣室が隠し撮りされていたことに気が付いたにもかかわらず，十分な措置をとらないまま，再び隠し撮りがなされたという事案につき，使用者は隠し撮りに気が付いた以上は，誰がビデオ撮影したかなどの真相を解明する努力をして，再び同じようなことがないようにする義務があったにもかかわらず，そのような措置をとらずに再び女子更衣室でビデオ撮影される事態になったのであるから，隠し撮りにより生じた被害者の損害を賠償する責任を負うと判示している。以上，2 つの裁判例から窺えることは，使用者は，セクシュアル・ハラスメント行為が発覚した場合，それが継続・再発しないよう，強力な抜本的措置をとるべきであり，それを怠ったことによりセクシュアル・ハラスメントが継続・再発した場合，損害賠償の責を負う，ということである。

　若干，特殊な事案として，子会社の従業員女性が，親会社の他の子会社の従業員よりつきまとい行為をされていたとされる状況において，当該親会社の対応の是非が問題となったイビデン事件判決（最判平成 30・2・15 労判 1181 号 5 頁）がある。同判決は，親会社が自社および子会社等のグループ会社における法令等の遵守に関する相談窓口を設け，現に相談への対応を行っていた場合において，被害者自身が当該相談窓口に申出をしておらず，被害者の退職後に他の従業員よりなされた相談の申出の際に求められた対応（当該事案では，親会社自らがつきまといをしていたとされる従業員に事実確認をす

ること）をしなかったとしても，必ずしも信義則上の義務違反があったとは
いえないとしている（無論，事案の具体的内容によっては逆の結論もあり得よ
う）。

⑶　セクシュアル・ハラスメントの行為の認定

　深刻なセクシュアル・ハラスメントは，往々にして，人目をさけて行われ
るため，セクシュアル・ハラスメントが行われたという目撃者や客観的証拠
が得られないという事例が存する。そのような例として，日本 HP 社セクハ
ラ解雇事件判決（東京地判平成 17・1・31 判時 1891 号 156 頁）は，管理職が
部下である女子社員 2 名に対し，各種のセクハラを行ったとして懲戒解雇
されたところ，当該管理職がこれを全面的に否認し，懲戒解雇処分の効力を
争ったという事案であるが，上記判決は，女子社員 2 名の証言は具体的か
つ詳細で不自然・不合理な点はなく，当初の事情聴取の際から裁判に至るま
で一貫していること，ことさらに虚偽の供述をしてまで当該管理職を陥れる
動機がないこと，このような事実を第三者に述べること自体，相当な心理的
抵抗があるはずであること等から，被害者である女子社員らの証言の信用性
が認められ，懲戒解雇の有効性を認めている。

　なお，セクシュアル・ハラスメントは，被害者の意に沿わないことが前提
となっているが，実社会で行われるセクシュアル・ハラスメントの中には，
表面的には必ずしも被害者の意に反しているとはみえない事例も存する。P
大学（セクハラ）事件判決（大阪高判平成 24・2・28 労判 1048 号 63 頁）は，
大学教授が，同学部の女性准教授に対して，身体接触などのセクハラ行為を
行った結果，女性准教授の教育・研究環境を悪化させたなどとして，大学か
ら懲戒処分（減給処分）を受けたところ，当該大学教授が処分無効を主張し
た事案であるが，女性准教授は，学部における大学教授との関係を考慮し，
その機嫌を損ねることを避け，飲食店で最後まで同席したり，同一のルート
を通って帰宅し，別れ際に握手を求めたり謝礼のメールを送信したりしたも
のと認めるのが相当であり，セクハラ行為がなかったことを推認させるとい
えるものでもない，と判示している。また，ワカホ社事件判決（東京地判平
成 24・6・13 労経速 2153 号 3 頁）は，女性従業員が直接の上司より，2 年間
にわたりセクハラ（8 か月間の性的関係を含む）を受けていたと訴えた事案に
ついて，いわゆる，合意の下に不倫関係にあったという男性側（および使用
者側）の主張を認めず，セクハラ行為を認定している。一見，合意にみえる

関係であっても，セクハラと認定されることがある一例といえる。

　なお，セクシュアル・ハラスメントの成立を否定したものとして，東京セクハラ（A協同組合）事件判決（東京地判平成10・10・26労判756号82頁。宴会にて飲酒を進めた行為や2次会に参加させようとした行為に強引で不適切な面があったにせよ，飲酒した宴会の席で行われがちな行為という程度に止まるとして不法行為の成立を否定），独立行政法人L事件判決（東京高判平成18・3・20労判916号53頁），日本郵政公社（近畿郵政局）事件判決（大阪高判平成17・6・7労判908号72頁。女性による男性への不法行為が問題となり，成立を否定したもの）等がある。

⑷　セクシュアル・ハラスメントの加害者への処分

　職場において，セクシュアル・ハラスメントが行われた場合，使用者は被害者に対しては損害賠償責任を負うかが問題となるが，加害者を処分した場合には，その処分の有効性が問題となることがある。前掲の日本HP社セクハラ解雇事件やP大学（セクハラ）事件などもそうであり，これらの判決は処分を有効とした例であるが，他にも処分を有効とした例として，最高裁判例としては，L館事件判決（最判平成27・2・26労判1109号5頁）がある。これは男性管理職2名が女性従業員らに対して行った数々のセクシュアル・ハラスメント（極めて露骨で卑わいな内容の発言を繰り返す，女性従業員らが未婚であることなどにつき著しく侮蔑的ないし下品な言辞で同人らを侮辱または困惑させる，女性従業員Aの給与が少なく夜間の副業が必要であるなどとやゆする等）を理由としてされた出勤停止の各懲戒処分（1名は30日，1名は10日。なお，出勤停止処分に伴い人事措置として降格もなされている）につき，使用者が当該男性従業員らのセクハラ行為を具体的に認識しておらず，事前に使用者から警告や注意等を受けていなかったとしても，懲戒権の濫用には当たらないとした。また，最高裁判例以外では，A製薬（セクハラ解雇）事件判決（東京地判平成12・8・29労判794号77頁）は，30人の部下を有する管理職が，複数の部下に対してセクハラ行為に及んでいたことを理由に諭旨解雇処分がなされたという事案について，使用者が従前より職場環境の維持改善に努め，部下を預かる管理職者を実践の第一義的責任者と位置付けていたこと，当該管理職自身，セクハラ行為の問題性を十分認識し，セクハラ行為のあった部下に対し退職勧奨を行っていたこともあること，当該管理職は30名の部下を有する地位にありながらが性的言動を繰り返していたこと等

より，諭旨解雇処分は有効とされている。

　一方，セクハラ行為を理由とする使用者の加害者への処分が無効となった例もあり，Ｙ社（セクハラ・懲戒解雇）事件判決（東京地判平成21・4・24労判987号48頁）は，支店長兼取締役の立場にあった者が，全従業員対象の慰安旅行の際に，宴会にて複数の女性社員に対し，手を握ったり，自分の膝の上に座るよう指示したり，「胸が大きいな」「（男性複数人の中で）この中で誰がタイプか。…答えなければ犯すぞ」等と発言したことにより懲戒解雇された事案につき，上記の発言は本当に乱暴する意思で行われた発言ではないこと，宴会という気の緩みがちな席上で行われた行為であり，強制わいせつに該当するような事案とは一線を画すものであること，従前から日常的に酒席の場において女性の胸の大きさを話題にしたり，女性従業員の肩を抱く等の行為を行っていたにもかかわらず，使用者から注意指導がされたことはないこと等から，懲戒解雇は重きに失し無効であると判示している。

(5)　実務の具体的対応

　セクシュアル・ハラスメントについての紛争について相談があった場合，真っ先に問題となるのが，事実関係の確定である。セクシュアル・ハラスメントは，被害者からの申告事実と加害者とされる者の事実認否が一致することはあまりない。この点，被害者（多くの場合は女性）にとってセクシュアル・ハラスメントの事実の公表は，通常不利益になることはあっても利益になることは少ないため，被害者側に何か別の具体的な動機があるような場合を除き，わざわざ虚偽の事実を申告することは少ない，と考えるべきである。ただし，上記の動機がある場合も存するし，そうでなくともセクシュアル・ハラスメントの被害者に限らず，人間の記憶，認識というものはしばしば曖昧かつ主観的なことがある。したがって，被害者の申告事実につき，加害者とされる者の言い分（申告事実への認否のみならず，背景事実の主張，提起も含む）を丁寧に聴取するのはもとより，被害者の申告事実の説得力（具体性，一貫性，迫真性等）をできるだけ検証する，という作業が必要となる。なお，事実判断の過程において，殊に被害者のプライバシーを最優先しなければならないことは当然であり，加害者とされる者，第三者のいずれに対するヒヤリングについても，逐一，被害者の承諾を得てから行うという配慮は必須である（被害者の希望により，ヒヤリングが制約された場合，申告事実の認定にはマイナスに作用するのはいうまでもないが，これは被害者に説明しておくことが

肝要である）。

　また，多くの場合，セクシュアル・ハラスメントの成否（職場でのハラスメントと評価するか）および使用者の責任の有無の判断も問題となる。まず，後者については，前述したセクハラ指針で求められた措置（特に，一見してその適否が明瞭になるものとして，相談窓口の設置，セクシュアル・ハラスメントを行った場合についての就業規則内の懲罰規定の整備等がある）を適切にとっているか否かを出発点として，その上で，被害の発生・拡大防止の措置を，事案に応じてどこまで適切にとっているか，を検討することとなる。したがって，前述2で説明したセクハラ指針に定められている防止手段を十全に履践することで，よりその予防を強化しておくことが肝要である。殊に，使用者の就業規則等の規程中に，セクシュアル・ハラスメント（およびパワー・ハラスメントも含めて）はしてはならないこと，これを行った場合には懲戒事由となり得ることを規定化して周知し，さらには，セクシュアル・ハラスメント予防のための研修を行っておくといった事前の防止策が必要である。それを行わないでセクシュアル・ハラスメントが生じた際に，使用者としては弁明が困難であろう。また，セクシュアル・ハラスメントの被害者のための相談窓口を設けていないような場合も，セクシュアル・ハラスメントによる被害の拡大を未然に防ぐ措置を怠ったこととなろう（つまりは，セクハラ指針に求められている措置の中でも，上述したように，形の上で明瞭に履行の有無が判明するような措置については，特に留意すべき，ということである）。次に，前者についていえば，後述のパワー・ハラスメントと異なり，職場においてあえて「性的言動」を行う必要があることなどはおよそ考え難い。したがって，社会通念的に「性的な言動」と解されるものであれば，程度の問題はあるとしても，それが業務の必要性がゆえに正当化されることはあまりなく，行為者には何らかの処分（あるいは注意・指導）が必要となることが多いとは思われる。もちろん，行為と処分の重さとの均衡は必要である。

　セクシュアル・ハラスメントの問題については，使用者としては，平成18年厚労告615号（セクハラ指針）で求められた措置を講じておくことが必須である。
　セクシュアル・ハラスメントの事実認定については，当事者間の主張が異なることが多いが，被害者（多くは女性）が，率先し

実践知！	て虚偽を述べる動機・必要性は少ないことに留意しつつ，その被害事実の申告についての一貫性，具体性を慎重に検証する必要もある。 　セクシュアル・ハラスメントの調査は，被害者（ハラスメント申立人）のプライバシーの保護が第一であり，被害者の同意なく，他の者（加害者，第三者）へ事情聴取することは控えた方がよい。

Ⅲ．パワー・ハラスメント

1．定義および法令

　パワー・ハラスメントは，筆者の私見でいえば，今や，メンタルヘルスに並んで，企業にとって最多の人事労務課題である。パワー・ハラスメントとは，巷間では，職場におけるいじめなどと漠然と捉えられているのが一般的である。しかし，実際の職場において，パワー・ハラスメントがどのような範囲の行為を指すのか，判断に迷うことはよくある。殊に，被害者とされる者は「いじめ」と捉えているが，加害者とされる側は，業務上の指導・叱責と捉えているケースが多々みられるのである。

　パワー・ハラスメントの定義は，「事業主が職場における優越的な関係を背景とした言動に起因する問題に関して雇用管理上講ずべき措置等についての指針」（令和2・1・15厚労告5号）において，「職場において行われる①優越的な関係を背景とした言動であって，②業務上必要かつ相当な範囲を超えたものにより，③労働者の就業環境が害されるものであり，①から③までの要素を全て満たすものをいう」と定められた。ここで問題とされているのが，「業務上必要かつ相当な範囲を超え」る行為とは，どのような行為を指すのか，ということであり，後述3の通り，多くの裁判例を生んでいる。なお，上記指針には事業主（使用者）の措置義務についても具体的に規定されており，実務上，留意すべきである（詳細は上記指針参照）。

　上述の，厚労省「事業主が職場における優越的な関係を背景とした言動に起因する問題に関して雇用管理上講ずべき措置等についての指針」（令和2・1・15厚労告5号）によれば，パワー・ハラスメントにつき，一応，以下の6類型が提示されている。

(a) 暴行・傷害（身体的な攻撃）

　業務の遂行に関係するものであっても，「業務上必要かつ相当な範囲」に含まれるとすることはできない。

(b) 脅迫・名誉毀損・侮辱・ひどい暴言（精神的な攻撃）

　原則として「業務上必要かつ相当な範囲」を超えるものと考えられる。

(c) 隔離・仲間外し・無視（人間関係からの切り離し）

　同上。

(d) 業務上明らかに不要なことや遂行不可能なことの強制，仕事の妨害（過大な要求）

　業務上必要かつ相当な指導との線引きが必ずしも容易でない場合があると考えられる。

　何が「業務上必要かつ相当な範囲を超え」るかについては，業種や企業文化の影響を受け，また，具体的な判断については，行為が行われた状況や行為が継続的であるかどうかによっても左右される部分もあると考えられるため，各企業・職場で認識をそろえ，その範囲を明確にする取組を行うことが望ましい。

(e) 業務上の合理性なく能力や経験とかけ離れた程度の低い仕事を命じることや仕事を与えないこと（過小な要求）

　同上。

(f) 私的なことに過度に立ち入ること（個の侵害）

　同上。

　もっとも，以上の類型は，典型的なものを一般化したものに過ぎず，実際には，例えば上司の厳しい言葉が，上記(b)の「脅迫・侮辱」に当たるのか，きつめの指導・叱責に該当するのか，判断が難しい場合も多い。

　そのため，裁判例における事案と裁判所の判断を参考に，問題となった事案に当たるのが妥当である。

　なお2019（令和元）年に，企業のパワハラ防止義務を規定した改正労働施策総合推進法が成立した。パワハラに関する主な内容としてはパワハラを「職場において行われる優越的な関係を背景とした言動であって，業務上必要かつ相当な範囲を超えたものによりその雇用する労働者の就業環境が害されること」と定義し，また，パワハラにかかる相談体制の整備その他パワハラ防止措置を事業主に義務付けている。

2. 関連する諸問題

現在の人事労務の実務において，パワー・ハラスメントが最も多く顕在化する問題の一つであることは前述したが，これは，パワー・ハラスメント自体が被害者の職場環境を害するものであるだけでなく，パワー・ハラスメントは，他の諸々の問題と繋がることが多いことにもよる。

まず，パワー・ハラスメントは，被害者に強度のストレスを生ぜしめることが少なくなく，被害者の精神面の健康を害することがある。そうなれば，被害者は労災申請を行うことにもなるし，使用者は加害者の使用者として，労働契約上の安全配慮義務違反もしくは不法行為による損害賠償責任を負う場合も出てくる。

また，パワー・ハラスメントは，前述の通り，特に上司の部下に対するパワー・ハラスメントの有無が問題となる場合，業務上の適正な指導・叱責との区別が難しいことがある。使用者としては，業務の適性の低い社員に対し，その上司が指導（場合によっては叱責も含め）を行うことは当然に必要なことであるが，その上司の指導・叱責が「業務上必要かつ相当な範囲」を超える場合には，その上司に対して，パワー・ハラスメントを行ったものとして注意・指導，行為内容によっては懲戒処分を行う必要も出てくる。

3. 裁判例

パワー・ハラスメントは，職場の日常において行われるものであって，裁判例が問題となった態様も極めて広範である。以下に行為類型ごとに参考になると思われる裁判例を挙げるとともに，他の視点（一審判決と二審判決とで結論を異にした例，行為者本人の責任も認めた例等）から参考になると思われるものも挙げることとする。

(1) 部下への指導の目的・程度が問題となった例

上司は，部下に問題行動があった場合，業務上の注意・指導を行うのが職責であるが，その注意・指導は，部下の問題行為を改善するという目的が必要であり，かつその目的のため明らかに不相当ではない程度で行われる必要がある。クレジット債権管理組合等事件判決（福岡地判平成3・2・13労判582号25頁）は，横領した元取締役と仲がよかったというだけの理由で従業員らを共犯者であるとして，他の従業員の前で，決めつけるようないい方で

CHAPTER 13　ハラスメント　　203

「X，お前やっただろう。」と発言した事案について，「さしたる根拠もない
のに憶測に基づき，Xらの社会的評価を低下させ，その名誉を毀損した違法
な行為で，不法行為を構成することは明らかである」としている。また，ア
ークレイファクトリー事件判決（大阪高判平成25・10・9労判1083号24頁）
は，上司の部下（派遣社員）に対する広範な言動が問題となった事案につい
て（例：作業を指示通り行っていなかったことの叱責として「殺すぞ」という言
葉を使う，機械の腐食や不良製品製造に繋がるような作業ミスとその放置を行っ
たことの叱責として，「殺すぞ」，「あほ」という発言を続けて述べた等），「労務
遂行上の指導・監督の場面において，監督者が監督を受ける者を叱責し，あ
るいは指示等を行う際には，労務遂行の適切さを期する目的において適切な
言辞を選んでしなければならない」と判示し，パワー・ハラスメントと認定
して使用者の使用者責任を一部肯定している。また，サン・チャレンジほか
事件判決（東京地判平成26・11・4労判1109号34頁）は，仕事をミスすると
上司より「馬鹿だな」「使えねえな」などといった発言をされた他，尻，頭，
および頬を叩くなどの暴行を受けるなどしていた事案について，当該上司お
よび使用者の責任（各々，直接の不法行為および使用者責任）を認定している。
なお，さらに，上司の指導・叱責についての責任の成否については，後掲岡
山県貨物運送事件判決も参照されたい。

⑵　人格侵害的言動

　仕事上，問題を生じた部下への指導といった事情がある場合でも（また，
そうした事情がなければなおさら），人格侵害的な言動は，それ自体，パワ
ー・ハラスメントとしても許されないのは当然である。例えば，ヴィナリウ
ス事件判決（東京地判平成21・1・16労判988号91頁）は，部下が指示通り
動けなかったにせよ，「ばかやろう」と罵ったり，「三浪してD大に入った
にもかかわらず，そんなことしかできないのか」，「お前が採用されたことに
よって，採用されなかった人間というのも発生しているんだ。会社にどれだ
け迷惑をかけているのかわかっているのか。お前みたいなやつはもうクビ
だ」などと罵倒するような行動は，業務上の問題点の改善につながることが
ないだけではなく，人格権を侵害する要素が多分に含まれており，パワー・
ハラスメントとしている。また，サントリーホールディングスほか事件判決
（東京地判平成26・7・31労判1107号55頁）は，不備の多い資料を提出し，
改善の指示を受けながらも従わず，また，システム開発の主任を担当しなが

らも，開発作業に入ってから開発は無理だと言い出す等した部下に対し，上司が「新入社員以下だ。もう任せられない」，「何で分からない。お前は馬鹿」等の発言をした事案について，「注意又は指導のための言動として許容される範囲を超え，相当性を欠く」と判示している。

(3) 過大なノルマ

過大なノルマの設定はパワー・ハラスメントの一類型である。労災訴訟の例ではあるが，国・諫早労基署長（ダイハツ長崎販売）事件判決（長崎地判平成22・10・26労判1022号46頁）は，他の従業員と比べても過大で達成することが困難なノルマを設定された部下が，達成できない時には，上司から「あんた給料高いだろ，…あんたは自分の給料の5倍くらい働かなければ合わない」，「必要がない。辞めてもいい」などと厳しく叱責されることもあった結果，その部下が自殺未遂をするに至った事案につき，事実関係からすると，厳しいノルマ設定により部下に心理的負荷を与えたと判示し，業務起因性を認めている。

(4) 注意・指導の場所

業務上の注意・指導にしても，不必要に衆目の前で（つまりは注意・指導された者が屈辱感を受けるような状況で）行う場合には，パワー・ハラスメントが認定される方向に働く。富国生命保険ほか事件判決（鳥取地米子支判平成21・10・21労判996号28頁）は，生命保険会社の営業職員でマネージャーという役職であった者に対して，上司が，朝礼後の他の社員にも聞こえる状況において，顧客に告知義務違反を誘導していないか確認した事案について，「生命保険会社の営業職員にとって，不告知を教唆することは，その職業倫理に反する不名誉な事柄なのであるから，その点について，上司として問いただす必要があるとすれば，誰もいない別室に呼び出すなどの配慮があって然るべき」と判示し，衆目の前での指導をパワハラを肯定する一つの事情としている。もっとも，衆目の前での指導・叱責についてパワー・ハラスメントの成立を否定した例もある。例えば平塚労働基準監督署長事件判決（東京地判平成24・4・25労経速2146号3頁）は，県立公園等の維持管理等を受託していた協会が運営する一公園の副園長の仕事ぶりが主体性に乏しく，上司である園長が朝礼で述べるべきポイントを指摘するといった指導を繰り返していたにもかかわらず，朝礼時に，副園長が職員に対し「何かありませ

んか」と話題の提供を求めるという主体性を欠く行動をとったため，園長が
「何かありませんか，ではなく，今日は何をします，だろ」と言って，副園
長の主体性に欠ける姿勢を批判するなどした結果，その副園長が自殺するに
及んだ事案について，「朝礼において，他の職員の面前で公然と…批判する
ものであり，配慮すべき点はあったとは解されるが，X［註：副園長］の業
務遂行態度に行き届かない点があったことに照らすと，上司としての指導の
範囲を逸脱しているとか，その人格を否定するような発言とまではいえな
い」と判示している。

(5) 指導・叱責の時間および時間帯

　就業時間外（特に深夜）での指導や，不必要に長時間にわたる指導・叱責
は，部下に無用なプレッシャーを与えるものとしてパワー・ハラスメントと
評価される傾向にあることは当然である。ただし例外もあり，部下が反抗的
な態度を示したり，ローパフォーマーで改善点が多数に上る場合など，結果
的に指導が長時間となったこと等について合理的な理由があれば，パワー・
ハラスメントと評価されないこともある。池袋労働基準監督署長事件判決
（東京地判平成 22・8・25 労経速 2086 号 14 頁）は，就業時間外の長時間・深
夜にわたる指導が問題となった事案につき，「通常の終業時刻後に執務室と
いう他の同僚にも目につく場所において，約 4 時間という長時間にわたっ
て注意，指導を行うことは通常の指導の仕方とは言い難」いとはしたものの，
「その注意，指導の主要な部分が不合理であるということはできない。むし
ろ，『黙秘権』という発言からも窺われるように，原告［註：労働者］が C
の指導に対し，長時間沈黙を続けていたことは明白であり，このような原告
の頑なな態度が約 4 時間にも及んだ原因であると認められる」と説示し，
結論としてパワー・ハラスメントを否定している。

(6) 上司と部下の人間関係

　上司から部下に対し，精神的苦痛を与えるような言動がなされた場合，そ
れがパワー・ハラスメントに該当するか否かは，上司と部下との人間関係の
内容にも影響される（当然ながら，良好な人間関係にある者同士であれば，パワ
ー・ハラスメントは成立しにくい）。長崎・海上自衛隊員自殺事件判決（福岡高
判平成 20・8・25 判時 2032 号 52 頁）は，自殺した部下への 2 人の上司の言動
がパワー・ハラスメントに該当するか否かが問題となった事例であるが，上

司 Y₁ は，基本的事項の理解が遅かったりした部下に対し「お前は三曹だろ。三曹らしい仕事をしろよ」，「お前は覚えが悪いな」，「バカかお前は。三曹失格だ」などと発言していた一方で，上司 Y₂ は，部下に対し「ゲジ2が2人そろっているな［註：「ゲジ2」とは，トランプカードのクラブの2を指しており，「最低」の意味で使われていた］」，「百年の孤独［註：部下が贈った焼酎］要員」などと発言し，また，部下とその妻を自宅に招待した際，部下の妻の前で，部下のことを「お前はとろくて仕事ができない。自分の顔に泥を塗るな」などと発言していた事実関係において，上司 Y₁ については「これらの言辞は…A［註：部下］を侮辱するものであるばかりでなく，…閉鎖的な艦内で直属の上司である班長から継続的に行われたものであるといった状況を考慮すれば，…心理的負荷を過度に蓄積させるようなものであったというべきであり，指導の域を超えるものであった」とする一方で，上司 Y₂ に対しては，上司 Y₂ と部下 A は「おおよど乗艦中には，良好な関係にあったことが明らかであり，A は2回にわたり，自発的に Y₂ に本件焼酎を持参したこと，Y₂ は A のさわぎり乗艦勤務を推薦したこと，A が3回目に本件焼酎を持参すると言った際，返礼の意味を含めて A 一家を自宅に招待し，歓待したこと等からすれば，客観的にみて，Y₂ は A に対し，好意をもって接しており，そのことは平均的な者は理解できたものと考えられるし，A もある程度はこれを理解していたものであって，Y₂ の上記言動は A ないし平均的な耐性を持つ者に対し，心理的負荷を蓄積させるようなものであったとはいえず，違法性を認めるに足りない」としている。率直なところ，上司 Y₁，Y₂ の言動を比較したところ，両者の言動に大きな違いがあるとは思われないが，このような結論となったのは，上司 Y₂ と部下 A との人間関係の良好さもあったと思われる。

　また，人間関係そのものではないが，業務上の指導・叱責に並行する部下へのフォローの重要さが伺われる裁判例として，地公災基金愛知県支部長（A 市役所職員・うつ病自殺）事件判決（名古屋高判平成22・5・21労判1013号102頁）は，部長が部下を指導し叱責する反面，部下をフォローすることもなかったことが，パワー・ハラスメントの評価の一材料として挙げられている。

⑺　判断が微妙な例──一審判決と二審判決との判断が異なった例

　パワー・ハラスメントは，業務において生ずることが不回避である指導・

叱責に付随して行われることが少なくなく，それが「業務上必要かつ相当な範囲を超えて」行われたものであるか否かにつき，一審と二審とで判断が分かれることもある。以下に，特に重要と思われる事案について，紹介する。

まず，岡山県貨物運送事件判決（二審判決：仙台高判平成 26・6・27 労判 1100 号 26 頁，一審判決：仙台地判平成 25・6・25 労判 1079 号 49 頁）は，新入社員である部下（最終的には自殺）に対する上司の厳しい指導・叱責が違法であるか否かについて判断が分かれた例である（使用者の責任は，一審，二審ともに認められている）。一審判決は，日常の指導・叱責については「被告 P2［註：上司］が亡 D［註：部下］に対して叱責していたのは，亡 D が何らかの業務上のミスをしたときであり，理由なく叱責することはなく，叱責する時間も 5 分ないし 10 分程度であったこと…等に鑑みると，被告 P2 の亡 D に対する叱責は，必ずしも適切であったとはいえないまでも，業務上の指導として許容される範囲を逸脱し，違法なものであったと評価することはできない」とし，部下の自殺前日の叱責については，「飲酒をした上で車を運転して出勤したという亡 D の行動は，…被告会社が運送会社であるということからすれば被告会社の社会的信用をも大きく失墜させかねないものであったのであるから，…被告 P2 が亡 D に対して厳しく叱責したことが業務上の指導として許容される範囲を逸脱し，違法なものであったと評価することはできない」とした。これに対して二審判決は，上司の部下に対する指導・叱責を一つ一つそのタイミングで評価するというよりも，入社後自殺するまでのやや中長期的スパンで評価するという手法をとり，「被告 P2 による叱責等は，恒常的な長時間の時間外労働及び肉体労働により肉体的疲労の蓄積していた亡 D に対し，相当頻回に，他の従業員らのいる前であっても，大声で怒鳴って一方的に叱責するというものであり，大きなミスがあったときには，『馬鹿』，…『帰れ』等の激しい言葉が用いられていたこと…等が認められ，前記に認定した亡 D の置かれた就労環境を踏まえると，このような指導方法は，新卒社会人である亡 D の心理状態，疲労状態，業務量や労働時間による肉体的・心理的負荷も考慮しながら，亡 D に過度の心理的負担をかけないよう配慮されたものとはいい難い」，「被告 P2 は，遅くとも平成 21 年 8 月ころには，亡 D に対する指導が奏功しておらず，亡 D に期待した成長が見られないと感じていたと認められるのであるから，…亡 D の指導体制について，十分な見直しと検討を行うべきであったと指摘できる。しかしながら，第一審被告 P2 は，そのような見直し等を行うことなく，引き続

き，亡Dがミスをすれば一方的に叱責するということを漫然と続けていた」
として，結論として「被告P2は，…代理監督者としての注意義務に違反し
ていた」と判示するに至っている。外形上は厳しく見える指導・叱責といえ
ども，部下や後輩の問題行為（ミス等）の内容，程度，頻度によっては，そ
れを改善する目的で行われる範囲では適正とされると解されるが，そもそも，
ある程度の期間，そのような指導・叱責を繰り返しても奏功しないような場
合，より広く考慮を働かせ，そもそも，指導方法，体制自体を再考すべきと
いうことを求めた裁判例といえよう。

　もう一つここで紹介する裁判例として，前田道路事件判決（二審判決：高
松高判平成21・4・23労判990号134頁，一審判決：松山地判平成20・7・1労
判968号37頁）は，営業所長就任直後から，業績に関する虚偽報告を行う
ための「不正経理」を開始・継続し，それを埋め合わせるべく設定したノル
マが達成できないことについて上司より指導・叱責を受けた結果，自殺に及
んだという事案につき，一審判決が使用者責任を認めたのに対して二審判決
がこれを否定したという例である。一審判決は，遺書の内容や責任を追及す
る叱責が行われた業績検討会に近接した時期に自殺が行われたこと等からす
ると，不正経理についての上司による叱責・注意と営業所長の自殺との間に
は相当因果関係が認められること，設定されたノルマは達成困難なものであ
り，毎朝工事日報を報告させて，他の職員から見て明らかに落ち込んだ様子
を見せるまで叱責したり，本件業績検討会の際に「会社を辞めれば済むと思
っているかもしれないが，辞めても楽にならない」旨の発言をして叱責した
ことは社会通念上許される業務上の指導の範疇を超えるものと評価せざるを
得ないとした（ただし，当該営業所長の過失割合を6割としている）。一方，二
審判決は，当該ノルマ（年間事業計画）は営業所長自身が作成していたこと
等より，上司からの過剰なノルマ達成の要請があったと認めることはできな
いこと，上司から営業所長に対して架空出来高の計上等の是正を図るように
指示がされたにもかかわらず，それから1年以上が経過してもその是正が
されていなかったことや，営業所においては，工事着工後の実発生原価の管
理等を正確かつ迅速に行うために必要な工事日報が作成されていなかったこ
となどを考慮に入れると，上司らが不正経理の解消や工事日報の作成につい
てある程度の厳しい改善指導をすることは社会通念上許容される業務上の指
導の範囲を超えるものと評価することはできないとし，最終的には使用者責
任を否定した。一審判決では，営業所長に対する上司の指導・叱責の個々の

言動に着目して評価を行ったのに対し，二審判決では，上司が指導・叱責に及んだ経緯，背景をより広く考慮した上で，上司の指導・叱責の評価を行ったものと解されよう。

4. 実務の具体的対応

　我が国の解雇法制からすれば，適性に疑問がある従業員であっても，極力使用者に在籍させつつ改善を図らなければならない以上，使用者としては，業務に問題のある労働者に対しては，必要な時機，程度において指導を行い，時に叱責することも起こり得る。しかし，当然ながら，指導，叱責を受ける側は何らかのストレスを感じるわけであり，その意味で，極端な言い方をすれば，常にパワー・ハラスメントが問題となる余地が潜んでいるともいえる。特に，パワー・ハラスメントの成否について，実務上留意しておきたい点としては以下の通りである。

　まず，パワー・ハラスメントに限られないことであるが，人間の行為によって受ける精神的な影響の程度は，行為者が誰であるか，被行為者が誰であるか，によって大きな差が生ずる。すなわち，人間関係によってパワー・ハラスメントの有無の判断が分かれるようなこともあるし（前掲長崎・海上自衛隊員自殺事件判決），被行為者の属性（性格，立場等）によっても受け取り方に少なからず差が生ずる。

　また，業務上の指導・叱責とパワー・ハラスメント（あるいは違法性を含む言動）との境界の判断については，問題とされた言動の直接的な内容からだけでは評価できないことがあることには注意を要する（前掲岡山県貨物運送事件判決，前田道路事件判決参照）。すなわち，注意・指導の内容（それがなされた原因となる注意・指導を受ける者のミス等といった問題行為，注意・指導の厳しさの内容）は直接的な内容として重要なのであるが，そもそも，その指導，叱責が繰り返されるに至った背景（長時間労働による疲労といった使用者側に問題があることもあれば，注意・指導される側の明白な落ち度，素養といった労働者側に問題があることもある）も含めて評価される可能性がある。

　このように，指導，叱責をめぐるパワー・ハラスメントの判断は，事案ごとに，個別具体的にその成否の判断がなされざるを得ず，その評価は非常に流動的である。したがって，それが問題提起された場合は，その直接的な内容のみならず，上述の通り，背景の把握はもちろん，被行為者の属性（性格，立場等）をできるだけ理解した上で判断する必要がある。また，いうまでも

なく，より望ましいのは，問題提起されることなく未然にパワー・ハラスメントが予防，もしくは改善されることであり，そのためには，セクシュアル・ハラスメントの場合と同様に，日常的な研修，相談窓口の設置といった措置は必須である。なお，セクシュアル・ハラスメント同様，パワー・ハラスメントにおいても，被行為者は，相談窓口に相談に来るということ自体を避けることもみられるが，セクシュアル・ハラスメントと異なり，パワー・ハラスメントは，密室で行われることは少ないという性質を有するから，窓口の設置については，被行為者のみならず，それを目撃している第三者からの通報も呼びかけるような設置のしかたが適切である。無論，その職場を統括している上長としては，自己の職場内においてパワー・ハラスメントが行われているかどうかについて日常的に留意し，その疑いがあるような事実がみられれば，事実確認および確認された事実次第によっては適切な対応をとることが必要である。

実践知！

　　パワー・ハラスメントについては，それが事前に予防されることが最善であり，セクシュアル・ハラスメントの場合と同様に，日常的な研修，相談窓口の設置といった措置は必須である（労働施策総合推進法 30 条の 2 第 1 項，「事業主が職場における優越的な関係を背景とした言動に起因する問題に関して雇用管理上講ずべき措置等についての指針」〔令和 2・1・15 厚労告 5 号〕）。

　　セクシュアル・ハラスメントと異なり，パワー・ハラスメントは，密室で行われることは少ないという性質を有するから，窓口の設置については，被行為者のみならず，それを目撃している第三者からの通報も呼びかけるような手法が適切である。

　　暴行や人格的攻撃を伴うパワー・ハラスメントであればともかく，指導・叱責をめぐるパワー・ハラスメントについては，その成否の判断は困難が伴うことが少なくない。最終的には，事案ごとに，個別具体的にその成否の判断がなされざるを得ないが，背景の把握はもちろん，被行為者の属性（性格，立場等）をできるだけ理解する必要がある。

CHAPTER 13　ハラスメント　　211

CHAPTER

14 安全配慮義務

I．労働契約と安全配慮義務

1．はじめに

　労働契約上の使用者は，「労働契約に伴い，労働者がその生命，身体等の安全を確保しつつ労働することができるよう，必要な配慮をするものとする」（労契法5条）とされている。これは，労契法が成立する以前の裁判例（陸上自衛隊事件判決〔最判昭和50・2・25労判222号13頁〕，川義事件判決〔最判昭和59・4・10労判429号12頁〕等）からの判例法理を成文化したものである（荒木・労働法〔4版〕290頁以下）。

　すなわち，労働契約関係にある使用者が，上記の安全配慮義務に違反した結果，労働者の生命・身体・健康に損害が生じた場合，使用者は当該労働者（労働者が死亡した場合はその遺族）に対して，労働契約上の責任に基づく損害賠償責任を負うこととなる（民法415条）。

　なお，生命・身体・健康に損害が生じた労働者（またはその遺族）が使用者に責任を追及する場合，労働契約上の損害賠償請求として行う場合と，不法行為による損害賠償請求として行う場合がある。近年，実務においては，この両者間で，主張，立証の内容においては大きな相違はみられないと思われるが，遺族固有の慰謝料（契約上の損害賠償では認められない）といったところで，若干の相違が存する。

2．安全配慮義務の内容とその違反による損害賠償責任

(1)　安全配慮義務の内容

　安全配慮義務の内容は，労働者の生命・身体等の安全を図るべく，諸々の措置（手段）を講ずる義務であって，その内容は，使用者の業種，当該労働者の業務，損害が生じた際の状況等を勘案して，使用者に課せられる結果予見義務と結果回避義務であり，各事案によって千差万別である。そこで，具体的事例（後述の裁判例）を通して理解していく他にないが，ここで，近年よく問題となる類例を一つ挙げれば，長時間労働に従事する労働者が，身体

212　　　　　　　　　　　PART 1　個別的労働紛争

もしくは精神に障害を生じた場合（さらには，その障害が原因で死に至ったような場合），原則としては，使用者は当該労働者の業務量を適切に配分するという安全配慮義務を怠ったと判断されよう（電通事件判決〔最判平成12・3・24労判779号13頁〕等）。

(2) 相当因果関係

使用者に安全配慮義務違反があれば，使用者が損害賠償責任を負うことになるが，労働者の生命・身体等の損害が，労働者の業務従事により生じたこと，すなわち，業務と労働者との損害との間の相当因果関係が認められることが要件となる。この相当因果関係は，実務においては，後述2の，労働者災害補償保険法による補償（労災補償）における業務上の認定に近い手法で判定されることが多いが，労災補償の業務上認定では業務上であることが否定される場合でも，司法判断では相当因果関係が肯定されることもある（殊に，精神障害が問題となる場合）ことには留意を要する。

この相当因果関係の有無の判断も，事案によって千差万別であり，その理解は裁判例によるしかない。

(3) 過失相殺

使用者に安全配慮義務違反による損害賠償責任が認められる場合であっても，損害が生じた労働者側に過失がある場合には，過失相殺として（民法418条，722条），使用者側の賠償額が減額されることがある。ここでいう「過失」とは，単に労働者側の落ち度，不注意といったものに限られず，労働者側の基礎疾患，性格，心因的要素（脆弱性）といった，比較的客観的な要素に属するものも含まれると解され，これは，使用者からの主張がなくとも行うことができるものとされている（NTT東日本北海道支店事件判決〔最判平成20・3・27労判958号5頁〕等）。

Ⅱ. 労働者災害補償保険法による補償

1. 労基法の災害補償と労働者災害補償保険法による補償

業務上の負傷，疾病，死亡という事象が生じた場合，使用者に前述Ⅰにおける安全配慮義務上の過失があれば，使用者は労働者に対し損害賠償責任を負うが（民法415条），それとは別に，労基法上（同法75条以下）の災害補償，

労働者災害補償保険法（以下「労災保険法」）上の災害補償が制度として設けられている。これらの制度の特色は，業務上の災害に対する使用者の無過失責任であることと，補償は平均賃金に対する定率であること（労働者またはその遺族に生じた全損害が補償されるものではない）ということである。

このうち，労基法上の災害補償制度は，実務上は登場することが少なく，労災保険法に基づく労災保険制度が適用されることが多い。その補償は，療養補償給付，休業補償給付，障害補償給付，遺族補償給付，葬祭料，傷病補償年金，介護補償給付等（労災保険法12条の8以下）からなる。

労災保険法の補償給付は，労働者（またはその遺族）が，労基署に労災補償給付の申請を行い，労基署が労働者に生じた負傷，疾病，死亡という事象が業務上のものと認定した場合に行われる（すなわち，負傷，疾病，死亡という結果に業務起因性，さらにいえば，業務との間に相当因果関係が認められることが必要となる）。

2. 労災保険法の補償の認定（労災認定）

(1) はじめに

前述1の通り，労災保険法の補償給付は，使用者の安全配慮義務違反による労働者への損害賠償責任とは別に認められるものであるが，労災保険法の補償における認定（労災認定）は，使用者の損害賠償が問題になる際にも，重要な判断材料にはなるので，ここで概略を述べておくこととする。

(2) 補償対象となる者

現在のところ，労災保険法上，補償の対象となる「労働者」は，労基法上の「労働者」と解されている（横浜南労基署長〔旭紙業〕事件判決〔最判平成8・11・28労判714号14頁〕。荒木・労働法〔4版〕267頁等）。この「労働者」の判断は，使用者の安全配慮義務違反による損害賠償の対象者の判断にも適用されるのが原則である。

(3) 業務上の認定

i はじめに

労災保険法上の補償の有無（労災認定）を判断する際に，労働者の負傷，疾病，死亡が業務上生じたものであるか否かの認定は，中心的な論点である。また，この業務起因性の認定の手法は，使用者が労働者に対して負う損害賠

償責任の認定においても参考になるところが多いので，ここでその概略を紹介しておくこととする。

　業務上の認定は，労働者が業務との関連で発生した事故（時間的・場所的に識別できる出来事）によって負傷・死亡した場合と，業務との関連で疾病に罹患した場合（それが原因で死に至ることもある）とでは基本的に異なるとされている（菅野・労働法〔12版〕649頁）。

　このうち，事故によって負傷・死亡した場合は，比較的因果関係が明瞭なことが多く，使用者と労働者とで争いになることは多くはないが，業務上の疾病に罹患したとされる場合については，業務上の認定については見解の相違が生ずることが多い（うつ病罹患により自殺に至った事例などがその代表的な場合である）。以下は，特に実務上，争いとして問題となることが多い類型についての，業務上の認定の基準について，概述する。

　なお，前述Ⅰ2⑵の通り，労災保険法の補償における業務上の認定は，使用者の安全配慮義務違反の責任において問題となる業務と労働者の損害との間の相当因果関係の判断においても，その方法において類似性を有する（無論，一致する場合ばかりではない）。

ⅱ　脳・心臓疾患についての業務上の認定

　脳・心臓疾患についての業務上の認定については，平成13年に厚生労働省の通達「脳血管疾患及び虚血性心疾患等（負傷に起因するものを除く。）の認定基準について」（平成13・12・12基発1063号）が示され，その後，二度の改正指針（平成22・5・7基発0508第3号，令和2・8・21基発0821第3号）が示されたが，「血管病変等を著しく増悪させる業務による脳血管疾患及び虚血性心疾患等の認定基準について」（令和3・9・14基発0914第1号）により上記通達は廃止された。同令和3年の通達により，①発症前1か月間におおむね100時間または発症前2か月間ないし6か月間にわたって，1か月当たりおおむね80時間を超える時間外労働が認められる場合，②発症に近接した時期（概ね1週間）に特に過重な業務に従事した場合，③発症直前から前日までの間に，発症状態を時間的・場所的に明確にできる異常な出来事に遭遇した場合，のいずれかの場合には，労働による過重負荷により発症した脳・心臓疾患を，業務上の疾病（いわゆる過労障害・過労死）として取り扱うこととされている。

　また，上記令和3年の通達は，業務上の認定において，疾患の生じた「当該労働者と職種，職場における立場や職責，年齢，経験等が類似する者

をいい，基礎疾患を有していたとしても日常業務を支障なく遂行できるもの」を基準として判断するとしている。

iii　石綿による疾病についての業務上の認定

石綿にさらされる業務に従事していた労働者は，肺がんまたは中皮腫に罹患することが多くなるとされており，こうした事象を受けて，平成24年通達「石綿による疾病の認定基準について」（平成24・3・29基発0329第2号）により，大要，石綿ばく露作業に従事しているか従事したことのある労働者に発生した疾病であって，じん肺法上管理区分4に該当する石綿肺または石綿肺に合併した原発性肺がん以外の合併症は，業務上の疾病として取り扱うこととされている（上記通達は，上記以外の石綿ばく露労働者の発症した原発性肺がん，中皮腫および，びまん性胸膜肥厚についても認定基準を具体的に定めている）。

なお，直接には使用者と労働者との間の賠償関係ではないが，石綿による被害について社会的認知が広がった現状に鑑み，国は，業務上石綿による被害を受けたことによる賠償を受けられる可能性のある被害者に対して，個別通知を行っており（2017〔平成29〕年10月より），通知から3年以内に，国に対して国家賠償訴訟が提起された場合，一定の金額（概ね，損害額とされている水準の半額）を支払う訴訟上の和解に応じることとしている。

iv　精神障害についての業務上の認定

うつ病などの精神障害については，その業務上の認定（業務起因性の認定）は困難なことも多いのであるが，平成11年に「心理的負荷による精神障害等に係る業務上外の判断指針」（平成11・9・14基発544号）が示され，平成21年に，それを改正する「改正指針」（平成21・4・6基発0406001号）が示されている。さらには，平成23年には，「心理的負荷による精神障害の認定基準について」（平成23・12・26基発1226第1号　最終改正：令和2・8・21基発0821第4号）が示されるに至っている（これにより，上記の平成11年の判断指針は廃止されている）。

以上の内容を概論すれば，

(a)　労働者の発病した精神障害が業務との関連で発病する可能性のある一定の精神疾患であり（その内容としては，国際疾病分類第10回修正版［ICD-10］第V章「精神および行動の障害」に分類される精神障害であって，認知症や頭部外傷などによる障害［F0］およびアルコールや薬物による障害［F1］は除く。代表的なものは，うつ病［F3］や急性ストレス反応［F4］と

されている),

(b) 発病前の概ね6か月間に業務による強い心理的負荷が認められ,

(c) 業務以外の心理的負荷および個体側(労働者側)要因により発病したと認められない。

との(a)〜(c)全てを充たす場合に,当該精神障害は業務上のものと認められるとされている。

このうち,実務上,主に問題となるのはいうまでもなく(b)であり,具体的な参考になるものとしては,現状では,上記通達「別表1 業務による心理的負荷評価表」が最初に留意すべき材料といえる。これには業務上あり得る具体的な事象について,心理的負荷の強度(弱・中・強)が記載されている。例えば,酷いいじめは「強」とされており,また,精神障害発病の直前の連続した2か月間に月概ね120時間以上の時間外労働や,直前の連続した3か月間に月概ね100時間以上の時間外労働を行ったような場合にも(その業務内容が通常その程度の労働時間を要するものであれば),「強」とされている。

業務上の精神障害における問題で,最も深刻な類例として,労働者の自殺の問題がある。本来,自殺とは,本人の意思が介在するものであり,「労働者の故意による死亡」として,労災保険給付の支給対象とはされないが,その「労働者の故意」による行動(自殺)が,業務を原因として発症した精神障害により,当該労働者が正常な認識,判断力を持ち得なくなった状態において形成されたものである場合,業務上の死亡として認定されることとなる。

3. 労災保険法による補償と使用者の損害賠償責任との関係

労災保険法の補償給付は,使用者の安全配慮義務違反による労働者への損害賠償責任とは別に認められるものであるが,労災保険法の補償給付が労働者(またはその遺族)になされている場合,使用者が安全配慮義務違反による損害賠償責任を当該労働者に負う場合,その相互の調整が問題となる(後述4の裁判例参照)。ここでは結論のみ簡単にいえば,

(a) 労災保険法の補償によっても使用者の損害賠償責任の精神的損害(慰謝料)や積極的損害(入院雑費,付添看護費等)の部分は填補されない(東都観光バス事件判決〔最判昭和58・4・19労判413号67頁〕等)。

(b) 労災保険法による補償のうち特別支給金(休業特別支給金,障害特別支給金など)は使用者の損害賠償責任の損害から控除されない(コック食品事件判決〔最判平成8・2・23労判695号13頁〕等)。

(c) すでに給付された労災保険による補償額は使用者の損害賠償責任の損害より控除されるが，将来の労災保険年金額については控除されない（三共自動車事件判決〔最判昭和 52・10・25 民集 31 巻 6 号 836 頁〕等）。

とされている（実務上，特に重要なのは，上記(c)である）。

4. 裁判例

(1) はじめに

使用者が労働者に対して，労働者の生命，身体の安全を確保するために配慮すべき義務（安全配慮義務）を有することは，現在では労契法 5 条により明文化されているが，上記規定の制定以前は判例法理により認められていたものであり，それが確立された判決として著名なものが，陸上自衛隊事件判決（最判昭和 50・2・25 労判 222 号 13 頁）である。すなわち，「法は，公務員が職務に専念すべき義務…を負い，国がこれに対応して公務員に対し給与支払義務…を負うことを定めているが，国の義務は右の給付義務にとどまらず，国は，公務員に対し，国が公務遂行のために設置すべき場所，施設もしくは器具等の設置管理又は公務員が国もしくは上司の指示のもとに遂行する公務の管理にあたつて，公務員の生命及び健康等を危険から保護するよう配慮すべき義務（以下「安全配慮義務」という。）を負つているものと解すべきである」とした（なお，上記判決は，国と公務員との間の関係について説示したものであるが，これは，使用者と労働者の関係一般において妥当する）。

この安全配慮義務の内容は，上記陸上自衛隊事件判決も「もとより，右の安全配慮義務の具体的内容は，公務員の職種，地位及び安全配慮義務が問題となる当該具体的状況等によつて異なるべきもの」としているように，事案により異なるものであるが，一つの参考となる例として，三菱重工業神戸造船所（振動障害）事件判決（大阪高判平成 11・3・30 労判 771 号 62 頁）は，「安全配慮義務が，…労働者の生命，身体，健康等を危険から保護すべき義務であり，…一審原告［註：労働者］らにより労働安全衛生法上の前記各規定に基づき右安全配慮義務違反の事実を主張すれば，債務不履行の事実としての安全配慮義務違反の事実の主張としては十分であり，右以上に一審原告らに具体的な安全配慮義務違反の事実主張を要求することは，安全配慮義務を認めた前記趣旨に反する」としており，労安衛法等法令の規定が定める内容が安全配慮義務の内容に斟酌されることを判示している（すなわち，安全関係の法令の順守は安全配慮義務の一内容といえる）。

労働者に対して安全配慮義務を負うのは，一次的には当該労働者を現実に使用している使用者であるが，例えば，デンソー（トヨタ自動車）事件判決（名古屋地判平成20・10・30労判978号16頁）では，長期出張中の労働者がうつ病を発症した事例について，出張元および出張先の双方に安全（健康）配慮義務違反による損害賠償責任を認めている。

　また，アテスト（ニコン熊谷製作所）事件判決（東京高判平成21・7・28労判990号50頁）は，実質は労働者派遣である業務請負に基づき，派遣先で就業していた労働者がうつ病を発症して自殺したという事例について，やはり，派遣元のみならず派遣先の双方について，不法行為の注意義務違反による損害賠償責任を認めている（なお，労働者派遣については派遣先は派遣労働者の安全衛生を確保する特例的な責任が定されている〔労働者派遣法45条〕）。

　直接には損害賠償請求の事件ではないが，精神不調者に対する扱いについて使用者が留意すべき裁判例として，日本ヒューレット・パッカード事件判決（最判平成24・4・27労判1055号5頁）がある。これは，精神疾患を有していた労働者が，使用者より，正当な理由のない無断欠勤があったとの理由でなされた諭旨退職処分の有効性が争われた事例であるが，労働者が被害妄想により自らへの盗撮等の認識を有しており，それが解決されない限り出勤しないと使用者に伝えて約40日にわたり欠勤していたという事実関係においては，「使用者である上告人としては，…精神科医による健康診断を実施するなどした上で（…上告人の就業規則には，必要と認めるときに従業員に対し臨時に健康診断を行うことができる旨の定めがある…），その診断結果等に応じて，必要な場合は治療を勧めた上で休職等の処分を検討し，その後の経過を見るなどの対応を採るべきであり，このような対応を採ることなく，…直ちにその欠勤を正当な理由なく無断でされたものとして諭旨退職の懲戒処分の措置を執ることは，精神的な不調を抱える労働者に対する使用者の対応としては適切なものとはいい難い」としている（事案の結論としても，当該諭旨退職処分を無効としている）。

(2)　脳，心臓疾患等の損害の場合

　脳や心臓疾患について，使用者の安全配慮義務違反が問題となった裁判例も数多いが，その多くが，過重な業務に従事していたことにより上記疾患が生じたとされるものである。これについては，実務としては，厚生労働省より出ている「脳血管疾患及び虚血性心疾患等（負傷に起因するものを除く。）

の認定基準について」の基準（前述 2 ⑶ ⅱ）を基本に判断されることが多く，その意味で，労災保険法の補償における業務上の認定に近い手法で判断されることが多い。

　具体的には，まず，大阪府立病院（医師・急性心不全死）事件判決（大阪高判平成20・3・27 労判 972 号 63 頁）は，麻酔科医が急性心機能不全により死亡した事案につき，まず「1 週あたり 40 時間を超える，A〔註：麻酔科医〕の時間外労働時間は，死亡前 6 か月間につき…死亡前 3 か月間の平均値は 1 か月あたり 103 時間 15 分，死亡前 6 か月間の平均値は 1 か月あたり 116 時間 7 分 30 秒」と事実認定した上で，「前記平成 13 年基準において，発症前 1 か月に概ね 100 時間又は発症前 2 か月間ないし 6 か月間にわたって，1 か月あたり概ね 80 時間を超える時間外労働が認められる場合には，業務と発症との関連性が強いと評価できるとされていることに鑑みれば，A は，その発症前に長期間にわたって，著しい疲労の蓄積をもたらす特に過重な業務に就労したものと認めるのが相当」として，過重な業務と当該麻酔科医の死亡との間の相当因果関係を認め，加えて，「労働者が労働日に長時間にわたり業務に従事する状況が継続するなどして，疲労や心理的負荷等が過度に蓄積すると，労働者の心身の健康を損なう危険のあることは，周知のところであり，…使用者は，その雇用する労働者に従事させる業務を定めてこれを管理するに際し，業務の遂行に伴う疲労や心理的負荷等が過度に蓄積して労働者の心身の健康を損なうことがないよう注意する義務を負うと解するのが相当」であり，使用者側がこの義務を怠ったとして，安全配慮義務違反を認めている。

　他にも，長時間労働の結果，脳・心臓の疾患に至ったという裁判例として，康正産業事件判決（鹿児島地判平成 22・2・16 労判 1004 号 77 頁）は，飲食店の支配人が，低酸素脳症を発症して意識不明の寝たきりになる 1 か月前には月 176 時間，発症 2〜6 か月前にも同平均 200 時間の残業を行っていたという事案につき，当該支配人の業務と本件発症との間の因果関係や使用者の安全配慮義務違反を認めており，また，数字の上ではここまでの長時間労働の事案ではないが，O 社事件判決（神戸地判平成 25・3・13 労判 1076 号 72 頁）は，店舗勤務の労働者が心臓性突然死したことにつき，発症前 1 か月目が 89 時間 4 分，発症前 2 か月目が 92 時間 7 分，発症前 3 か月目が 69 時間 33 分の時間外労働を行っていたと認定した上で，発症前 2 か月間にわたり 80 時間を超える時間外労働を行っていること等より，業務と当該労働者の

突然死との間の相当因果関係および使用者の安全配慮義務違反を認定している。

⑶　石綿健康被害の場合

　石綿の健康被害については，相当期間の石綿のばく露と石綿肺，中皮腫といった疾病の発症との間の相当因果関係は医学的に認められているので，石綿への一定期間のばく露の事実が明らかになれば，疾病との相当因果関係は肯定され，あとは，使用者側の安全配慮義務（結果予見義務と結果回避義務）の問題となる。例えば，三井倉庫（石綿曝露）事件判決（大阪高判平成23・2・25判時 2119 号 47 頁）は，倉庫会社でトラクター運転業務に従事していた労働者が退職後中皮腫に罹患して死亡したことにつき，相続人らが損害賠償等を求めた事案であるが，一審判決（神戸地判平成 21・11・20 労判 997 号 27 頁）の「昭和 35 年…に制定されたじん肺法は，石綿に係る一定の作業について，同法が適用される『粉じん作業』と定めたなどの法令の整備状況等に照らせば，遅くとも昭和 35 年ころまでには，石綿粉じんに曝露することによりじん肺その他の健康・生命に重大な損害を被る危険性があることについて被告［註：使用者］を含む石綿を取り扱う業界にも知見が確立していたものということができ」るとして，昭和 35 年には石綿ばく露による健康被害につき結果予見義務があったことを前提に，昭和 35 年当時，少なくとも石綿の吸入が人の生命，健康に重大な損害を被る危険性があることを予見することが可能であったのであるから，使用者には「労働者が石綿の粉じんをできるだけ吸入しないようにするための措置をとること，具体的には，労働者に対して防じんマスクなどの呼吸用保護具を支給し，労働者が作業着や皮膚に付着した石綿粉じんを吸入することがないように石綿粉じんの付着しにくい保護衣や保護手袋などを支給するとともに石綿の人の生命・健康に対する危険性について教育の徹底を図るとともに，防じんマスクは吸気抵抗のため，呼吸が難しくなって着用を嫌うことも考えられるから，防じんマスク着用の必要性について十分な安全教育を行う義務を負っていた」と結果回避義務を説示し，使用者がこれを怠っていたとして安全配慮義務違反を認定した判断を維持している。なお，上記判決のみならず，石綿ばく露の危険性についての予見可能性の時期については，昭和 35 年頃とするのが，裁判例の多数である（他に住友重機械工業〔じん肺〕事件判決〔横浜地横須賀支判平成 25・2・18 労判 1073 号 48 頁〕等）。また，中部電力ほか（浜岡原発）事件判決（静

岡地判平成 24・3・23 労判 1052 号 42 頁）も，原子力発電所で行うメンテナンス業務の孫請け会社の労働者が作業中に石綿にばく露したと認められる事案につき，元請業者と下請業者の責任を認めるにあたり（電力会社の責任は否定），両社に対し，石綿使用材料の調査，作業員への周知，危険性の教育の徹底，マスク着用の安全教育，現場でのマスクの着用や湿潤化の義務付けといった義務を怠ったことを理由に，安全配慮義務違反を認めている。

(4) 精神障害の場合（自殺を含む）

　昨今，メンタルヘルスの重要性が社会的にも周知されてきているが，その問題のかなりの部分は，業務を原因とする労働者の精神障害である。

　この点についても極めて多数の裁判例があるが，著名な裁判例としては，まず電通事件判決（最判平成 12・3・24 労判 779 号 13 頁）が挙げられる。これは，新入社員が長時間の残業を 1 年余り継続した後にうつ病に罹患して自殺した事案である。形式的な理解では，自殺には本人の意思が介在し，業務および過重な労働との因果関係は存在しないともいい得るが，上記判決は「長期の慢性的疲労，睡眠不足，いわゆるストレス等によって，抑うつ状態が生じ，反応性うつ病にり患することがあるのは，神経医学界において広く知られている。もっとも，うつ病の発症には患者の有する内因と患者を取り巻く状況が相互に作用するということも，広く知られつつある。仕事熱心，凝り性，強い義務感等の傾向を有し，いわゆる執着気質とされる者は，うつ病親和性があるとされる。また，過度の心身の疲労状況の後に発症するうつ病の類型について，男性患者にあっては，病前性格として，まじめで，責任感が強すぎ，負けず嫌いであるが，感情を表さないで対人関係において敏感であることが多く，仕事の面においては内的にも外的にも能力を超えた目標を設定する傾向があるとされる。前記のとおり，一郎［註：労働者］は，平成 3 年 7 月ころには心身共に疲労困ぱいした状態になっていたが，それが誘因となって，遅くとも同年 8 月上旬ころに，うつ病にり患した。そして，同月 27 日，前記行事が終了し業務上の目標が一応達成されたことに伴って肩の荷が下りた心理状態になるとともに，再び従前と同様の長時間労働の日々が続くことをむなしく感じ，うつ病によるうつ状態が更に深まって，衝動的，突発的に自殺したと認められる」として，長時間労働とうつ病罹患，自殺との間に因果関係を認めるに至った（以後，多数の裁判例が，上記判決を引用しつつ，長時間労働を原因とする自殺を認定している）。

一方，前掲電通事件判決ほどの長時間労働の事案ではない例として，東芝（うつ病・解雇）事件判決（東京高判平成 23・2・23 労判 1022 号 5 頁）がある。同判決は，労働者のうつ病を理由とする休職期間を経ての解雇が，業務に起因する疾病による休業中の解雇として違法無効なものであるか否かが論点となった事案であり，約半年間にわたり法定時間外労働時間が平均約 70 時間であり，その業務内容も，新規のラインの短期間での立ち上げに関与するといった業務内容の新規性，繁忙かつ切迫したスケジュール等であったことに鑑み，当該労働者が業務により肉体的・精神的負荷を受けたことを理由に，うつ病は業務に起因する疾病であるとして，当該労働者の主張を認めていた一審判決（東京地判平成 20・4・22 労判 965 号 5 頁）を基本的に維持している。

　また，横河電機（SE・うつ病罹患）事件判決（東京高判平成 25・11・27 労判 1091 号 42 頁）は，労働者の時間外労働時間が，うつ病を発症した前後には 1 か月当たり 90 時間を超える程度に及んでおり使用者はそれを把握していたこと，使用者は当該労働者の業務量，業務の進捗状況とその納期を把握していたこと，当該労働者が上司の下で仕事をすることをつらいと感じていることを周囲の者が認識していたこと等の事実認定を基に，使用者の安全配慮義務違反を認定している（ただし，損害の 5 割につき，当該労働者側の素因による減額を認めている）。

　このように長時間労働により労働者がうつ病に罹患して自殺した事例につき，使用者の安全配慮義務違反による損害賠償責任を認めた例としては，メディスコーポレーション事件判決（東京高判平成 23・10・18 労判 1037 号 82 頁），医療法人雄心会事件判決（札幌高判平成 25・11・21 労判 1086 号 22 頁），また，事務職員の自殺直前の 3 か月の時間外労働時間が月 100 時間を超えていた事案について，安全配慮義務違反の態様，自殺に至る経緯等から，当該事務職員の過失（仕事の進め方や超過勤務申請書の不提出，健康管理等）による賠償額の減額を否定した岐阜県厚生農協連事件判決（岐阜地判平成 31・4・19 労判 1203 号 20 頁）等もみられる。

　一方，使用者の責任を否定した裁判例として，みずほトラストシステムズ（うつ病自殺）事件判決（東京高判平成 20・7・1 労判 969 号 20 頁）は，使用者に入社した新入社員が約半年後にうつ病により自殺した事案について，うつ病の原因として遺族が主張する各事実（不十分な集合研修，配属先の支援体制の不備，極めて複雑な作業への従事等）は，客観的にみて被害者に過度の心理的負荷を与えるものではなかったと認定した上，当該新入社員の業務とうつ

病との間の相当因果関係および使用者の安全配慮義務違反の双方を認めなかった。また，前田道路事件判決（高松高判平成21・4・23労判990号134頁）は，一審判決（松山地判平成20・7・1労判968号37頁）は，営業所長のうつ病による自殺について上司から過剰なノルマ達成の強要や強い叱責を受けたことなどがうつ病の原因であるとして使用者の責任を認めていたが，高裁判決は，使用者の営業所は年間の事業計画を自主的に作成しており，当該所長の営業所の事業計画も当該所長が過去の実績を踏まえて作成しており，その目標の達成に関しては，上司から過剰なノルマ達成の要請があったと認めることができないこと，上司から当該所長への叱責は，上司のなすべき正当な業務であること等より，使用者の安全配慮義務違反を否定した。さらに，日本政策金融公庫（うつ病・自殺）事件判決（大阪高判平成26・7・17労判1108号13頁）は，公庫の職員が，うつ病を罹患し自殺した事案につき，使用者の責任を認めた一審判決（大阪地判平成25・3・6労判1108号52頁）を変更し，自殺の8か月前より2回ほど月約100時間の時間外労働はあるものの，必要性がない早出出勤を除けば月約70時間程度であること，それ以外には大きな長時間労働は認められないこと，業務内容に照らしても業務の困難度が高度であったとか，労働密度が過重であったという事情もみられないこと，特に当該労働者に心身の不調は認められなかったこと等より，業務とうつ病の罹患との間の相当因果関係も，安全配慮義務違反も認められないとして，使用者の責任を否定している。

　比較的珍しい裁判例として，立正佼成会事件判決（東京高判平成20・10・22労経速2023号7頁）は，小児科医の相続人らが病院における業務上の過重な肉体的心理的負荷によってうつ病を発症し，これが増悪して自殺したと主張した事案であるが，自殺の原因となったうつ病の発症と業務の遂行との間に相当因果関係を肯定しつつも，使用者側が安全配慮義務ないし注意義務を怠ったということはできないとした。通常，過重な業務により精神疾患となった場合は，過重な業務を避けなかった使用者に安全配慮義務違反が認められることが多いが，上記判決は，当該医師について，全体として業務をそれなりにこなし，無断欠勤や変わった言動もなく，精神科への受診等もなかったことなどから，使用者側で，当該医師が心身の健康を損なっていたり，精神的な異変を来していることを認識することはなかったし，かつ，認識することもできなかったとして，予見可能性を否定している（もっとも，同事件の一審判決〔東京地判平成19・3・29労経速1973号3頁〕は，うつ病を生ぜし

めるほど過重な業務ではないと判示しており，業務起因性の判断自体が微妙な事案でもあった）。

5. 実務の具体的対応

　以上を前提に，使用者側の弁護士としての実務的対応を考えてみることとする。

　労働者への安全配慮義務は，使用者の労働者に対する基本的な義務の一つであることはいうまでもないが，万一，それを蔑ろにして労働者の生命，身体に大事が生じた場合，使用者の賠償責任は多大なものとなることがある。したがって，経営上の見地からも安全配慮義務は現在の企業経営にとって最大の課題の一つである。

　労働者の安全を危険ならしめるものは実際には無数にあるともいえるが，近年，実務上問題になることが多く，社会的にも批判の対象となりやすいものは，過重労働もしくはハラスメント（主にはセクハラおよびパワハラ）による労働者の健康障害である。

　そのうち，過重労働の目安となるのは何といっても労働時間が第一である。使用者としては，各人の労働時間を的確に把握し，その上で，労働時間過多（おおよそではあるが，厚労省の通達〔令和3・9・14基発0914第1号〕に鑑みれば，平均的な月間の法定時間超過の労働が80時間を超えたら要注意である）の労働者の業務は，他の労働者へ配分し，場合によっては他部署からの応援人員，新規雇用者の採用といった方法も含めて，調整する必要がある。実務として意外と難しいのが上記の労働時間の的確な把握である。労働者自身の時間外労働の自己申告制度により過少に把握されてしまう場合もある一方で，逆に，労働者によるパソコンのログイン・ログオフの時刻，タイムカードの打刻による始業時刻・終業時刻の間に，非稼働時間（早出での朝食，新聞閲読等）が入ること等により，労働時間が過大に記録されてしまう場合もある。したがって使用者としては，上記の過少申告，過大記録を精査した上で，上述の通り仕事の調整を行う必要が出てくる。また，過重労働の第二の目安として実務上みられるものは，労働者の慣れない仕事（新規性），納期に迫られるようなストレスが大きい仕事（緊急性，切迫性）といったものである。これは，例えば労働時間などといった量的には必ずしも過重とまではいえない労働であっても，新規性や緊急性，切迫性が強い仕事であれば，過重労働にあたり得る場合もあるということである（前掲東芝〔うつ病・解雇〕事件判決などが，

この範疇に含まれるものと理解できる。それだけに，労基署の労災判断の段階では，業務起因性が否定されていたことからも，判断としては微妙なところがあったとも思われる）。

　一方，ハラスメントについては，ハラスメント予防についての従業員への事前の周知・研修もさることながら，ハラスメント（それが疑われる行為も含めて）が行われた場合において，その被害者が使用者の救済を求めることができるように，通報窓口を用意するという外形とともに，実際に，その窓口を活用しようという社内風土をいかに醸成するかが重要である（実際に，深刻なハラスメントの被害者で，早期の段階で窓口に申告するに至らない者は多い。ハラスメントについては Chap. 13 参照）。

　いずれにせよ，過重労働やハラスメントにより労働者の生命・身体に障害が生じた場合，そもそも過重労働にしてもハラスメントにしても，発生すること自体が，使用者の人事労務上の施策としては適切さを欠く場合が多いといわざるを得ないから，使用者としては安全配慮義務違反が認められる可能性が高いことは自覚しておくのが妥当であろう。

<table>
<tr><td rowspan="1">実践知！</td><td>昨今の安全配慮義務で，使用者として一番留意しなければならないのは，長時間労働とハラスメントの防止である。
　長時間労働の場合は，厚生労働省の通達（令和3・9・14基発0914第1号）を参考に，1か月でも100時間の法定外労働に従事させないよう，また，2～6か月の平均なら月80時間の法定外労働に従事させないように留意することが肝要である。
　ハラスメントの場合は，早期の発見が重要であり，社内窓口の設置，その活用についての教宣とともに，日常の労務管理において，精神的ストレスを抱えている者を，極力，見つけていくよう，現場管理職の指導・教育を行うことが重要である。</td></tr>
</table>

CHAPTER

15 懲戒

I. 企業秩序と懲戒

　使用者は複数の労働者と労働契約を締結し，その連携・協力により企業経営を行うのが通常であり，そこには必然的に秩序（企業秩序）が求められる。すなわち，企業秩序は，企業の維持のために必要不可欠であり，使用者はこれを維持するために必要な諸事項を規則で一般的に定め，具体的に労働者に指示・命令することができる。また，企業秩序に違反する行為があった場合には，企業秩序の回復に必要な業務上の指示・命令，もしくは制裁として懲戒処分を行うこともできる（富士重工業事件判決〔最判昭和52・12・13労判287号7頁〕，国労札幌支部事件判決〔最判昭和54・10・30労判329号12頁〕等）。

　ただし，上述の通り，企業秩序はあくまで企業経営のために必要とされるものであって，労働者はこの必要性により，合理的な限りで企業秩序に服するものである（前掲富士重工業事件判決）。

II. 服務規律

1. 服務規律の意義・内容

　企業秩序を維持するためには，一定の範囲の諸事項からなる規範，一般的にいわれるところの服務規律を労働者に遵守させる必要がある。その具体的内容は，時代の趨勢，企業の規模，業種により，若干の相違はみられるが，共通するところも多い。その内容の具体的な例としては，大要，以下の通りである（内容・分類は，菅野・労働法〔12版〕690頁による）。

　ア　労働者の労務提供のしかたおよび職場のあり方についての例
　　・入退場に関する規律（入退場の場所の指定，入退場の手続——出勤カードへの打刻・身分証明書の提示・所持品検査等）
　　・遅刻，早退，欠勤，休暇の手続
　　・離席，外出，面会の規制
　　・服装規定（制服，制帽等）

- 職務専念規定（就業中の過度の私語，職場離脱，私的電話の禁止等）
- 上司の指示・命令への服従義務
- 職場秩序の保持（協調性等）
- 職務上の金品授受の禁止
- 安全・衛生の維持（喫煙場所の指定，火気の制限等）
- 風紀維持（けんか，暴行，飲酒，賭博の禁止等）
- 職場の整理・整頓

イ　企業財産の管理・保全についての例
- 会社財産の保全（消耗品の節約，物品の持出流用の禁止等）
- 会社施設の利用の制限（終業後の職場滞留の制限，会合の許可制等）
- 事業場内の政治活動，宗教活動の禁止

ウ　従業員としての地位・身分についての例
- 信用の保持（企業の名誉・信用の毀損，社員の体面の毀損の禁止等）
- 兼職・兼業の制限
- 公職立候補や公職就任の取扱い
- 秘密保持義務
- 身上異動の届出

ほとんどの使用者では，服務規律への違反は就業規則上の懲戒処分の対象とされているし，また，そのように就業規則に規定すべきである。

2. 服務規律の限界──労働者の権利との調和

労働者が，当然ながら個人としての自由・権利を有している以上，使用者による服務規律にも制限がある。殊に，労働者のプライバシー，自己決定権に関連して，少なからず問題が生ずる。

まず，プライバシーに関しては，例えば，労働者の中には業務上使用者より提供されているインターネットを私的利用する（いわゆる私用メールがその典型例）者が少なからずおり，使用者として，その労働者のインターネットの利用について，どの程度，監視・点検することが許されるのか，また，どの程度の私的利用について，懲戒処分を行うことができるのか（程度も含め）等が問題となり得る（日経クイック情報〔電子メール〕事件判決〔東京地判平成14・2・26労判825号50頁〕，K工業技術専門学校〔私用メール〕事件判決〔福岡高判平成17・9・14労判903号68頁〕等々）。また，伝統的な問題点として，労働者の身なり（髭，髪型），服装について，どの程度使用者の側で指示を

なし得るかについても問題が生ずる（イースタン・エアポートモータース事件判決〔東京地判昭和55・12・15労判354号46頁〕，東谷山家事件決定〔福岡地小倉支決平成9・12・25労判732号53頁〕等）。

　また，労働者は労働契約上，企業秩序と服務規律を守る義務を負うが，それは原則として，企業活動に関係のない労働者の私生活の領域にまで及ぶものではない。ただし，実社会において，労働者の私生活上の行為でも，当該使用者の名誉，信用を害するような事態はあり得る（労働者の破廉恥犯行為が，社名とともに新聞等に報道されるような例等）（V(5)参照）。

Ⅲ．懲戒権

1．懲戒権の根拠と限界

　使用者の懲戒権の法的根拠については古くから議論があり，代表的なものとしては，固有権説と契約説に分かれている。固有権説は，使用者は規律と秩序を必要とする企業の運営者として当然に固有の懲戒権を有する，とする考え方であり，契約説は，懲戒処分は，労働者が労働契約において具体的に同意を与えている限度でのみ可能である，とする考え方である。

　この2つの考え方の実益（結果）として，固有権説は，就業規則に懲戒についての定めがなくとも懲戒処分を行い得る一方，契約説では就業規則の規定があって初めて懲戒処分が可能となる，とされていたが，固有権説の立場に拠っても，懲戒処分は一種の秩序罰であるので，罪刑法定主義的な考慮からすると予め懲戒の種別と事由の明定が要求されていると説明することも可能であり，実務上は，あまり意味のある議論ではなくなっていると思われる。

　裁判例では，関西電力事件判決（最判昭和58・9・8労判415号29頁）が，「使用者は，広く企業秩序を維持し，もって企業の円滑な運営を図るために，その雇用する労働者の企業秩序違反行為を理由として，当該労働者に対し，一種の制裁罰である懲戒を課することができる」と説示しているのを例として，伝統的に固有権説に属すると解されていたが，フジ興産事件判決（最判平成15・10・10労判861号5頁）は，「使用者が労働者を懲戒するには，あらかじめ就業規則において懲戒の種別及び事由を定めておくことを要する」と説示しており，いずれにせよ，実務としては，現実に懲戒処分を行うには，就業規則で懲戒の種別と事由を定めなくてはならないこととなる。

CHAPTER 15　懲戒

2. 懲戒処分の意義，種類

懲戒処分は使用者の企業秩序を守るべく，服務規律の違反に対する制裁（秩序罰）として行われる。実務においては，懲戒処分には，軽い処分から，戒告，けん責，減給，出勤停止，停職（懲戒休職），降格・降職，諭旨解雇・懲戒解雇といった例がみられる。これらの懲戒処分は労働者にとっては不利益処分であり，その有効性が争われる場合が少なくない。以下，各種の懲戒処分につき，簡単に内容を説明する。

(1) 戒告，けん責

けん責とは，通常，「始末書をとり，将来を戒める」処分をいい，戒告は，将来を戒めるのみで始末書の提出を伴わない処分をいう，とされている。けん責について時に問題となるのが，始末書の提出を命じられた労働者が始末書を提出しなかった場合に，その不提出自体を理由に懲戒処分を行うことの可否である。裁判例は，肯定例（あけぼのタクシー事件判決〔福岡地判昭和56・10・7 労判 373 号 37 頁〕等）と否定例（福知山信用金庫事件判決〔大阪高判昭和 53・10・27 労判 314 号 65 頁〕等）に分かれている。ただし，始末書の不提出について，考課査定上不利に考慮することは妨げられない。

(2) 減給

賃金額から一定額を控除する懲戒処分をいう。減給は，懲戒処分の「1 回の額が平均賃金の 1 日の半額を…超えてはならない」。また，「総額が一賃金支払期における賃金の総額の 10 分の 1 を超えてはならない」（労基法 91条）。ここでいう減給の総額とは，一賃金支払期間内の複数の懲戒事由についての減給額の合計のことである（昭和 23・9・20 基収 1789 号）。

減給処分とは，将来，一定日数につき就労を禁止することで賃金を発生させない措置（後述の出勤停止や停職）や，社員としての格付けや職務を変更することによって，将来に向けて賃金を減額する措置（後述の降格・降職に伴う減額措置）とは種類を異にする。したがって，出勤停止，降格・降職に伴う賃金減額は労基法 91 条の規制を受けない。

(3) 出勤停止，停職（懲戒休職）

労働者の就労を一定日数禁止し，その期間の賃金を支給しない懲戒処分を

いう。実務上，出勤停止は，通常，30 日程度までのものが多いが，長い場合，数か月程になることもある（この場合，停職や懲戒休職と呼ばれることもある）。出勤停止の場合，そもそも労働者に支払うべき賃金が生じないので，労基法 91 条の規制は受けないが，過度に長期にわたると労働者にとって重大な不利益を及ぼすこととなるので，出勤停止による就労禁止期間が不合理に長期の場合，懲戒処分としての有効性が問題となる（6 か月の出勤停止処分につき，3 か月の限度で有効とした裁判例として，岩手県交通事件判決〔盛岡地一関支判平成 8・4・17 労判 703 号 71 頁〕等）。

実務では，懲戒処分としてではなく，一般の業務命令，いわゆる，自宅待機として労働者の出勤を停止する場合があるが，この自宅待機は，待機期間中の賃金を支給する有給の自宅待機であれば，原則として有効である。また，この場合の自宅待機は懲戒処分ではないので，就業規則中の根拠も必要ではない。これに対し，待機期間中の賃金を支給しない無給の自宅待機は，事故発生，不正行為の再発など，就労を認めないことに実質的理由がなければならない。自宅待機措置期間中の賃金の支払を命じた裁判例として，日通名古屋製鉄作業事件判決（名古屋地判平成 3・7・22 労判 608 号 59 頁）等がある（Chap. 16 も参照）。

(4) 降格・降職

降格とは，その労働者の格付け（例えば，職能資格，グレード）を引き下げる懲戒処分をいい，降職とは，その労働者の役職を免ずるか引き下げる懲戒処分をいう。いずれにせよ，懲戒処分として行う場合には，就業規則上の根拠が必要である。また，懲戒処分に限らず降格・降職一般においては，賃金を将来にわたって減額するには，使用者内における格付け，役職とそれに関連する賃金額などの根拠（就業規則，賃金規程の場合が多い）が定められているのが一般的である。

(5) 諭旨解雇（諭旨退職）・懲戒解雇

懲戒解雇とは，懲戒処分としての解雇であって，最も重い懲戒処分である。なお，諭旨解雇（または諭旨退職）とは，懲戒解雇を軽減する措置で，通常，労働者に退職願の提出を勧告して退職させる形式をとりつつ，一定期間内に退職願の提出がなければ懲戒解雇を行うという取扱いがなされることが多い。実務上，懲戒解雇が規定されていない就業規則はほぼないが，諭旨解雇が規

定されていない就業規則は散見される。なお，諭旨解雇（諭旨退職）の場合，外形上は労働者より退職願が提出されるが，懲戒処分には変わりはなく，その法的効果は懲戒解雇同様に争い得る（菅野・労働法〔12版〕707頁）。法的有効性の検討においては，懲戒解雇ほどの重大な非行であることは要さないとされる。

懲戒解雇の場合，即時に解雇がなされ，退職金の支払もなされないという規定がある場合が多いが，法的には，懲戒解雇というだけで，即時解雇（あるいは解雇手当の不支給）や退職金の不支給が許されるというものではない。解雇予告手当を支給しない即時解雇が許されるためには，労基法20条1項但書にいう「労働者の責に帰すべき事由」があり，解雇事由が上記の「労働者の責に帰すべき事由」に該当することについて，行政官庁の認定も必要である。実務上，最終的には裁判所に懲戒解雇が認められるような場合でも，上記の行政官庁の認定が下りない事案も存する（Ⅵ1⑷ⅱ⒝参照）。

退職金についても，懲戒解雇の場合に退職金を不支給もしくは減額とするには，就業規則や賃金規程（あるいは退職金規程）等に，懲戒解雇の場合には退職金を不支給もしくは減額とする旨が規定されていることが必要である。もっとも，そうした不支給や減額の規定が就業規則等に存在している場合であっても，具体的な事案において懲戒解雇に伴っての退職金の不支給や減額が認められるには，懲戒解雇の対象となった非違行為が，永年の勤続の功労を抹消してしまうほどの重大な非行であることが必要とされている（この問題については，Chap. 8 を参照されたい）。

懲戒解雇や諭旨解雇は，懲戒処分の中でも最も労働者に与える不利益が大きい処分であるから，労契法15条における懲戒権濫用の審査は慎重になされることとなり，就業規則上の懲戒解雇事由に形式的には該当する事案でも，懲戒解雇が無効と判断された裁判例は無数に存する（後述の裁判例参照）。

Ⅳ. 懲戒処分の有効要件

懲戒処分は，当該懲戒に係る労働者の行為の性質および態様その他の事情に照らして，合理的な理由を欠き，社会通念上相当であると認められない場合は，その権利を濫用したものとして無効となる（労契法15条）。そこで，権利濫用に関する一般的問題について，以下，概観する。

(1) 就業規則の根拠および一事不再理

　懲戒処分が有効であるためには，当該懲戒処分の種別（戒告・けん責から懲戒解雇まで）およびその事由が就業規則に規定されていなければならない（フジ興産事件判決〔最判平成15・10・10労判861号5頁〕）。また，懲戒処分の種別や事由が就業規則に規定される前になされた非違行為に対して，上記規定を根拠とした懲戒処分はなし得ない。

　また，懲戒処分は，同一の事由に1回しかなし得ないとされている（一事不再理。平和自動車交通事件決定〔東京地決平成10・2・6労判735号47頁〕等）。

(2) 懲戒事由についての使用者の認識

　懲戒処分において，実務上，少なからず問題となるのが，懲戒処分後に使用者が認識した非違行為について，懲戒事由を構成する事実の中に含めることの可否である。この点，山口観光事件判決（最判平成8・9・26労判708号31頁）において，「懲戒当時に使用者が認識していなかった非違行為は，特段の事情のない限り，当該懲戒の理由とされたものでないことが明らかであるから，その存在をもって当該懲戒の有効性を根拠付けることはできない」との基準が説示され，後の裁判例でも上記基準が踏襲されている。上記基準は，「使用者が労働者に対して行う懲戒は，労働者の企業秩序違反を理由として，一種の秩序罰を課するものであるから，具体的な懲戒の適否は，その理由とされた非違行為との関係において判断されるべき」ことを根拠とするものであるが，具体的事案において，懲戒当時使用者が認識していたか否かの判断については，判断者により認定が分かれることが少なくない。

(3) 濫用のないこと

　懲戒権の行使も，他の人事権の行使一般と同様，濫用は許されない。その濫用の有無については，まず，相当性の問題があり，「当該…行為の性質及び態様その他の事情に照らして…社会通念上相当」（労契法15条）なものと認められるかが問題となる。

　また，取扱いの平等性の問題もあり，同じ使用者内において，同様の非違行為を行ったにもかかわらず，大きく程度の異なる懲戒処分をなすことは，懲戒権の濫用を肯定する判断要素の一つとなり得る（ただし，時代の趨勢，使用者における秩序維持の必要性等，従前と異なった取扱いを行う合理的な理由がある場合は別となり得る）。

さらに，当該労働者に弁明の機会を与え，それを基に使用者において，懲戒処分の有無・程度を適切に検討するという適正手続の要請がある。殊に，当該労働者に全く弁明の機会を与えなかったり，あるいは使用者における諸規程（例えば懲戒委員会規程等）において，懲戒処分にかかる具体的手続（懲戒委員会の開催およびそこでの審議等）が明定されているにもかかわらず，それを省いて懲戒処分を行った場合は，当該懲戒処分が懲戒権の濫用と判断される一つの要素となる（もっとも，懲戒処分の有効性に必須の要素というわけではない）。

V. 懲戒事由

実社会においてなされている懲戒処分の事由は多岐にわたる。以下，懲戒事由の類型および，法規制，判例上の解釈を概観する。

(1) 職務懈怠（勤怠不良）

無断欠勤，遅刻早退，職場離脱など，就業時間中の不就労は，労働者の労務提供義務に直接違反するものであるとともに，企業が人的組織であることからすれば，通常，企業秩序を侵害するものでもあり，直接的に懲戒事由となり得る。

(2) 業務命令違反

上長からの業務指示への違反，時間外労働（休日労働）命令，配転命令，出向命令に従わないこと等がこれに該当する。ただし，例えば配転命令において労働者に著しい不利益があるような場合は，これに違反しても懲戒事由には当たらない（北海道コカ・コーラボトリング事件決定〔札幌地決平成9・7・23労判723号62頁〕等）。また，例えば労働者のプライバシーとの関連において，所持品検査などは，検査を必要とする合理的理由，検査が一般的に妥当な方法と程度で行われること，制度として従業員に対して画一的に行われるものであること，明示された根拠に基づくことといった要件が必要である（西日本鉄道事件判決〔最判昭和43・8・2労判152号34頁〕等）。厳密には懲戒処分に関してではなく人事考課に関して問題となった事案であるが，大阪市（旧交通局職員ら）事件判決（大阪高判令和元・9・6労判1214号29頁）は，ひげを生やしていたことを主要な考慮事情として低評価としたことにつ

き，人格的な利益を侵害する違法なものであるとした一審判決（大阪地判平成31・1・16労判1214号44頁）を維持している。

(3) 職場規律違反

　上長・同僚に対する暴行・暴言・脅迫，セクシュアル・ハラスメント，パワー・ハラスメント，横領・背任，会社物品の窃取・損壊といったものが職場規律違反に該当する。協調性を乱す行為や他の従業員に対する業務妨害なども含まれる。

　さらに，企業内施設での政治活動，演説，集会，ビラ配布なども職場規律違反の範疇に含まれる。この点について，代表的な判例として，目黒電報電話局事件判決（最判昭和52・12・13労判287号26頁）は，職場内での政治活動は，従業員相互間の政治的対立ないし抗争を生じさせる怖れがあるので，これを使用者が一般的に禁止することは許されるのであり，実質的に事業場内の秩序風紀を乱す怖れのない特段の事情が認められない限り，懲戒処分の対象となるとしている。もっとも，上記の特段の事情があれば，懲戒処分対象となし得ないということとなる（特段の事情がないとした例として，明治乳業事件判決〔最判昭和58・11・1労判417号21頁〕）（後記Ⅵ2(8)でも詳述）。

(4) 経歴詐称

　労働者が企業に採用される際に提出する履歴書や面接等において，学歴，職歴，犯罪歴などの虚偽の申告をすることをいう。

　経歴詐称は，使用者における当該労働者の採否の判断を根本的に危うくするものであるので，比較的，強度の懲戒処分が認められる。

　なお，経歴詐称は，一般には現実よりも高く詐称する場合（最終学歴が高卒の場合を大卒と詐称する等）が多いが，低く詐称する場合（大卒であるにもかかわらず高卒と詐称する等）も，懲戒処分対象としての経歴詐称に含まれる。

(5) 私生活上の非行

　労働者は使用者に対して身分的な一般的支配に服するものではないが，労働者の私生活上の非行により，使用者の名誉・信用，体面が毀損される場合が存する。したがって，使用者は就業規則等に，「会社の名誉・信用を毀損したとき」，「会社の体面を汚したとき」，「法令に違反する行為を行ったとき」などといった，労働者の私生活上の非行に対する懲戒事由を規定する場

合が多い。これらは，あくまで，企業の事業活動あるいは社会的評価を害する（もしくはその危険がある）ことを理由とするものであって，私生活上の非行がすべからく懲戒事由となるわけではない。この点を説示した裁判例として，日本鋼管事件判決（最判昭和 49・3・15 労判 198 号 23 頁）は，「従業員の不名誉な行為が会社の体面を著しく汚したというためには，必ずしも具体的な業務阻害の結果や取引上の不利益の発生を必要とするものではないが，当該行為の性質，情状のほか，会社の事業の種類・態様・規模，会社の経済界に占める地位，経営方針及びその従業員の会社における地位・職種等諸般の事情から綜合的に判断して，右行為により会社の社会的評価に及ぼす悪影響が相当重大であると客観的に評価される場合でなければならない」としている（詳細はⅥ 2 (5)参照）。

　こうした見地より，例えば鉄道会社の従業員が電車内で行った痴漢行為については，懲戒解雇事由として認められている（小田急電鉄〔退職金請求〕事件判決〔東京高判平成 15・12・11 労判 867 号 5 頁〕）。また，飲酒運転などについても懲戒事由となし得るが，懲戒解雇（免職）事由として認められるか否かは，事案により分かれる。

(6) 二重就労（兼職）の禁止

　本来，就業時間外は，労働者は自由に行動し得るが，就業時間外に労働者が無制限に他の就労，事業を行うことに任せていては，就業時間中の労務提供に支障を来す場合がある。例えば，就業時間外に，あまりに長時間，他の仕事に従事していては，疲労が蓄積し，当該使用者への労務提供に支障があるであろうし，就業時間外に，競業他社への就業を認めてしまえば，企業秘密の漏洩等の恐れもある。こうした見地より，二重就労の禁止に触れる行為も懲戒処分の対象となり得るが，本来，就業時間外の時間帯に関するものであるので，使用者の職場秩序に影響がなく，本人の労務提供に格別の支障が認められないような場合には，原則として懲戒処分の対象たり得ないとされている。

Ⅵ. 裁判例

　継続的法律関係である労働契約関係においては，使用者による労働者への懲戒処分の事由（原因）とされる事実関係は千差万別であり，的確な法的判

断を行うためには，具体的な事案に対して下された裁判例の俯瞰と考察（自らが遭遇している事案との異同とその重要性判断）が不可欠である。以下，懲戒事由の事案内容に拘わらない総論的問題と，懲戒事由の事案内容に即した各論的問題に分けて，裁判例を紹介する。

1. 総論的問題

(1) 就業規則との関係

　結論からいえば，就業規則（労働協約を含む）に明定されていない事由による懲戒処分については，裁判例は概ね否定的である。代表的裁判例であるフジ興産事件判決（最判平成 15・10・10 労判 861 号 5 頁）は，「使用者が労働者を懲戒するには，あらかじめ就業規則において懲戒の種別及び事由を定めておくことを要する…。そして，就業規則が…拘束力を生ずるためには，その内容を適用を受ける事業場の労働者に周知させる手続が採られていることを要する」と説示している（国労札幌支部事件判決〔最判昭和 54・10・30 労判 329 号 12 頁〕も同旨）。

(2) 懲戒事由の遡及適用の可否および一事不再理の原則

i 懲戒事由の遡及適用

　懲戒事由を定めた就業規則の遡及適用についても，これを否定するのが裁判例の趨勢である。例えば，理想社事件決定（東京高決昭和 53・2・22 労判 301 号 78 頁）は，問題となっている行為の時に施行されている就業規則等に従って，懲戒権の存否を決すべきであるとしている（もっとも，同理想社事件決定は，結論としては問題となった懲戒解雇を正当としている。旧規則では「会社の名誉を毀損し，秩序を乱したり」，新規則では「犯罪を犯し禁固以上の刑に処せられたとき」という内容であり，改訂による新規則は旧規則の懲戒事由以上に附加，拡大したものではなく，労働者側にとって特に不利益になったものではないことによる）。また，北群馬信用金庫事件判決（前橋地判昭和 57・12・16 労判 407 号 61 頁）も，行為時点以後の改訂就業規則を適用してなされた懲戒解雇は無効としている。

ii 一事不再理

　いったん，ある懲戒処分の理由となった事由と同一の事由をもって，再度懲戒を行うことについても，裁判例は否定しており（一事不再理の原則），例えば，平和自動車交通事件決定（東京地決平成 10・2・6 労判 735 号 47 頁）は

この理を明言している。一事不再理への抵触の有無が問題となった事例として，渡島信用金庫（懲戒解雇）事件判決（札幌高判平成 13・11・21 労判 823 号 31 頁）は，当該労働者が取引先より納付金を受領し保管した際，他の金員と混合させ，これにより発生原因不明の過剰現金を生ぜしめたことにより，使用者が，第 1 回目の解雇の事由の中に上記納付金に関する経緯を主張し，第 2 回目の解雇の事由として発生原因不明の過剰現金を不法に領得したと主張したという事案につき，上記納付金の発生と不明過剰現金の発生は関連性がある事実とし，上記第 2 回目の解雇は二重処分に当たるとして無効としている。また，ボス事件判決（東京地判平成 21・10・21 労判 1000 号 65 頁）も，当該労働者が商品管理等を怠ったことを理由に複数回の減給処分がなされていることが問題となったが，処分の理由の根拠とされた始末書が同一事実を事由として複数提出されている場合は，始末書が 1 通提出された場合と同一の扱いをするのが相当であるとしている。

　一事不再理の関係で実務上よく問題となるのが，始末書の不提出を理由とする懲戒処分の可否である。懲戒処分の可能性を肯定する裁判例としては，西福岡自動車学校事件判決（福岡地判平成 7・9・20 労判 695 号 133 頁），柴田女子高校事件判決（青森地弘前支判平成 12・3・31 労判 798 号 76 頁）等がみられる。このうち，西福岡自動車学校事件判決は「労働者は労働契約上企業秩序維持に協力する一般的義務を負うものであるから，始末書等の提出を強制する行為が労働者の人格を無視し，意思決定ないし良心の自由を不当に制限するものでない限り，使用者は非違行為をなした労働者に対し，謝罪の意思を表明する内容を含む始末書等の提出を命じることができ，労働者が正当な理由なくこれに従わない場合には，これを理由として懲戒処分をすることもできると解するのが相当である」としている。一方，始末書の不提出による懲戒処分を否定する裁判例としては，国際航業事件判決（大阪地判昭和 50・7・17 労判 235 号 39 頁），福知山信用金庫事件判決（大阪高判昭和 53・10・27 労判 314 号 65 頁）等があり，同福知山信用金庫事件判決は，「本件のような内容の誓約書の提出の強制は個人の良心の自由にかかわる問題を含んでおり，…誓約書を提出しないこと自体を企業秩序に対する紊乱行為とみたり特に悪い情状とみることは相当でない」とする。いずれも理論としては成り立ち得るが，始末書の内容が，客観的な事実関係の下に，単純に反省の意思，今後の改善の意思を確認するようなものであるならば，あえてそのような意思の表明すら拒否する者に新たな懲戒処分を課す余地を全く否定するのは，企業

秩序の維持上，些か疑問が残る。

(3) 懲戒権行使と懲戒事由の認識

　この問題につき，代表的裁判例である山口観光事件判決（最判平成8・9・26労判708号31頁）は「懲戒当時に使用者が認識していなかった非違行為は，特段の事情のない限り，当該懲戒の理由とされたものでないことが明らかである」と説示しており，使用者としては，懲戒権行使時点において認識していない事由は懲戒事由とはなし得ない。ただし，実務において，使用者が認識していた事実関係の範囲の認定は判断が分かれることがある。如実な例としては，例えば，富士見交通事件一審判決（横浜地小田原支判平成12・6・6労判788号29頁）は，問題となったタクシー運転手について，飲酒運転，多数回の職場離脱，メーター不正行為等多岐にわたる具体的事実のうち，懲戒解雇通知書記載の事由である職場離脱のみが懲戒解雇時に使用者が認識していた事由であるとして，当該タクシー運転手の懲戒解雇を無効と判示したが，その控訴審である高裁判決（東京高判平成13・9・12労判816号11頁）は，上記一審判決の事実認定を否定し，上述の多岐にわたる具体的事実およびそれからなる懲戒解雇事由を使用者が認識していたと認定し，懲戒解雇を有効としている（最高裁〔最判平成15・2・18判例集未登載〕も維持）。

　この問題に関連して，懲戒解雇の後に労働者に交付していた解雇理由書の記載が問題となった例として，乙山株式会社事件判決（大阪地判平成25・11・19労判1088号51頁）は，職人の手配や報酬の支払事務等を担当していた労働者が，職人への報酬支払金の一部を授受した事実（当該労働者は，他の職人への支払に充てたと説明）までが解雇事由として解雇理由書に記載され，受領後の金員を横領した等金員授受後の当該労働者の行為を問題とする事情が窺われなかった事案について，上記金銭授受だけでなく金銭授受後の当該労働者の違法な金銭流用までが懲戒解雇事由に該当するとの使用者の訴訟上の主張を斥け，懲戒解雇時には使用者は上記の金銭授受までを理由としていたものと認定し，結論として，当該懲戒解雇を無効としている（もっとも，上記判決の説示は，解雇理由書の記載に加え，使用者が，上記金銭の返還を求めることもなかった等の事情も，上記認定の材料として指摘しており，かような事情も，懲戒解雇時の使用者側の認識の認定の材料となったと思われる）。

⑷　懲戒手続

i　告知，弁明の機会の付与

懲戒処分に際し，労働者本人に懲戒事由を告知し，その弁明を聴取する手続（いわゆる，告知，弁明の機会の付与）の必要性については下記裁判例がある。就業規則に，特に，告知，弁明の機会の付与についての規定が存しない事案だが，例えば日本電信電話（大阪淡路支店等）事件決定（大阪地決平成7・5・12労判677号46頁）は，当該労働者の行為が職場規律違反および業務運営の阻害の程度において極めて著しいことも相まって，弁明の機会を与えなかったことをもって，直ちに当該懲戒処分（諭旨解雇）が違法無効になるものではないとしている。

一方，総友会事件判決（東京高判平成4・5・28労判610号9頁）は，「本件懲戒解雇に当たり懲戒解雇理由に該当する事実を告げなかったからといって，直ちに懲戒処分の手続に反し，無効であるということはできない」としつつも，「もっとも，懲戒処分という事柄の性質上，処分に当たり，被処分者に対し，懲戒理由に該当する事実を告げるのが手続上妥当な措置であることは否定できない」とも説示している。

後述Ⅶの通り，実務においては，懲戒処分における告知，弁明の手続は相当に望ましいものと考えるべきであろう。

ii　懲戒手続についての規定

(a)　告知，弁明の機会の付与

前述 i の日本電信電話（大阪淡路支店等）事件決定（大阪地決平成7・5・12労判677号46頁）のような事案と異なり，使用者の規程中に，懲戒処分の手続についての規定がある場合は，軽微な手続違反でない限りは，手続規定に違反してなされた懲戒処分は無効となるのが裁判例の原則的な傾向である。例えば，千代田学園（懲戒解雇）事件判決（東京高判平成16・6・16労判886号93頁）は，使用者における従業員の処罰の手続につき，当該労働者に弁明の機会を与えなければならないことが就業規則，賞罰委員会規則で定められていたにもかかわらず，弁明の機会を与えずになされた懲戒解雇について，懲戒事由について事実認識の誤認の余地がないという使用者側の主張を斥け，個々の当該労働者の関与の有無，程度，懲戒事由該当性について弁明の機会を設けて明らかにすべきであると説示した。また，中央林間病院事件判決（東京地判平成8・7・26労判699号22頁）も，就業規則に，職員の懲戒については懲戒委員会を設置し，委員会にはかりその結果に基づき院長が決定す

ること等が規定されているところ，院長を懲戒解雇した事案につき，院長を解雇するという事案の特殊性上，上記の規定通りではなく代替的な方法でも懲戒は可能としつつ，代替的な方法がとられていなかったとして，当該懲戒解雇を無効とした。

(b) 労基署の除外認定の取得について

実務においては，懲戒解雇手続について労基法20条の労基署による除外認定を経ることを就業規則中に規定する例がみられる。労基署の除外認定を受けることなく，30日前の予告や予告手当の支払をせずに懲戒解雇が行われた事案につき，グラバス事件判決（東京地判平成16・12・17労判889号52頁）は，除外認定は行政官庁の事実の確認手続に過ぎず，解雇予告手当支給の要否は，客観的に解雇予告手当除外事由の存否により決定されるとして，使用者は，除外認定を受けられなかったとしても有効に即時解雇することは妨げられない，と説示している（同趣旨の裁判例として，フットワークエクスプレス事件判決〔京都地判平成6・3・15労判664号75頁〕）。一方，前掲グラバス事件判決とは逆に，上述の就業規則の規定は，解雇の自律的制限として使用者を拘束すると説く裁判例として，四国電気工事事件一審判決（松山地判昭和48・2・1労判169号速報カード13頁）もあるが，控訴審判決（高松高判昭和49・3・5労判198号51頁）で取り消されている。

(5) 懲戒処分と不法行為

労働者側より，懲戒処分の無効のみならず，懲戒処分を行ったこと自体が違法行為である旨を主張されることがある。

不法行為を肯定した例として，まず，アサヒコーポレーション事件判決（大阪地判平成11・3・31労判767号60頁）は，懲戒解雇が綿密な調査に基づいて行われていないこと，懲戒解雇が労働者にとって重大な処分であることに鑑みれば，軽率になされた懲戒解雇は不法行為を形成すると説示した。学校法人純真学園事件判決（福岡地判平成21・6・18労判996号68頁）は，被懲戒解雇者が所属する労働組合や被懲戒解雇者への悪感情，嫌悪感から懲戒解雇を性急に進めた可能性が否定できず，上記労働組合等に対する解雇に関する説明も尽くされていない等，使用者の裁量の逸脱，濫用の程度が甚だしく，相当の違法性を有するとして，当該使用者に慰謝料の支払を命じている。

一方，懲戒処分自体は無効であるとしても不法行為までは否定した例として，三和銀行事件判決（大阪地判平成12・4・17労判790号44頁）は，使用

者は事実関係を調査し，被懲戒者より聞き取りも行った上で懲戒処分を行ったこと，懲戒処分は無効であっても懲戒事由となった事実には処分を肯定できる事実も多いこと，当該懲戒処分（戒告）は軽い処分であり処分が無効となることで精神的損害は回復可能であること等より，不法行為の成立は否定している。また，静岡第一テレビ（損害賠償）事件判決（静岡地判平成17・1・18労判893号135頁）も，懲戒解雇が不法行為に該当するというためには，使用者が解雇すべき非違行為が存在しないことを知りながらあえて解雇した場合，杜撰な調査，弁明の不聴取等により非違行為を誤認して解雇した場合，あるいは懲戒処分の相当性の判断において明白かつ重大な誤りがある場合であることを要すると説示し，当該事案についての不法行為の成立を否定している。

2. 各論的問題——懲戒事由ごとの懲戒権濫用の有無

(1) 職務懈怠

　実務における不就労の主な類型としては，無断欠勤，遅刻，職場離脱，職務専念義務違反（職務中の私語等）といったものがあるが，これらは，労働契約における労働者の基本的義務の不履行であり，裁判例上も比較的広く懲戒権行使を有効とする傾向にある。

ⅰ　無断欠勤等の外形的な不就労の例

　まず，不就労の最たるものともいえる無断欠勤は，懲戒事由として就業規則上，多く記載されているものであるが，この「無断欠勤」の意味については，純粋に届出がない欠勤のみならず，届出はしたが許可が得られず，または，虚偽の理由を届け出ていったん許可を得た後それが取り消された場合や（三菱重工長崎造船所事件判決〔福岡高判昭和55・4・15労判342号25頁〕，日本放送協会事件判決〔東京地判昭和56・12・24労判377号17頁〕），社会通念上是認できない理由による恣意的なものとして使用者が承認しなかった場合（炭研精工事件判決〔東京高判平成3・2・20労判592号77頁〕）も含むと説示されている。その上での不就労の例について掲げると，例えば，東京電力（諭旨解職処分等）事件判決（東京地判平成21・11・27労判1003号33頁）は，約7か月間（全所定勤務日152日）のうち，3分の1の日数を出社せず，使用者より重ねて注意，指導，けん責処分を受けていた労働者に対する諭旨解雇処分を有効としている。また，東京メデカルサービス・大幸商事事件判決（東京地判平成3・4・8労判590号45頁）は他の企業での活動を行う一方で2週

間にわたり無断欠勤した者につき懲戒解雇を有効とし，開隆堂出版事件判決（東京地判平成 12・10・27 労判 802 号 85 頁）も，取締役業務部長であった者が事前の届けなく，欠勤理由や期間も明らかにせず 2 週間にわたり欠勤した事案について，懲戒解雇を有効としている。

ただし，不就労であっても，懲戒（懲戒解雇も含め）が無効となる場合もあり，例えば，ジェー・イー・エス事件判決（東京地判平成 8・5・27 労判 706 号 91 頁）は，入社以来約 1 年の間，無断欠勤 10 日間，遅刻 19 回（うち 5 分以内のもの 15 回），無断早退 2 回（各 5 分，7 分）に及んだものの，もともと当該使用者においては時間管理は厳格に運用されていたわけではないといった事情に鑑み，解雇の効力を否定している。

ii 外形的には就労しつつ内実に問題がある例

外形上は規定の就業日，就業時間に就労しているが，内実は職務を懈怠している事例として，例えば，日経ビーピー事件判決（東京地判平成 14・4・22 労判 830 号 52 頁）は，上司より指示されていた所属部署の部会を約 2 か月のうち 7 回にわたり欠席したことでけん責処分を受け，その後も欠席が続くなどして減給処分，出勤停止処分を受けた上で，無許可で 3 回早退し業務過誤に関する事情聴取も拒否するなどした労働者への懲戒解雇を有効としている。また，K 工業技術専門学校（私用メール）事件判決（福岡高判平成 17・9・14 労判 903 号 68 頁）は，勤務先のメールアドレスにおける，約 5 年の間のメールの受信記録約 1650 通の約半分と送信記録約 1330 通の約 6 割が交際相手や出会系サイトで知り合った女性との私用メール交換であった労働者への懲戒解雇を有効としている。もっとも，私用メールについていえば，グレイワールドワイド事件判決（東京地判平成 15・9・22 労判 870 号 83 頁）は，1 日 2 通程度の私用メールは社会通念上相当な範囲内であって職務専念義務違反とはいえないとしている。

また，質的な不就業に類するものとして，例えば葵交通事件判決（東京高判平成 5・4・20 労判 644 号 45 頁）は，タクシー運転手が乗客指定の行き先につき，単に「行き先が分からない」と答えて乗客に乗車を断念させたことは，正当な理由のない運送引受け義務の拒絶である乗車拒否に該当し，その社会的評価，それまでの当該労働者の処分歴を総合すれば，当該労働者への解雇は有効と判示している。

iii 精神的不調者の例

昨今増加している精神的不調に対する配慮につき重要な裁判例として日本

ヒューレット・パッカード事件判決（最判平成24・4・27労判1055号5頁）
がある。これは，精神的不調を持つ労働者が，自らが問題が解決されたと判
断できない限り出勤しないと使用者に伝え，約40日間にわたり欠勤を続け
たことにより諭旨退職処分となった事案であるが，同判決は「このような精
神的な不調のために欠勤を続けていると認められる労働者に対しては，精神
的な不調が解消されない限り引き続き出勤しないことが予想されるところで
あるから，使用者である上告人としては，その欠勤の原因や経緯が上記のと
おりである以上，精神科医による健康診断を実施するなどした上で（記録に
よれば，上告人の就業規則には，必要と認めるときに従業員に対し臨時に健
康診断を行うことができる旨の定めがあることがうかがわれる），その診断
結果等に応じて，必要な場合は治療を勧めた上で休職等の処分を検討し，そ
の後の経過を見るなどの対応を採るべきであり，このような対応を採ること
なく，被上告人の出勤しない理由が存在しない事実に基づくものであること
から直ちにその欠勤を正当な理由なく無断でされたものとして諭旨退職の懲
戒処分の措置を執ることは，精神的な不調を抱える労働者に対する使用者の
対応としては適切なものとはいい難い」として，当該諭旨退職処分を無効と
している。精神的不調者に対しては，使用者としては，まずはその病状を確
認する努力を行うべきということをあらためて確認した裁判例といえる。

⑵　業務命令違反

i　上長の指示・命令に対する違反

　業務命令違反の典型例として，上司の指示・命令に対する違反がある。例
えば，信用交換所東京本社事件判決（東京地判昭和60・9・25労判460号30
頁）は，上司の質問への回答拒否，レポートの無断持出し，資料の返還命令
についての不誠実な対応（紛失したとの虚偽の報告や小出しの返還）といった
所為を繰り返した労働者への懲戒解雇を有効とした。他にも，懲戒解雇を有
効とした裁判例としては，スケジュールや納期を遵守せず，業務の進行状況
に関する問合せにも答えない等といった事情に係る編集者に対する解雇につ
いてのユニスコープ事件判決（東京地判平成6・3・11労判666号61頁），離
席中に自己の担当業務を処理した同僚に文句をいい，重要会議への出席拒否，
業務に関わる書類の提出拒否，業務上のミスに対する上司からの注意への反
発等を行う労働者に対する解雇についてのテレビ朝日サービス事件判決（東
京地判平成14・5・14労経速1819号7頁）等がある。また，三菱電機エンジ

ニアリング事件判決（神戸地判平成 21・1・30 労判 984 号 74 頁）は，週報の様式について上司指導に従わないこと，上司を愚弄するメールを送付すること，業務の納期を無視すること等々の所為を繰り返し，これらについて書面による注意，出勤停止処分を受けながら，勤務態度を改めるどころか，上長に反抗，あるいは揶揄，愚弄した労働者に対する解雇を有効としている。一方，解雇を無効とした例としては，北沢産業事件判決（東京地判平成 19・9・18 労判 947 号 23 頁）は，メールデータの無断消去，虚偽事実の報告，上司・同僚への誹謗中傷等の労働者の行為は，解雇の 1 年以上前に使用者が把握していたにもかかわらず，特段問題とされていなかったことからすれば，当該労働者に何等の告知・聴聞の機会を与えずに即時解雇するのは，社会通念上相当性を欠くとして，解雇は無効としている。実務上，留意すべき説示といえよう。

ii 残業命令拒否

使用者からの時間外労働命令への拒否が懲戒の対象となるか否かについては，最高裁判例である日立製作所武蔵工場事件判決（最判平成 3・11・28 労判 594 号 7 頁）は，「労働基準法…32 条の労働時間を延長して労働させることにつき，使用者が，当該事業場の労働者の過半数で組織する労働組合等と書面による協定（いわゆる 36 協定）を締結し，これを所轄労働基準監督署長に届け出た場合において，…就業規則に当該 36 協定の範囲内で一定の業務上の事由があれば労働契約に定める労働時間を延長して労働者を労働させることができる旨定めているときは，…労働者は，その定めるところに従い，労働契約に定める労働時間を超えて労働をする義務を負う」と説示し，当該労働者への残業命令がその労働者の手抜き作業の結果を追完・補正させるためのものであったこと等，同事件の事案の一切の事情に鑑みて，当該労働者への懲戒解雇を有効としている（同趣旨の例として，JR 東海〔大阪第三車両所〕事件判決〔大阪地判平成 10・3・25 労判 742 号 61 頁〕）。

iii 配転拒否

企業は，その従業員を適材適所に配置する必要上，従業員（特に正社員）に対し，配置転換（転動を含む場合あり）を命じることがあり，これを拒否する行為は，懲戒処分の対象となる。この場合，懲戒処分の可否においては，拒否の対象となった配転命令の有効性が第一に問題となるが，仮に配転命令が有効であったとしても，懲戒処分（特に解雇）の重さによっては，重きに失するとして当該懲戒処分が無効となる場合がある（以上，Chap. 10 参照）。

CHAPTER 15 懲戒

iv 危険業務の拒否

平成年間は自然災害が非常に多く，例えば，2011（平成 23）年 3 月 11 日の東日本大震災では，福島第一原発付近での放射能汚染が社会的問題となり，その付近への就業を企業が命じることができるか否かにつき，実務上の問題が生じた。このような，業務遂行につき相当程度の危険性があり，当該労働者がその業務遂行を拒否した場合，業務命令として懲戒処分をなし得る限界につき問題となり得る。

この点についての最高裁判例として，電電公社千代田丸上告事件判決（最判昭和 43・12・24 労判 74 号 48 頁）は，日本海の海底ケーブルの故障修理の業務命令について，修理のために出航を命じられた海域が，当時，韓国政府が設定した境界線より韓国側であり，すでに韓国当局による日本船の拿捕，銃撃等により日本側に死傷者も出ていたという状況の下，使用者と当該労働者の所属する労働組合との間に出航による諸手当につき合意が成立しないことより当該労働者らが乗船をいったん拒否し，結局，出航（米海軍の護衛付き）が 25 時間遅延したという事案において，当該事案以前の同種の業務につき，実際に韓国側による銃撃等を受けた事例が複数あったこと，米軍の護衛があること自体，当該業務の危険を端的に物語ること等を挙げつつ，労働者らの意に反して当該業務の強制を余儀なくされるものとは断じがたいとして，労働者らへの懲戒処分（解雇）を無効とした。なお，業務の危険性についての判断ではないが，業務の内容に着目した業務命令権の限界につき説示したものとして，JR 西日本吹田工場（踏切確認作業）事件判決（大阪高判平成 15・3・27 労判 858 号 154 頁）は，日よけのない炎天下における踏切工事の指差点検の監視，注意作業の業務命令につき，肉体的にも精神的にも極めて過酷なものであって，労働者の健康に対する配慮がなされていなかったとして，不法行為の成立を認めている。地球温暖化の進む近年，実務上，留意するべき裁判例と思われる。

v 受診命令の拒否

使用者は，労働者がその生命，身体等の安全を確保しつつ労働することができるよう，必要な配慮をしなければならない（労契法 5 条）。したがって，健康状態に不安がみられる労働者に対し，当該労働者に就労を命じる可否や程度を判断すべく，使用者が指定する医療機関への受診命令を出す必要がある。しかし，この受診命令は，労働者のプライバシー，医師選択の自由等の観点より問題とされることがある。

まず，最高裁判例として，京セラ（旧サイバネット工業・行政）事件判決
（最判昭和 63・9・8 労判 530 号 13 頁）は，疾病に罹患した労働者が受診した
医師が職業病であると診断した際に，使用者が別の医師を指定して，当該労
働者に受診するよう指示した事案について，原審判決（東京高判昭和 61・
11・13 労判 487 号 66 頁）の，「旧会社の就業規則等に指定医受診に関する定
めのないことは控訴人［註：旧会社を合併した会社］の認めるところである。
しかしながら，旧会社としては，従業員たる片山の疾病が業務に起因するも
のであるか否かは同人の以後の処遇に直接に影響するなど極めて重要な関心
事であり，しかも，片山が当初提出した診断書を作成した原田医師から，片
山の疾病は業務に起因するものではないとの説明があったりなどしたこと…
かような事情がある場合に旧会社が片山に対し改めて専門医の診断を受ける
ように求めることは，労使間における信義則ないし公平の観念に照らし合理
的かつ相当な理由のある措置であるから，就業規則等にその定めがないとし
ても指定医の受診を指示することができ，片山はこれに応ずる義務がある」
との説示を是認している。また，これに続く最高裁判例である電電公社帯広
局事件判決（最判昭和 61・3・13 労判 470 号 6 頁）は，「職員は，…衛生管理
者の指示に従うほか，所属長，医師及び健康管理に従事する者の指示に従い，
健康の回復につとめなければならない」との就業規則，健康管理規程を根拠
に，すでに疾病に罹患して長期間経つ労働者に対し，会社が指定した医療機
関での精密検査を受診する旨の業務命令を有効とし，それに従わない当該労
働者に対する懲戒処分（戒告処分）を有効としている。なお，ともに最高裁
判例である前掲京セラ（旧サイバネット工業・行政）事件判決も，前掲電電公
社帯広局事件判決も，使用者の受診命令の効力を肯定する一方で，当該労働
者が自ら選択した医師を受診することもできることも説示している。
　使用者の指定する医療機関への受診命令ではなく，定期健康診断における
受診命令の拒否についての事案につき，愛知県教委（減給処分）事件判決
（最判平成 13・4・26 労判 804 号 15 頁）は，放射線曝露の危険性を理由に定期
検診における胸部エックス線検査を拒否する労働者に対してなされた懲戒処
分が問題となった事案で，使用者（事案では校長）は，職務上の命令として，
結核の有無に関するエックス線検査の受診を命じることができるとしている。
　ただし，使用者の受診命令といえども，その必要性や態様において合理的
でなければならず，例えば，国立療養所比良病院（医師年休）事件判決（京
都地判平成 6・9・14 労判 661 号 10 頁）は，労働者の状態が，精神鑑定を含む

臨時の健康診断を命じる根拠としては薄弱である状況下において，使用者が当該労働者に対し，精神鑑定を含む臨時の健康診断を受診するよう執拗に要求し，受診を拒否する理由を文書で回答させたり，当該労働者の父親にも電話して当該労働者の受診の説得を依頼するなどしたことは当該労働者への嫌がらせであり違法であるとしている。

(3) 職場規律違反

企業は人的組織体であり，労働契約より直接導かれる義務として，労働者は業務を遂行し，かつ業務命令を守る以外にも，職場の秩序を順守する義務も有する。この職場秩序違反行為に対する懲戒処分についても，多くの裁判例がみられる。

i 横領，背任，使用者備品の不正利用・損壊，暴行等の不正行為

まず，職場規律違反の著しい例が，使用者金品の横領，背任，備品の不正利用・損壊といった，使用者の資産を直接的に侵害する行為である。

使用者金品の横領，背任，不正行為等については，裁判例は一様に厳しい評価を下している（殊に，タクシー，バスといった顧客からの金員を直接に収受，管理する労働者や，金員の管理を職責とする管理部人員については顕著である）。

まず，バスの運転手の運賃手取り行為についての西日本鉄道（後藤寺自動車営業所）事件判決（福岡高判平成9・4・9労判716号55頁），タクシーのメーター不倒行為についての富士見交通事件判決（東京高判平成13・9・12労判816号11頁）および埼京タクシー（本訴）事件判決（東京高判平成15・4・24労判853号31頁）等で懲戒解雇を有効としている。また，管理部人員についての例としては，最高裁判例では崇徳学園事件判決（最判平成14・1・22労判823号12頁）は，学校法人の事務局長の不正行為（一例として，学校法人が受け取るべき台風被害についての保険金につき，保険会社に指示し，台風被害の復旧工事を行った工事事業者に直接振り込ませるなど，適正な手続を行わなかった等）について，生徒の父母を含め社会一般より，学校法人が不正行為をしているという疑惑を招く著しく不相当な行為である等として，懲戒免職処分を有効とし，また，阪急交通社事件判決（東京地判平成3・7・19労判594号63頁）も，経理担当者が架空立替金を計上し，順次たらい回しする等して，最終的に832万円の使途不明金を生じさせた事案について懲戒解雇を有効としている。また，上田株式会社事件決定（東京地決平成9・9・11労判739号145頁）は，使用者名義のクレジットカード利用明細書に添付され

る応募シールを着服して，カード会社からカラーテレビやギフトカード（総額約 14 万円）を取得した経理課員に対する普通解雇を有効としている。

　また，管理部人員以外の場合であっても，信用金庫にて集中集金の業務に従事していた職員が顧客からの集金を 1 万円着服した事案について（前橋信用金庫事件判決〔東京高判平成元・3・16 労判 538 号 58 頁〕），あるいは，保険外務員による保険料の横領（または入金遅延）の事案（協栄生命保険事件判決〔東京地判平成 8・7・24 労判 702 号 50 頁〕）等において，いずれも懲戒解雇を有効と認めている。これらの労働者は，金員を直接に扱うのが本業であるということも影響していると思われる。

　さらに，使用者の金員を直接に着服したのではなく，職務に関連して私利を得た事案について，ナショナルシューズ事件判決（東京地判平成 2・3・23 労判 559 号 15 頁）は，会社の部長が競業会社を経営し，商品納入会社より毎月 15 万円ずつを 7 か月収受したことについての懲戒解雇を有効とし，また，トヨタ車体事件判決（名古屋地判平成 15・9・30 労判 871 号 168 頁）も，会社の課長職にあり発注権限を持っていた者が，下請け 2 社より 1800 万円超のリベートを受け取ったことに対する懲戒解雇を有効としている。

ii　企業内の造反行為，使用者・上司への誹謗中傷，職場における協調の欠如等

　使用者経営陣への造反行為や，上司への誹謗中傷等は，人的組織である企業の秩序に違反する行為として懲戒の対象となる。まず，佐世保重工業事件判決（東京地判平成 8・7・2 労判 698 号 11 頁）は，会社の管理職らの一連の行動（特定役員を企業中枢に関与させない旨の連名の嘆願書作成，右翼暴力団と共謀していた反特定役員派の所長代行を支持支援するための連判質問状，趣意書の作成，会合等）につき，使用者の経営人事権に不当に介入し，その経営権を侵害するものとして，当該管理職らへの懲戒解雇を有効とした（類似の裁判例として，取締役社長の擁立を目的とした管理職の行動につき解雇を有効とした日本臓器製薬〔本訴〕事件判決〔大阪地判平成 13・12・19 労判 824 号 53 頁〕もある）。

　使用者や上司への誹謗中傷の例としては，グレイワールドワイド事件判決（東京地判平成 15・9・22 労判 870 号 83 頁）は，使用者設備のパソコン等を使用して，使用者への人事の不満や，「アホバカ CEO」，「気違いに刃物（権力）」等の上司を批判するメールを社外に発信していた労働者に対し，労働者の誠実義務の観点から不適切であり就業規則上の懲戒事由に該当するとし

た（ただし約 22 年間において特段の非違行為もなく勤務してきたこと等より，当該労働者への解雇は重きに失するとした）。また，セコム損害保険事件判決（東京地判平成 19・9・14 労判 947 号 35 頁）は，入社当初より即時解雇までの約 1 年間に上長や会社への批判等の問題行動，言辞を繰り返し，使用者からも指導・警告あるいは厳重注意を数回受けていた労働者の言動について，会社という組織の職制における調和を無視した態度と周囲の人間関係への配慮に著しく欠けるものであるとして，解雇を有効としている。なお，上司への誹謗中傷の範疇に入るか否か自体が問題となった例として，骨髄移植推進財団事件判決（東京地判平成 21・6・12 労判 991 号 64 頁）は，常務理事兼事務局長の不適切な言動について改善措置を求める旨の報告書を作成し理事長に提出した総務部長への懲戒処分（諭旨解雇）が問題となった事案について，仮に総務部長の職責として報告をした場合であっても，事実でない事柄を，不当な目的で，不相応な方法で行えば，違法であり懲戒事由となり得るとし，①真実性，②目的の正当性，③手段・方法の相当性から検討するのが相当とした上で，当該報告書は基本的に真実性のある文書であるとして，同人による本件報告書提出は懲戒事由に該当しないと判示した。

　また，職場における協調性の欠如などを理由とする解雇の成否について，解雇を有効とした例としては，ユニスコープ事件判決（東京地判平成 6・3・11 労判 666 号 61 頁）等があり，逆に解雇を無効とした例としては，社団法人大阪市産業経営協会事件判決（大阪地判平成 10・11・16 労判 757 号 74 頁）等がある。

iii　上司の部下に対する指揮・監督責任

　職場規律違反行為を行った直接行為者を指揮監督する上司についても，懲戒の対象となるとされている。

　まず，関西フエルトファブリック（本訴）事件判決（大阪地判平成 10・3・23 労判 736 号 39 頁）は，部下の反復した多額の横領行為（総額で約 9,000 万円）につき，当該部下の横領行為に当該上司が積極的に加担・関与したとまでは断定できないまでも，当該部下の横領を容易に知り得る状況にあった（とりわけ，銀行預金残高日計表と現金預金残高を確認照合しさえすればたやすく発見できた）ことを理由に，当該上司の行為は重過失により会社に損害を与えたときという懲戒解雇事由に該当するとして，当該上司への懲戒解雇を有効とした。他方，大阪相互タクシー（乗車拒否）事件決定（大阪地決平成 7・11・17 労判 692 号 45 頁）は，タクシー会社において，乗務員たる部下が乗

車拒否を起こしたことにつき，当該上司は乗務員たる部下が乗車拒否をしないように指導監督する義務はあるものの，個別指導の時間的限界や乗車拒否防止の困難性等を理由に，当該上司への諭旨解雇は重きに失して無効としている。

⑷　経歴詐称

　労働者による経歴の詐称は，使用者の採否判断を誤らせる重大な事象となり得るが，どのような詐称でも，重度の処分（特に解雇等）が許容されるわけではない。

　まず，代表的な最高裁判例として，炭研精工事件判決（最判平成 3・9・19 労判 615 号 16 頁）は，学歴詐称（大学中退を高校卒業と申告）を懲戒解雇事由とした原審判決（東京高判平成 3・2・20 労判 592 号 77 頁）の判示を肯定している。

　その他の裁判例のうち，まず，日本鋼管鶴見造船所事件判決（東京高判昭和 56・11・25 労判 377 号 30 頁）は，東京大学中退を中卒と詐称し（いわゆる学歴の過少詐称），父親の職業（国会議員）も偽って申告して使用者に採用されたという労働者に対する諭旨解雇について，就業規則中詐称が解雇事由となっている「重要な経歴」とは，その偽られた経歴につき通常の使用者が正しい認識を有していたならば，当該求職者につき労働契約を締結しなかったであろう経歴を指すとし，上記の経歴詐称は，重要な経歴詐称といわざるを得ないとして，上記諭旨解雇を有効としている（同趣旨の裁判例として，スーパーバッグ事件判決〔東京地判昭和 55・2・15 労判 335 号 23 頁〕等）。さらに，職歴を偽った事例につき，都島自動車商会事件判決（大阪地判昭和 62・2・13 労判 497 号 133 頁）は，他社におけるタクシー乗務員としての職歴を秘匿した経歴を申告し，タクシー会社に採用された労働者に対する懲戒解雇について，使用者が当該労働者の職歴を知っていれば，その点につき調査をなし，当該労働者の能力，成績等を判断して採否する重要な資料とすることが可能であった等を説示し，上記懲戒解雇を有効と判示している。

　学歴，職歴ではなく，能力についての詐称の事例としては，グラバス事件判決（東京地判平成 16・12・17 労判 889 号 52 頁）は，JAVA 言語のプログラミング能力がほとんどなかった労働者が，入社時の経歴書にはその能力があるかのような記載をしたことは，JAVA 言語のプログラマーとして採用された労働者に対しては就業規則上の懲戒事由に該当するとして，懲戒解雇を有

効とした。

　一方，解雇を無効とした裁判例として，マルヤタクシー事件判決（仙台地判昭和60・9・19労判459号40頁）は，採用される際に，すでに刑が消滅していた前科・前歴を秘匿した労働者が解雇された事案について，当該事案の職種あるいは雇用契約の内容等に照らすと，すでに刑の消滅（刑法34条の2）した前科といえどもその存在が労働力の評価に重大な影響を及ぼさざるを得ないといった特段の事情がなければ，労働者は使用者に対しすでに刑の消滅をきたしている前科まで告知すべき義務はないと説示し，解雇事由に当たらないとした。また，病歴について，福島市職員事件決定（仙台高決昭和55・12・8労判365号速報カード33頁）は，てんかん発作の病歴についての記載を偽って（秘匿して）採用された市職員への分限免職（私企業における解雇に相当）が問題となった事案について，秘匿された病歴が職務遂行能力の判定に影響を及ぼす虞の少ない程度のものであるならば，その秘匿をもって直ちに分限免職を相当とする理由にはならないと説示し，当該労働者のてんかん症状は相当軽度なものであることが一応認められるとして，上記分限免職処分を無効と判示している。

(5) 私生活上の非行

　通常，使用者は，私生活上の非行に関しても懲戒事由として就業規則中に規定してはいるが，私生活上の行為が実際に懲戒の対象となるのは，企業の事業活動あるいは社会的評価を害する（もしくはそのおそれがある）ものである必要がある（なお，私生活上の非違行為による普通解雇については，Chap. 18, Ⅲ 1(6)参照）。

　まず，最高裁判例である日本鋼管事件判決（最判昭和49・3・15労判198号23頁）では，使用者の懲戒解雇事由である「従業員の不名誉な行為が会社の体面を著しく汚したというためには，必ずしも具体的な業務阻害の結果や取引上の不利益の発生を必要とするものではないが，…事情から綜合的に判断して，右行為により会社の社会的評価に及ぼす悪影響が相当重大であると客観的に評価される場合でなければならない」とし，米軍基地拡張反対の示威運動に加わり，刑事特別法違反の罪で逮捕，罰金2,000円に処された労働者に対する懲戒解雇または諭旨解雇を無効とした。一方，類似の事案として，国鉄中国支社事件判決（最判昭和49・2・28労判196号24頁）は，日教組の闘争運動に参加し公務執行妨害罪で逮捕，起訴され有罪となった労働者

への懲戒免職処分が問題となったが，私生活上の非行でも企業の社会的評価を毀損するおそれのあるものは企業秩序の規制の対象となるとした上で，国鉄は高度の公共性を有する企業体であり，事業の円滑な運営の確保や廉潔性の社会的要請があるとして，上記懲戒免職処分を有効としている。前掲日本鋼管事件判決とで，民間企業と公的機関（当時の国鉄）との対比が参考になろう（同様に，組合活動に関連した公務執行妨害行為をなした労働者〔国鉄職員〕に対する懲戒免職処分を有効とした裁判例として，国鉄岩国基地撤去闘争事件判決〔最判昭和 56・12・18 判時 1045 号 129 頁〕）。

　なお，同じ最高裁判例としては，中国電力事件判決（最判平成 4・3・3 労判 609 号 10 頁）は，原子力発電所を批判する，内容が虚偽である組合ビラを配布したとして，会社が組合役員に対して懲戒処分（一番重い者で休職 2 か月）を行った事案につき，労働者が就業時間外に職場外で行ったビラの配布行為であっても，ビラの内容は企業の経営政策や業務等に関し事実に反する記載をしまたは事実を誇張，歪曲して記載したものであり，その配布によって企業の円滑な運営に支障を来すおそれがあるなどの場合には，使用者は，企業秩序の維持確保のために，上記ビラの配布行為を理由として労働者に懲戒を課することが許されると説示し，上記処分の有効性を認めている（類似の事案として，関西電力事件判決〔最判昭和 58・9・8 労判 415 号 29 頁〕は，会社を誹謗中傷する内容のビラを社宅に配布した労働者へのけん責処分を有効とした）。

　下級審の裁判例を事案の種類別に俯瞰すると，まず，実務上多くみられる交通事犯について，京王帝都電鉄事件決定（東京地決昭和 61・3・7 労判 470 号 85 頁）は，勤務終了後の酒気帯び運転による人身事故（被害者死亡）を理由とするバス運転士への懲戒解雇を有効としている。一方，熊本県教委（教員・懲戒免職処分）事件判決（福岡高判平成 18・11・9 労判 956 号 69 頁）は，一晩で二度の酒気帯び運転を行った公立中学の教員に対する懲戒免職処分について，当該教員は酒気帯び運転回避のための一定の努力をしていること（いったんは運転代行業者に連絡して代行運転者の派遣を要請していること），常習性がないこと，何等の事故もないこと等を勘案し，上記処分を重きに失するものとして無効としている（最高裁〔最判平成 19・7・12〕でも上告不受理）。また，類似の事案についての例として，加西市（職員・懲戒免職）事件判決（神戸地判平成 20・10・8 労判 974 号 44 頁）も，市職員（課長）の酒気帯び運転を理由とする懲戒免職につき，非違行為との均衡を欠くとして無効として

いる。

その他の犯罪については，例えば，JR 東日本（住居侵入）事件決定（東京地決昭和 63・12・9 労判 533 号 80 頁）は，女性の部屋に侵入して逮捕，勾留され，罰金 1 万円の刑に処せられ，かつ，事由を明確にせずに 6 日間欠勤した労働者に対する懲戒解雇につき，上記非違行為が破廉恥且つ悪質なものであること，当該非違行為が旧国鉄の分割・民営化の 4 か月足らず後のことであり，新たな企業理念を掲げ従業員にも意識改革を求めるなどして健全なる企業経営を目指し，それに相応しい社会的評価を獲得することが必要な時期であったこと等を説示した上で，上記懲戒解雇を有効としている。また，労働者の通勤途上において散見される痴漢犯罪について，例えば小田急電鉄（退職金請求）事件判決（東京高判平成 15・12・11 労判 867 号 5 頁）は，鉄道会社の従業員が電車内で行った痴漢行為について懲戒解雇事由となるとしている。もっとも，東京メトロ（諭旨解雇・本訴）事件判決（東京地判平成 27・12・25 労判 1133 号 5 頁）は，同じく鉄道会社の従業員による電車内の痴漢を理由とする諭旨解雇を無効としているが，後者の判決は，痴漢行為としては悪質性の比較的低い行為であったこと，マスコミに報道されるなど社会的に周知されることがなかったことの他に，前者判決の事案と異なり，先行して懲戒処分を受けたことがあるといったようなこともなく日頃の勤務態度にも問題がなかったこと等も考慮されたものと思われる。

男女間等の交遊関係については，本来は個人間の自由に属する問題ではあるが，それが当該企業の秩序，業務に影響を及ぼすような場合には，やはり，懲戒の対象になり得る。例えば，大阪府教委（池田高校）事件判決（大阪地判平成 2・8・10 労判 572 号 106 頁）は，学校内外で女生徒と人目をひく交際をし，卒業直後に肉体関係をもった妻子ある高校教諭の行為について，地方公務員法 33 条にいう「信用失墜行為」に該当するとして懲戒免職処分を有効としている。また，豊橋総合自動車学校事件判決（名古屋地判昭和 56・7・10 労判 370 号 42 頁）は，妻子あるスクールバス運転手が女性教習生と情交関係に至り，付近住民に悪評が立ち，自動車学校の案内所からも苦情が持ち込まれるなどした事案について，懲戒解雇という結論は著しく妥当を欠くとされたものの，使用者就業規則所定の懲戒解雇事由には（形式的には）該当するとされた。

一方，繁機工設備事件判決（旭川地判平成元・12・27 労判 554 号 17 頁）は，妻子ある同僚と男女関係を含む恋愛関係となり，職場，取引関係者の噂とな

ったという女性従業員について，当該使用者の職場の風紀・秩序を乱し企業運営に具体的影響を与えたことは明らかではないとし，解雇を無効としている。

(6) 二重就労（兼職）の禁止

　企業はその従業員（特に正社員）が，自社以外における業務を行うことで，疲労がたまったり，他社の利益を優先するようになったりすることを事前に防ぐ意味で，無許可での二重就労を禁止することが多い。しかし近時，労働者の働く自由に鑑み，こうした二重就労の禁止を限定的に解する傾向が一般である。

　二重就労の禁止に抵触したことを理由とする懲戒解雇（もしくは普通解雇）を有効としたものとして，小川建設事件決定（東京地決昭和57・11・19労判397号30頁）は，当該使用者の下で午前8時45分から午後5時15分まで就業していた上で，キャバレーの会計係として午後6時から午前零時まで就業していたという事案につき，毎日6時間かつ深夜に及ぶ兼業は当該使用者への労務の誠実な提供に何らかの支障を来たす蓋然性が高いとして懲戒解雇を有効とした。また，ナショナルシューズ事件判決（東京地判平成2・3・23労判559号15頁）は，商品部長が，当該使用者と競業する小売店を経営していたという事案について懲戒解雇を有効とした。また，やや特殊な事案ではあるが，ジャムコ立川工場事件判決（東京地八王子支判平成17・3・16労判893号65頁）は，業務上災害による傷病により休業している労働者がオートバイ販売店を経営していたため，当該傷病が症状固定していた時期に懲戒解雇されたという事案につき（なお，業務上災害による傷病であっても症状固定後30日が経過すれば労基法19条の解雇制限にはかからない），上記営業行為（オートバイ販売店経営）は他の従業員から見れば奇異であり，職場秩序を乱し，雇用関係における信頼関係を損なう程度のものであるとして，懲戒解雇を有効とした。

　一方，懲戒解雇（もしくは普通解雇）を無効とした裁判例としては，まず，定森紙業事件決定（大阪地決平成元・6・28労判545号12頁）は，紙の販売会社に勤務している営業社員が，その妻が経営している同業会社の営業に関与していたという事案について，使用者は上記事情に気付いていながら約2年8か月の間放置し，むしろその会社の存在を黙認していたと認定し，懲戒解雇を無効とした。また，十和田運輸事件判決（東京地判平成13・6・5労

経速 1779 号 3 頁）は，貨物運送会社の運転手が，年 2 回程度貨物運送のアルバイトを行っていたことを理由になされた普通解雇について，業務に具体的な支障を来たさなかったとして，普通解雇の効力を否定している。また，大阪経済法律学園事件判決（大阪地判平成 19・12・20 労判 965 号 71 頁）は，学校法人の大学職員として勤務している者が，他大学の大学院に入学したこと等を理由として懲戒解雇がなされた事案につき，上記他大学大学院在籍は当該労働者の職務とは関連しないものであり，大学院での就学状況によって当該学校法人における職務遂行に支障を来たすような場合には当たらないとして，懲戒解雇を無効とした。なお，兼業（アルバイト）を使用者に禁止されたことを理由とする労働者（準社員）からの損害賠償の可否について問題となったものに，マンナ運輸事件判決（京都地判平成 24・7・13 労判 1058 号 21 頁）があり，同判決は，労働者からの 1，2 回目の申請を不許可としたことはともかく，3，4 回目の申請を不許可としたことは理由がなく，労働者のアルバイト就労を不当かつ執拗に妨げる対応であること等を理由に，使用者に対する損害賠償請求を認めている。近年の労働者の兼職の自由を認める方向性を表すものとして，注意が必要である。

(7) 内部告発行為

i 内部告発行為についての法的保護

　従来は，労働者がその在籍している使用者の秘密を外部に開示する行為については，故意に使用者の不利益を生ぜしめるものとして，懲戒処分の対象となるのが一般であったが，近時，企業のコンプライアンス強化の社会的趨勢により，一定範囲の内部告発行為は法的に保護される傾向にある。

　2004（平成 16）年，公益通報者保護法が制定され，公益通報の相手方（使用者内部，行政機関，行政機関以外の機関〔マスコミを含む〕）ごとに，内部通報が保護される要件を別途に定めている（使用者内部への場合が最も緩く，行政機関以外の機関への場合が最も厳格である）。その具体的内容を簡述すれば，以下の通りである。

　労働者（派遣労働者，業務請負による請負労働者，退職者を含む）が，(a)不正の利益を得る目的，他人に損害を加える目的その他の不正の目的でなく（同法 2 条），(b)その労務提供先の事業者，役員，従業員等について，(c)同法所定の別表に掲げる法令（刑法，食品衛生法，個人情報保護法等々）に規定する犯罪行為ないしはそれらの法律の規定に基づく処分の理由となる事実に該当

する事実（同法2条3項）が生じ，またはまさに生じようとしている旨を通報する場合を想定している。ただし，その通報先が使用者内部への通報の場合は，通報対象事実（上記(c)）が生じ，または生じようとしていると思っていることで足りるが（同法3条1号），通報先が行政機関の場合は，通報対象事実が生じ，またはまさに生じようとしていると信じるに足りる相当の理由が必要とされ（同法3条2号），さらに，行政機関以外の外部機関（マスコミ等）への通報については，㋐内部通報（労務提供先への通報）・行政機関への通報をすると不利益取扱いを受けると信ずるに足りる相当の理由がある場合，㋑内部通報をすると証拠隠滅等のおそれがある場合，㋒内部通報の後20日を経過しても労務提供先より調査の通知がなく，または正当な理由なく労務提供先の調査が行われない場合等を含めた6つの場合に限定されている（同法3条3号）。上述の要件に該当する公益通報を行った労働者に対しては，労務提供先（使用者）より解雇，降格等の不利益取扱い等（懲戒処分を含む）を行ってはならないとされている（同法4条，5条）。なお，実務上多くみられる例として，残業代の不払い（労基法37条違反）を労基署に申告するような場合があるが，公益通報者保護法所定の別表（上記(c)）には労基法が入っていないので，上述の労基署への申告は同法の保護には該当しないものの，労基法104条2項により当該申告者は保護されることとなる。

公益通報者保護法による保護と，以下に述べる裁判例における懲戒権の制約による保護とは，互いに排斥して適用されるものではなく，同一の内部告発行為につき，双方の保護が重畳する場合もある。

ii 懲戒無効例

宮崎信用金庫事件判決（福岡高宮崎支判平成14・7・2労判833号48頁）は，信用金庫に勤務していた労働者（2名）が，使用者の管理している顧客の信用情報等が記載されている文書を不法に入手し，これらの文書や使用者を批判する文書を外部に交付し，結果として右翼活動家にもわたり再三不法な要求が当該使用者になされるに及び，当該労働者らが懲戒解雇されたという事案につき，懲戒解雇を有効とした一審判決（宮崎地判平成12・9・25労判833号55頁）を変更し，右翼活動家への文書流失の件は労働者らの意思に基づくものではなく，仮に過失があったとしても就業規則の規定上懲戒解雇事由にはならないとし，また，当該労働者らはもっぱら当該使用者内部の不正疑惑を解明する目的で行動していたもので，実際に疑惑解明につながったケースもあり，内部の不正をただすという観点からはむしろ当該使用者の利益に

合致するところもあったことより，当該労働者らの違法性は大きく減殺されるとして，懲戒解雇を無効とした。また，カテリーナビルディング（日本ハウジング）事件判決（東京地判平成 15・7・7 労判 862 号 78 頁）は，親会社に出向していた労働者が，親会社の上場を妨害する目的で，監査法人や日本証券協会に対し，親会社を誹謗中傷する発言をしたり文書を交付・送付したこと等を理由として懲戒解雇された事案について，当該行為は企業秩序維持の点より問題はあるが，労働者は労働基準監督署に相談や調査を申し入れており，上記の監査法人に対する文書交付等の行為もその一環であること，親会社は労働基準監督署の調査を受け，時間外賃金の支払等について改善指導を受けたことより，当該労働者の行為は労基法の遵守や労働条件の改善を目的としたものと認められ，その方法，態様が相当ではないことを考慮しても，なお相応の合理性を有する旨を説示し，懲戒解雇を無効としている。また，日本ボクシングコミッション事件判決（東京地判平成 27・1・23 労判 1117 号 50 頁）は，使用者の立替金処理の不当性を指摘したり，業務命令（未契約の業務委託者に給与として送金すること）を背任とする内部通報を行った者に対する懲戒解雇について，いずれも根拠のないものや不正目的によるものでもなく，就業規則に該当する懲戒解雇事由には当たらないとして，上記解雇を無効とした。

　なお，解雇以外の事案でも，使用者のヤミカルテル等を報道機関に内部告発した労働者に対する不利益取扱いとして，個室への隔離，雑務への従事，昇格させないこと等が違法であり，損害賠償の対象となるとした裁判例としてトナミ運輸事件判決（富山地判平成 17・2・23 労判 891 号 12 頁）もある。

iii　懲戒有効例

　日本経済新聞社（記者 HP）事件判決（東京高判平成 14・9・24 労判 844 号 87 頁）は，個人のホームページを開設して記者として業務上知り得た事実や体験を題材に使用者批判を含む記事を公表し，いったん，ホームページを閉鎖したものの後に再開し，新たに「捏造記事」，「オーナー企業」，「悪魔との契約」などのタイトルで取材相手の実名や役職名を明示した取材・編集過程を公表したり，使用者が言論の自由を認めない「悪魔」であるなどといった記事を公開した労働者が出勤停止（14 日間）に処せられた事案である。判決は，経営者の判断に委ねられるべき取材源，取材過程を一方的判断で公表したこと，会社の経営方針・編集方針の侵害になること，経営者に対する批判によりマスコミとしての経営者の信用を失墜させたことより，上記出勤停

止処分を有効としている。

　また，アワーズ（アドベンチャーワールド）事件判決（大阪地判平成17・4・27労判897号26頁）は，象の飼育をした後に販売課に属していた労働者が，象の死亡は虐待（厳しい調教，餌不足等）によるものである旨を内部告発した結果，当該労働者が懲戒解雇された事案について，「内部告発が正当なものであるというためには，少なくとも，告発した内容が重要部分において，真実であるか，仮に真実でなかったとしても，真実と信ずる相当な理由のあることを要する」とした上で，象の死因，コスト削減のために餌を大幅に削減したこと等の点について，上の真実性の証明もなく，死亡時に象の飼育担当ではなかった労働者には，真実と信じるに足りる相当な根拠もなかったとして，上記の懲戒解雇を有効とした。

　A不動産事件判決（広島高判平成29・7・14労判1170号5頁）は，従業員8名という小規模会社において，代表者の息子で専務取締役である者が詐欺罪で逮捕された事件が生じたところ（実名報道はされたが，使用者名は報道されず，また，上記詐欺行為は不起訴処分で終了），使用者代表者が県本部理事等を務めている公益社団法人協会に対して，匿名にて当該協会会員を装って，代表者の息子の詐欺行為および逮捕の件を明らかにする等の内容のFAXを送信した労働者が普通解雇された事案である。判決は，当該労働者は，自らの待遇と上記事件への使用者の対応の不満のはけ口として上記FAX送信を行ったこと，上記事件は使用者代表者にとって他人に極力知られたくないことであり，上記FAX送信による当該労働者と小規模会社である使用者との間の信頼関係破壊の程度は大きいこと等を理由に，普通解雇を有効としている（もっとも，普通解雇に先行してなされた懲戒解雇については，上記FAX送信は，会社に重大な損害が生じたか少なくとも生じる蓋然性が高度であったとはいえないとして無効としている）。

　以上のように，内部告発を理由とする懲戒処分の正当性は，内部告発の，(a)告発目的，事項の公益性，(b)告発事実の真実性ないし真実と信じる相当の根拠，(c)告発手段・態様の相当性，といった諸要素を総合勘案して判断されているところである。

⑻　企業施設の無断使用等（政治活動，組合活動）

　企業の多くは，自己の財産である企業施設を，労働者が無断で使用（私用）することを禁じているが，実際には，企業施設が政治運動，組合運動の

場となり，集会，ビラ配布等が行われる場合がみられる。このような場合についての裁判例は多いが，ここでは最高裁判例のみを述べると，まず，目黒電報電話局事件判決（最判昭和52・12・13労判287号26頁）は，職場において「ベトナム侵略反対」と書いたプレートを着用していた労働者に対し，職場での政治活動を禁止していた就業規則に違反するとしてなされた戒告処分の有効性が問題となった事案において，職場内における従業員の政治活動は，従業員相互間の政治的対立ないし抗争を生じさせるおそれがあり，また，企業施設を利用して行われるものである以上その管理を妨げるおそれがあり，しかも，それを就業時間中に行う従業員がある場合にはその労務提供義務に違反するにとどまらず他の従業員の業務遂行をも妨げるおそれがあり，また，就業時間外であっても休憩時間中に行われる場合には他の従業員の休憩時間の自由利用を妨げ，ひいてはその後における作業能率を低下させるおそれがあるなど，企業秩序の維持に支障をきたすおそれが強いものといわねばならず，使用者が企業秩序維持の見地から就業規則により職場内における政治活動を禁止することは合理的な定めとして許されるべきと説示し，一方で，当該使用者の就業規則は職場内の秩序風紀の維持を目的としていたものであることにかんがみ，形式的に上記規定に違反するようにみえる場合であっても，実質的に職場内の秩序風紀を乱すおそれのない特別の事情が認められるときには，上記規定の違反になるとはいえないと一般論を説示した上で，当該プレート着用は，職場の同僚に対する訴えかけという性質を持ち，職務の遂行に直接関係のない行動を勤務時間中に行ったものであって，また，他の職員の注意力を散漫にし，あるいは職場内に特殊な雰囲気をかもし出し，よって他の職員がその注意力を職務に集中することを妨げるおそれのあるものであるとして，当該戒告処分を有効と判示した。

　一方で，明治乳業事件判決（最判昭和58・11・1労判417号21頁）は，昼休み時間中に使用者の許可なくビラを配布したことを理由とする戒告処分について，上述のビラ配布行為は形式的には使用者の就業規則等の規定に違反するものであるが，工場内の秩序を乱すおそれのない特別の事情が認められるときは，上記規定の違反になるとはいえないと説示した上で，食事中の従業員数人に1枚ずつ平穏に手交するか机に静かに置くという方法で，ビラの受領，閲読，廃棄は各人の自由に任され，配布時間も数分間というビラ配布行為の態様や経緯，目的，ビラの内容等に照らせば，工場内の秩序を乱すおそれのない特別の事情が認められるとし，当該戒告処分を無効としている。

前掲目黒電報電話局事件判決と対比すると，行為の時間帯が勤務時間中と昼休みの違いがあったこと，プレートのように見る者の意思にかかわらず目につくものとビラのように読むか読まないかは各自の自由であるものとの差異があったと思われる。

　なお，以上は政治活動およびそれに伴うビラ配布等の事案であるが，労働組合の組合活動に関するものである場合は，国労札幌支部事件判決（最判昭和54・10・30労判329号12頁）が一般的な基準を定立している。同判決は，労働組合による企業施設利用は，本来は使用者との合意に基づくべきであり，使用者の許可を得ずに企業施設内での組合活動を行うことは，その利用を許可しないことが使用者の施設管理権の濫用と認められる特段の事情がない限り，正当性を有しないと説示している（労働組合運動についての問題であるので，本書 Pt. 2 を参照されたい）。

　いずれにせよ，就業規則に抵触すれば，一次的には懲戒事由になり得るものの，当該事案の具体的内容（当該行為の内容のみならず，当該職場の規模，特性，他の従業員への影響等々）に照らして，企業秩序への実害およびその危険性がないという特段の事情があれば懲戒事由から外れる，とするのが裁判例の流れである。

Ⅶ．実務の具体的対応

　以上の法令および裁判例の俯瞰を踏まえて使用者側弁護士としての具体的対応を考えてみる。

1．懲戒処分についてよくみられる課題への対策

　懲戒の適否についてまず重要となるのは，懲戒事由を構成する事実が存在することである。これは，極力，客観的な証拠，資料（メール，映像，録音，パソコンの使用履歴等々）で裏付けをするのであるが，日々の労務すべてを網羅することは現実的でないので，かなりの部分は，上司，同僚といった他の従業員の見聞がその裏付けとなる（いわゆる，陳述書，報告書の作成）。懲戒解雇，諭旨解雇といった重い懲戒処分となると，被懲戒者である労働者も（それが事実であろうとなかろうと）事実関係を争ってくることが少なくないので，上記の陳述書，報告書と被懲戒者の主張のいずれが正しいかという判断に迫られることも多い。その際，最終的に訴訟になれば，懲戒事由の立証

責任は使用者側が負うので，使用者としては，相当に確からしい根拠資料を備えておく必要がある。

　次に，懲戒事由があるとしても，それに対する懲戒処分は，社会通念上相当なものであること（労契法15条），つまりは，重きに失するものであってはならない。これは，特に，重度な懲戒処分（懲戒解雇，諭旨解雇等）において問題となることが多く，使用者の懲戒処分が重きに失するとして無効となった裁判例は枚挙に暇がない（具体的には前述Ⅵの裁判例参照）。これについては，最終的には，使用者が懲戒しようとしている労働者の行為（懲戒事由）に似た事案について問題となった裁判例を拾い出し（無論，その数は多ければ多いほどよい），法的に許容される懲戒処分の程度（実務的相談として多いのは，解雇が許容されるか否か）を検討，判断することになるのだが，特に解雇の場合，使用者の金員の横領や詐取，配転命令違反，著しい法令違反（覚醒剤使用，破廉恥行為等）といったような明らかに否定的要素が大きい行為ならともかく，勤怠不良の積み重ね，上司の指導・命令拒否，協調性の欠如といった，継続的ではあるものの一件一件はさして大きな問題ではないといった事案の場合は，当該労働者に改善可能性がないかどうかが問われることになる。

　以上の懲戒処分の問題点について，もとより，万能薬的な解決処方策は存しないが，相当数の事案に共通して使用者に有利に働く施策としては，以下の2つが存する。

　㋐まず，懲戒処分に至る前に，問題社員化している労働者に対し，なるべく丁寧に指導しておくとともに，その記録を残しておくことである。指摘されれば当然のことと思われるであろうが，これを行っている使用者は少なく，多くの場合，現場の管理職のその場限りの口頭注意・指導の繰り返しに終わってしまい，何時，どのような事実関係があって当人に注意するに至ったのか，具体的には思い出せなくなってしまっていることは多い。また，注意された労働者自身も忘れてしまっていることも少なくない。したがって，当人の問題行為につき，必ずしも詳細でなくとも簡単にでも5W1Hを表しつつ，注意書面（メールでも可）をもって注意・指導を行うことが，記録，記憶の両面からも妥当である。というのは，記録の点では，懲戒処分の事由について，注意書面の中に，自然に具体的に記録化され，万一紛争になった際には懲戒処分の妥当性の立証に資するからである。また，記憶の点では，労働者としても注意・指導が鮮明に記憶に残るであろうから，自ら改善することが

期待できるし，それでも改善されないような場合は，それこそ，当該労働者には改善の見込みがない（少ない）と評価されるであろう。

⑦次に，懲戒処分に際しては，使用者が考えている懲戒事由に対し，当該労働者に告知，聴聞の機会を与えること（つまりは弁明を聞くこと）が，実は使用者にとっても有益である。なぜなら，労働者に弁明の機会を与えることで，使用者が考えている懲戒事由の事実に抜けなり誤りなりが見つかることがあるし，あるいは，労働者が懲戒事由を構成する問題行為をすることとなった背景，事情（実は長時間労働でストレスがたまっていた，上司からのパワハラ的扱いがあってモチベーションが下がっていた等）が見つかる場合もあるからである。また，懲戒処分の社会的相当性の判断においても，労働者に最後の弁明の機会を与えつつ，使用者が慎重に懲戒処分を決定したというプロセスは，労働者に対する配慮と評価され，プラスに働くことがある。無論，裁判例もいうように，このプロセスが懲戒処分に必須なものというわけではないが，使用者としては，殊に解雇のような重度の処分においては，プロセスを尽くすのが無難である。

2. 最終的な判断

1でも触れた通り，殊に重度な懲戒処分（懲戒解雇，諭旨解雇等）においては，使用者の懲戒処分が法的に妥当か否かの判断は，主に裁判例の丁寧な調査，比較検討によるのだが，その際，当該使用者の業種，特性，懲戒事由への姿勢（類似事案に対する懲戒処分の内容），当該労働者の業務，前歴といった，問題となっている使用者，労働者をめぐる事案の個性に注意しておく必要がある。一口にこのようにいっても，考慮しなければならない事象は広大であるが，例えば使用者の業種が金融会社であれば金銭的不正についてはより厳罰の方向に働くであろうし，特性として顧客が企業というより最終消費者に近ければ（例えば製菓業，運輸業等），より社会的評価が重要であり，殊に運輸業などでは飲酒業務などは厳罰であろう。かように，当該労働者の行為の一般的外形のみならず，それが与える企業，職場への影響の軽重も懲戒処分の社会的相当性の判断に直接影響するのである。ただ，それとても，大抵の場合には，これまでの裁判例の中の参考になる部分（裁判所の判断の部分のみならず，当事者の主張の部分にも有益な部分は実に多い）より拾い出せる場合が少なくない。使用者側の弁護士としては，使用者の行為について，量，質において十分に有為（「有利」ではない）な裁判例を探し出し，それを基に

CHAPTER 15　懲戒

263

使用者の行為の適法・違法を的確に判断できれば，道半ばまでは達したといえよう。

実践知！

　懲戒処分をめぐる処理においても，類似事案の裁判例の調査は必須であるが，その場合，単に懲戒処分の対象となる行為の類似性のみならず，使用者の業種，労働者の職務等といった，行為を取り巻く事実関係も考慮に入れるとよい。

　重度の懲戒処分（特に懲戒解雇）の場合，日常の労務管理において，解雇の場合と同様，当該労働者の日常の問題行為につき，注意・指導（できれば問題行為の5W1Hを記載して）の足跡を残すことが肝要である。

　もちろん，事案にもよるが，いきなり重度の懲戒処分（特に懲戒解雇）を行うことはリスクが伴うことも多いので，軽度の処分（けん責，減給，出勤停止）や形に残る注意・指導を行い，勤務姿勢の改善を促すプロセスを踏むことが妥当なことも多い（使用者の金員横領，大きな経歴詐称，悪質性の高い非違行為といったように，必ずしもこれに当てはまらないものもある）。

　懲戒処分でも，特に懲戒解雇の場合には，事前に弁明の手続を経ておくのが安全なことが多い。使用者側の事実認識や，当該労働者に対する業務指導の不足が，そうした弁明手続の中で判明することもある。

　懲戒解雇は労働者側に相当な落ち度がないと法的に有効とならないことが少なくない。そこで，懲戒解雇の効力に不安があるような場合，予備的に普通解雇の意思表示もしておく（これは，訴訟になった後の口頭弁論期日でも可能である）ことも，一策である。

CHAPTER

16 休職と自宅待機

I. 意義・根拠，その他の概念との異同

　休職とは，一般論としては，ある労働者について就労させることが不能または不適当な事由が生じた場合に，その労働者との労働契約自体は維持しつつ，その労働者の労務提供を免除または禁止する措置，とされている。もっとも，実務上，上で述べた当該労働者の就労を免除または禁止するに至る事由には多種多様なものがみられる。休職については，労働法上の規制はなく，原則として，使用者側の就業規則でその内容が決定され，休職措置の要件，効果も原則としてそれによる。

　一方，自宅待機とは，使用者が労働者を出社させるのが不適当と判断した場合に，当該労働者を出社させずに自宅で待機するよう命じる措置である。使用者は，原則として，随時，人事権の行使として自宅待機命令を出すことができ，就業規則上の根拠を要さないが，自宅待機は業務命令によるので，原則として有給となる。労働者には，原則として就労請求権がなく（日本自転車振興会事件判決〔東京地判平成9・2・4労判712号12頁〕等），有給の場合の自宅待機は使用者は当該労働者に対して特段に根拠なくして命じることができるが，無給の場合は，相当の事由がないと認められないとされている。これには例えば労働者を懲戒処分にする前段階として，当該労働者の非違行為の調査に要する期間中，当該労働者を自宅待機とする場合がある。ただし，どの程度の期間において無給の自宅待機が認められるかは問題となり得る。

　休職・自宅待機に似た概念としては，休業，休暇，出勤停止といったものがある。

　休業とは，労働関係法の法令の様々な箇所で表れるものであり（労基法26条，65条，育介法等），休職と同様，一定の労働者に対して，労働契約関係を維持しながら労務の提供を免除，または禁止するものであるが，前述の通り，休職が就業規則等に根拠があるのに対し，休業は法令の中に根拠があることが多く，法令中に休業の要件，効果が規定されていることが多い。

　休暇とは，労務の提供が一時的に免除されることをいい，例えば年次有給

CHAPTER 16　休職と自宅待機　　265

休暇（労基法39条），生理日休暇（労基法68条）のように法令で定められるものもある一方，就業規則，さらには使用者による便宜的・臨時的な判断で設けられるものも存する。実態面としては，休職よりも時間的に短期間（通常は数日）を予定することが多いようである。

出勤停止は，通常，当該労働者が企業内秩序に違背する行為を行ったことにより受ける懲戒処分の一種として行われる。懲戒処分の一種なので就業規則上の根拠がなければならないが，賃金面では無給となるのが一般である。

Ⅱ．休職

1．休職の種類

(1)　はじめに

休職に至るには様々な事由があるが，大別すれば，労働者側の事由により労務提供が困難となったためのものと，労働者側の事由以外の事由が生じて労務提供が困難となったためのものとがある。前者の例が私傷病休職，事故欠勤休職，起訴休職，公職就任休職等であり，後者の例が，出向休職等である（業務上傷病休職は，事象面では傷病であるが原因が業務にあるので，どちらともいい難い。ただし，業務上の傷病により療養のため休業休職する期間中は，使用者の解雇は制限される〔労基法19条1項〕）。前者の場合，労働者側の事由により労務提供をなし得なくなるのであるから，本来，使用者と当該労働者との労働契約は解約（解雇）となるのが原則となるが，それをせずして労務提供の免除に留めるものであり，その本質は解雇猶予である。

賃金に関しては，就業規則の規定により，有給，一部有給，無給の別，勤続期間に通算されるか否か等が規定されることとなるが，労働者側の事由による労務不提供であれば，原則としては無給である。以下，各休職事由ごとに若干解説する。

(2)　傷病休職

傷病休職とは，私傷病（業務外の傷病）により当該労働者が一定程度の欠勤に至った場合に，一定期間，当該労働者を休職とするものである。休職に及ぶまでの当該労働者の欠勤の程度，休職に至ってからの休職期間については，就業規則等に具体的に定められることとなる。就業規則上定められた休職期間が満了しても当該労働者が傷病より回復することがなかった場合，当

該労働者は自然退職もしくは解雇となることが一般である。ただし，傷病が私傷病ではなく，業務に起因する傷病である場合は，当該労働者が回復していなくとも症状固定に至るまでは，自然退職または解雇とすることはできないことには留意すべきである（労基法 19 条 1 項）。

(3)　事故欠勤休職

　事故欠勤休職とは，事故により一定期間欠勤する必要がある場合に休職とするものである。事故欠勤休職につき，休職期間を過ぎても当該労働者が復帰できない場合に自然退職とされることが就業規則等により規定されている場合，事故欠勤休職を命じること自体が条件付の解雇の機能を有するため，解雇予告期間の法規制（労基法 20 条）の潜脱を防ぐべく休職期間を 30 日以上とした上で，事故欠勤休職発令時点において，解雇事由をやや緩和した程度の休職事由を要すると解するのが一般的である（菅野・労働法〔12 版〕747頁。裁判例として，石川島播磨重工業事件判決〔最判昭和 57・10・8 労経速 1143号 8 頁〕）。

(4)　起訴休職

　起訴休職とは，労働者が刑事事件において起訴された場合に休職とするものである。起訴休職は，現実に労働者が身柄を拘束され労務の提供ができなくなった場合に限らず，労働者が起訴されたことにより，使用者の信用が毀損されたり，職場秩序の妨げとなるおそれがある場合にも認められる点が特色である。逆に，単に起訴された事実のみでは命じることはできないとされる（山九〔起訴休職〕事件判決〔東京地判平成 15・5・23 労判 854 号 30 頁〕）。また，いったん，起訴休職の事由を充足しても，時間の経緯によってその事由が消滅した場合には，休職を命じ得ないこともある（全日本空輸事件判決〔東京地判平成 11・2・15 労判 760 号 46 頁〕）。ただし，実務としては，休職事由の存否の判断は微妙なところもある。

(5)　その他の休職

　前述(2)～(4)以外の休職として，出向休職，公職就任休職等がある。出向休職は，使用者の出向命令により出向元での労務提供を免除されるという純然たる使用者都合の人事措置であり，自然退職や解雇といった問題は生じない。公職就任休職は，労働者が公職に就任する一定期間，労務の提供を免除する

ものであるが，公職就任期間満了を待って復帰することが予定されることが多く，これも自然退職や解雇といった問題は通常生じない。

2. 裁判例（傷病休職に関するものについて）

本章において再々述べているように，休職といってもその類型は多様ではあるが，実務においては，ほぼ，傷病休職に問題が集中しているので，本項では，傷病休職について，その論点ごとに，有用と思われる裁判例を概観する。

(1) 傷病の業務起因性について

まず，前述1の通り，休職に至る傷病が業務上の傷病に該当する場合，その傷病の療養中は，使用者は当該労働者を解雇することができず（労基法19条1項)，休職期間満了後も，症状固定，打切補償といった事情のない限りは，雇用契約を終了させることはできないとされている。

業務起因性が争点となった裁判例は無数にあるが，最近の高裁判決の例（肯定例）である東芝（うつ病・解雇）事件判決（東京高判平成23・2・23労判1022号5頁）は，うつ病で休職に入った労働者が，使用者所定の休職期間が満了しても職場復帰が適わなかったので，当該労働者を使用者が解雇したところ，当該労働者が上記うつ病は業務に起因するものであるとして上記解雇の無効を主張して提訴したという事案についてのものである。前掲判決（高裁判決）は，その一審判決（平成20・4・22労判965号5頁）の「原告［註：労働者］の平成12年11月から平成13年4月までの就労については，…所定時間外労働時間は平均90時間34分，法定時間外労働時間は平均69時間54分であり，…疫学的研究…で有意差が見られるとする『60時間以上』というレベルを超えており，その業務内容も，業務内容の新規性，繁忙かつ切迫したスケジュール等，原告に肉体的・精神的負荷を生じさせたものということができる」との説示を引用しつつ（新しい製品の製造ラインでの業務であること，その立ち上げのスケジュールが従来のラインの例よりもかなり短期であったこと，が具体的事実として存していた），上記うつ病につき業務起因性を肯定し，上記解雇を無効とした。他に，傷病休職における傷病の業務起因性を肯定したものとして，アジア航測事件判決（大阪高判平成14・8・29労判837号47頁）等がある。

一方，業務起因性を否定した裁判例として，古くは，慈恵医大病院事件判

決（東京地判昭和 58・2・28 判時 1077 号 135 頁）がある。同判決は，看護士の頸肩腕症候群について，作業環境がさほど劣悪とはいえないこと，作業の内容・態様も一定の作業を一定の固定された姿勢で繰り返し行うものではないこと，当該労働者が特に問題としていた処理量は一般の事務作業に比較して特に多いとはいえないこと，当該労働者には以前より既往歴があり問題となった疾病の前月には体力の低下が窺われること，労基署等でも業務起因性を否定していること等を理由に，業務起因性を否定した。他にも，京セラ（旧サイバネット工業・民事）事件判決（横浜地川崎支判昭和 63・5・19 労判 530 号 71 頁），一審（大阪地判平成 25・3・6 労判 1108 号 52 頁）の判断を変更し，過重労働の事実は認められないとして業務起因性を否定した日本政策金融公庫（うつ病・自殺）事件判決（大阪高判平成 26・7・17 労判 1108 号 13 頁），事実経緯の途中で精神疾患が完治していたことを理由に業務起因性を否定した建設技術研究所事件判決（大阪地判平成 24・2・15 労判 1048 号 105 頁）等がみられる。

　昨今，頻見される精神疾患に関しては，私立学校の教員が罹患し休職する理由となったうつ病につき，業務起因性が問題となった J 学園（うつ病・解雇）事件判決（東京地判平成 22・3・24 労判 1008 号 35 頁）は，当該労働者の週当たりの受け持ちの授業数，他に担当している担任・副担任や校務といった業務は，他校に比較して過酷な業務負担とはいえないこと等を説示し，上記うつ病について業務起因性を否定している（ただし，事案の結論としては，うつ病からの回復可能性への考慮が不足していたとして，当該学校が行った解雇を無効としている）。

　なお，前述のとおり傷病の業務起因性をめぐる裁判例は無数にあるので，実務における判断においては，丁寧な裁判例の調査が肝要である。

(2)　治癒（復帰可能性）の判断について

i　原則

　傷病休職者が，就業規則等に所定の休職期間満了までに治癒状態（職場復帰可能な状態）とならなかった場合，休職事由が消滅しないまま休職期間が満了したものとして，自然退職または解雇に及ぶこととなる。この治癒の判断について原則的基準を示したものは，平仙レース事件判決（浦和地判昭和 40・12・16 労判 15 号 6 頁）であり，同判決は，「休職処分とはある従業員を職務に従事させることが不能であるか若しくは適当でない事由が生じた時に

CHAPTER 16　休職と自宅待機

269

…職務に従事させることを禁ずる処分であるから病気休職者が，復職するための事由の消滅としては従前の職務を通常の程度に行える健康状態に復したときをいう」と説示した。また，アロマカラー事件決定（東京地決昭和54・3・27労経速1010号25頁）も「申請人［註：労働者］が受傷前に従事していた業務は，…座姿勢による作業が主であるが，なお相当量の立位作業及び…運搬作業があり，申請人の右状態では従前の業務に耐えられないものと認められるから，…申請人は復職可能な状態にあったとはいえ」ないと判示している。以上より，休職は休職時点より状態を凍結し，当該労働者の労務提供不能による使用者の解雇を猶予するものと捉え，休職期間満了までに休職までの従前の状態に復さなければ，使用者の解雇の猶予が解除される，という理解が，治癒の判断における原則論である。すなわち，治癒の判断の時期（時期的基準）については休職期間満了時とし，判断の対象職務（職務内容的基準）については，休職までの従前の職務とするものである。

ii　判断時期，対象職務についての拡張

前述iの通り，休職労働者が治癒したか否かの判断時期は休職期間満了時であり，その判断対象職務は休職前の従前の職務であるのが原則論ではある。ただし，この，傷病治癒の判断時期，判断対象職務については，下述の通り，近時，裁判例によって，労働者の雇用確保の見地から拡張・修正されている。

治癒の判断の時期については，エール・フランス事件判決（東京地判昭和59・1・27労判423号23頁）は，「復職を容認しえない旨を主張する場合にあっては，…今後の完治の見込みや，復職が予定される職場の諸般の事情等を考慮して，解雇を正当視しうるほどのものであることまでをも主張立証することを要する」，「被申請人［註：使用者］が申請人［註：労働者］の復職を不可能と判断したのは産業医…の判断を尊重したため…であるが，その…医師の判断の基礎となっている資料は…復職にあたっては軽勤務から徐々に通常勤務に戻すことが望ましいという助言を与える内容のものであることが認められ…，徐々に通常勤務に服させていくことも十分に考慮すべき」と説示し，休職期間満了時に休職前の作業への復帰はできずとも，その後「当初の間」に軽作業に従事させつつ徐々に通常勤務に復させることができるような場合には復職を認めるべきであるとしている。また，東京キタイチ事件判決（札幌高判令和2・4・15労判1226号5頁）は，業務上の傷病により休職していた者が症状固定した2か月後になされた解雇につき，しばらくの間業務軽減を行うなどすれば，当該労働者が復帰することは可能であったと考えられる

ことから，解雇時に作業に耐えられなかったとは認められないとして，上記解雇を無効としている。

　次に，治癒の判断対象職務については，休職前の従前の職務であり，それが可能となっていることが「治癒」には必要との原則論を修正したのが片山組事件判決（最判平成 10・4・9 労判 736 号 15 頁）である。これは，事案としては，休職からの復職が問題となったものではなく，病気のため治療していた当該労働者が，従前の職務とは別の職務についての労務の提供を申し出た場合に使用者がこれを受け入れる必要があるかが問題となったものであるが，同判決は「職種や業務内容を特定せずに労働契約を締結した場合においては，現に就業を命じられた特定の業務について労務の提供が十全にはできないとしても，その能力，経験，地位，当該企業の規模，業種，当該企業における労働者の配置・異動の実情及び難易等に照らして当該労働者が配置される現実的可能性があると認められる他の業務について労務の提供をすることができ，かつ，その提供を申し出ているならば，なお債務の本旨に従った履行の提供があると解するのが相当である」と説示した上で，療養前に長年従事してきた建設工事現場の現場監督者での労務は無理にしても事務作業に係る労務の提供は可能であったのであるから，当該労働者が配置される現実的可能性がある業務が現場監督者の他にあるか否か，会社において現場監督者が他部署に配置転換された例があるか否かを審理する必要があるとして，原審判決（東京高判平成 7・3・16 労判 684 号 92 頁）を破棄・差戻しした。つまり，職種や業務内容を特定しない労働者（正社員等）においては，使用者としては当該労働者を現実的に従事させ得る業務・職務があるならばそうした職務に就かせるよう，配慮しなければならないといえる。もっとも，あくまで配慮すべき業務・職務は配置転換が「現実的可能性がある」範囲に止まり，例えば，ある程度経験・キャリアを積んだ労働者に対し，経験の浅い社員が遂行する程度の仕事を充ててまで職務に就かせなければならないというものではない。なお，東海旅客鉄道（退職）事件判決（大阪地判平成 11・10・4 労判 771 号 25 頁）も，前掲片山組事件判決で説示された諸要素を考慮し（労働者の能力，経験，地位，当該企業の規模，業種，当該企業における労働者の配置・異動の実情および難易等），当該労働者を現実に配置可能な業務がある場合は，当該労働者に上記配置可能な業務を指示すべきとしている。

　休職からの復帰につき，このような配慮が必要な場合は，原則として「職種や業務内容を特定せず労働契約を締結した場合」（多くの場合は正社員）に

限られ，職種が限定されている労働者はこれに含まれないと解される。なお，カントラ事件判決（大阪高判平成 14・6・19 労判 839 号 47 頁）は，職種を特定して雇用され大型貨物自動車の運転手として稼働してきた労働者が休職後復職するに際して，業務を加減した運転手としての復帰を認めるべきと解される説示を行っているが，これは，就業規則で従業員につき職種の区分を行っていたものの，業務の都合により職種の変更もあることが予定されていたといった会社の実情が結論に影響したものと思われる。

(3) 治癒（復帰可能性）の判断材料

i 判断材料の提供について

　傷病休職からの復帰（復職）は，傷病が治癒したか否か（職務遂行の可否）の判断によるから，多くの場合，その判断は傷病の治癒の具合についての医師による医学的判断となる。この点につき，大建工業事件決定（大阪地決平成 15・4・16 労判 849 号 35 頁）は，傷病休職者が休職期間を満了した後にも使用者が 3 回期限を延期しつつ，労働者に，治癒したことを根拠づける診断書の提出を求めたにもかかわらず，当該労働者の側は診断書を提出せず，かつ，別途，「就労は可と判断する」と記載された医師の証明書を提出してきたために，使用者より当該医師に意見聴取するべく当該労働者に承諾書に署名するように求めたところ，当該労働者がそれをも拒否したという事実経緯を経て，使用者が当該労働者を解雇したという事案について，上記解雇を相当としている。同様に，休職労働者の復職申し出の際に，休職労働者側が医師の診断を拒み，または医師の診断書の提出を拒んだために復職を認めなかった使用者の措置を適法としたものとして，全国電気通信労組事件判決（東京地判平成 2・9・19 労判 568 号 6 頁）や松山市立中学校事件判決（松山地判平成 11・2・24 判例地方自治 203 号 21 頁）もある。また，日本ヒューレット・パッカード（休職期間満了）事件判決（東京高判平成 28・2・25 労判 1162 号 52 頁）は，休職労働者より休職期間満了時までに復職願が提出されなかった事案について，「傷病休暇・休職の制度は，…休職期間の満了によって雇用契約が当然に終了するものの，労働者が復職を申し入れ，債務の本旨に従った労務提供ができる程度に病状が回復したことを立証したときに，雇用契約の終了の効果が妨げられると解するのが相当」とした上で，休職期間満了時までに休職理由が消滅したかどうかを判断するまでもなく，休職期間満了による労働契約終了の効果の発生を妨げることはできないとした。

他方，躁うつ病が原因でいったん休職（7か月余り）した労働者が復職した後，躁うつ病とみられる症状が再発したため，使用者が当該労働者を解雇したという事案について，K社事件判決（東京地判平成 17・2・18 労判 892 号 80 頁）は，使用者が「本件解雇に先立って専門医に助言を求めた形跡がないことからすると，原告［註：労働者］の躁うつ病については，慎重に判断する必要があるというべき」とし，上記解雇を無効としている。類似の例として，アメックス（休職期間満了）事件判決（東京地判平成 26・11・26 労判 1112 号 47 頁）は，うつ状態により私傷病休職に入った労働者より，休職期間満了前に主治医作成の「治療中であるが，症状が改善したため，○○［註：休職期間満了日前］より就業可能と判断する」との診断書および「当初は時間外勤務は避ける必要がある。又，質量ともに負担の軽い業務からスタートして徐々にステップアップすることが望ましい」といった情報提供書が提出されたものの，使用者が，会社内の復職可否判定基準の内規に照らして，就業規則規定の「休職期間満了時において休職事由が消滅せず，速やかに復職することが困難であると判断される時」に該当するとして雇用契約終了を通知したという事案であるが，同判決は，使用者が，上記診断書および同情報提供書について矛盾点や不自然な点があると考えるならば，当該医師に照会し，休職労働者の承諾を得て，同医師が作成した診療録の提供を受けて，使用者の指定医の診断も踏まえて，上記診断書および同情報提供書の内容を吟味することが可能であったにもかかわらず，そのような措置を一切とることなく，何らの医学的知見を用いることなくして，当該医師の診断を排斥し，使用者の復職可否判定基準を満たしていないとした使用者の判断は，休職労働者の復職を著しく困難にする不合理なものであり，その裁量の範囲を逸脱または濫用したものというべきと判示している。

　これらの裁判例からすれば，休職していた労働者の治癒の有無（復職して就業することの可能性）は，休職していた労働者の側が，治癒（復職可能性）の事実とその判断材料（多くの場合診断書）の提供をすべきであり，その判断材料が提供された場合には，使用者としては，その判断材料を確認，調査して，慎重に判断することが必要となる。

ⅱ　相対する医師の判断の判定・選択

　近年，増加が目立つ精神疾患の事案においては，同一の精神疾患患者に対する複数の専門医の判断が必ずしも一致しない事例が多々みられる。加えて，例えば前掲 J 学園（うつ病・解雇）事件判決（東京地判平成 22・3・24 労判

1008 号 35 頁）でも事実認定しているように，医師が，休職中の労働者について，本来は時期尚早であると考えていたが，当該労働者からの要請により復職可能との診断を行うなどというように，治癒（復帰可能性，就業可能性）の判断につき，労働者の求めに応じて医師が比較的安易に復帰可能との診断を行ってしまう場合もある。したがって，使用者としては，当該労働者の提出する診断書を安易に盲信しないことも重要である。

　医師間の診断が分かれた例として，例えば日本通運（休職命令・退職）事件判決（東京地判平成 23・2・25 労判 1028 号 56 頁）は，休職労働者の治癒について主治医（治癒肯定）と産業医（治癒否定）の判断が異なった事案であるが，主治医は「職場復帰は可能である。ただし，会社が信頼回復のための努力をすること，発病時の職場，当時の上司が係わる職場は望ましくないこと，以上の条件が必要である」との意見を述べていたものの，㋐どのような症状がどのように安定し就労可能となったか明らかではないこと，㋑使用者側が信頼回復に向けて努力しているにもかかわらず，休職労働者の使用者担当者を非難・攻撃する文書を見る限り，使用者への信頼が回復したとは考え難いこと，㋒休職労働者は異動発令前の職場に復帰することを希望しているが，主治医の意見は，復帰先として発病時の職場はふさわしくないというものであり，休職労働者の主張を把握していたか疑問であることなどを理由として，主治医の判断に疑問を持ち，休職労働者の病状が回復していないとした産業医の意見に説得力があるとして，当該労働者の治癒を否定し休職期間満了による退職扱いを有効としている。なお，医師の判断が分かれた中で，治癒（就業可能性）を肯定して休職労働者の復職を認めたものもあり，例えば，神奈川 SR 経営労務センター事件判決（横浜地判平成 30・5・10 労判 1187 号 39 頁）は，治癒を否定する産業医の判断について，「結局のところ，…職場の他の職員に多大な影響が出る可能性が高いというものであるが…，これは，原告らの休職事由となった本件うつ状態及び本件適応障害が寛解し，従前の職務を通常の程度に行える健康状態に回復したか否かとは無関係な事情ということができる」として退け，休職労働者を就業可能とする医師の判断を採用している。また，東京電力パワーグリッド事件判決（東京地判平成 29・11・30 労判 1189 号 67 頁）は，主治医は就労可能と判断していたものの，必ずしも職場の実情や従前の休職労働者の職場での状況を考慮した上での判断ではないとし，産業医等の判断に沿い，休職期間満了時も就労が可能ではなかったと判断している。

Ⅲ. 実務の具体的対応

　労働実務において，休職が問題となる場合のほとんどは傷病休職の事例である。傷病休職は，第一に，その傷病が業務に起因するものか（業務上傷病，いわゆる労災），そうでないか（私傷病）により，最終的に当該労働者を労務提供不能により解雇（休職期間満了の退職扱いを含む）とする方向に向かうか否かが決まるので，この判断をおろそかにしないことが肝要である。これも実務上のことであるが，この判断が問題になる場合の多くは，労働者の業務上の負荷の大きさ（労働時間数が過多であること，特に急迫性，新規性の強い仕事を担当することとなったこと等）が問題となる場合であり，使用者と労働者の意見，評価が一致しないことが多いので，実務的には，労災申請を行った上で，労基署等の判断を仰いでそれをもとに決定することが少なくない。

　仮に，私傷病であったとしても（実際に，業務上傷病の場合よりも私傷病の場合の方がはるかに多い），休職に入るまでの就業規則の要件をみたすか（主に欠勤日数），休職に入ってから休職期間満了までに労働者からの復職申し出があった場合に，その労働者が治癒していると認められるのか等，微妙な判断を求められる事項は多岐にわたる。この点で，まず，実務で痛感するのが，休職期間満了間近になって，治癒した（就業可能となった）との主治医の診断書を提出して，復職要請をしてくる労働者の多さである。使用者としては，いかにも怪しい（主治医が労働者に依頼されて診断書を書いたのではないかという疑問。前掲Ｊ学園〔うつ病・解雇〕事件判決の事実認定参照）という心証を持ってしまうことも多いのであるが，労働者側が診断書を提出してきているにもかかわらず，そのタイミングの問題だけで提出された診断書の信用性を判断することは危険なのはいうまでもない。医師の診断を除外するには，別の医師による異なる見解か，少なくとも，復職可能との診断を下した医師への質問・照会による検証が必要である（少なくとも，裁判官の身になれば，片方のみに，何ら検証の手続もされていない医師の診断書がある場合，その医師の診断書を鵜呑みにできないだろう）。その意味で，使用者としては，真実，休職している労働者が治癒している（就業可能となっている）という心証を得られない場合には，労働者の提出してきた診断書を作成した医師に対して，果たしてどのような根拠をもとに診断をなしたか，それまでの事実経緯（当該休職労働者がどのような言動を行ってきたか，どのような病状・症状を発現し

てきたか等）を理解しているか，就業可能としているその就業とは，当該休職労働者が行っていた業務の具体的内容とマッチしたものを想定しているか，といった質問・確認を行うことが必要である（なお，こうした質問等を行うには，個人情報の見地より，当該休職労働者の同意が必要なのはもちろんである。換言すれば，もし，当該休職労働者が，使用者からの再三の要請にもかかわらずにこの同意を拒むようであれば，使用者としては，特段の事情がなければ，当該休職労働者の提出した診断書は信用できない，という判断をせざるを得ない。なぜなら，こうした質問等を拒むような場合は，そもそも，その名義人である医師が作成したか否か自体も疑わしいといわざるを得ないからである。前掲大建工業事件決定参照）。

　治癒の判断については，前述の通り，時期（休職期間満了を基本としつつも，例外として，若干，時間的に猶予するなどの柔軟性を持たせる）および復帰業務（休職前の業務を基本としつつ，例外として，当該労働者を「現実的に」配転し得る範囲の業務も考慮に入れる）の点で，事案に即した個別の考慮が必要となるが，安易に上述の例外を拡大するのは失当である。これは，本来，傷病休職の制度は，労務提供不能によって雇用が終了すべきところを，傷病の療養に充てるべく雇用終了を猶予するための制度であるという趣旨に立ち返れば当然でもある。殊に業務範囲の点においては，前述でも触れた通り，当該休職労働者のキャリアと齟齬が大きい業務のマッチングまで考慮することは，周りの同僚従業員への違和感を生ぜしめることより，慎重に考えるべきである。なお，休職からの復帰に際し配置転換等の配慮が必要なのは，原則として「職種や業務内容を特定せず労働契約を締結した場合」（多くの場合は正社員）に限られ，職種が限定されている労働者はこれに含まれないと解される。それが前掲片山組事件判決（最高裁判決），同東海旅客鉄道（退職）事件判決の説示にも沿うし，そもそも，職種限定の労働者に対して，使用者は，当該職種を超えての配転権を有さないこととの均衡から妥当である。

実践知！	休職期間満了近くになると，当該休職労働者から治癒した旨の（就労可能であるとする内容の）診断書が出されることは少なくない。 　使用者としては，そのような診断書であっても，適切な検証プロセスを経ないままその内容を否定して当該休職労働者を退職

扱い（または解雇）することは避けるべきである。その診断書を
作成した医師への事実認識・見解の確認を行うのが定石であり，
その際，休職労働者に対して同意をとる必要があるが，使用者
が努力しても休職労働者の同意を得られない場合は，特段の事
情なき限りは，その診断書は採用し得ないという判断も出てくる
ところである。

CHAPTER

17 労働条件の変更

I. 不利益変更の態様

　我が国のような長期雇用を原則とする雇用関係においては，無期雇用者の場合，採用されてから退職するまでに経営環境が大きく変わらないということは考えにくい。殊に，昨今のように技術の進歩のスピードが速まり，並行してグローバル競争が激化する状況においてはなおさらである。そのため，使用者としても労働条件を変更しないでい続けることは難しいが，労働条件を変更する際に，不利益変更となるケースもみられる。ここにいう労働条件の不利益変更とは，労働諸条件（労働時間，賃金，就業場所等々）を，当該労働者の不利益に変更すること一般を含むが，まず大きく分類すれば，労働契約上想定された範囲内のものか，範囲外のものかに分けるのが便宜である。

　労働契約の想定内の不利益変更は，例えば，就業規則やそれが委任する諸規則が予定する考課により降格する事例や，労働者の転居を伴う配転の事例などがある。これらの問題においては，本書の各所（賃金に関しては Chap. 8，配転については Chap. 10）で述べる。

　一方，不利益変更には，労働契約（および就業規則，さらにはそれが引用する賃金規程等）の想定外のもの，換言すれば，労働契約の内容そのものを変更するものがあり，例えば，就業規則（もしくは賃金規程等）において規定している賃金の内容，賃金テーブル，手当額を低額に変更する事例がこれに該る。これは，労働契約の内容，労働条件の制度の内容そのものを変更するものとなり，各労働者の個別の同意か，合理性のある就業規則の変更（労契法 8 条，10 条），場合によっては労働協約（労組法 16 条）による変更が一般的な方法となる。本章がとりあげるのは，この，労働契約の内容を変更する類型での労働条件の不利益変更についてである。

Ⅱ．不利益変更の意義・方法

1．不利益変更の意義

　労働条件の変更の中には，一見して不利益な変更か否かが明瞭でないものがある。例えば，年功序列的だった賃金体系を成果主義的な賃金体系に変更する場合，従前よりも賃金が上がる者もいれば下がる者もおり，従業員全体の総人件費はむしろ増加する，などという事例がある。

　このような従業員総体ではむしろ利益になりそうな場合でも，「ある労働者」の，「ある部分」の労働条件が不利益ならば，労働条件の不利益変更として検討され，総体ではむしろ利益になりそうといった事情は，不利益変更の有効性の要件である合理性の判断において考慮されるのが判例である（後掲大曲市農協事件判決〔最判昭和 63・2・16 労判 512 号 7 頁〕)。

2．不利益変更の方法

　労働条件の不利益変更の方法としては，以下のものが挙げられる。

⑴　同意による方法

　労働契約の当事者間の合意，すなわち，使用者と個々の労働者との合意をとる方法である。労契法 8 条においても「労働者及び使用者は，その合意により，労働契約の内容である労働条件を変更することができる」とされている。ただし，労契法 12 条の就業規則の最低基準効の定めがあるので，就業規則の水準を下回る不利益変更を行うには，就業規則の改訂も行う必要がある。

　個別合意による不利益変更の場合，実務上，散見される問題点として，労働者が異議を申し出ないことをもって黙示の合意と認定し得るか，労働者の形式上の合意が真意に基づくものといえるか，といったものが存する。詳細は，後述Ⅲの裁判例にて説明する。

⑵　就業規則の不利益変更による方法

　就業規則を，従前の内容よりも労働者に不利益に変更することで，労働条件の不利益変更を実施する方法である。労契法 10 条は，「就業規則の変更により労働条件を変更する場合において，変更後の就業規則を労働者に周知

させ，かつ，就業規則の変更が，労働者の受ける不利益の程度，労働条件の変更の必要性，変更後の就業規則の内容の相当性，労働組合等との交渉の状況その他の就業規則の変更に係る事情に照らして合理的なものであるときは，労働契約の内容である労働条件は，当該変更後の就業規則に定めるところによる」と規定しており，労働者の個別の同意がなくとも，同法所定の諸要素に照らして合理的なものといえるときは，就業規則変更による労働条件の不利益変更は有効となる。

　もっとも，同法に規定する「合理的なものである」か否かの判断（合理性の判断）は容易ではない事案が多く，同一事例の同一事件においても，裁判所の審級（地裁，高裁，最高裁）ごとに判断が逆転することも少なくない。

　同法所定の要素（(a)労働者の受ける不利益の程度，(b)労働条件の変更の必要性，(c)変更後の就業規則の内容の相当性，(d)労働組合等との交渉の状況，(e)その他の就業規則の変更に係る事情）は，その一つ一つも評価の対象ではあるが，不利益変更の合理性の判断においては，それらが総合的に勘案されることとなる。

(3)　労働協約による方法

　労働条件の不利益変更には，労働協約による場合がある。労働協約とは，「労働組合と使用者又はその団体との間の労働条件その他に関する」協定であるが（労組法 14 条），労働条件その他の労働者の待遇に関する基準については規範的効力があり（労組法 16 条），労働契約を優越的に規律するとされている（菅野・労働法〔12 版〕927 頁）。なお，労働協約による規範的効力は，原則として労働組合員を人的範囲とするが，同一の事業場に常時使用される同種の労働者の 4 分の 3 以上が労働協約の適用を受けることとなった場合，他の同種の労働者にも適用されるとされており（一般的拘束力。労組法 17 条），労働組合員以外の労働条件も規律することがある。以上より，労働協約により，従前の労働条件よりも不利益な労働条件が規定されれば，個々の労働者の同意なしに，その労働条件を不利益に変更するということがあり得る。

　労働協約は，労使間の合意により締結されるものであり（労組法 14 条），使用者のみにより規定，改定される就業規則とは異なり，労働組合員の利益を代表する労働組合も同意している内容であることより，それによる不利益変更は，就業規則の変更による場合に比較しても，より有効性が認められやすいとされている。すなわち，労使交渉の相互譲歩的性格を認め，不利益変更の効力を原則として肯定しつつ，特段の不合理性がある場合に効力が否定

されるものと解するのが一般である。その具体的な判断は，後述Ⅲの裁判例で述べるが，一般論をいえば，特定のまたは一部の組合員をことさらに不利益に扱うことを目的とする場合，労働協約の成立自体に瑕疵がある場合（労働組合所定の労働協約締結のための手続に瑕疵がある場合等），労働組合員個々人の既発生の権利を害する場合などに，不合理性が認められると解されている。

⑷ 有期労働契約の契約更新時における労働条件の不利益更新

　有期労働契約においては，契約期間満了・契約更新の際に，従前の労働条件が不利益に変更されることがある（例えば，1回目の労働契約では時給が1200円とされていたところ，2回目の労働契約では時給が1100円とされる，というような場合である）。これは，ほとんどの場合，契約更新の際に使用者側が従前よりも不利益な契約（労働）条件を提示することにより行われるが，労働者側がこれに応じれば，従前の契約（労働）条件よりも不利益な内容の有期労働契約が成立するし，労働者側がこれに応じなければ，使用者側としては有期労働契約を更新しないこととなり，最終的には雇止めの問題となる。もっとも，通常の雇止めとは使用者側が更新の条件を提示している点が異なる（その分，単純な雇止めの場合との比較では，雇止めの合理性が認められやすいと考えられる）。この場合，使用者による雇止めの合理的な理由の有無を検討する中で，労働条件の不利益変更の必要性，それによる労働者の不利益の程度や内容，不利益変更に至る手続，といった前述⑵の労契法10条の諸要素に類似の事情が勘案されることとなる。

Ⅲ．裁判例

1．不利益変更の意義

　いわゆる労働条件の不利益変更が指す「不利益」の意義についての裁判例として，大曲市農協事件判決（最判昭和63・2・16労判512号7頁）は，農協の合併に伴って職員の待遇を統一するために，労働条件を変更した際に，合併前の一農協に属していた職員についてみれば，退職金の計算方法の一部に不利益な変更（退職時の基本月俸額に乗ずる支給倍率の低減）がありつつ，他方で月額給与が増加し，定年も延長され，各種手当も増額があったという事案について，「右のような新規程への変更によって被上告人［註：労働者］ら

が被った不利益の程度，変更の必要性の高さ，その内容，及び関連するその他の労働条件の改善状況に照らすと，本件における新規程への変更は，それによって被上告人らが被った不利益を考慮しても…合理性を有するものといわなければならない」と説示しており，労働条件の変更が労働者にとって有利にも不利にも変更される部分がある場合でも，一部にでも労働者に不利益な変更があれば，一応は不利益変更の問題の範疇に入ることを前提としつつ，労働者にとって利益に変更された部分は，合理性の有無の判断において考慮することとしている。同じく最高裁判例である第一小型ハイヤー事件判決（最判平成4・7・13労判630号6頁）は，タクシー運転手の賃金の歩合給の計算方法を「（売上高－27万円）×35％」から「（売上高－29万円）×33％」へと変更しつつ，他方で，他の賃金（基本給，職務給等）を含めて，変更の前後で賃金の平均にはさして変わりはなかったという事案について，一審判決（札幌地判昭和63・4・19労判630号12頁）での，「歩合給は，その性質上，運賃増減にともない増減するものであるから，運賃改定による運賃の増額にともなう歩合給の増額の利益をあらかじめ，放棄する等の特段の事情の認められない本件において…支給された平均賃金額がほぼ同一額であることをもって原告［註：労働者］らに不利益がないと解することはできない」との判示を，二審判決（札幌高判平成2・12・25労判630号9頁）とともに踏襲している（なお，結論としては，不利益変更を無効とした二審判決を破棄差戻ししている）。

　以上の最高裁判例より，労働条件の変更の中に，利益な部分，不利益な部分が併存する場合であっても，一応，その不利益な部分の有効性については労働条件の不利益変更の問題として検討されることとなり，変更の中に利益な部分があることは，不利益変更の合理性の判断の次元で考慮されるということとなる。

2.　労働者の同意による不利益変更

　労働条件の不利益変更の一番原則的な方法（かつ，実務においても一番多く行われる方法）は，個々の労働者の同意を得る方法である（労契法8条）。ただし，事案によっては，この同意が成立しているといえるか否か自体が問題となる場合がある。以下，各個に裁判例を紹介する。

⑴　労働者が異議を申し出ない場合と黙示の合意の成立

　主な裁判例としては，まず，更生会社三井埠頭事件判決（東京高判平成12・12・27労判809号82頁）は，経営不振を理由に，管理職全員に20%の賃金減額を通知の上，同減額を実施したところ，約5か月にわたり異議を述べてこなかったことをもって，賃金減額の黙示の同意があると解釈できるか否かが問題となった事例であるが，同判決は，労働者が「減額通知の根拠について十分な説明を受けたことも，更生会社［註：使用者］において本件減額通知に対する各人の諾否の意思表示を明示的に求めようとしたとも認められない」と指摘して，黙示の同意の存在（および賃金減額の効力）を否定した。また，協愛事件判決（大阪高判平成22・3・18労判1015号83頁）は，退職金制度の廃止の際に説明会や労使協議を通して労働者より異議がなかったという事案について，単に異議がなかったということでは不利益変更についての同意があったということはできず，労働者にそのような不利益な変更を受け入れざるを得ない客観的かつ合理的な事情があり，労働者が真に不利益変更に同意していることを示しているとみることができることが必要としている。

　一方，ティーエム事件判決（大阪地判平成9・5・28労経速1641号22頁）は，会社側の担当者として，他の労働者に対して不利益変更の内容を説明してきた者が，当該不利益変更について特に異議を述べていなかったところ，後に，当該不利益変更につき無効の主張をなしてきたという事案について，当該労働者の職責上，合意の不存在を主張するのに適切ではないとしている（結論として，同意の存在，不利益変更の効力肯定）。また，光和商事事件判決（大阪地判平成14・7・19労判833号22頁）は，歩合給制の導入の有効性が問題となった事例であるが，「歩合給制の導入には合理的な理由があり，またこれの導入によって賃金額が上がった従業員もおり，歩合給制の導入が直ちに従業員に不利益な賃金体系であるということもできないし，歩合給制が導入され，これに基づく賃金が支給された後も原告らを含む従業員から苦情や反対意見が述べられたとの事情はうかがわれず，むしろ，営業社員の中には成果主義導入を歓迎する者もいた…のであるから，原告らは歩合給制導入を認識し，歩合給制に基づいて計算された賃金を受領することにより歩合給制の導入を黙認していたというべきである。また，平成12年11月の基本給減額についても，賃金を使用者が一方的に減額することは認められるものではないが，原告らはいずれも減額された賃金を受領しており，基本給の減額

については黙示に承諾していたものというべきである。この点，原告らは，生活のために賃金を受領していたにすぎない旨主張するが，原告らが基本給減額時に被告会社に抗議した等減額を拒絶した等の事情を認めるに足りる証拠は全くない」として，減額後の賃金の異議なき受領を歩合制導入を黙認したものと認定している。

以上からすると，労働条件の不利益変更においては，（賃金面のように，労働者にとって重要な事項に関する場合は特に）原則として個々の労働者からの明瞭な形での合意を求められ，黙示の承諾が認められるには，少なくとも，賃金制度の変更により当該労働者の受ける不利益が明瞭かつ具体的に説明・告知され，変更までに十分な手続（説明，質問，異議申出の機会）が尽くされているような事情が必要であろう。もちろん，光和商事事件判決のように，もともとの制度導入に合理的理由があり，それにより利益を得た従業員もいるような，労働条件による不利益が必然的なものではないといった事情があれば，上記原則も修正されることがあるとするのが一般的な理解と思われる。

⑵　不利益変更への合意が真意に基づくものといえるか

労働条件の不利益変更について，労働者の合意が形式的に認められる場合であっても，状況によっては，その合意の効力（つまりは，不利益変更の有効性）が否定されることが存することには注意が必要である。最高裁判例では，まず，シンガー・ソーイング・メシーン・カムパニー事件判決（最判昭和48・1・19労判584号27頁）は，退職金債権の放棄の効力が問題となった事案であるが，退職金債権放棄の意思表示が労働者の自由な意思に基づくものであると認めるに足りる合理的な理由が客観的に存在していたことを挙げて，放棄の意思表示の効力を認めている。また，日新製鋼事件判決（最判平成2・11・26労判584号6頁）は，労働者の退職金債権と使用者から労働者への債権の相殺についての労働者の合意の効力が問題となった事例について，同様に，労働者の自由な意思に基づきなされたものであると認めるに足りる合理的な理由が客観的に存するときは，同意は有効とした。

一方，近時の著名な最高裁判例として，山梨県民信用組合事件判決（最判平成28・2・19労判1136号6頁）は，合併に際して，信用協同組合の職員が，就業規則に定められた退職金の支給基準を変更することに書面で同意したところ，後にその同意の効力が問題とされた事案である。同判決は，まずは一般論として，「賃金や退職金に関する労働条件の変更に対する労働者の同意

の有無については，当該変更を受け入れる旨の労働者の行為の有無だけでな
く，当該変更により労働者にもたらされる不利益の内容及び程度，労働者に
より当該行為がされるに至った経緯及びその態様，当該行為に先立つ労働者
への情報提供又は説明の内容等に照らして，当該行為が労働者の自由な意思
に基づいてされたものと認めるに足りる合理的な理由が客観的に存在するか
否かという観点からも，判断されるべき」と説示し，事案への当てはめとし
ては，「変更後の新規程の支給基準の内容は，…退職金額の計算に自己都合
退職の係数が用いられる場合には支給される退職金額が0円となる可能性
が高いものであったということができ，また，…上記の同意書案の記載と異
なり，著しく均衡を欠くものであった…。…本件基準変更による不利益の内
容等及び本件同意書への署名押印に至った経緯等を踏まえると，…本件基準
変更への同意をするか否かについて自ら検討し判断するために必要十分な情
報を与えられていたというためには，同人らに対し，旧規程の支給基準を変
更する必要性等についての情報提供や説明がされるだけでは足りず，自己都
合退職の場合には支給される退職金額が0円となる可能性が高くなること
…など，…退職金の支給につき生ずる具体的な不利益の内容や程度について
も，情報提供や説明がされる必要があった…。…原審は，…上告人［註：労
働者］らが本件退職金一覧表の提示により本件合併後の当面の退職金額とそ
の計算方法を知り，本件同意書の内容を理解した上でこれに署名押印をした
ことをもって，本件基準変更に対する同人らの同意があったとしており，…
本件基準変更による不利益の内容等及び本件同意書への署名押印に至った経
緯等について十分に考慮せず，その結果，その署名押印に先立つ同人らへの
情報提供等に関しても，…上記…のような点に関する情報提供や説明がされ
たか否かについての十分な認定，考慮をしていない。…同人らが本件退職金
一覧表の提示を受けていたことなどから直ちに，上記署名押印をもって同人
らの同意があるものとした原審の判断には，審理不尽の結果，法令の適用を
誤った違法がある」と説示し，当該事案においては，労働者の書面による同
意があっても，不利益変更の同意があったとはいえないとした。

　なお，下級審の裁判例で注意すべきものとして，協愛事件判決（大阪高判
平成22・3・18労判1015号83頁）は，3次にわたる退職金制度の改訂（減
額）・廃止の過程で，2度目の退職金制度改訂について書面上の合意があっ
た事例であるが，使用者が労働者にした説明には，労働者が受ける不利益を
十分に（具体的にかつ明確に）説明したものであったかにつき疑問があると

してやはり合意の成立を否定した。同様に，書面での合意の効力を否定した
ものとしては，東武スポーツ（宮の森カントリー倶楽部・労働条件変更）事件
判決（東京高判平成 20・3・25 労判 959 号 61 頁）は，雇用契約の有期化，退
職金制度の廃止，ラウンド手当を中心とした給与体系とし，基本給および諸
手当の大半を廃止する等の労働条件の変更が行われた事案について，口頭で
の説明により労働者側がその全体および詳細を理解することは到底不可能で
あったこと，契約書の内容についても変更内容の特定が不十分であったこと
等より，合意の効力を否定した。

　以上からすれば，賃金，退職金といった重要な労働条件を，特に大幅に不
利益に変更するような場合は，書面上の合意をとったとしてもそれだけでは
十分とは限らず，特に労働者が受けることになる不利益について，使用者か
らの明確，具体的な説明を履践していくことが重要である。

3. 就業規則変更による不利益変更

　就業規則変更による労働条件の不利益変更については，その合理性が最大
の論点となるが，その点については，幾多もの重要な最高裁判例が出されて
おり，その理解は必要不可欠である。結論をいえば，最終的には，前述（Ⅱ
2(2)）した労契法 10 条記載の諸要素（(a)労働者の受ける不利益の程度，(b)労働
条件の変更の必要性，(c)変更後の就業規則の内容の相当性，(d)労働組合等との交
渉の状況，(e)その他の就業規則の変更に係る事情）を取り上げつつ，その軽重
を評価することで合理性の有無を決定するものである。

　以下は，特に押さえておきたいと思われる最高裁判例を参考に，労働条件
の不利益変更の合理性の判断について，俯瞰していくこととする。なお，こ
こでは，厚く紹介することが望ましい主な最高裁判例の紹介にとどめるが，
下級審レベルの裁判例においても，重要かつ教訓になる裁判例は多いことを
付記しておく。

(1) 大曲農協事件判決

　まず，最高裁判例として最初に押さえたいのが大曲市農協事件判決（最判
昭和 63・2・16 労判 512 号 7 頁）である。これは，農業協同組合の合併に伴
い，労働条件を統一するために新たな就業規則を制定した際に，当該労働者
らについては，退職金算定における支給倍率が，64→55.55, 55→45.945,
61→53.75 といった具合に低減された，という事案である。上記判決は，一

般論として「賃金，退職金など労働者にとって重要な権利，労働条件に関し実質的な不利益を及ぼす就業規則の作成又は変更については，…高度の必要性に基づいた合理的な内容のものである場合において，その効力を生ずる」と判示した上で，退職金の支給率が低減されている「反面，被上告人［註：労働者］らの給与額は，本件合併に伴う給与調整等により，合併の際延長された定年退職時までに通常の昇給分を超えて相当程度増額されているのであるから，実際の退職時の基本月俸額に所定の支給倍率を乗じて算定される退職金額としては，支給倍率の低減による見かけほど低下しておらず…新規程への変更によって被上告人らが被った実質的な不利益は，仮にあるとしても，決して原判決がいうほど大きなものではない」とした。さらには，もし合併に際し，合併前の農業協同組合の労働条件の格差が是正されないとした場合，「合併後の上告組合の人事管理等の面で著しい支障が生ずることは見やすい道理である」とし，就業規則の変更の必要性を認め，再度，「本件合併に伴って被上告人らに対してとられた給与調整の退職時までの累積額は，賞与及び退職金に反映した分を含めると，おおむね本訴における被上告人らの前記各請求額程度に達している」，「休日・休暇，諸手当，旅費等の面において有利な取扱いを受けるようになり，定年は男子が1年間，女子が3年間延長されているのであって，これらの措置は，退職金の支給倍率の低減に対する直接の見返りないし代償としてとられたものではないとしても，同じく本件合併に伴う格差是正措置の一環として，新規程への変更と共通の基盤を有するものであるから，新規程への変更に合理性があるか否かの判断に当たって考慮することのできる事情である」として，労働条件の不利益変更の合理性の判断において，問題となった不利益変更が行われた当時における当該労働者らの利益・不利益状況を広く斟酌すべきことを明示しつつ，当該不利益変更の合理性を肯定するに至っている。

(2)　第四銀行事件判決

　第四銀行事件判決（最判平成9・2・28労判710号12頁）は，55歳から60歳への定年延長に伴い（ただし，男子行員は多くの場合，事実上58歳まで雇用されていた），55歳以降の賃金を54歳までの賃金より約4割縮減するという不利益変更の効力が争われた事案である。同判決は，まず「本件定年制の実施に伴う就業規則の変更は，既得の権利を消滅，減少させるというものではないものの，…右のような合理的な期待に反して，55歳以降の年間賃金が

54 歳時のそれの 63 ないし 67 パーセントとなり，…58 歳まで勤務して得られると期待することができた賃金等の額を 60 歳定年近くまで勤務しなければ得ることができなくなる」，「特に，従来の定年である 55 歳を間近に控え…ていた行員にとっては，58 歳から 60 歳まで退職時期が延びること及びそれに伴う利益はほとんど意味を持たないから，相当の不利益とみざるを得ない」と労働者の不利益について認める一方で，「しかしながら，…定年延長の高度の必要性があった」，「定年延長に伴う人件費の増大，人事の停滞等を抑えることは経営上必要なこと…特に被上告人［註：使用者］においては，中高年齢層行員の比率が地方銀行の平均よりも高く，今後更に高齢化が進み，役職不足も拡大する見通しである反面，経営効率及び収益力が十分とはいえない状況にあった」と使用者側の変更の必要性を認め，かつ，「変更後の就業規則に基づく 55 歳以降の労働条件の内容は，55 歳定年を 60 歳に延長した多くの地方銀行の例とほぼ同様の態様であって，その賃金水準も，他行の賃金水準や社会一般の賃金水準と比較して，かなり高い」と当該不利益変更の社会的相当性を肯定し，「本件就業規則の変更は，行員の約 90 パーセントで組織されている組合（…50 歳以上の行員についても，その約 6 割が組合員であったことがうかがわれる。）との交渉，合意を経て労働協約を締結した上で行われたものであるから，変更後の就業規則の内容は労使間の利益調整がされた結果としての合理的なものであると一応推測することができ」，と当該不利益変更に至る経緯の妥当性を評価し，「本件就業規則の変更が，変更の時点における非組合員［註：訴えた労働者は非組合員であった］である役職者のみに著しい不利益を及ぼすような労働条件を定めたものであるとは認められず…，非組合員にとっては労使間の利益調整がされた内容のものであるという推測が成り立たず，その内容を不合理とみるべき事情があるということはできない」等と説示し，結論として，不利益変更の効力を肯定した。

⑶　みちのく銀行事件判決

　みちのく銀行事件判決（最判平成 12・9・7 労判 787 号 6 頁）は，前掲第四銀行事件判決と同様に，55 歳以降の賃金を大幅に（約 33〜56%）削減するという不利益変更の効力が争われた事案であったが，第四銀行事件では不利益変更と定年延長が行なわれたが，みちのく銀行事件では，定年延長は当該不利益変更の 10 年前に行われ済みであり，行員としてはもともと 60 歳までの雇用が確保されていたという事実関係の違いがあった。みちのく銀行事

件判決は、「高年層の行員に対する賃金面の不利益をみると、…得べかりし標準賃金額に比べておおむね 40 数パーセント程度から 50 数パーセント程度に達する」、「本件就業規則等変更後の上告人 [註：労働者] らの賃金は、…当時の給与所得者の平均的な賃金水準や定年を延長して延長後の賃金を低く抑えた一部の企業の賃金水準に比べてなお優位にある」、「しかし、…年齢、企業規模、賃金体系等を考慮すると、変更後の右賃金水準が格別高いものであるということはできない。また、上告人らは、段階的に賃金が増加するものとされていた賃金体系の下で長く就労を継続して 50 歳代…になったものであり、これは 55 歳定年の企業が定年を延長の上、延長後の賃金水準を低く抑える場合と同列に論ずることはできない」、「本件では…中堅層の賃金について格段の改善がされており、被上告人 [註：使用者] の人件費全体も逆に上昇している…企業経営上、賃金水準切下げの差し迫った必要性があるのであれば、各層の行員に応分の負担を負わせるのが通常であるところ、本件は、そのようなものではない」、「本件就業規則等変更は、多数の行員について労働条件の改善を図る一方で、一部の行員について賃金を削減するものであって、従来は右肩上がりのものであった行員の賃金の経年的推移の曲線を変更しようとするものである。…本件における賃金体系の変更は、短期的に見れば、特定の層の行員にのみ賃金コスト抑制の負担を負わせているものといわざるを得ず…それらの者は中堅層の労働条件の改善などといった利益を受けないまま退職の時期を迎える…このような制度の改正を行う場合には、一方的に不利益を受ける労働者について不利益性を緩和するなどの経過措置を設けることによる適切な救済を併せ図るべき」、「本件では、行員の約 73 パーセントを組織する労組が…同意している。しかし、上告人らの被る前示の不利益性の程度や内容を勘案すると、賃金面における変更の合理性を判断する際に労組の同意を大きな考慮要素と評価することは相当ではない」等と説示し、結論としては、当該不利益変更の効力を否定した。

　ここで、簡単に第四銀行事件との比較を行うと、効力を争われた不利益変更の内容自体は、第四銀行事件もみちのく銀行事件も、ともに 55 歳以上の行員に対する約 4 割の賃金削減という点でかなり類似していたにもかかわらず、結論（第四銀行事件判決では不利益変更有効。みちのく銀行事件判決では不利益変更無効）が分かれた理由としては、特に明瞭なものとして、以下の諸点が指摘されている。

　＊第四銀行事件では 60 歳定年制導入に伴って 55 歳以上の賃金を削減す

る就業規則変更を行っており，みちのく銀行事件のように，もともと行員にとっては 55 歳以上の賃金は，期待利益ではあっても既得権にはなっていなかった。

＊第四銀行事件では，当該就業規則変更によって，不利益ではなく利益を得た労働者がいなかったが，みちのく銀行事件では，55 歳以上の行員の賃金が減額される一方で，中堅層行員の賃金水準が改善され，短期的には，就業規則変更前後で，労働者内で利害得失が分かれたようにみえた。

＊多数従業員を組織する労働組合（多数労働組合）の合意を得ているのは共通であったが，第四銀行事件判決の指摘によれば，第四銀行事件では，訴えていた労働者と同年代の行員が組合に多く所属しており（約 6 割），行員の利害を代表していたといえた。

(4) 函館信用金庫事件判決

函館信用金庫事件判決（最判平成 12・9・22 労判 788 号 17 頁）は，完全週休 2 日制の導入に際し，平日の所定労働時間を 1 日 25 分延長する旨の就業規則変更が問題となった事案であり，大要，「25 分間の労働時間の延長は，それだけをみれば，不利益は小さなものとはいえない。しかしながら，…年間を通してみれば，変更の前後で，所定労働時間には大きな差がない」，「完全週休 2 日制の実施が…基本的改善点であり，労働から完全に解放される休日の日数が増加することは，労働者にとって大きな利益である」，「平日の労働時間を変更せずに土曜日をすべて休日にすれば，…経営上は，賃金コストを変更しない限り，土曜日の労働時間の分を他の日の労働時間の延長によって賄うとの措置を採ることは通常考えられる」，「上告人［註：使用者］は…相対的な経営効率が著しく劣位にあり，人件費の抑制に努めていたというのであるから，他の金融機関と競争していくためにも，変更の必要性が高い」，「従組［註：労働組合］がこれに強く反対していることや上告人と従組との協議が十分なものであったとはいい難いこと等を勘案してもなお，本件就業規則変更は，…合理的内容のものであると認めるのが相当である」とした（なお，同様に週休 2 日制を導入しつつ 1 日の労働時間を延長した事案につき，変更の合理性を肯定した最高裁判例として，羽後銀行［北都銀行］事件判決［最判平成 12・9・12 労判 788 号 23 頁］がある）。

第四銀行事件判決では，多数従業員を組織する労働組合の合意を得ていた

ことが，就業規則の不利益変更の合理性を認める理由の一つとされたが，みちのく銀行事件判決では，多数労働組合の同意にもかかわらず不利益変更の合理性が否定され，この函館信用金庫事件判決は，労働組合（構成員約100名）との協議が不十分であるにもかかわらず，不利益変更の合理性が認められている，という結果となった。やはり，不利益変更の合理性の判断においては，決定的な一つの要素，というものはなく，労契法10条の挙げる諸要素を，事例ごとに総合勘案されるということがうかがわれる（それだけに，裁判所の判断の予測がつきにくくなることは，正直なところ否めない）。

(5) 最近の下級審裁判例

　これまで述べてきたように，就業規則の不利益変更は，労契法10条所定の諸判断要素（(a)労働者の受ける不利益の程度，(b)労働条件の変更の必要性，(c)変更後の就業規則の内容の相当性，(d)労働組合等との交渉の状況，(e)その他の就業規則の変更に係る事情）に該当する使用者内外の事情を，具体的かつ丁寧に抽出，検討することでその合理性の判断がなされるものである。前述(1)ないし(4)の最高裁判例を理解するだけでも相当な熟読玩味が必要なのであるが，ごく最近出てきた下級審裁判例のうち，特に参考になるものに限って，ここで紹介しておく（無論，参考になる下級審裁判例は，ここで述べるものだけではない）。トライグループ事件判決（東京地判平成30・2・22労経速2349号24頁）は，家庭教師業界の動向（昨今の少子化の影響を受けた学習塾・予備校市場の規模の縮小，家庭教師の人気の低下，個別教室事業についての拡大，各事業者間の競争の激化という一般的傾向）からなる経営上の必要性に合致する成果主義・能力主義型の賃金制度を導入するものであること，賃金の原資総額を減少させるものではなく，濫用，逸脱を防止する一定の制度的担保がある人事評価制度に基づいて昇給，降給等が平等に行われることなどを理由に，その変更の合理性を肯定している。また，野村不動産アーバンネット事件判決（東京地判令和2・2・27労判1238号74頁）は，営業成績給の廃止を含む就業規則の変更につき，当該労働者の賃金は1割以上減少するものの，新制度で高い役割を果たすようになれば不利益が減少，消滅し得るものであること，当該変更が従業員の賃金の総原資を減少させるものではなく配分方法を変更するものであること，人事制度の設計は人材育成等の雇用施策と深く関わるものであること等から制度変更の必要性が認められること等により，当該変更の合理性を肯定している。

CHAPTER 17　労働条件の変更　　291

4. 労働協約による不利益変更

労働協約による労働条件の不利益変更についても，少なからず裁判例が出されているのであるが，ここも，特に重要と思われる裁判例を俯瞰することとする。

(1) 最高裁判例

代表的な最高裁判例として，朝日火災海上保険（石堂・本訴）事件判決（最判平成9・3・27労判713号27頁）があり，これは，定年年齢引下げ（満63歳より57歳へ）と退職金支給率の引下げ（71.0から51.0）を内容とする労働協約が締結されたところ，労働協約締結当時53歳の組合員だった労働者が，上記労働条件の不利益変更の効力を争ったという事案である。まず，上記判決は，当該労働者の属する部署以外ではもともと定年が満55歳となっていたこと，使用者が実質約17億円の赤字を計上するという経営危機に直面し，退職金算定方法を改定することを会社再建の重要な施策と位置づけ労働組合との交渉を重ねたこと，労働協約を締結するまでに労働組合では内部で協議を重ね，組合員による職場討議や投票も行った上で当該労働協約の締結に至ったこと，といった事実を挙げ，「同協約が締結されるに至った以上の経緯，…会社の経営状態，同協約に定められた基準の全体としての合理性に照らせば，同協約が特定の又は一部の組合員を殊更不利益に取り扱うことを目的として締結されたなど労働組合の目的を逸脱して締結されたものとはいえず，その規範的効力を否定すべき理由はない」と説示し，上記不利益変更を有効とした。労働協約は使用者と労働組合との合意により成立するものであり，労働組合が労働協約締結に至るまでに，労働組合構成員（組合員）らの意思を汲み上げつつ締結に至る過程に瑕疵がなければ，労働協約による労働条件の不利益変更は労働組合員との関係では有効と解されるのが原則と解される。もっとも，上記判決が述べるような，例えば「特定の又は一部の組合員を殊更不利益に取り扱うことを目的」とする場合のような，特段の事情がある場合は，労働協約による労働条件の不利益変更は，個々の組合員（上記の例でいえば，ことさらに不利益に取り扱われた組合員）に対する関係で無効となるものと解される。

同じ会社についての裁判例であるが，上述の朝日火災海上保険（石堂・本訴）事件判決とは異なる事件の最高裁判例として著名なものに，朝日火災海

上保険（高田）事件判決（最判平成8・3・26労判691号16頁）がある。これ
は，元々の紛争としては定年年齢の引下げと（63歳→57歳），退職金基準支
給率の引下げを内容とした労働協約の「非」組合員への効力が争われた事案
である（上告審においては，定年年齢の引下げは争わなかった）。上記判決は，
「労働組合法17条…の適用に当たっては，右労働協約上の基準が一部の点
において未組織の同種労働者の労働条件よりも不利益とみられる場合であっ
ても，そのことだけで右の不利益部分についてはその効力を未組織の同種労
働者に対して及ぼし得ないものと解するのは相当でない。けだし，同条は，
その文言上，同条に基づき労働協約の規範的効力が同種労働者にも及ぶ範囲
について何らの限定もしていない上，労働協約の締結に当たっては，その
時々の社会的経済的条件を考慮して，総合的に労働条件を定めていくのが通
常であるから，その一部をとらえて有利，不利をいうことは適当でないから
である」等と説示し，労働条件を不利益変更する労働協約は，非組合員にも
適用されることが原則としつつ，「未組織労働者は，労働組合の意思決定
に関与する立場になく，また逆に，労働組合は，未組織労働者の労働条件を
改善し，その他の利益を擁護するために活動する立場にないことからすると，
労働協約によって特定の未組織労働者にもたらされる不利益の程度・内容，
労働協約が締結されるに至った経緯，当該労働者が労働組合の組合員資格を
認められているかどうか等に照らし，当該労働協約を特定の未組織労働者に
適用することが著しく不合理であると認められる特段の事情があるときは，
労働協約の規範的効力を当該労働者に及ぼすことはできない」と基準を提示
した。そして，当該事案については，問題となった労働協約は，不利益変更
前は未だ定年となっていなかった当該非組合員にとっては，労働協約が効力
を生じた日にすでに定年に達していたものとして退職していたことになるだ
けではなく，退職により取得した退職金請求額も不利益変更前の退職手当規
程の算出額より減額されるもので，労働協約により専ら大きな不利益だけを
受ける立場にあること，退職金が賃金の後払い的な性格を有するものである
こと等より，少なくとも，不利益変更前の退職手当規程に定められた退職金
支給率を乗じた金額を下回る額にまでに退職金を減額することは，当該非組
合員がすでに具体的に取得していた退職金請求額を，当該労働組合が処分な
いし変更するのとほぼ等しいこととなるとして，上記減額部分については，
当該労働協約は当該組合員に及ばないとした。つまりは，労働協約によって
も，その労働協約締結時までに，非組合員が退職すればすでに生じていたで

あろう退職金請求額を減額させるような不利益変更は許されない，とするものである。これは，理論的明瞭性はともかく，非組合員は労働組合を通して自らの意思，意見を労働協約に反映させる手続が存しないことを鑑みれば，結論としては自然なものと思われる。

(2) 下級審裁判例

　下級審の裁判例も，最高裁判例の流れに沿っている。例えば鞆鉄道事件判決（広島高判平成16・4・15労判879号82頁）は，56歳以上の従業員の基本給等を30％減額する旨の労働協約が労働組合員に対して有効であるかが問題となった事案であるが，上記判決は，「労働協約の締結は組合大会の決議事項とされているにもかかわらず，本件協約締結に当たって組合大会で決議されたことはないし，また，不利益を受ける立場にある者の意見を十分に汲み上げる真摯な努力をしているとも認められないから，本件協約は，労働組合の協約締結権限に瑕疵があるといわざるを得ない」とし，併せて，「控訴人［註：使用者］において経営基盤の建て直しの必要性があるからといって，勤続年数や基本給の多寡を全く考慮せず，56歳以上の従業員の基本給を一率30％減額することについて合理性はない」とした。

　一方，中央建設国民健康保険組合事件判決（東京高判平成20・4・23労判960号25頁）は，退職金支給条件を引き下げる内容の労働協約の有効性が争われた事案であるが，結論としては当該労働協約の効力を認めている。判示としては，まずは前掲朝日火災海上保険（石堂・本訴）事件最高裁判決を引用しつつ，労働協約は「殊更にこれらの特定又は一部の組合員を不利益に取り扱うことを目的として…締結されたものと認められる場合」のような特別な場合にはじめてその規範的効力が否定され，「労働組合の目的を逸脱して締結されたものと認められるか否かの判断にあたっては…①当該労働協約が締結されるに至った経緯，②当時の使用者側の経営状態，③当該労働協約に定められた基準の全体としての合理性等を考慮するのが相当」と総論を述べ，事案への当てはめとしては，労働協約の手続面（締結に至る経緯）については，労働組合員のほとんどが出席した職場集会を3回開催し，当該労働者も毎回出席し，労働組合執行部もその職場集会の結果を踏まえて使用者と2回団体交渉を行ったこと，労働組合における臨時大会において，労働条件を不利益に変更する案が46名中44名の賛成多数で可決され，その後の別の臨時大会において当該労働協約を締結することが49名中47名の賛成多数

で承認されており，当該労働者も上記議論の過程で意見をいう機会が保障されていたこと，労働協約の内容面については，そもそも使用者の赤字化の進行等により労働条件の不利益変更（退職金規程の見直し）の必要性があったこと，当該労働者の退職金額の削減幅は職員全体 59 名中 47 番目であること，改訂後の退職金支給条件についても東京都や国の公務員等と同程度またはそれ以上の水準であったこと，等を指摘している。

　鞆鉄道事件判決と中央建設国民健康保険組合事件判決との結論が分かれた主因としては，労働協約締結に至るまでの組合大会による承認の有無，当該労働協約によって不利益を受ける者の意見を汲み上げる努力の大小，当該労働協約により受ける不利益の不公平性の有無，といった点が挙げられる。

(3)　小括

　労働協約は，使用者と労働組合員を組織する労働組合との合意による以上，労働組合員らの意思を汲み上げ，その意向を尊重しつつ締結に至るべきという労働協約締結までの手続に瑕疵がなければ，それこそ，当該労働協約が「特定の又は一部の組合員をことさらに不利益に取り扱うことを目的」とするような場合でなければ，少なくとも労働組合員には，その労働協約内容が労働条件を不利益に変更するものであっても，効力が及ぶものと解される。したがって，使用者が労働協約による労働条件の不利益変更を図る場合には，労働協約締結の手続について，適宜，労働組合への確認を怠らないことが必要と解される。なお，非組合員にまで不利益な労働協約の効力が及ぶ場合は，労組法 17 条の拡張的効力が及ぶ場合に限られるが，上記の拡張的効力には，組合員への労働協約の効力よりも慎重な考慮がなされることから，非組合員への労働条件の不利益変更が問題となる場合は，労働協約が締結される場合であっても，併せて就業規則の不利益変更（労契法 10 条）による変更の手続も行うのが妥当である。

5. 有期労働契約の契約更新時における労働条件の不利益変更

　前述の通り，有期労働契約における労働条件の不利益変更は，契約更新時における使用者からの契約条件の不利益変更の申入れを拒否した有期契約労働者に対する雇止めが問題になるものが多い。

　雇止めを有効とした裁判例として，著名なものとしては，まずは日本ヒルトンホテル（本訴）事件高裁判決（東京高判平成 14・11・26 労判 843 号 20 頁）

がある。これは，経営難に陥ったホテルが，勤務していた日々雇用（当時）の配膳人らに対し，賃金支給の対象とされていた休憩時間を賃金の対象としないこと，深夜労働取扱い時間の短縮（午後10時〜午前8時を午後10時〜午前5時へ変更），早朝手当支給対象の縮減（午前8時以前を午前7時以前へ変更）等を内容とする労働条件の不利益変更を提示したところ，配膳人の一部が労働条件変更を争う権利を留保しつつ承諾する旨をホテル側に通知したため，ホテル側が当該配膳人を雇止めとしたという事案である。同事件では，(a)当該配膳人らの有期労働契約（日々雇用労働契約）は実質的には期間の定めのない雇用関係となっていたか（そうなっていれば，ホテル側の雇止めは解雇と同視される），(b)当該配膳人ら側の雇用関係の継続の期待が法的保護に値するか（そうなっていれば，ホテル側は，単に期間満了および契約合意不一致を理由には雇止めをすることはできない），(c)雇止めについての社会通念上相当と認められる理由に関連して，労働条件変更の合理性があるか，(d)ホテル側の労働条件変更の申入れについて，労働者側は争う権利を留保したままの承諾（異議留保付き承諾）ができるか，が争点となった。同判決は，まず上記(a)については，ホテル側の必要と当該配膳人側の認識を理由に否定し，上記(b)については，当該配膳人は本件の雇止めまで約14年間という長期間にわたり日々雇用の関係を続けてきたこと等の理由より肯定し，ホテル側の雇止めには社会通念上相当な理由が必要であるとした。その上で，上記(c)については，ホテルの経営難の状況，当該配膳人が所属する労働組合との間で必要な交渉を重ねたこと，配膳人の95％に相当する者の同意が得られていること等の諸事情より，労働条件変更の合理性を肯定し，上記(d)については，当該配膳人の行った異議留保付きの承諾は，ホテル側の契約申込みを拒絶したものといわざるを得ないとし，異議留保付き承諾の効力を否定し，結論として，ホテル側の雇止めには社会通念上相当と認められる理由があるとして有効とした。実務上，参考にされることが多い裁判例である。

　他の裁判例として，河合塾（非常勤講師・出講契約）事件判決（福岡高判平成21・5・19労判989号39頁）は，契約期間1年の出講契約を25年にわたり更新してきた予備校の非常勤講師が，出講契約のコマ数を週7コマから4コマに削減（収入もその分減少）することを申し入れられ，従前のコマ数（7コマ）での出講を求め，概ね週4コマの出講契約を締結し，合意に至らない点は司法で解決するという提案（異議付き承諾）を行ったところ予備校側はこれに合意せず，出講契約が更新されなかったという事案につき，同判決は

上記出講契約を労働契約とした上で，予備校の受講生数の減少が確実に見込まれること，当該非常勤講師に関する結果が芳しくなかった授業アンケートは 37 年間にわたり実施され出講コマ数の割当てを行う際に参考にされてきたことより，予備校のコマ数減少の提案は合理的理由があること，出講契約が締結されなかったのは当該非常勤講師自身の意思により決定されたものであることより，本件出講契約の終了は予備校側の雇止めにはあたらないこと等を説示して，最終的に，当該非常勤講師の地位確認請求等を棄却した。

　一方，有期労働契約更新の際の契約（労働）条件の不利益変更を契機とする雇止めの効力を否定した裁判例としては，まず，明石書店事件判決（東京地判平成 21・12・21 労判 1006 号 65 頁）は，入社時に，問題がなければ契約は更新されるとの説明を受けていた有期契約労働者が，契約満了の際の契約更新において，使用者側より，次回の契約は更新しない旨を定めた条項（不更新条項）を追加され，これを拒絶したところ，契約更新がなされなかったという事案につき，いったんは従前と同内容で契約を更新する旨の口頭の合意があったと認められること，不更新条項追加の使用者側の方針は不合理であること等を理由に，雇止めの効力を否定した。また，ドコモ・サービス（雇止め）事件判決（東京地判平成 22・3・30 労判 1010 号 51 頁）は，有期労働契約更新の際に，使用者側が携帯電話使用契約解約後の料金回収業務を担当する嘱託社員ら（インセンティブ付）に対し，インセンティブを廃止し，解約後の料金回収に特化しない社員区分にすることを申し入れたところ，当該嘱託社員らが移行に合意しない旨回答したため，使用者側が当該嘱託社員らを雇止めした事案であるが，同判決は，当該嘱託社員らの雇用契約が 5 回更新され，意思に反して更新されなかった者はいないこと等を理由に，当該雇止めには解雇権濫用法理の類推適用があるとした上で，インセンティブ廃止には回収コスト削減（嘱託社員の人件費削減）の目的もあったといえるから，それへの補償措置には相当高度の合理性が要求されるところ，使用者側の行った補償措置は，インセンティブ支給額が年々減少するという見通しに基づく当該嘱託社員の将来の年収試算をも下回っており，当期純利益が 10 億円を超えている会社の財務状況において当該嘱託社員らがこれに納得しがたいのはやむを得ない等の理由で，上記雇止めの効力を否定している。

Ⅳ. 実務の具体的対応

前述Ⅰ～Ⅲの通り，労働契約内容の想定外の不利益変更を行う場合，その方法は一様ではない。一次的には，契約当事者の合意によることが大原則であり，実務においては，まずは個々の労働者の合意を得ることを第一に目指し（労契法8条），それが難しい場合，合理性ある就業規則の不利益変更（労契法10条），場合によっては労働協約（労組法14条）の締結も併せて，労働条件の不利益変更を行うこととなる。

この場合，まずは労働者の個別同意を目指すにしても，単に，通り一遍の説明を行い，労働者が理解不足のままに当該不利益変更につき合意を取り付けた場合，その合意が無効となってしまうリスクがあることに留意すべきである（前掲山梨県民信用金庫事件判決，東武スポーツ〔宮の森カントリー倶楽部・労働条件変更〕事件判決等）。

また，就業規則の不利益変更においても，「労働組合等との交渉の状況」といった労働者側との協議の程度が合理性の判断の要素とされていること（労契法10条），労働協約による労働条件の不利益変更においても，当該労働協約締結過程において，組合員の意思を汲み上げ，その意向を尊重するという過程が必要であること（朝日火災海上保険〔石堂，本訴〕事件判決等参照）といった法規制，裁判例からすれば，使用者として，労働者側の合意を得るべく丁寧な説明および協議を尽くすことは，労働条件の不利益変更の方法を問わず（個別同意，就業規則変更，労働協約締結の方法を問わず），実行しなければならないことであり，労働条件の不利益変更の有効性を確保する共通の要素である。その労働者との丁寧な協議には，労働条件の不利益変更の内容，不利益変更の必要性を，具体的に（できれば数字を明らかにした資料で）説明することはもとより，労働者側の意見を慎重に聞くという姿勢，さらには，労働者側に意見表明を促す姿勢も有用である。そうすることで，逆に使用者の考えている労働条件の不利益変更の必要性のチェックが可能となる上に，寄せられた労働者側の意見，要望（実務では不利益変更に伴う激変緩和措置の要請，早期退職制度の拡充等がよくみられる）に対処することで，より不利益変更への合意が得られやすくなり，労働条件の不利益変更の合理性も担保される。

労働条件の不利益変更の手法としては，①個別合意をとること，②合意を得られなければ，合理性のある就業規則の変更（可能なら労働協約の締結も併せて）によるのが一般的な手順であり，これは労契法8条，10条を根拠とする。

　形式上は異なる上記2つの方法ではあるが，実際の手順としては，個別合意を目指すにも，就業規則の変更を行うにも，使用者として，労働者に対し（事情によっては労働組合に対しても），不利益変更の具体的内容およびそれを必要とする理由についての説明を丁寧に行うことが出発点となる（そのためには，先行して，使用者側において，労働条件の不利益変更についての方法，手順，具体的内容，労働者に説明する理由につき，その根拠となる事実・資料とともにしっかりと整理しておく必要があることはいうまでもない）。

　上記の説明については，労働者の理解を深めるためにも，係争となった場合に備えて説明の証跡を残すためにも，書面資料によるのが望ましい（この場合，労働者により分かりやすくするために，なるべく図や表，数値を多用して説明するのが効果的であることが多い）。

　また，不利益変更のための労働者への具体的な説明手続としては，使用者から説明会を行うだけではなく，質問会のように労働者からの質問に答えるための手続も踏むと，労働者側の理解が深まることが多い（つまりは，説明会のみならず質問会も併せて行うということである）。また，このような労働者側の理解を深める方策を採ること自体，就業規則の不利益変更の合理性を基礎付ける事情の一つとなる。

　なお，労働条件の不利益変更を行う際には，不利益変更の程度にもよるが，一般的には，その不利益を緩和する措置（多くの場合，激変緩和措置もしくは漸進措置）をとることが望ましいことはいうまでもない。殊に不利益変更の内容が賃金である場合，労働者はその賃金によって日々の生活の糧を得ていることに鑑みれば，生活の激変を緩和することが望まれるからである。

CHAPTER

18 解雇（懲戒解雇を除く）

Ⅰ. 解雇の意義・類型

1. 解雇の意義

　解雇とは，使用者の一方的意思表示による労働契約の終了である。その労働契約は期間の定めの有無を問わない。同じく労働契約を終了させる作用を有する退職や有期労働契約の更新拒否（いわゆる，雇止め）とは，退職は労働者側からの意思表示によるものであること（ただし，使用者および労働者の合意による合意退職の場合もある），有期労働契約の更新拒否（雇止め）は期間の定めのある労働契約の続行中ではなく期間満了時において行われる契約更新を行わないという行為であること，という点が異なる。解雇は，労働者への打撃の大きさに鑑み，労働法制の規制が大きい上に，労働法関係の実務における係争の中で最大のものである。

2. 解雇の理由の類型

　解雇の理由は多岐に及ぶが，代表的な分類によれば（菅野・労働法〔12 版〕786 頁以下），以下の 4 つとなる。

　(a)　労働者が傷病等の理由で労務提供ができないことや労働者側の能力・適格性のなさを理由とする解雇

　(b)　労働者による職場秩序違背の行為（勤怠不良，業務命令違背）を理由とする解雇

　なお，この行為は，通常，懲戒解雇事由にも該当し，懲戒解雇がなされる場合がある（懲戒解雇については，Chap. 15 参照）。懲戒解雇と本章の解雇（普通解雇）とでは，その要件，規制，効果等について，以下の通り異なる点がいくつかある。

　例えば，通常，普通解雇は就業規則上の普通解雇条項に規定される事由に該当することが必要であり，懲戒解雇は就業規則上の懲戒（解雇）条項に規定される事由に該当することが必要である。また，普通解雇の場合は，解雇後に判明した事由も解雇事由になり得るが，懲戒解雇の場合は原則として懲

300　　　　　　　　　　　　　PART 1　個別的労働紛争

戒解雇時までに使用者が認識していた事情に基づいてなされなければならない。さらに，普通解雇は，通常，退職金が支給されるが，懲戒解雇の場合，多くの企業では退職金が不支給とされる（ただし，不支給の可否，程度については，Chap. 8）。

懲戒解雇に該当する事由がある場合でも使用者の判断であえて普通解雇としてなされる場合もある。また，使用者が懲戒解雇を行った場合，懲戒解雇が当該労働者に酷に過ぎるとして普通解雇としては有効となり得るかといった，いわゆる，懲戒解雇の普通解雇への転換の可否も実務上は重要である（比較的自由に転化を認めた裁判例として日本経済新聞社事件判決〔東京地判昭和45・6・23 労判 105 号 39 頁〕）（詳細は後述Ⅲ 3 参照）。裁判実務上では，訴訟の早期に，使用者側の解雇が普通解雇なのか懲戒解雇なのかを明示させた上で，その後の審理に入ることが多いが，これは，就業規則規定の事由への該当性に焦点を合わせた審理を重視しているものと思われる。

(c)　使用者の経営上の必要性に基づく解雇

会社解散による労働者の解雇，経営合理化による労働者の解雇（整理解雇），職種・職場の消滅・閉鎖による所属労働者の解雇（当該労働者が他の職種・職場に配転の余地がない場合），といったものがある。その態様毎に，適用される法理（例えば整理解雇の場合は整理解雇の 4 要素の法理）が異なることには留意すべきである。

例えば，整理解雇はあくまで企業の維持のために，労働者の一部が余剰人員として解雇される場合である。そのため，会社解散による労働者全員の解雇は整理解雇とは異なり，いわゆる，整理解雇の 4 要素の法理は適用されず（静岡フジカラーほか 2 社事件判決〔東京高判平成 17・4・27 労判 896 号 19 頁〕等），より緩和された基準で解雇の成否が判断されると解すべきである。また，裁判実務上，使用者による一労働者の解雇（雇止めを含め）について整理解雇の法理を適用せしめようとする主張もみられるが，整理解雇の法理の適用は無限定なものではないと解される（大学の語学教育改革に伴う特任教員のポジション喪失を理由とする一教員の雇止めにつき，整理解雇の法理の類推適用を否定したものとして，旭川大学〔外国人教員〕事件判決〔札幌高判平成13・1・31 労判 801 号 13 頁〕）。

(d)　特定の労働組合とのユニオン・ショップ条項により，当該労働組合の組合員でなくなったことに基づく解雇

これは法的には少なからず問題を含んでいる。例えば，その特定の労働組

合の組合員でない者が他の労働組合に加入した場合に使用者が解雇をなし得るのか（三井倉庫港運事件判決〔最判平成元・12・14労判552号6頁〕等はこれを否定する），当該労働組合員でなくなった理由が当該労働組合からの除名であった場合，使用者の解雇の後に当該労働組合による除名が無効となった場合に，使用者の解雇の効力はどうなるのか（日本食塩製造事件判決〔最判昭和50・4・25労判227号32頁〕等は無効になると解する），といった問題である。

Ⅱ．解雇の法規制

1．はじめに

　解雇の法規制としては，第一には，労契法16条，17条による解雇権濫用の禁止であるが，それ以外にも，労働法は労働者保護のための解雇規制をしている。便宜上，まずは労契法16条，17条（解雇権濫用法理）以外の法規制の主なものについて先行して説明し，その後に労契法16条，17条について説明する。

2．労契法16条，17条以外の法規制の主なもの

(1)　労基法によるもの（労基法20条以外のもの）
　(a)　国籍・信条・社会的身分による差別の禁止（労基法3条）
　(b)　業務上災害，産前産後休業の場合の解雇制限（労基法19条）
　労働者が業務上負傷，疾病の療養のため休業している期間およびその後30日間は，その労働者を解雇できない。また，産前産後の女性が労基法65条の規定によって産前産後休業をしている期間およびその後の30日間も解雇できない。なお，業務上災害の療養のために「休業」する場合の「休業」には，全部休業のみならず一部休業も含まれる（平和産業事件決定〔神戸地決昭和47・8・21判時694号113頁〕等）。

　解雇そのものではなく解雇予告を行うのは可能とされている（東洋特殊土木事件判決〔水戸地龍ケ崎支決昭和55・1・18労経速1056号21頁〕）。

　負傷，疾病が治癒（症状固定）した後に解雇することには解雇制限はかからない（名古屋埠頭事件判決〔名古屋地判平成2・4・27労判576号62頁〕等）。

　上述の解雇制限にも例外があり，業務上災害の療養の場合に使用者が打切補償を行った場合（労基法81条），業務上災害の療養の場合および産前産後

休業の場合を通じて，天変地異その他やむを得ない事由のために事業の継続が不可能となった場合，上述の解雇制限はかからない。

　(c)　解雇予告の制限（労基法 20 条）

　内容が多いので，後記(3)でまとめて述べることとする。

　(d)　労働保護立法の違反申告の場合の解雇制限（労基法 104 条 2 項）

⑵　労基法以外による制限

　(a)　不当労働行為に該当する場合

　労働者が労働組合員であること，労働組合に加入しまたはこれを結成しようとしたこと，あるいは正当な組合活動をしたことを理由として，使用者が労働者を解雇すること（労組法 7 条 1 号），あるいは，組合を弱体化させるために組合員を解雇するなどといったこと（労組法 7 条 4 号）等は，不当労働行為として許されない。

　(b)　男女雇用機会均等法による制限

　使用者は，労働者の性別を理由に解雇してはならない（均等法 6 条 4 号）。また，女性労働者が婚姻，妊娠，出産，労基法上の産前産後の休業をしたことを理由として解雇してはならない（同法 9 条 2 項，3 項）。

　(c)　育児介護休業法による制限

　使用者は，労働者が育児・介護休業，子の看護休暇・介護休暇，所定外労働時間の制限等の育介法所定の措置の利用の申出をしたこと，もしくは上記措置の利用をしたことを理由として，当該労働者を解雇してはならない（育介法 10 条，16 条，16 条の 4，16 条の 5，16 条の 10 等）。

　(d)　その他

　使用者は，労働者が都道府県労働局長に解決の援助を求めたこと，あっせんを申請したことを理由として当該労働者を解雇してはならない（個別労働関係紛争解決促進法 4 条 3 項，5 条 2 項）。また，一定の要件を充たした上で労働者が公益通報をした場合，当該労働者を解雇してはならない（公益通報者保護法 3 条）。

⑶　労基法 20 条（解雇予告）による法規制

ⅰ　法規制の内容

　使用者は，労働者を解雇する場合，少なくとも 30 日前にその予告をするか，そうでない場合は 30 日分以上の平均賃金を支払わなければならない

（労基法 20 条 1 項）。なお，上記の予告日数（30 日）は，平均賃金を支払った日数分だけ短縮することができる（同法 20 条 2 項）。例えば，平均賃金 10 日分を支払えば，予告日数は 20 日前で済む，ということとなる。ただし，天災事変その他やむを得ない事由のために事業の継続が不可能となった場合や，労働者の責めに帰すべき事由に基づいて解雇する場合は，解雇予告を要さず即時解雇が可能である（同法 20 条 1 項但書）。なお，例外としての即時解雇には行政官庁の除外認定が必要であるが（同条 3 項），この行政官庁の認定は事実の確認手続に止まり，行政官庁の認定を受けないでなされた即時解雇は，除外認定を受けなかったということ自体を理由として無効となるものではない（上野労基署長〔出雲商会〕事件判決〔東京地判平成 14・1・31 労判 825 号 88 頁〕）。

なお，上記の解雇予告の法規制は，有期雇用者の期間満了時には適用されない。すなわち，「有期労働契約の締結，更新及び雇止めに関する基準」（平成 15・10・22 厚労告 357 号 最終改正：平成 24・10・26 厚労告 551 号）は，有期雇用契約期間満了時に解雇予告の法規制が適用にならないことを前提に，使用者に雇止めの予告の努力義務を定めていると解されており（菅野・労働法〔12 版〕784 頁），さいたま地判平成 19・9・28 判例集未登載も，有期雇用契約には解雇予告の法規制は適用にならないとしている。

ii 解雇予告が適用とならない労働者

解雇予告の法規制（労基法 20 条 1 項）は，以下の労働者には適用されない（労基法 21 条）。

①日々雇い入れられる者（ただし，1 か月以内）

②2 か月以内の期間を定めて使用される者（ただし，所定の期間を超えて使用されるに至った場合を除く）

③季節的業務に 4 か月以内の期間を定めて使用される者（ただし，所定の期間を超えて使用されるに至った場合を除く）

④試用期間中の者（ただし，14 日以内）

iii 解雇予告義務違背と解雇の効力

使用者が解雇予告義務に違背して行った解雇の効力については，解雇を即無効と解するもの（無効説），解雇の有効・無効を左右しないと解するもの（有効説），解雇は即時解雇としては効力を生じないが，使用者が即時解雇に固執する趣旨でない限り，解雇通知後 30 日の期間を経過するか，または解雇通知後に予告手当の支払をしたときは，そのいずれかから解雇の効力が生

ずると解するもの（相対的無効説）といった諸説が唱えられているが，裁判例は，概ね，相対的無効説を採用している（細谷服装事件判決〔最判昭和35・3・11民集14巻3号403頁〕，小松新聞舗事件判決〔東京地判平成4・1・21労判600号14頁〕等）。なお，学説では，使用者が即時解雇事由がないにもかかわらず，予告期間を置かずに予告手当も支払わずに解雇した場合，労働者は解雇無効の主張をするか，それとも解雇有効を前提に予告手当の請求をするかを選択できるとするもの（選択権説）が有力となっている（菅野・労働法〔12版〕782頁，荒木・労働法〔4版〕322頁等）ことには注意が必要である。

(4) 就業規則による制約

労基法89条3号は就業規則において「退職に関する事項（解雇の事由を含む）」を記載することを規定していることより，現実の解雇において，就業規則に記載していない解雇事由による解雇の可否が問題とされる。

労働契約に限らず契約当事者は基本的には相手方の債務不履行，信頼関係を破壊する行為に対しては解約の自由を有しているものであり，労契法16条の規定する解雇権濫用の禁止も，使用者には解雇の自由が存することを前提にこれを制約するという法構造となっていることからすれば，就業規則上の解雇事由はあくまで例示列挙であるのが原則ではあるが，一方，現実的な効果として，就業規則に列挙されていない事由による解雇は解雇権濫用の評価に結びつくとの理解が妥当と思われる（ナショナル・ウエストミンスター銀行〔3次仮処分〕事件決定〔東京地決平成12・1・21労判782号23頁〕）。なお，実務においては，大抵の企業の就業規則には，解雇事由の末尾に「その他各号に準ずる重大な事由」といった包括的条項を置いているので，仮に，就業規則に列挙している事由のみを解雇事由とするという考え方（限定列挙説）に立っても，結論として就業規則に列挙している事由以外も解雇事由となり得るという考え方（例示列挙説）と，理屈としてはほぼ変わらなくなる。もっとも，使用者としては，上述の現実的な効果に鑑みれば，就業規則上への解雇事由の具体的記載を疎かにすべきではない。

3. 解雇権濫用禁止の法理

(1) 労契法16条

労契法16条は，期間の定めのない雇用契約を締結している労働者を解雇

する場合について，客観的に合理的な理由を欠き，社会通念上相当と認められない場合は，解雇権濫用として解雇を無効としている。これは，従来から裁判例により形成されてきた解雇権濫用法理（先導的最高裁判例として，日本食塩製造事件判決〔最判昭和 50・4・25 労判 227 号 32 頁〕）が成文化されたものである。

　しかるに，労契法 16 条の法文が規定している要件は，「合理的な理由」，「社会通念上相当」といったごく抽象的な基準のみであって，実際の解雇をめぐる紛争では，個別具体的な事実関係の認定とそれに対する評価（使用者が解雇事由とした事実の存否。事実が存在するとして解雇が合理的かつ社会的に相当と評価できるか）が重要な争点となる。殊に，後者の評価については，具体的事案に対して出された裁判例を参考に判断するしかない。

(2) 労契法 17 条

　労契法 17 条は，期間の定めのある雇用契約を締結している労働者に対する解雇について，「やむを得ない事由」がある場合でなければならないとしている。この「やむを得ない事由」とは，一般には，期間の定めのない雇用契約における解雇について規制する労契法 16 条の「客観的に合理的な理由を欠き，社会通念上相当であると認められない場合」よりも，さらに厳格な要件であるとされている。そのため，使用者としては，早期に解雇する必要性，緊急性がなければ，期間満了を待って雇用契約を終了することも多い。ただし，その場合も，Chap. 20 で述べるように，使用者側は雇用契約の更新を拒否することが常に自由にできるわけではない（労契法 19 条）。もっとも，労契法 19 条の制限は，労契法 17 条の制限に比較すれば緩やかな基準であるとされる。

Ⅲ．労契法 16 条，17 条にかかる裁判例

　解雇をめぐる紛争の対応については，特に，裁判例の調査，今直面している事案と裁判例との異同の理解，といった努力が重要である。しかし，解雇をめぐる裁判例は膨大であるため，ここでは類型ごとに，代表的なものといわれているものに絞って紹介することとする。

1. 労働者側の事情による解雇（能力，適格性，秩序違反等）

(1) 勤怠不良

　勤怠不良を理由とする解雇に関する裁判例として，解雇を有効とした例から挙げると，まず，東京プレス工業事件判決（横浜地判昭和57・2・25労経速1117号3頁）は，概ね当該労働者が6か月間に24回の遅刻と14回の欠勤を行い，その間，上司の繰り返しの注意や警告が行われていたにもかかわらず勤怠が改善しなかった事案について，解雇を有効としている。また，著しい勤怠不良の例としては，例えば，東京海上火災保険（普通解雇）事件判決（東京地判平成12・7・28労判797号65頁）は，各々4か月～1年に及ぶ4回の長期欠勤があり，最後の長期欠勤前の2年間の出社日数のうち約4割が遅刻であったような社員について，「労働能率が甚だしく低く，会社の事務能率上支障があると認められたとき」という会社就業規則上の解雇条項に該当するとして，解雇を有効としているし，テレビ朝日サービス事件判決（東京地判平成14・5・14労経速1819号7頁）も，ほぼ毎日就業時間のほとんどを離席し，外出中に連絡をするようにとの上司からの指示にも従わないといったような勤怠不良の他に，業務知識や注意力の不足からミスが解消しなかったという事情がある正社員に対する解雇を有効としている。

　一方，解雇無効の例としては，高知放送事件判決（最判昭和52・1・31労判268号17頁）は，ラジオのアナウンサーが約2週間のうち2回に及び，寝過ごしにより担当の早朝ラジオ・ニュースに穴を空けた事案について，解雇は酷に過ぎるとしている。

(2) 能力不足，成績不良

i　有効例

　解雇の有効例としては，まず，プラウドフットジャパン事件判決（東京地判平成12・4・26労判789号21頁）は，経営コンサルティングとして雇用された者に対して，1年半の間に従事した5つのプロジェクトのうち4つで未だ能力と適格性が平均に達しないことを理由になされた解雇につき有効とした。また，日水コン事件判決（東京地判平成15・12・22労判871号91頁）は，システムエンジニアとして入社して約8年経つ者が，さしたる実績を残さず，配転後2年経っても業績成果を挙げ得なかったことを理由として解雇された事案につき，これを有効としており，トムの庭事件判決（東京地判平成

21・4・16労判985号42頁）も，美容院の店長時代に自らの勤怠の虚偽申告，店長ミーティングでの虚偽報告を繰り返し，店長より降格後もだらだらと施術をし，他のスタッフが手助けを頼んでも無視する，立ち姿勢や言葉遣いが悪い，といった勤務姿勢を繰り返した者に対する解雇を有効としている。最近の例としては，NECソリューションイノベーター事件判決（東京地判平成29・2・22労判1163号77頁）は，入社18年目の時点で入社1〜2年目相当の役職にとどまり，社外の研修・コンサルテーションを受講しても効果がなく（報告書には職務に不適と記されている），数々の業務も不適格か拒否することの繰り返しであったという，在職約30年の者に対する解雇につき，勤務成績が著しく不良な上に改善の見込みがないとして，解雇を有効としている。

ii 無効例

　解雇無効例の内，留意すべき裁判例として，まず，セガ・エンタープライゼス事件決定（東京地決平成11・10・15労判770号34頁）があり，これは，直近1年の3回の人事考課がいずれも下位10パーセントであり，3回全体で全従業員約3500名のうち下位200名であった者を解雇した事案であるが，上記判決は，就業規則上の解雇条項にある「労働能率が劣り，向上の見込みがない」とは相対評価を前提とするものではないとした上で，当該労働者に対し，さらに体系的な教育，指導を実施することによりその労働能率の向上を図る余地があるとして解雇を無効とした。また，森下仁丹事件判決（大阪地判平成14・3・22労判832号76頁）は，解雇4年前までは標準の評価であったこと，その後の評価は会社業績が低下していたこと，本人にとって馴れない業務に就いていたこと，会社では本人がミスなくできる職種もあること，就業規則上降格の余地もあること等より，解雇を無効としている。最近の例では，日本アイ・ビー・エム（解雇・第1）事件判決（東京地判平成28・3・28労判1142号40頁）は，相対的な低評価が続いた労働者に対して，職務限定社員ではないことより，現在の担当業務に関して業績不振があるとしても，その適性にあった職務への転換や業務内容に見合った職位への降格，解雇の可能性をより具体的に伝えた上での更なる業績改善の機会の付与といった手段を講ずることなく行われた当該解雇は無効としている。

iii 労働契約における職種や地位の特定の意味について

　前掲プラウドフットジャパン事件判決にもあるように，職種や地位を特定して雇用された労働者は，職種や地位を特定しないで採用された労働者の例

（前掲セガ・エンタープライゼス事件決定，日本アイ・ビー・エム〔解雇・第1〕事件判決等）に比較して，比較的容易に，能力，適性不足による解雇が認められる。例えば，フォード自動車（日本）事件判決（東京高判昭和59・3・30労判437号41頁）は，人事部長としての能力，適性が問題となった解雇を有効としており，また，ヒロセ電機事件判決（東京地判平成14・10・22労判838号15頁）は，海外の勤務歴に着目され，業務上必要な語学，品質管理能力を備えた即戦力の人材として中途採用された者について，やはり期待された能力が存しないことを理由になされた解雇を有効としている。最近の例では，コンチネンタル・オートモーティブ（解雇・仮処分）事件決定（東京高決平成28・7・7労判1151号60頁）も，約29年間の自動車業界における勤務経験から品質保証に関する業務に多数携わっていること等を理由に即戦力として中途入社した労働者に対する解雇が問題となった事案について，当該労働者は高度の能力を評価され高額の賃金により中途採用された者であることより，基礎的な教育や指導を行うことは本来予定されていなかったことや，使用者が個別的な指導により能力向上を図ろうとしたにもかかわらず当該労働者が反抗的であったこと等を理由に，解雇を有効としている。

　もっとも，一見職種や地位を特定されたものにみえる場合でも，契約の想定するところ（特定の有無・度合）や労働者の適性を見極めることなく解雇に及ぶことは危険であって，拙速な解雇は認められない。例えば，外国法人の日本支社にその能力を重視して採用された労働者を解雇したことが無効とされた例として，ジェイ・ウォルター・トンプソン・ジャパン事件判決（東京地判平成23・9・21労判1038号39頁），ブルームバーグ・エル・ピー事件判決（東京高判平成25・4・24労判1074号75頁）等が存する。

(3)　心身の傷病

　まず，解雇有効例として，横浜市学校保健会（歯科衛生士解雇）事件判決（東京高判平成17・1・19労判890号58頁）は，歯科衛生士は，職務上，自分の両上肢の動きを自己の意思で完全にコントロールし，手指を用いて細かな作業ができなければならないところ，当該歯科衛生士の上肢はそれに堪えられなかったとして解雇を有効としている。

　一方，否定例として，サン石油（視力障害者解雇）事件判決（札幌高判平成18・5・11労判938号68頁）は，重機運転手につき，当該労働者の視力障害は総合的な健康状態に直接には関係せず，また，採用時に重機運転の実技試

験を行い技能に問題ないとして雇用されたこと等に鑑み，解雇を無効として
いる。

仮に疾病により就業できない状態であっても，そうした状態が業務に起因
するものである場合は，労基法19条により解雇はできないこととなる（例
として，東芝〔うつ病・解雇〕事件判決〔東京高判平成23・2・23労判1022号5
頁〕）。もっとも，問題となった傷病が業務に起因するものであるか否かは，
事案によっては微妙な判断となり，現に，前掲東芝（うつ病・解雇）事件判
決の事案は，労災申請を受けた労基署長，労働者災害補償保険審査官いずれ
も業務起因性を否定しており，司法判断で初めて肯定されるに至っている。
なお，同様の例は，国・豊田労基署長（トヨタ自動車）事件判決（名古屋地判
平成19・11・30労判951号11頁）等でもみられる。

労働者の就業できない理由たる傷病が業務に起因するものではなく私傷病
である場合，通常，使用者では私傷病について休職制度を設けている関係上，
私傷病による不就業を理由に直ちに解雇するのではなく，休職を命じた上で，
休職期間を経過してもなお，就業不能である場合に解雇することが多い。こ
れをめぐる紛争については，本書 Chap. 16 で述べた。

(4) 配転・出向等の命令違背

使用者から労働者への配転命令，出向命令に対し，労働者が従わないこと
を理由として，使用者が当該労働者を解雇することがあるが，これは，原則
として，使用者のなした配転命令，出向命令が有効であるか否かにかかる
（Chap. 10 参照）。そして，適法有効な配転命令・出向命令に違背した者に対
する解雇は原則として有効であるが（代表例として，ケンウッド事件判決〔最
判平成12・1・28労判774号7頁〕），裁判例の中には，例外的に，配転命令自
体は有効としつつ，それに違背した労働者の解雇を無効とした例もある。メ
レスグリオ事件判決（東京高判平成12・11・29労判799号17頁），三和事件
判決（東京地判平成12・2・18労判783号102頁）等はその例であり，配転命
令の有効性とそれに違背する者への解雇の有効性とは完全には連動していな
い。上記の裁判例からすれば，使用者は，配転命令等に違背した労働者を解
雇するには，当該配転命令等の有効性と併せて，これらに違背した当該労働
者（さらにはその所属する労働組合）に対し，説明，説得の手順を尽くすこと
が求められている（Chap. 10 参照）。

⑸ 職場における非違行為

　上司の業務命令への違背，使用者または上司に対する誹謗・中傷，周囲との協調性の欠如，使用者の施設の不正利用等といった，いわゆる職場での非違行為を理由とする解雇については，まず，解雇有効例の最高裁判例として，学校法人敬愛学園（国学館高校）事件判決（最判平成6・9・8労判657号12頁）がある。これは，学校教育および学校運営の根幹にかかわる事項につき，虚偽の事実を織り交ぜたり，事実を誇張わい曲して学校および校長を非難攻撃し，さらにその内容を週刊誌に情報提供し，その内容の記事が掲載されるに至ったという行為をした労働者が解雇された事案につき，当該労働者の行為は，校長の名誉を著しく傷つけるとともに学校の信用を失墜させかねないものとして，解雇を有効とした。

　他に，下級審の例では，カジマ・リノベイト事件判決（東京高判平成14・9・30労判849号129頁）は，上司への侮辱的発言，時間外労働制限への不服従など，一つ一つは比較的些細な行為であるが多数（十数個）にわたる非違行為が当該労働者に存した事案において，企業全体の統一的事務処理が要求される事柄につき上司の指示に従わない傾向が顕著であること，職場全体の秩序・人間関係に悪影響を与えていること，当該労働者は上記の行為につき4回にわたりけん責処分を受けたにもかかわらず反省せず始末書を提出しなかったこと等を理由に，解雇を有効としている（最高裁でも維持〔最判平成15・2・28〕）。同様に，非違行為が繰り返されることにより解雇事由となることを認めたものとして山本香料事件判決（大阪地判平成10・7・29労判749号26頁等）も参考になろう。他の解雇有効例として，日本火災海上保険事件判決（東京地判平成9・10・27労判726号56頁）は，上司からの指示に繰り返し反発したり，上司・同僚への誹謗中傷を重ねるといった所為をなした社員に対する解雇を有効としており，株式会社大通事件判決（大阪地判平成10・7・17労判750号79頁）は，取引先工場における取引先従業員への暴言，その工場の手洗い場の損壊に及んだ上反省が認められなかった社員に対する解雇を有効としている。また，労働者の職務中の私用メールの事案は近時多くみられる。懲戒解雇の事案ではあるが，K工業技術専門学校（私用メール）事件判決（福岡高判平成17・9・14労判903号68頁）は，約5年にわたる多数のメール送受信（各500通以上）を行った教員に対する懲戒解雇を有効と認めている。

　一方，解雇無効例として，医療法人毅峰会（吉田病院）事件決定（大阪地

決平成 8・9・2 労判 712 号 95 頁）は，病院に事務員として雇用された労働者が，医療現場では事実上慣行とされていたことを不当と主張して，保険医療手続を厳格に，または患者の有利に行うことを求めて，上司の命に従わないために病院に解雇されたという事案で，当該労働者の求める処理が実態を無視した不当なものであるか否かは不明であるとして，当該労働者への解雇を無効とした。また，ユリヤ商事事件決定（大阪地決平成 11・8・11 労判 782 号 84 頁）は，販売員が周囲の社員（4 名）との協調性の欠如を理由の一つに解雇された事案で，周囲の社員が粗暴な行為や粗野な言動をする者であったこと等を理由に，当該解雇を無効としている。さらに，ここでも私用メール等が問題となった事案を挙げると，グレイワールドワイド事件判決（東京地判平成 15・9・22 労判 870 号 83 頁）も，1 日 2 通程度の私用メールの送受信を行い，かつ，私用メール中で上司の誹謗中傷を繰り返していた事案につき，その内容・程度からして解雇事由に該当しないとした。また，北沢産業事件判決（東京地判平成 19・9・18 労判 947 号 23 頁。ただし，他の解雇事由も主張されている）は，問題の私用メールは 1 か月に 2～3 通であり長時間を要するとは認められないこと，メールデータ無断消去・私用メールの中での上司・同僚への誹謗中傷については解雇の 1 年以上前より使用者が把握していた事実であること等を理由に，当該労働者の解雇を無効としている。以上からすれば，労働者の非違行為を理由とする解雇は，それによる使用者への障害（社会的信用の毀損，業務遂行への支障等）の程度により，有効・無効が判断されるといえよう。その際，当該労働者の一つ一つの行為にとらわれることなく，当該労働者の行為全体がもたらす使用者への障害の評価が重要となる（前掲カジマ・リノベイト事件判決等）。

(6) 職場外（私生活上）の非違行為

　本来，労働契約上，使用者は労働者の職場外の行為（私生活）についてまで介入し得るものではなく，労働者の私生活上の行為を理由に，使用者の人事権（解雇権および懲戒権）を行使することはできないのであるが，実社会では，労働者の私生活上の行為により使用者の信用が毀損されたり，職場内における人間関係に違和感を生ずるなど，使用者に何らかの障害を生じせしめることがあり，労働者の私生活上の非違行為を理由とする解雇が問題となることがある（なお，私生活上の非違行為による懲戒解雇については，Chap. 15, V(5)，VI 2.(5)参照）。

まず，解雇有効例として，ケイエム観光事件判決（東京地判平成5・12・16
労判 647 号 48 頁）は，バスの運転手がバスガイドとの情交関係を持った事案
につき，バス会社ではその営業上バスガイドは不可欠であり，その確保等の
ため規律保持が特に要求されていることに鑑み，バス会社がバス運転手とバ
スガイドとの間の男女関係を就業規則により原則として禁止し，違背した場
合には解雇し得るとしたことは合理的であるとし，当該バス運転手への普通
解雇を有効とした（なお，同ケイエム観光事件地裁判決の控訴審判決〔東京高判
平成 7・2・28 労判 678 号 69 頁〕では，当該バス運転手とバスガイドとの間の情
交関係という事実自体を否定し，当該解雇を無効と判示してはいるが，これは事
実認定の問題である）。

　一方，解雇無効例のやや特異な事案として，Ｏ法律事務所（事務員解雇）
事件判決（名古屋高判平成 17・2・23 労判 909 号 67 頁）は，法律事務所の事
務員が他の法律事務所の弁護士と結婚したことを受け，情報漏洩等の危険を
理由に解雇された事案についてのものであるが，事務員も一定の雇用契約上
の秘密保持義務を負っていること，当該法律事務所のある市内には多数（当
時 900 名）の弁護士がおり，利害対立の場面はそれほど多くはないこと等を
理由に，当該解雇を無効とした（最決平成 17・6・30 判例集未登載でも維持）。

(7)　実務の具体的対応

ⅰ　総論──判例調査の重要性

　解雇は，労働法をめぐる紛争のうち，最も多量かつ重大な問題である。に
もかかわらず，労契法 16 条にいう「客観的に合理的な理由」「社会通念上
相当」という解雇要件は抽象的で，判断が難しい。事案の適切な把握のため
には，何といっても，類似の事案についての裁判例の理解が不可欠であり，
裁判例の調査を真っ先に行わなくてはならない（それが処理の良否の7割を決
める）。使用者と労働者との間の事実関係は極めて多種多様で同一の事案の
ものは2つとないといってよく，最終的には，問題となっている事案と類
似の裁判例を参考にしつつ，解雇の有効性を判断するしかない。換言すれば，
解雇事案について，必要な裁判例を調査しつつ，解決についての的確な見通
しを持ち，それに沿って依頼者に適した主張をすることができれば，それだ
けで一流の労働事件の実務家である。

ⅱ　各論──使用者側の対応

　解雇をめぐる紛争では，労働者の勤務不良，能力不足，協調性のなさ等が

解雇事由として争点となる。したがって，使用者側弁護士としては，訴訟前における解雇前の労務の実務においては，可能な限り，当該労働者の問題点を明瞭に指摘しつつ指導する（多くの場合，指導を繰り返す）というプロセスが重要となる。その問題点の指摘においては，記録という点でも指導を受ける者の理解度という点でも，重要なものは書面やメールで，具体的事実（いわゆる5W1H）をなるべく特定して行うことが望ましい。また，それが会社の規定・規範にも抵触するような場合には，軽度ではあっても懲戒処分により改善するように警告しておくことも妥当である（それによって当該労働者の問題点が改善されればいうことはない）。

　訴訟段階においては，当該労働者が業務上使用したメール，SNS履歴，その他の資料などから，労働者の問題点とその指導記録等を抽出・整理することが重要となるが，そのような記録が存しない場合には，関係当事者（上司，周囲の同僚，部下等）より，被解雇労働者の具体的な問題点を聴取，整理するより他にない。もっとも，近時，業務連絡を社内メール（その中には添付資料も存することがある）やSNSで行う例が増えており，仮に，そういった記録には直接的な指導，問題点の指摘等がなくとも，上記の記録の外的な足跡（日時，発信者および名宛人等）をも参考にしつつ，関係当事者の事情聴取および事実整理を丹念に行うことが肝要である。

　なお，解雇に至るまでの被解雇者への弁明の聴取（弁明の機会を与えること）は，法的には必ずしも解雇に必須なものではないかもしれないが，使用者側の事実認識と業務指導の適切さを，紛争になる前に検証する意味でも，有用であることが少なくない。

　　解雇の適否の判断を的確に行うには，類似の事案についての裁判例の調査，理解が絶対に不可欠である（解雇事案について，必要な裁判例を調査しつつ，それに沿って適切な判断，主張をすることができるだけで，一流の労働事件の実務家である）。
　　訴訟前における解雇前の労務の実務においては，書面やメールといった形に残る方法で，問題となる労働者に対し，具体的事実（5W1H）を明示しつつ，当該労働者の問題点を指摘し，かつ，その改善を促す，といったプロセスを踏むのが肝要である（それで当該労働者が問題点を改善すれば一番望ましい。実務上の効用として，使用者側がそのようなプロセスを意識することにより，当該労働

者への指導・改善がより具体的〔親身，厳格〕なものとなり，その実が上がることがある〔それならそれで，使用者としても解雇に訴える必要はなくなり，ウィン・ウィンである〕。また，不幸にして，仮に当該労働者の改善がなくとも，使用者としては問題点を分かりやすく示しつつ当該労働者の指導・改善の手続きを尽くしたことになる〕。

解雇後の訴訟段階においては，労働者の問題点の内容（つまりは解雇事由の有無・程度）と使用者の指導の存在が争点となることが多く，解雇に至るまでの，使用者からの指導に関する書面や業務用メール，会社記録等の調査，整理が肝要であるが，そのような客観的記録が存しない場合には，関係当事者（上司，周囲の同僚，部下等）より，被解雇者の具体的な問題点を聴取，整理する他はない。この場合，意外と重要なのが，被解雇者の問題行為の内容（決して一つではない事案がほとんどであろう）もさることながら，使用者の業務上の（経営上とは若干異なる）必要性，殊に使用者の特性，当該被解雇者の職場・職務の特性をしっかり使用者側弁護士が理解することである。一般的な使用者にとっては問題がさほど重大ではないことでも，現に問題となっている使用者，その職場・職務にとっては問題が大きいという事象も少なからずあるのである（分かりやすい例で言えば，同じ飲酒運転であっても，自動車運転を業とする使用者とそうでない使用者とではその問題の大きさには差がある。また，例えば互いの発想を共有・共同して無形の価値・サービスを創造するようなことを業とする使用者の場合，その構成員にはコミュニケーション能力が特に重要になるといったこともある）。

なお，解雇に至るまでの被解雇者への弁明の聴取は，有用なことも多い。というのは，弁明の聴取の手続を経ることで，使用者が問題点として認識している事実の有無があらためて確認できることがあり（実際の例でも，使用者側の事実誤認ということがある），被解雇者の言い分（主張）を予測し得て，後の裁判紛争で有用になることもある。また，あらためて被解雇者が自己の問題点を認識し，合意退職へと進むことも少なくない。

2. 使用者側の事情（経営上の必要性）による解雇

⑴ 整理解雇

i 整理解雇の意義

　整理解雇とは，企業が経営上必要とされる人員削減のために行う解雇である（菅野・労働法〔12 版〕793 頁）。整理解雇は，使用者側の事情（経営上の必要性）により行われることに特色があり，本来，労働者の側には落ち度はないこと，人員削減という一部の者の解雇により事業と残余者の雇用を継続させるという事象が生ずることより（つまりは雇用維持の点で結果として不公平を生む），その解雇の有効性の審査は慎重を期すべきである。そのため，一般には，後述する，いわゆる整理解雇のための 4 要素（4 要件と解する論者もある）の判例法理によりその有効性が審査されている。なお，同じく使用者の事情による解雇として，会社解散や事業閉鎖による全員解雇，特定の業種の縮小・廃止による解雇や雇止め等もあり，これらへも整理解雇規制を適用すべきか否かについては見解の相違があるものの，整理解雇法理自体が社会に生起した具体的案件の処理を目的として形成されたものである以上，安易な拡張は妥当ではないと思われる（会社解散につき，整理解雇法理が適用されないことにつき，菅野・労働法〔12 版〕762 頁）。なお，会社解散による解雇につき整理解雇の範囲に含まれないとした裁判例としては，大森陸運ほか 2 社事件判決（大阪高判平成 15・11・13 労判 886 号 75 頁），静岡フジカラーほか 2 社事件判決（東京高判平成 17・4・27 労判 896 号 19 頁）等があり，また，ポジション廃止による有期雇用契約者の雇止めの事案について，整理解雇に含まれないとした裁判例には，旭川大学（外国人教員）事件判決（札幌高判平成 13・1・31 労判 801 号 13 頁）がある。会社解散による全従業員解雇の事案としては，例えば，グリン製菓事件決定（大阪地決平成 10・7・7 労判 747 号 50 頁），部門閉鎖・ほぼ全従業員解雇の事案としては山田紡績事件判決（名古屋地判平成 17・2・23 労判 892 号 42 頁）等がある。

ii 整理解雇の 4 要素

　整理解雇の場合，解雇権の濫用になるか否かについては，裁判例の集積によれば，以下の(a)～(d)の 4 要素（いわゆる整理解雇の 4 要素）により判断される。なお，高裁におけるリーディングケースとしては東洋酸素事件判決（東京高判昭和 54・10・29 労判 330 号 71 頁）があり，最高裁判決（昭和 55・4・3 労判 341 号速報カード 31 頁）でも維持されている。

(a) 人員削減の必要性

(b) 解雇回避措置

(c) 被解雇者選定の合理性（人選の合理性）

(d) 手続の妥当性（労働者，労働組合との丁寧な協議等）

上記の(a)〜(d)の法的な意味づけについて，上記(a)〜(d)の全てが充足されなければ整理解雇は無効となるのか（4要件説），(a)〜(d)が総合考慮されて整理解雇の有効性が判断されるのか（4要素説）については，従前は裁判例は統一されてはいなかったが，近時は，より柔軟に整理解雇の有効性を判断する4要素説が増加してきており，学説の主流も同様に解している（菅野・労働法〔12版〕794頁等。主な裁判例としては，山田紡績事件判決〔名古屋高判平成18・1・17労判909号5頁〕，CSFBセキュリティーズ・ジャパン・リミテッド事件判決〔東京高判平成18・12・26労判931号30頁〕等）。上記の(a)〜(d)は，法令に明文はなく，その各項目に絶対的な意味を付与することは妥当でないと思われる以上，4つの要素と理解するのが妥当であろう。

なお，裁判例の中には，使用者側の経営上の事情による解雇の場合であっても，整理解雇の4要素の検討に拠らずに，より総合的に事案を検討，考慮して解雇の有効性を判断したものもあり（ナショナル・ウエストミンスター銀行〔3次仮処分〕事件決定〔東京地決平成12・1・21労判782号23頁〕），整理解雇をめぐる法理自体も必ずしも今後も固定的なものとは限らないのであるが，少なくとも現在では，ほぼ，整理解雇の4要素の法理が妥当すると考えるのが無難である。

上記(a)〜(d)の4要素も，いずれも規範的要件要素であって，それを構成する具体的事実は，千差万別である。そこで，各要素が問題となった主な裁判例を理解することが肝要である。

iii 人員削減についての経営上の必要性（整理解雇の要素(a)）

(a) 経営上の必要性の程度について

整理解雇における第1の判断要素は，使用者の人員削減についての経営上の必要性であるが，この必要性の程度の解釈については，従前は，企業の存続維持が危殆に瀕する程度に差し迫った必要性があることを要するとした例（大村野上事件判決〔長崎地大村支判昭和50・12・24労判242号14頁〕）もみられた。しかし，現在ではより緩やかに解し，原則として企業の経営判断を尊重する方向が主流である。例えば，前掲東洋酸素事件判決では，「資本主義経済社会においては，…採算を無視して事業活動及び雇用を継続すべき

義務を負うべきものではないし，また，事業規模の縮小の結果労働力の需要が減少した場合に，全く不必要となった労働力をひきつづき購買することを強制されるものではな」いとした上で，上記の経営上の必要性を「企業の合理的運営上やむをえない必要に基づくものと認められる場合であること」としている。経営上の必要性につき，企業の危殆（倒産の危機）の程度までを要求することは，人員削減による企業の再建の機会を封じかねず，近時の裁判例の流れは妥当である。それでも経営上の必要性が否定される場合としては，財務状況の見積もりが不正確であったり，人員削減措置決定後間もなく，大幅な賃金上昇や多数の新規採用や高率の株式配当を行うといった矛盾した経営行動がとられている場合であるとするのが一般的な見解である（菅野・労働法〔12版〕795頁等）。一例をあげれば，Ｎ航空客室乗務員解雇事件判決（東京高判平成26・6・3労経速2221号3頁）は，裁判所も関与して進められている会社更生手続における更生計画案上の人員削減目標を達成すべく目標に不足する人数分につき行われた整理解雇の事案について，更生計画に照らし同計画内容および時期につき合理性が認められる場合は人員削減の必要性が認められるとしている（結論としても解雇有効）。

　財務状況が不明瞭であったり矛盾した経営行動がとられたとして，整理解雇の必要性が否定された裁判例としては，まず，製造部門での整理解雇の一方で同じ製造部門での従業員の新規募集があった事案についてのホクエツ福井事件判決（名古屋高金沢支判平成18・5・31労判920号33頁）がある。同じく，「人の入替え」が問題となった例として泉州学園事件判決（大阪高判平成23・7・15労判1035号124頁）がある。また，ザ・キザン・ヒロ事件判決（東京高判平成25・11・13労判1090号68頁）は，タクシー事業会社において，経営難を理由に2つの事業所のうち一つを売却してその事業所に属する労働者を全員解雇した事案について，借入金の大半が代表者夫婦からのものであり資金繰りの詳細が明らかにされていないこと，整理解雇直前に乗務員を新たに採用していること等より，整理解雇の必要性を否定している。

　(b)　経営上の必要性の範囲

　整理解雇の判断要素としての経営上の必要性は，解雇を行う使用者全体が経営危機になくとも，その一部門が不振であれば，その一部門について認められる余地がある。例えば，前掲東洋酸素事件判決（東京高判昭和54・10・29労判330号71頁）は，業績が不振である特定の一部門をそのまま放置すれば，主力部門が設備投資その他において同業各社との競争に大きく遅れ，

ひいては会社経営に深刻な影響を及ぼすことが明らかであると説示している（ただし，その不採算部門の赤字が，主力部門への設備投資にいかに障害となったか，その結果，当該企業の生産能力が競業他社に比していかに劣勢に陥ったか，につき具体的な事象も説示されていることには留意すべきである）。また，鐘淵化学工業（東北営業所Ａ）事件決定（仙台地決平成14・8・26労判837号51頁）は，「企業全体として黒字であったとしても事業部門別に見ると不採算部門が生じている場合には，経営の合理化を進めるべく赤字部門について経費削減等の経営改善を図ること自体は債務者［註：使用者］の経営判断として当然の行動」として，一部門の廃止による人員削減の必要性を肯定している。さらに，前掲ナショナル・ウエストミンスター銀行（3次仮処分）事件決定（東京地決平成12・1・21労判782号23頁）は，社内一部門の閉鎖はいわゆるリストラクチャリング（事業の再構築）の一環として認められ，それは基本的に企業の決定を尊重すべきであり，その際，企業において余剰人員の削減が俎上に上ることは，経営が現に危機的状態に陥っているかどうかにかかわらず，リストラクチャリングの目的からすれば当然と説示しており，また，ワキタ（本訴）事件判決（大阪地判平成12・12・1労判808号77頁）も，企業全体として経営危機でなくとも，経営合理化のために行う人員整理につき人員削減の必要性を肯定する趣旨の説示をなしている（ただし，他の要素の考慮に基づき，結論としては解雇を無効とした）。有力な学説も概ね，同様の見解である（荒木・労働法〔4版〕335頁，菅野・労働法〔12版〕798頁もこれを前提にしていると解される）。最近の例では，ユナイテッド・エアーラインズ（旧コンチネンタル・ミクロネシア）事件判決（東京地判平成31・3・28労判1213号31頁）が，航空会社から委託される業務量が減少したことを理由に一部の便の事業所を閉鎖するにあたり当該事業所に勤務する客室乗務員を解雇した事案につき，企業経営の観点から合理的な判断ということができ，解雇回避努力義務という点でも，早期退職に伴う特別退職金の支払や年収水準を維持した上での地上職への転換などの措置が執られたことにも鑑みて，整理解雇を有効としている。

　ただし，全社的な経営危機ではなく，不採算部門の縮小・廃止といった経営合理化を目的とする整理解雇の場合，経営上の必要性および後述の解雇回避措置について，より厳しい審査がなされることもあり得る。現に，ジ・アソシエーテッド・プレス事件判決（東京地判平成16・4・21労判880号139頁）は，使用者に経営悪化は認められず，整理解雇の必要性は単に部門の海

外移転を防ぐという抽象的な必要性に止まるとした場合の整理解雇について，高度の解雇回避措置が求められ，被解雇者の選定についても十分吟味する必要性があると説示している。

iv　解雇回避措置（整理解雇の要素(b)）

整理解雇の4要素の第2の判断要素とされる解雇回避措置の具体例につき，実務の代表的なものとして，解雇に先立つ配転，出向，一時帰休，賃金等の引下げ（賞与カット，残業抑制等），希望退職の実施等が挙げられる。そこで，その各個について，裁判例を俯瞰してみる。

(a)　配転・出向の努力の程度

整理解雇に先立つ解雇回避措置の一内容として，使用者が当該配転，出向の努力を行うことが問題とされることが多い。使用者が整理解雇を行う場合，なるべく労働者の雇用を確保すべく努力すべきことはいうまでもないが，整理解雇に至る使用者を取り巻く状況はそれこそ千差万別であり，最終的には，個別の事案に沿って各個に考えざるを得ない。ただし，以下に述べるように，一般論として踏まえておくべき考え方は存在する。

まず，職種や職場が特定されていない労働者については，使用者は当該労働者を配転する権限を有していることの裏返しとして（Chap. 10 参照），そうした配転等の権限を行使して当該使用者内において雇用吸収努力を尽くす必要があることが原則となる（なお，荒木・労働法〔4版〕335頁も，日本では使用者にこうした解雇回避措置を行う広汎な権限が与えられていることが，整理解雇が容易に認められない大きな要因であると指摘している）。例えば，マルマン事件判決（大阪地判平成12・5・8労判787号18頁）は，使用者は当該労働者に対して，当時の職種，勤務地を変更する配転も行う余地があったことより，配転等の解雇回避措置をとり得る状況で当該労働者一人を解雇せねばならないというのが疑問であるとして，当該労働者に対する解雇を無効としている。また，ジ・アソシエーテッド・プレス事件判決（東京地判平成16・4・21労判880号139頁）は，当該労働者が属していた部門の海外移転を避けるという必要性はあったものの，当該事案については使用者の経営が悪化しているとは認められず，高度の解雇回避措置が求められるとした上で，配転，出向，一時帰休，賃下げ，希望退職の募集等といった解雇回避手段をとらなかったことには十分な合理性がないとして，当該労働者への解雇を無効としている。一方，CSFBセキュリティーズ・ジャパン・リミテッド事件判決（東京地判平成17・5・26労判899号61頁）は，当該使用者全体が厳しい経営

状態であり他部署も人員を受け入れることが容易ではないような状況下では，企業内の一部署の人員削減の場合においても，解雇回避措置としての配転の努力は不要としている。加えて，ティアール建材・エルゴテック事件判決（東京地判平成 13・7・6 労判 814 号 53 頁）も，余剰人員の多さからして，当該使用者内に吸収し得るだけの労働力需要がなかったことは明らかとして，整理解雇の前に，希望退職の募集，配転，出向といった措置を必要としない，としている。

　次に，職種や勤務場所が労働契約上限定されている労働者については，本来，使用者は特定されている職種や職場を越えて当該労働者を配転できないことより，解雇回避措置としての配転等の措置は前提を欠くのが理屈の上では原則と解すべきである（希望退職の実施等は別に考えられることがある）。この点，角川文化振興財団事件決定（東京地決平成 11・11・29 労判 780 号 67 頁）は，「本件解雇は姓氏大辞典などの出版企画の編さんに携わる目的で…債務者［註：使用者］に雇用又は再雇用された債権者［註：労働者］…についてされたものであり，本件解雇の理由が…出版企画の編集，制作の委託の打切りであることからすれば，本件においては…債務者が本件解雇に当たり解雇回避努力を尽くしたかどうかを検討する前提が欠けてい」たと説示し，職種限定の労働者が就いていた当該職種がなくなってしまった事案につき，解雇有効としており，フェイス事件判決（東京地判平成 23・8・17 労経速 2123 号 27 頁）も同趣旨を説示している。ただし，この点についても事案によっては判断が異なり，例えば，シンガポール・デベロップメント銀行（本訴）事件判決（大阪地判平成 12・6・23 労判 786 号 16 頁）は，勤務場所の限定は，労働者にとって同意なく転勤させられないという利益を与えるものであるが，使用者に転勤させない利益を与えるものではない，と説示しており，また，職種の限定につき，上記判決と同趣旨の裁判例で参考になるものとして，大学の学部廃止に伴う解雇が問題となった事案である学校法人大乗淑徳学園（大学教授ら・解雇）事件判決（東京地判令和元・5・23 労判 1202 号 21 頁）等もある。したがって，職種や勤務場所の限定は，事案によっては，多分に相対的な意味を有すると解されていることには留意すべきである（なお，前掲シンガポール・デベロップメント銀行〔本訴〕事件判決も，限定された勤務場所以外においてまで，後述の希望退職の募集を行わなければならないとまでは説示してはおらず，結果として，求められる解雇回避措置の程度において，限定された勤務場所とそれ以外とでは異なっている）。

本来的には，使用者が労働者をその職場を限定して採用する場合，通常時には使用者が希望しても当該労働者を配転できないのであるから，経営困難時に限って，配転してでも全社単位で雇用吸収しなければならないというのは，いささか均衡を欠くように思われるものの，実際には，限定の経緯，（特に，経営，業務実態からなる）必要性，度合といった事情も加味して，雇用調整の局面においては相対的に考えられる余地があると解するのが実務としては無難といえよう。

(b) 希望退職

まず，あさひ保育園事件判決（最判昭和 58・10・27 労判 427 号 63 頁）は，「事前に，…職員に対し，人員整理がやむを得ない事情などを説明して協力を求める努力を一切せず，かつ，希望退職者募集の措置を採ることもなく，解雇日の 6 日前になって突如通告した本件解雇は…無効」とし，希望退職等の措置をとることなく行った整理解雇を無効としている。また，他にも，ワキタ（本訴）事件判決（大阪地判平成 12・12・1 労判 808 号 77 頁）も，使用者が解雇回避努力を尽くしていないと評価する根拠事実の一つとして，退職勧奨を行っていないことを挙げている。

実務では，整理解雇における解雇回避措置において，希望退職者募集の実施が必須であるかが問題とされることがあるが，判例法理上，解雇回避措置が整理解雇の成否の一要素とされているとしても，そもそも解雇回避措置の内容自体が法令により一義的に定められているものではないし，実質的にも，整理解雇を取り巻く労使環境は千差万別であり，希望退職の募集を要求することが当該企業の維持・存続の障害となることもあり得る（後掲のシンガポール・デベロップメント銀行〔本訴〕事件判決，ティアール建材・エルゴテック事件判決などは，そうした実態を直視した裁判例であると思われる）。したがって，整理解雇において求められる解雇回避措置の内容は，事案に即して，他の要素（人員削減の経営上の必要性等）とも，総合勘案して検討されるべきこととなる（菅野・労働法〔12 版〕795 頁）。すなわち，希望退職の要否も事案ごとに検討されるべきである。

裁判例においても，シンガポール・デベロップメント銀行（本訴）事件判決（大阪地判平成 12・6・23 労判 786 号 16 頁）は，東京と大阪に支店があった外資系銀行が大阪支店の閉鎖・従業員整理解雇を行うに際して，東京支店での希望退職の募集は必要ない旨を説示している。具体的には，仮に東京支店で希望退職を募集して東京支店より退職者が出たとしても，会社の規模が

小規模であることから退職に応じない者を就労させるに適当な部署が生じるとは必ずしもいえないこと，希望退職を募集すれば代替不可能か有能な従業員が退職してしまう可能性があること，といった諸点より，上述の説示に至ったものである。また，ティアール建材・エルゴテック事件判決（東京地判平成 13・7・6 労判 814 号 53 頁）も，希望退職の方法をとった場合，残留従業員の将来の退職金支払に不安があるため，希望退職者を募集せず全員解雇の方法をとったことは合理性があると説示している。もっとも，実務においては，法的リスク回避の見地からしても，可能な限り，希望退職者募集の措置を経るのが適切なのはもちろんである（無論，倒産寸前といった状況のような場合は別である）。

ⅴ 被解雇者選定の合理性（整理解雇の要素(c)）

整理解雇における第 3 の判断要素は，被解雇者選定の合理性（人選の合理性）の有無である。整理解雇が，被解雇者の犠牲の下に企業の存続，ひいては残余の労働者の雇用の維持を図るものである以上，被解雇者の選定は，非合理なものであってはならず，合理的な基準を設け，その基準を公正に適用してなされなければならない。選定基準として，実務上，よくみられる例としては，年齢，勤続年数，企業貢献度，勤務成績，転職可能性の高さ（この場合，若年者ということが多い）といったものがあるが，その一部は相反するものもある（例えば，高齢者優先という基準と，転職可能性＝若年者優先という基準）。なお，裁判例においては，特に必須と認めた通則的な選定基準があるわけではなく，使用者の恣意的選択を排除するに足る客観的基準であれば，いずれであっても裁判例はその合理性を承認する傾向にあるようである。ただし，明確に違法という基準はあり，例えば労働組合員であるという基準（労組法 7 条），女性であるという基準（均等法 6 条）などは，いかにそれを公正に適用したところで，人選の合理性が認められず，当該解雇は無効となる。

以下，実務上，よくみられる選定基準について，裁判例を俯瞰する。

(a) 勤務成績等

勤務成績や職務への適性等に着目しての基準が問題となった裁判例としては，まず，明治書院（解雇）事件決定（東京地決平成 12・1・12 労判 779 号 27 頁）は，整理解雇をする際に，一定期間（約 2 年 4 か月）における遅刻，欠勤，早退の総合計時間の多寡を選定基準としたことが問題となった事案について，上記基準を相当程度客観的かつ合理的として，人選基準としての合理

性を認めている（ただし，結論においては，9名中1名については，人選基準の具体的適用を誤ったとして解雇を無効としている）。

一方，労働大学（本訴）事件判決（東京地判平成14・12・17労判846号49頁）は，整理解雇において，「適格性の有無」という一般的な選定基準を用いて被解雇者を選定したという事案について，当該基準は抽象的で客観性を担保できず，このような場合，評価の対象期間，項目，方法などの具体的な運用基準を設定した上でできるだけ客観的に評価すべきであるが，当該事案ではそれがなされていないとして，解雇を無効としている。また，PwCフィナンシャル・アドバイザリー・サービス事件判決（東京地判平成15・9・25労判863号19頁）は，外資系コンサルタント会社のマネジャーに対する整理解雇について問題となった事案であるが，使用者側は能力，成績を基準に被解雇者を選定したと主張したところ，当該労働者について，マネジャーとしての能力が著しく劣っていたとはいえないと事実認定され，当該労働者を選定したことには合理性は認められないとされた。

整理解雇の際には，当然のことながら，使用者は，極力，能力が高い者を解雇対象から外したいのが通常であるが，その能力の判断について，第三者（裁判所）に説明できない場合，法的効力を否定されてしまうリスクがあるといえよう。

(b)　年齢，勤続年数等

整理解雇の被解雇者の人選の基準として，比較的外形上明瞭な基準が，年齢や勤続年数である。

まず，エヴェレット汽船事件決定（東京地決昭和63・8・4労判522号11頁）は，被解雇者の選定基準について，従業員の業務経験，知識および処理能力，意欲といった要素に加えて，年齢（45歳以上）をその基準の一つとした事案について，「人件費の削減を図り必要最小限の人員で事業を継続するという本件合理化の目的に照らせば，人件費コストの高い高年齢の従業員を解雇の対象とすることは誠に止むを得ない」と説示している。

他方，ヴァリグ日本支社事件判決（東京地判平成13・12・19労判817号5頁）は，年齢（53歳）を被解雇者の選定基準の一部とした事案について，年齢を基準とすることは，使用者の恣意を介在する余地がなく，一定額の経費節減のための解雇人員が相対的に少なくてすむ点で合理性があるとしたものの，当該解雇の基準の53歳という年齢は再雇用が非常に困難な年齢であり，早期退職の代償となるべき経済的利益や再就職支援なしに上記基準とするこ

とは，被解雇者およびその家族の生活に対する配慮を欠くこと，上記基準
（53 歳）であっても幹部職員のみが解雇対象となったこと，非組合員を対象
に退職勧奨・整理解雇をなしつつ組合員に対しては解雇の翌年もベースアッ
プを行い 53 歳昇給停止の解除を約束するなどをしており，かような処遇格
差は合理的と評価することはできないこと等より，当該整理解雇の人選は全
体として著しく不合理であるとして，解雇を無効としている。被解雇者の人
選の基準の合理性の判断にあたっては，単に，その基準の外形的な内容（上
述の例でいえば「53 歳」という年齢基準）だけではなく，他の事実関係も併せ
て，上記の基準が恣意性なく運用されているか否かを検討する必要があると
いうことである。

(c) 複数の選定基準の使用

整理解雇の実務においては，被解雇者の人選について，複数の要素を総合
勘案して行うことがむしろ多数である（上述 ii で紹介した裁判例なども，実態
としてはそうした例である）。以下，こうした事例の裁判例について，若干，
敷衍する。

まず，複数の要素を考慮して被解雇者の人選を行った場合につき，当該整
理解雇を有効とした例としては，前掲エヴェレット汽船事件決定（東京地決
昭和 63・8・4 労判 522 号 11 頁）がみられる。また，Ｎ航空客室乗務員解雇
事件判決（東京高判平成 26・6・3 労経速 2221 号 3 頁）は，整理解雇の被解雇
者の人選基準につき，①休職者基準，②病欠日数・休職日数基準，③人事考
課基準（適用せず），④年齢基準を併用し，①から④の順に適用するものと
されていた事案について，使用者側において特定の労働者を意図的に解雇の
対象者として選別することを可能にするような恣意性のない客観的な基準で
あるとして，解雇を有効としている。

一方，解雇を無効とした例としては，横浜商銀信用組合事件判決（横浜地
判平成 19・5・17 労判 945 号 59 頁）は，年齢・職位・考課といった複数の要
素を選定基準に用いて被解雇者を選定した整理解雇の有効性が問題となった
事案である。上記判決は，年齢・職位・考課といった要素を選定基準とする
こと自体は不当とはいえないとしつつも，「人選の際に用いる要素が個別的
にみて合理的なものであっても，複数の要素を考慮して人選を行う以上，ど
の要素を重視し，どの要素による分類をはじめに行うかにより，具体的人選
は全く異なるものとなりうる」，「被解雇者の人選が合理的であるか否かは，
年齢・職位・考課といった要素のうち，何を重視し，どのような順序であて

はめたかにつき検討し，評価しなければならない」と説示し，結論として，被解雇者の選定には合理性がないとした。整理解雇における被解雇者の選定（人選）基準については，解雇者の恣意が働かないように，客観的かつ明瞭な基準を予め策定しておくのが法的リスク防止の観点より重要であり，特に，複数の要素を選定基準として用いる場合には，その考慮の順位，比重等まで，明瞭にするなどの措置をとっておくのが適切であろう。

vi 手続の妥当性（整理解雇の要素(d)）

(a) 手続の妥当性の意義

整理解雇における第4の判断要素は，解雇に至る手続の妥当性である。具体的には，使用者と労働組合，従業員の団体（社員会等），または個々の労働者といった労働者側の利害関係者との間で，整理解雇の必要性の存否および程度，解雇回避措置の可否（配転，出向による雇用確保の可否等），整理解雇の時期，規模（人数等），方法（被解雇者選定基準，無期雇用者と有期雇用者の先後等），退職の際の条件（希望退職者募集の際の退職加算金，就職斡旋等）等につき，労働者側の了解，合意を得るために説明，協議を行うことが必要となる。この場合，使用者としては，誠実に説明・協議を行うことは必要であるが，常に了解，合意を得る必要まではない。

(b) 必要とされる解雇手続の程度

手続の妥当性についても，その必要とされる程度は，事案により多様である。例えば，経営上の必要性が極めて強度な場合（それこそ倒産に瀕しているような場合），過度に丁寧な手続を要求するのは現実的ではないし，また，社会通念からしても十分な解雇回避措置（被解雇者への経済的補償を含めて）をとっている場合に，そうでない場合と同様の手続を尽くすように求めるのも妥当ではないと思われる。また，使用者とその雇用する労働者が所属する労働組合との間に，解雇に際しては労働者と事前に協議するという約定（解雇事前協議約款）が締結されている場合，当該労働組合と十分な説明・協議をすることなく行った整理解雇は無効となる方向に働くことはいうまでもない（東京金属ほか1社〔解雇仮処分〕事件決定〔水戸地下妻支決平成15・6・16労判855号70頁〕）。しかし，そのような解雇事前協議約款が存しない場合でも，程度の差こそあれ，整理解雇においては，使用者は説明・協議の手続を行う必要がある。

(c) 裁判例

まず，裁判例のうち，手続の相当性を肯定した例として，CSFBセキュリ

ティーズ・ジャパン・リミテッド事件判決（東京地判平成 17・5・26 労判 899号 61 頁）は，「被告［註：使用者］は，本件退職勧奨以降…解雇…までの間，3 回にわたって団体交渉に応じ，本件退職勧奨の必要性，人選基準及び退職パッケージ等について協議・説明を行ったが…組合側との間で合意に至らなかった事実が認められ，…本件解雇通告以後においても団体交渉やあっせん手続等に応じ，さらに団体交渉の過程において他の退職者と比較して条件のよい退職パッケージを提案したが，…原告［註：労働者］及び組合との間において合意に至らなかった」，「被告は組合との団体交渉等の場において，本件解雇の理由等について，上記のとおりの説明をし，原告及び組合の納得を得られるよう一応の努力をした」と説示し，解雇を有効とした。また，解雇手続については一定の評価を与えた例である日本アグフア・ゲバルト事件判決（東京地判平成 17・10・28 労判 909 号 90 頁）は，「被告［註：使用者］は，平成 10 年ころから，随時，従業員に対し，被告の経営状況と再構築の必要性について説明していたほか，本件解雇の際も，原告［註：労働者］に対し，繰り返し，売上高の減少や，事業の売却・外注化に伴う業務の減少等を具体的に説明して早期退職の受入れを求め，その後も，特別退職加算金の支給のほか，再就職支援に要する費用相当額を含め，可能な限り退職金の加算をするなどしており…原告の了解を得るため，相応の努力をしていることは認められる」と説示している（ただし，人員削減の経営上の必要性，解雇回避措置，被解雇者の選定の妥当性の 3 要素において，否定的評価を受け，結局は解雇が無効とされている）。

　一方，使用者の整理解雇に至る手続の妥当性を否定した裁判例としては，まず，タイカン事件判決（東京地判平成 15・12・19 労判 873 号 73 頁）は，使用者側が労働組合との団体交渉において，経営悪化，事務所移転および人員整理の必要性に係る具体的資料の提供と説明をせず，その後の団体交渉を拒否した事案において，使用者は当該労働者および労働組合と誠実に協議することを尽くさなかったとして，結論として解雇を無効としている。また，アイレックス事件判決（東京高判平成 19・2・21 労判 937 号 178 頁）は，整理解雇に際して，使用者は当該労働者との個別面談において当該労働者を解雇するという結論を告げ，その後の，当該労働者との面談およびその所属する労働組合との団体交渉の中で，解雇の撤回を求められたのに対し，退職の時期，方法等を含めた協議の可能性を示さず，解雇の必要性，対象者選定基準等についての説明を補充して，その受入れを求めたに過ぎないという事案につき，

解雇の手続において相当な説明や協議が尽くされたものと認め難いとして，結論として当該解雇を無効としている。さらに，テレマート事件判決（大阪地判平成19・4・26労判944号61頁）も，企業内の一部門を閉鎖し所属の労働者を解雇するに際し，解雇を決定してから解雇通知を行うまで7日しかなく，それまで当該部門の労働者には何も伝えていなかったという事案について，十分な協議や説明がなされたとはいえないとし，結論としても当該解雇を無効としている。

　なお，実務上注意すべき事例として，ジャパンエナジー事件決定（東京地決平成15・7・10労判862号66頁）は，使用者と労働組合との協議は，多数回にわたる労使協議会を経て解雇について定めた労使協定を締結するなど相当であったものの，特定組合員の雇用終了に関する事項は労働組合の一般的な労使協定締結の権限の範囲外であり，当該組合員の個別の授権を得ることが必要であること，労働組合は当該組合員の意見を聴くことなく労使協定を締結したこと等をもって，使用者のとった手続の相当性を否定している。また同様に注意すべき事例として，九州日誠電氣（本訴）事件判決（福岡高判平成17・4・13労判891号89頁）は，整理解雇までの手続である希望退職者募集を行うに際し，その結果次第では整理解雇に及ぶことを当該労働者側に示していないことが問題となり，当該解雇が無効とされている。

　(d)　解雇事前協議約款のある場合

　前述の通り，解雇事前協議約款が存する場合，約款の相手方である労働組合と十分な説明・協議をすることなく行った整理解雇は無効の方向に働く。前掲東京金属ほか1社（解雇仮処分）事件決定（水戸地下妻支決平成15・6・16労判855号70頁）は，解雇事前協議約款が存する場合，「使用者が事前協議義務を尽くしたといえるためには，単に形式的に労働組合との間で協議を行ったのみでは足りず，…実質的かつ誠実な協議がなされる必要がある」と説示している。ただし，その使用者の義務も無制約のものではなく，同判決は，「使用者において，常に組合の理解，承認を得るまで協議を尽くす必要があると解するのは相当ではなく，従業員の解雇等がその客観的状況に照らしやむを得ないものと認められ，かつ，使用者が組合に対しその事情につき理解を求めるべく真摯な努力をしたにもかかわらず，組合側がその実情を無視して協議の進行に応じようとしない場合には，使用者は協議を打ち切り，解雇等を行うことができる…。…どの程度の努力をもって真摯な努力と認めるかについては，交渉経緯，解雇の必要性等を総合的に考慮し，信義則に照ら

して判断すべきである」とも説示する。これは池貝鉄工事件判決（最判昭和29・1・21民集8巻1号123頁）以来の一般的な裁判例の流れに沿っているものでもある。すなわち，上記池貝鉄工事件判決は，「被上告人会社が極度の経営不振に陥り企業倒壊の寸前にまで追い込まれたため，企業再建の方策として人員整理を含む新たな経営方針を樹立し，右協約条項に基ずき組合側と協議を重ねたのであるが，右人員整理を内容とする企業再建方策が当時の情勢下においては被上告人会社としてやむを得ない措置であり，且早急にこれを実施する必要に迫られていると認められるにも拘わらず，上告人［註：労働者］等の所属する組合にあつてはあくまで人員整理の方針に反対し，この方針を改めなければ協議に応じない態度を固執したため被上告人会社としてはやむを得ずそれ以上の協議を断念して人員の整理を断行した」と説示し，使用者の措置は解雇事前協議約款に反するものではないと判示している。一方，前掲東京金属ほか1社（解雇仮処分）事件決定は，使用者が問題となった会社解散・解雇の日時を定め，組合側に2か月の検討期間しか与えなかったこと，解散・解雇を所与の前提としてそれを前提とした解雇条件，再就職支援につき協議に応じるのみで，解散・解雇という問題に組合側の意向を反映する姿勢が認められなかったこと，解散・解雇の期限を延期，凍結してほしいとの組合側の申入れにも応じようとしていなかったこと等の事情からして，使用者が十分な協議を尽くしたとはいえず，当該解雇は解雇事前協議約款に違反して無効と判示した。なお，厳密には解雇事前協議約款の事案ではないが，株式会社よしとよ事件判決（京都地判平成8・2・27労判713号86頁）は，使用者と労働組合との間に，組合員の身分等の問題については労使が協議し，双方同意の上実施するという約款（当該裁判例では「人事同意約款」と表示）があった状況で使用者が行った整理解雇の効力が問題となった事案について，「人事同意約款につき，…被告［註：使用者］は，組合及び労働者の納得を得るために誠実に説明，協議を行う義務がある…。分会が解決に向けて被告と協議をするためには…貸借対照表や損益計算書等の資料を十分検討する必要がある」として，上記の資料を提供しなかった使用者は，誠実に説明，協議を行ったとはいえないとして，結論としても当該解雇を無効としている。実務としては，上述の説示における経営資料（貸借対照表，損益計算書）は，整理解雇に関する係争が裁判に至り，労働者側から文書提出命令がなされた場合には，使用者の側より裁判上の証拠として提出しなければならない可能性が高いものであり，そうであるならば，解雇事前協議約款

等がある場合はもとより，それがない場合であっても，整理解雇に至る手続の妥当性を確保するためにも，使用者としては，原則としてはその提供を積極的に考えるのが妥当であろう。

vii　若干の新しい流れ

諸外国に比べればまだまだ雇用の流動化の程度は低いものの，我が国でも，激化する国際競争や，技術革新の速度のアップ（それによれば，経験や年功が貢献度に比例する度合いは減少していく）により，徐々に雇用の安定よりも職務の適性・能力を重視した労働者の採用・雇用の範囲が拡大しつつある（無論，主体としては外資系企業，方法としては中途採用の場合が多い）。そこで，整理解雇の可否の判断についても，そのような新しい採用・雇用の実態を考慮する裁判例もみられ，例えば前掲ナショナル・ウエストミンスター銀行（3次仮処分）事件決定（東京地決平成12・1・21労判782号23頁）や，Principle One事件判決（東京地判平成24・12・13労判1071号86頁）などは，上述の採用・雇用の実態を基礎に，労働者を整理解雇する前に，諸条件（退職加算金，再就職あっせんサービスのための便宜，転職先の紹介等）をもって退職合意をとるべく労働者と丁寧に交渉している事実等を理由に，整理解雇を有効としている。これらは，整理解雇の一つの流れとして，今後の実務において留意すべきものと思われる。もっとも，クレディ・スイス証券事件判決（東京地判平成23・3・18労判1031号48頁）のように，リーマンショックという厳しい経営環境下のリストラ策として，ハイリスク商品を取り扱っていた労働者を，諸条件（6か月の有給自宅待機，転職先の紹介，給与の6か月分の退職加算金）を提示しつつ退職勧奨をした後，1年後に整理解雇した事案について，退職勧奨をした人数と同人数を新規に採用しているという事実等を理由に，解雇回避努力が不十分として解雇を無効とした例もある。職務の適性・能力重視の採用・雇用といえども，整理解雇が容易になる程度には（少なくとも現在では）限界がみられる。

viii　実務の具体的対応

整理解雇は使用者の事情による解雇の代表的な事案であるが，前述した整理解雇の4要素（使用者側の解雇の必要性と手段の合理性，人選の合理性〜公正さ，手続の丁寧さ）にそってその有効性が審査されるのが一般である。解雇の必要性については，使用者側の経営状況をいかに説得的に（多くの場合，数値で）説明できる材料で必要性を理由づけられるかが肝要である。そうした資料でもって労働組合および労働者に解雇の必要性を説明していたという

経緯は，解雇の必要性とともに手続の丁寧さ（誠実さ）の点でもプラスの評価に働くこととなる。

　また，労働者にとって解雇は大きな打撃となるので，使用者としては，労働者への配慮一般としても，それをなるべく避けるよう努力するべきであるが（解雇回避努力），往々にして会社内の配転，社外への出向による雇用確保は実際には困難な場合も少なくなく，その場合，一定の条件（退職加算金，就職斡旋等）による合意退職を目指すことで一方的な解雇を避けることが適切である（これも，手続の丁寧さにプラスに働く）。

　「人選の合理性～公正さ」は，解雇という重大事に際しては，使用者の恣意（好き嫌い）といった，使用者の経営に資さない要素を排除すべく，出勤率，年齢（在籍年数）といった客観的要素を中心に人選を行うことが，法的には無難といえる。よく問題になるのが，能力により人選を行いたいが，能力評価たる人事考課自体が客観的基準によらずに行われ，あるいは，そもそも人事考課自体を行っていなかったという場合である。このような場合は，人事考課を基に被解雇者の人選を行うのは，リスクが大きいところとなる。

　整理解雇の手続の丁寧さは誠に要注意である。というのは，整理解雇の有効性が法的に争われる場合，この手続の妥当性はもっとも争われやすい要素だからである。すなわち，整理解雇をめぐる法的係争は，ほとんどの場合被解雇者が退職に合意していない場合に生ずるが，被解雇者（およびその所属する労働組合）としては，自らが同意していない以上，同意に足る説明義務を尽くしていないと主張することが常にあり得るのである。実務的には，使用者における整理解雇の必要性，解雇回避措置，被解雇者の人選の合理性について，具体的に説明するとともにその説明の足跡が残ることが重要であり，書面資料を交付しつつ説明の手順を尽くすことが肝要である。

> 　解雇は労働案件における最大のテーマであり，整理解雇も解雇の一態様である以上，類似事案についての裁判例の調査，考究が必須である。
> 　殊に，整理解雇の4要素（使用者側の解雇の必要性，手段の合理性，人選の合理性～公正さ，手続の丁寧さ）への考慮と対処は，裁判例に照らして事案ごとに行うことが当然かつ必須である。
> 　通常の解雇と異なり，整理解雇の場合，使用者側の経営上の

都合によるものである以上，まず，その都合，すなわち人員削減を行う必要性を具体的に（なるべく数値をもって），書面資料にて労働者側に説明することが出発点である（そうすれば，自ずと，整理解雇の4要素のうち，解雇の必要性と手続の丁寧さ双方への対処に努めることとなる）。

　説明すべき整理解雇の必要性（数値）についても，各種の裁判例を参照すると参考とすべき多数の例が提示されている。例えば，売上高，利益（営業利益，経常利益，当期純利益等），売上原価，人件費（人件費率），当該使用者が属する業界全体の売上，市場動向といった数値（その時系列的変遷も含めて）などがすぐに挙がる。もっとも，その複数の数値，説明資料においてどのようにウェートをかけて使用者の都合（経営上の必要）の重大性を第三者（訴訟においては裁判所）に理解してもらうかは，当該使用者の個性と使用者をとりまく業界，さらには社会的趨勢にも鑑み，事案ごとに，使用者側において理論構成をする必要がある（実のところ，比較すれば，成功例よりも失敗例の方に一定の傾向がみられる。その中でも一番目立つものが，説明内容の一貫性のなさである）。

　解雇回避措置については，被解雇者の職種，勤務場所の限定の有無・範囲・程度によって，これも個別の考慮を必要とし，なるべく雇用吸収努力を尽くすのが無難であるのだが，現実問題として，使用者としてはその努力を追求する余裕が大きくはない場合も多い（そもそも，そうでなければ，現在の労働法理下においては，使用者としても人員整理といった挙には出ないことが一般的である）。したがって，その雇用吸収努力の限界を画することとなるのだが，どのような理屈をもってするかは，使用者の個性，当該使用者をとりまく実情（特に時代の流れと業界の個性），沿革等をよく理解して構成する必要がある。

　整理解雇の場合，当該手続の丁寧さに要注意であることは前述の通りである。ただし，整理解雇を行う多くの使用者の場合，その前段階で希望退職を募集することが多いであろうから，実務的にいえば，整理解雇の前にはより多くの労働者に理解を求めて希望退職に応募してもらう努力を行うこととなる。その際，希望退職の必要性とその条件（不利益緩和策）につき丁寧に説明することがプラスに働くため，結局は，希望退職をより実効ならしめる手続が，後の整理解雇の手続の丁寧さと重なることとなる。その意味で，使用者として行うべき努力は相当部分共通す

実践知！

332　　　　PART 1　個別的労働紛争

るところとなる（この場合でも前述したが，説明内容の一貫性のなさは，内容によっては重大なリスクを伴うので留意すべきである）。

　最後に付言すれば，実務上は，整理解雇とは雇用調整という大きな企業施策の一環として行われるので，整理解雇という事象のみを切り離してその適否が検討されることは多くはない。前段階として早期退職募集や個別の退職勧奨の実施が検討されることもあり，相互の手段の関連性とその異同の理解が不足すれば，適法性の問題はともかく，合目的性の見地からの問題が生ずる（上記の雇用調整における相互の手段の関連性，異同の理解については，労政時報 3999 号 58 頁拙稿「雇用調整の法的実務」等参照）。

⑵　企業閉鎖による労働者全員の解雇

i　企業閉鎖（会社解散）と解雇

　企業閉鎖（会社解散）の場合，労働契約関係の当事者の一方である使用者が消滅するので，労働契約関係は当然に終了するのが原則であり，企業閉鎖による労働者の全員解雇は原則有効となる。解雇には労契法 16 条の規制がかかるとしても，企業廃止に伴う解雇については，少なくとも原則としては，「客観的に合理的な理由があり，社会通念上相当として是認できる場合」に該当すると解すべきである（菅野・労働法〔12 版〕761 頁以下）。裁判例でも，例えば，東芝・東芝アンペックス事件決定（横浜地決昭和 58・1・28 労判 406 号 65 頁），レックス事件決定（東京地決平成 6・5・25 労経速 1540 号 28 頁）等も，比較的容易に，企業閉鎖（会社解散）による解雇を有効としている。ただし，注意すべきは，企業閉鎖（会社解散）が有効であるからといって，解雇が無制限に許されるというものではなく，例えば，著しく手続的配慮を欠いたような場合などは，「社会通念上相当として是認」できないとして，解雇権の濫用と評価されることも考えられる。

ii　企業閉鎖による解雇に対する整理解雇法理の適用の適否

　仮に企業閉鎖が労働組合を壊滅させるという意図をもっていたとしても，会社解散が偽装解散などではなく真実に解散し，営業活動そのものを終了させる場合は，会社解散が無効となるものではないとされてきた。例えば，大森陸運ほか 2 社事件判決（大阪高判平成 15・11・13 労判 886 号 75 頁）は，その原審判決（神戸地判平成 15・3・26 労判 857 号 77 頁）の説示を引用しつつ，

「憲法 22 条 1 項は，職業選択の自由の一環として企業廃止の自由を保障していると解されるのであって，企業の存続を強制することはできない。憲法 28 条が保障する団結権は，企業が存続することを前提とするものであって，企業廃止の自由を制約するものではない」，「株主総会の決議の内容自体に法令又は定款違反の瑕疵がなく，単に決議をする動機，目的に不法があるにとどまる場合には，当該決議が無効となるものではない（最高裁判所昭和 35 年 1 月 12 日第三小法廷判決・裁判集民事 39 号 1 頁）」，「したがって，たとえ労働組合を排除するという不当な目的，動機で会社の解散決議がされたとしても，その内容が法令に違反しない限り，その決議は有効である」と説示しており，同趣旨の高裁裁判例として，三協紙器解散事件決定（東京高決昭和 37・12・4 労民集 13 巻 6 号 1172 頁），布施自動車教習所・長尾商事事件判決（大阪高判昭和 59・3・30 労判 438 号 53 頁）等がある。

　このような企業閉鎖（会社解散）の場合にも整理解雇の法理が適用されるか否かについては裁判例も分かれているが，整理解雇は，労働者の一部（被解雇者）の不利益を前提に企業の存続ひいては残部（残留者）の利益を図る点に特色があり，企業も全労働者も等しく不利益を受ける会社解散による全員解雇の場合とは基本的に性格が異なる。したがって，原則として，整理解雇の法理自体の適用は妥当ではないと解されるが，解雇をせざるを得ない事情の有無・程度といった実体的な要素，解雇における手続の適正さといった手続的要素を勘案し，例外的な場合には解雇権の濫用を認めるのが妥当である（以上，菅野・労働法〔12 版〕762 頁同旨）。裁判例の多くもそう理解している。

　ただし，会社解散による労働者の（全員）解雇の場合，整理解雇の法理の適用を否定しても，いずれにせよ，事実関係により当該解雇が「社会通念上相当として是認」できないような場合，会社解散は有効としても，当該解雇は無効となる。当該解雇が，労働組合嫌悪，壊滅のためになされるような不当労働行為（労組法 7 条）に該当するような場合も同様である。もっとも，このような場合でも，前述の通り会社解散自体は有効であるので，清算手続中の解散会社において，労働契約上の地位確認が認められるということになる（菅野・労働法〔12 版〕762 頁同旨）。そこで，多くの場合は，後述ⅳの通り，解散した会社以外との労働契約の存在が，労働者側より主張されることとなる。

iii　企業閉鎖による解雇の裁判例

　企業閉鎖（会社解散）における解雇について，解雇を有効とした例として，まず，会社解散により労働者全員を解雇し，その事業を別会社に営業譲渡した事案についての静岡フジカラーほか2社事件判決（東京高判平成17・4・27労判896号19頁），同じく会社解散による従業員全員解雇が問題となった大森陸運ほか2社事件判決（大阪高判平成15・11・13労判886号75頁）は，各々，「本件は，…会社解散，営業譲渡に伴う従業員全員解雇であって，いわゆる整理解雇とは事案を異にする」（静岡フジカラーほか2社事件判決），「本件解雇を整理解雇と同視することはできない」（大森陸運ほか2社事件判決）と説示しつつ，会社解散による解雇の必要性，解雇に至る手続の適正さを検討し，結論としても両方の事件判決とも解雇を有効としている。なお，地裁レベルでも，東北造船事件決定（仙台地決昭和63・7・1労判526号38頁），三陸ハーネス事件決定（仙台地決平成17・12・15労判915号152頁）等といった裁判例が，企業閉鎖における解雇を，整理解雇の法理の適用外とした上で，事業廃止の必要性と解雇手続の妥当性との双方を総合的に考慮した上で，解雇を有効としている。

　一方，解雇を無効とした例としては，例えば，グリン製菓事件決定（大阪地決平成10・7・7労判747号50頁）は，労働組合との団体交渉中に突然に解雇がなされたという事案について，「いわゆる解雇権濫用法理の適用において，その趣旨を斟酌することができないわけではない」，「整理基準及び適用の合理性とか，整理解雇手続の相当性・合理性の要件については，企業廃止に伴う全員解雇の場合においては，解雇条件の内容の公正さ又は適用の平等，解雇手続の適正さとして，考慮されるべき」と説示し，当該解雇については，「債権者［註：労働者］らの債務者［註：使用者］の解雇条件の決定手続に対する参加の機会を与えておらず，組合との団体交渉の継続中に突然になされたものであって，解雇基準の合理性やその手続全体の適正さには疑問が残るものであり，本件解雇に関する債務者からの誠意ある話し合いがあったとは認められない」とし，結論としては，「本件解雇は，債権者らの手続上の権利を害し，信義則上の義務に違反したものとして，解雇権の濫用に当たり，無効となると解すべき」としている。

iv 解散した会社以外との労働契約関係が問題となる事例（使用者性の問題，労働契約承継の問題等）

実務では，企業閉鎖（会社解散）の場合でも，当該解散会社が別会社を親会社とする子会社である等，当該解散会社と何らかの関連を有する別会社・企業が存在する場合，当該解散会社の労働者が，当該解散会社から受けた解雇の効力いかんにかかわらず，関連する別会社（上述の例では親会社）に対し，雇用関係の成立を主張することがある。こうした主張における焦点は，例えば上述の例でいえば，親会社と子会社とは別の法人格であるため，いわゆる法人格否認の法理の問題となることが一般である（この法人格否認の法理の問題については，Chap. 5 参照）。

また，企業閉鎖に伴い労働者の解雇がなされた一方で，当該閉鎖企業の行っていた事業は終了することなく，事業譲渡等により他社に承継されている場合には，閉鎖企業より解雇された労働者が，事業の全部または一部を承継した他社に対して労働契約関係の承継を主張し得るか，という問題も存する（この問題については，Chap. 6 参照）。

v 実務の具体的対応

企業閉鎖（会社解散）による労働者全員の解雇は，整理解雇とは異なり，労働者を雇用する使用者自身が消滅へ向かうので，少なくとも会社解散は有効と解されるのが一般である。

ただし，労働者の解雇については，労契法 16 条の審査を受け，解雇の有効性が判断される（もっとも，解雇が無効となった場合でも，会社解散自体は有効とされるので，解雇無効により確認された雇用契約上の地位は会社解散終了までの間のものとなる）。解雇の有効性の判断において，整理解雇の法理が適用となるかは見解の相違があるが，いずれにせよ，実質的には解雇の正当性（会社解散の必要性，解雇に至る手続の丁寧さ）は解雇の有効性の判断の要素となることには変わりなく，使用者としては，会社解散の前に，これらの点を尽くしておくべきである。

会社解散の場合，当該会社に関係会社（特に親会社等）がある場合，関係会社と解散会社との実質的同一性の主張や法人格否認の法理により，関係会社の法的責任（大きなものとしては，雇用契約関係）を問われることが多いので，使用者側としては，解散会社の独立性についての主張を整理することが必要である。

336　　　　　　　　　　PART 1　個別的労働紛争

> 実践知！
>
> 　会社解散による解雇の場合，一般的に会社解散自体は有効とされるが，当該解雇は労契法16条の審査を受ける。
> 　会社解散による解雇の場合，関係会社（親会社，事業譲渡先企業等）にまで，紛争が及ぶことが少なくない。
> 　解散した会社の関係会社に何らかの法的責任（一番大きなものとしては，解散会社の労働者との雇用関係）が認められるには，解散会社と実質的同一性が認められるか，法人格否認の法理によることが多い（Chap. 5参照）。また，事業の全部または一部を承継した他者（他社）との雇用関係も争われることがある（Chap. 6参照）。詳細はChap. 5，Chap. 6を参照されたいが，ここでは概観を述べれば，雇用契約上の使用者でない者に対する法的責任の主張は法人制度からして例外的なものである以上，経営上の合理的な理由を説明できるように準備し，労働者側への説明手続に遺漏がないよう注意すれば，多くの場合，対応可能である。

(3) 解雇をめぐるその他の事情が問題となった事案

　i 解雇の動機

　使用者が労働者を解雇した動機が，当該労働者の思想を理由としたものであったり，労働組合活動を嫌悪し，これに打撃を与えることにあったり（不当労働行為），あるいは，労働者がした適法な行為（内部告発等）に対する報復であったりしたような場合には，当該解雇は無効となる。以下に，若干の裁判例を敷衍する。

　不当労働行為（労組法7条）による整理解雇について参考になる一例として，千代田学園（整理解雇）事件判決（東京地判平成16・3・9労判876号67頁）は，整理解雇の事案につき，「平成11年度末以降の被告［註：使用者］合理化策に対する本件組合と全国一般［註：本件組合とは別の労働組合組織］との対応は顕著な差異があり，経営改善のためには本件組合が障害となると認識していた。その他，…本件解雇後の状況…などを考慮すると，被告は，その合理化策に協力的な全国一般を温存し，これに抵抗する本件組合を弱体化する意図で，ことさら…本件組合の組合員，特にその幹部や活発に活動していた原告…を解雇対象者として選定したものと推認できる」と説示している。これは，使用者に非協力的であった労働組合に所属しており，整理解雇

にならなかった組合員 12 名が，整理解雇の後に懲戒解雇とされたり，その他の組合員も解雇されるか退職するなどして，結局，当該労働組合に所属する者がいなくなった状況が考慮されている。

　不当労働行為以外の動機による解雇の事案の例については，近時，内部告発を行った労働者に対するものがみられる。しかし，これは，懲戒処分と関連してなされることが多いので，本書では Chap. 15 に譲ることとする。

> **実践知！**
>
> 解雇の動機が問題となる代表的な例に，労働組合嫌悪による不当労働行為（労組法 7 条）の場合や内部告発者に対する解雇の場合がある。殊に労働組合への攻撃とみられかねない解雇は，慎重に解雇事由を検証して行う必要がある。

ii　解雇の手続

　普通解雇は懲戒解雇とは異なり，解雇の前に，懲戒解雇のような慎重な手続は要さないとされている。しかし，普通解雇の場合でも，解雇の手続が問題となる場合がある。

(a)　解雇有効例

　まず，若干古い裁判例であるが，三萩野病院解雇事件判決（福岡地小倉支判昭和 50・3・31 労民集 26 巻 2 号 232 頁）は，財団の理事 10 名中，2 名の理事に理事会招集通知を欠いていたが，残り 8 名が出席し，その全員一致で決議した場合，その決議による従業員解雇は有効であるとしている。なお，本判決は，後掲東洋会解雇事件判決と相反するかにみえるが，理事会の開催については，通知を欠いた当該理事が出席してもなお決議の結果に影響がないと認めるべき特段の事情があるときは，上記瑕疵は決議の効力に影響がないとする裁判例（取締役会の招集につき一部の取締役に対する通知もれがあった場合についての最判昭和 44・12・2 民集 23 巻 12 号 2396 頁）を挙げつつ，当該事案においては，上記 2 名の意見は概ね推察できるものであったこと等に鑑み，上記 2 名が理事会に出席していても，その決議の結果には影響がなかったことは容易に推察できる，と説示している。つまりは，通知を欠いた理事が理事会に出席していた場合の影響力をどのように理解，想定するか，の判断次第であろう。

また，使用者会社において，解雇に際して告知・聴聞の機会を与えるべきことを保障する根拠規定がない場合には，弁明の機会を与えないで行った解雇も無効とはならない旨を判示したものとして，同盟交通事件判決（東京地判平成7・6・29労判683号45頁）がある。また，日本ビー・ケミカル事件判決（大阪地判平成14・11・29労経速1843号3頁）は，社長らを誹謗中傷するメール，書面を関連会社や取引先に送付した労働者に対し，懲戒解雇ではなく普通解雇に処した場合，懲戒解雇に必要とされている弁明の機会の付与を行う必要はないと判示している。

(b)　解雇無効例

まず，労働組合との間に，解雇についての事前協議約款が存在している場合についてであるが，立華学園事件判決（東京地判昭和45・12・8労判116号58頁）は，使用者が労働組合との間で，労働者の解雇について労働組合と協議しなければならない，といった旨の事前協議条項を締結していたが，協議せずに解雇を行ったとして解雇を無効としている。また，上記判決は，その協議は，形式的なものでは足りず，十分に審議する必要があるとしている。ただし，事前協議条項があるからといって，労働組合の同意を得なければ当該解雇は無効，というものではない。なお，上記の事前協議約款は，会社解散に伴う解雇においても適用があり，それに反した解雇が無効となった場合として，大照金属事件判決（大阪地判昭和55・11・7労判352号36頁）等がある。

一方，より実務で問題が生ずることが多いものとして，事前に使用者自身が解雇の手続について規定している場合には，その規定を履践した上で解雇を行わなければならないという原則に反してなされる解雇がある。まず，八代学院大学事件決定（神戸地決昭和54・12・25労判343号速報カード31頁）は，大学学内の規定で，大学教授に対する罷免には教授会の決議が必要とされていたが，正規の教授会の審議を経ないでなされたものであることを理由に，当該罷免（解雇）が無効とされている。また，東洋会解雇事件決定（和歌山地決平成3・9・10労民集42巻5号689頁）は，社会福祉法人の定款および就業規則上，従業員の解雇には理事会の議決が必要と定められていたところ，一部の理事（6名中2名）に対する理事会招集通知を欠くまま理事会により従業員の解雇議決がなされた事案において，従業員の解雇を無効としている。この事案で注意を要するのは，上記判決は，理事会招集通知が欠けていなかった4名の理事はいずれも議決に賛成の者であり，理事会招集通知

を欠いた2名が理事会出席の上反対しても，決議成立に影響はなかったとも思われる事案であったにもかかわらず，判決は，会議体における合議を重視する理事会設置の趣旨を強調し，上記の通り判示しているということである。もっとも，影響の小さい比較的軽微な手続の違反については，解雇の効力に影響しないこともある。

> **実践知！**
>
> 解雇の手続については，労働協約による労働組合との事前同意条項（事前協議約款），大学内の規則による教授会決議条項，といったような，特定の組織，機関の関与が必要とされている場合があるので，解雇の前には，そのようなルールが設けられているかどうか，確認すること。

iii 解雇事由の告知

解雇事由の告知については，原則論からいえば，大要，以下の通りにまとめることができる。

まず，使用者は，解雇にあたっては，必ずしも被解雇者に解雇の理由を告げることを要しない（熊本電鉄事件判決〔最判昭和28・12・4民集7巻12号1318頁〕，近畿大学講師解雇事件判決〔大阪高判昭和43・9・30労民集19巻5号1253頁〕）。また，解雇に際し，適用条項の明示がないことも，解雇を無効とする理由にはならない（同盟交通事件判決〔東京地判平成7・6・29労判683号45頁〕）。

なお，裁判例では，解雇の際に明示された事由以外の事由も，訴訟上，解雇事由として主張し得るとされている（太洋社事件判決〔東京高判昭和53・3・30労経速977号12頁〕）。しかし，2003（平成15）年の労基法改正により設けられた労基法22条2項により，被解雇者が使用者に対して，当該解雇の理由について証明書を請求した場合には，使用者は遅滞なく上記証明書を交付しなければならないとされたことより，解雇時に上記証明書が交付された後に訴訟になった場合，交付済の解雇理由の証明書に記載されていない別個の解雇事由（あるいは，証明書に記載された事項に関連性がない事項）を，訴訟上で主張する場合，少なくとも当該主張の説得力が希薄化することも予想される。もっとも，別個の事由が重大なものであれば，訴訟時点において予

340 　　　　　　　　　　　PART 1　個別的労働紛争

備的に解雇を主張することは可能とされている（以上，菅野・労働法〔12版〕802頁）。解雇の理由証明書に記載されることがなかった事由についても，記載された事由と関連する事由については主張可能であるし，記載されていなかった事由でも，解雇の理由証明書に記載することが適切でなかった理由を主張することも可能と思われる（3(3)参照）。

> **実践知！**
>
> 労基法 22 条 2 項により，使用者が被解雇者に対して解雇理由の証明書を交付した後に訴訟になった場合，交付済の解雇理由の証明書に記載されていない別個の解雇事由を，訴訟上で主張することが困難となることも予想されるので，上記理由書の記載には，少なくとも重要事項には漏れがないように努める。
>
> もっとも，証明書記載の事項とは別個の解雇事由も，それが客観的に存在するのであれば主張することは可能と解される。また，証明書記載の事項とは別個の事項も解雇事由として，訴訟時点において予備的に解雇を主張することは可能とされている。

3. 普通解雇をめぐるその他の問題

(1) 懲戒解雇事由による普通解雇の可否

解雇は大別して，本章で述べている普通解雇の他には懲戒解雇がある。懲戒解雇とは，企業秩序違反行為を行った労働者に対して行う懲戒処分としての解雇と位置づけられ，実務上も，通常，就業規則において，普通解雇と懲戒解雇とは別条項となっている。しかし，使用者にとって問題を抱えている労働者を解雇するという効果においては同義であるのも実態であり，就業規則上の懲戒解雇事由に該当する行為があった場合にも，使用者の裁量において普通解雇として解雇することがある（なお，懲戒解雇について詳しくはChap. 15 参照）。

この懲戒解雇事由による普通解雇について，裁判例では，高知放送事件判決（最判昭和 52・1・31 労判 268 号 17 頁）は，結論としては解雇を無効としたものの，「就業規則所定の懲戒事由にあたる事実がある場合において，本人の再就職など将来を考慮して，懲戒解雇に処することなく，普通解雇に処することは，それがたとえ懲戒の目的を有するとしても，必ずしも許されな

いわけではない。そして，右のような場合に，普通解雇として解雇するには，普通解雇の要件を備えていれば足り，懲戒解雇の要件まで要求されるものではない」と説示し，一般論において，懲戒解雇事由による普通解雇は可能としている。また，高裁の裁判例でも，群英学園（解雇）事件判決（東京高判平成14・4・17労判831号65頁）は，「就業規則所定の懲戒事由に当たる事実がある場合において，解雇権を有する使用者が裁量により労働者を懲戒解雇に処することなく，通常は退職金の支給や解雇後の再就職等において有利と解される普通解雇に処することは，それが懲戒の目的を内包することがあるとしても許されないものではない」と説示している。なお，前掲高知放送事件判決が，普通解雇の要件があれば足りると明示しているのに比較して，群英学園（解雇）事件判決は懲戒解雇事由（懲戒事由ではなくて）に該当することまで求めているかのようにも読めるところであるが，上記事案では，当該解雇の根拠とされた就業規則上の条項が，「懲戒解雇の決定があったとき」に普通解雇にする旨の文言であったことによるとも思われる。

地裁の裁判例でも，例えば，東洋信託銀行事件判決（東京地判平成10・9・14労判757号86頁）は，就業規則中に懲戒解雇に関する定めはあったが普通解雇に関する定めがなく，使用者が民法627条に基づいて雇用を継続し難い合理的かつ正当な事由のある解雇を主張した事案について，「被告[註：使用者]が解雇自由の原則に基づいてその従業員を解雇する…権限を一切放棄し，懲戒解雇権しか行使しないこととしたことを認めるに足りる証拠はない。就業規則には懲戒解雇に関する規定しか設けられていないことをもって，被告は就業規則上普通解雇権を一切放棄し懲戒解雇権しか行使しないこととしたということはできない」と説示し，結論としても当該普通解雇を有効としている。

| 実践知！ | 就業規則上の懲戒解雇の事由をもって普通解雇とすることは可能である。 |

(2) 懲戒解雇から普通解雇への転換の可否

使用者が労働者を懲戒解雇に処した場合，結果的に懲戒解雇としては無効であった場合に，当該解雇を普通解雇に転換して有効とすること（いわゆる，

懲戒解雇から普通解雇への転換）の可否については，若干の議論がある。同じ解雇である上に普通解雇は懲戒解雇に比較して緩やかなものであるから，より厳格な懲戒解雇の意思表示には普通解雇の意思表示も当然に含まれるというのが，通常のようにも思われるが，前述(1)のように，懲戒解雇と普通解雇とではその性質が異なることを理由に，上述の転換は認められないという見解も有力である（菅野・労働法〔12 版〕806 頁等）。

　裁判例でも，例えば日本経済新聞社事件判決（東京地判昭和 45・6・23 労判 105 号 39 頁）のように，懲戒解雇の意思表示が懲戒解雇としての効力は生じないとしても，通常解雇の意思表示として効力を生ずるとしたものもある一方で，日本メタルゲゼルシャフト事件決定（東京地決平成 5・10・13 労判 648 号 65 頁）のように「懲戒解雇は企業秩序違反に対する制裁罰として普通解雇とは制度上区別されたものであり，…仮に普通解雇に相当する事由がある場合であっても，懲戒解雇の意思表示を普通解雇の意思表示に転換することは認められない」といった判示のものも増えてきている（所沢中央自動車教習所事件判決〔さいたま地川越支判平成 15・6・30 労判 859 号 21 頁〕，第一化成事件判決〔東京地判平成 20・6・10 労判 972 号 51 頁〕等）。

　もっとも，岡田運送事件判決（東京地判平成 14・4・24 労判 828 号 22 頁）は，業務に堪え得ないことを理由に数回退職勧奨をした上，解雇したとの事実関係の下で，「懲戒解雇の意思表示がされたからといって，当然に普通解雇の意思表示がされたと認めることはできない。他方，使用者が，懲戒解雇の要件は満たさないとしても，当該労働者との雇用関係を解消したいとの意思を有しており，懲戒解雇に至る経過に照らして，使用者が懲戒解雇の意思表示に，予備的に普通解雇の意思表示をしたものと認定できる場合には，懲戒解雇の意思表示に予備的に普通解雇の意思表示が内包されていると認めることができる」と説示し，「被告〔註：使用者〕代表者は，脳梗塞をした原告〔註：労働者〕をもはや運転手として雇用し続けることはできないとの考えに基づいて，…課長から原告に対し，病気を理由とする退職勧奨を行わせ，この被告代表者の考えに基づいて…部長も数回原告に退職勧奨をした」との事実関係を指摘し，当該労働者になされた解雇通知には，懲戒解雇の意思表示のほか，予備的に普通解雇の意思表示を含むと認定している。また，前掲日本メタルゲゼルシャフト事件決定も，上述の通り，懲戒解雇の意思表示を普通解雇の意思表示に転換すること自体は否定したものの，懲戒解雇の意思表示よりも後に，別個に普通解雇の意思表示もなされた点について，「懲戒解

雇と普通解雇とは…その要件及び効果が異なるのであるから，債務者［註：使用者］がその双方を選択することは何ら妨げられるものではな」いとして，数度の解雇の意思表示をもって権利濫用とする当該労働者の主張を斥け，結論として，当該労働者への懲戒解雇の効力は否定する一方で普通解雇については有効としている。

　以上より，懲戒解雇とは別に，懲戒解雇が無効であった場合に備えて，同一の事由を理由として，予備的に普通解雇を行うことは可能である（菅野・労働法〔12版〕806頁同旨）。その結果，同一の事由について，懲戒解雇は無効であるが普通解雇は有効，と判断されることもあり得る（同趣旨の例として，前掲日本メタルゲゼルシャフト事件決定，大商学園高校事件判決〔大阪地判平成8・12・25労判724号98頁〕）。もっとも，三菱重工相模原製作所事件決定（東京地決昭和62・7・31労判501号6頁）は，懲戒解雇の際，使用者は解雇予告手当を支給したこと，懲戒解雇の後に労働組合からの退職金支払の交渉を受け，諭旨退職として応じてよいとの意向を示していること，といった事情があるとしても，使用者の懲戒解雇の意思表示の中に予備的に普通解雇の意思表示がなされたとは認められないとしており，使用者が，懲戒解雇の他に普通解雇（諭旨退職）の意思表示を明瞭にはしていない場合，普通解雇（諭旨退職）の意思表示が内包されていると認定されるとは限らないので，実務上は注意が必要である。

> **実践知！**
>
> 　懲戒解雇の意思表示は，当然には普通解雇の意思表示を含むとは解されない。
> 　したがって，使用者としては，労働者を懲戒解雇に処する場合，懲戒解雇が最善ではあるが，必ずしも懲戒解雇に固執するものではなく普通解雇でも構わないという場合には，懲戒解雇と同時に予備的に普通解雇の意思表示をしておくことも一策である。

(3)　解雇時認識していなかった事実（事由）について主張することの可否

　使用者が，労働者を普通解雇に処するには，その理由を構成する事実は原則として解雇時に認識していることが多い。しかし，実務上は，解雇の後に明らかとなった事実関係（労働者の問題行為およびその結果）に，解雇を根拠

付ける事実（事由）となるものが存在することも少なくない。そこで，解雇時に認識していなかった事実関係が，当該解雇を根拠付ける事由（の一部）となり得るか，問題となる。

マルヤタクシー事件判決（仙台地判昭和 60・9・19 労判 459 号 40 頁）は，「解雇の時に告知された解雇事由以外の事由であっても，解雇の当時に存在していたものである限り，当該解雇の効力に影響を与える」とし，解雇時に（客観的に）存在していた事由は解雇事由たり得るとし，また，上田株式会社事件決定（東京地決平成 9・9・11 労判 739 号 145 頁）も，「使用者が当時認識していなかったとしても，使用者は，右事由を解雇理由として主張することができる」としている。以上より，懲戒解雇の場合はともかく，普通解雇における解雇事由は，使用者が解雇時に認識していた事実には限られない，とするのが裁判例の趨勢である（懲戒解雇の際には，解雇時に認識していた事由以外は，懲戒解雇事由になり得ないと解するのが一般的であることには注意を要する）。普通解雇は，企業秩序維持のために当該労働者を懲罰するという懲戒解雇とは性格が異なり，単に，客観的，結果的に労働契約関係を終了せしめることに主眼があるものであるから，特に解雇時に解雇者がその全事由を認識していなければならない理由はないであろう。

実践知！

普通解雇においては，解雇時に認識していない事実も，解雇時に客観的に存在していれば解雇事由となり得るが，懲戒解雇においては，解雇時に認識していない事実は原則として懲戒解雇事由になり得ないことに注意。

---

4. 解雇の承認（および信義則による解雇無効主張の制限）

解雇された労働者の中には，いったんは退職金や解雇予告手当を異議なく受領するなど，解雇による雇用関係の終了を認めるような行動をとりつつ，後になって（長い場合には数年を経てから），解雇の無効を主張してくる者がいる。このような場合，上述のような行動について，解雇の承認として，解雇された労働者が当該解雇の効力を争い得なくなるという効果が生じるか否か，問題となる。

CHAPTER 18　解雇（懲戒解雇を除く）　　345

最高裁判決として八幡製鉄事件判決（最判昭和36・4・27民集15巻4号974頁）は，「上告人［註：労働者］らについては，被上告人会社の解雇通告に対し，右上告人らが所定期間内に退職願を出さなかつたことにより，右期間の最終日…の満了とともに解雇の効力を生じ，会社側がこの前提の下に退職金等を供託した［こと］に対し，上告人らは…解雇の効力を争うことをあきらめ，かくして上告人らは，…いずれも異議を止めず退職金等を受領し，しかも，その後本訴提起の時…まで約2年数カ月の間何ら解雇の効力を争う態度を示していなかつた…かかる一切の事情にあらわれた当事者双方の態度にかんがみ，当事者間に解雇の効力につき異議を述べない旨の暗黙の合意が成立したものと認むべきであり，そうでなくとも，かかる事情の下で解雇の無効を主張することは信義則に反することとなるから許されない」と判示している。

　この他に，解雇の承認を肯定した裁判例としては，大映事件判決（大阪高判昭和45・4・30労判103号35頁）は，被解雇者が異議なく解雇予告手当，退職金等を受領した後に，これも約7年を経て解雇無効を主張して提訴してきた事案について，解雇の効力を争わない意思を表明したものと解するのが相当であると説示している。なお，近似する事案で，阪神観光事件決定（大阪地決平成7・9・12労判688号53頁）は退職届を提出した後に解雇予告手当を受領しているという事案につき，解雇の承認ではないがより直接に合意解約の効果を認めている（この事案のように，解雇の承認は，合意解約の成立と近接する場合がある）。

　一方，解雇の承認を否定した裁判例として，オー・エス・ケー事件判決（東京地判平成13・11・19労判816号83頁）は，被解雇者より使用者に対し，離職票を交付するように求め，解雇予告手当の請求もしていた事案であったが，離職票については生活のためにやむを得ず行ったものであり，解雇予告手当の請求については，不当解雇であり承服できないことを使用者に通知していたことより，解雇の承認の効力を否定している。さらに，テレマート事件判決（大阪地判平成19・4・26労判944号61頁）は，被解雇者が，解雇に異議を申し立てない誓約書を提出し，解雇予告手当と一時金を受領しているという事案について，当該解雇は整理解雇であったが，整理解雇の要素としての部門閉鎖の合理的な理由，解雇回避措置，解雇に至るまでの手続の相当性がいずれをとっても不十分であり，むしろ，労働組合の結成を知り，これを嫌悪してのものであると推認することが相当であって，こうした整理解雇

が無効であると判断した理由に照らせば，解約の合意は認められないと判示している。

なお，国鉄甲府赤穂車掌区事件判決（東京高判昭和 53・6・6 労判 301 号 32 頁）は，石川島播磨重工業事件判決（最判昭和 57・10・8 労経速 1143 号 8 頁），同大映事件判決と同様に，解雇されてから長期間（約 8 年）を経てから解雇無効を主張して裁判に及んだ事案であるが，被解雇者らが長期間提訴を行わなかったのは，自らへの解雇が，それぞれ定員法による免職またはいわゆるレッドパージにより行われたものであること，および当時の労働情勢，社会情勢が大きな要因をなしており，被解雇者らは解雇に対する不服意思を放棄したわけではないとして，当該被解雇者らの提訴が信義則上許されないとはいえないとしている（ただし，結論としては，当該被解雇者への解雇は有効としている）。

以上の裁判例に鑑みるに，解雇の承認（または信義則による解雇無効主張の制限）は，解雇時およびその後の，解雇を争わないとみるべき被解雇者の行動を基本にしつつも，被解雇者側の事情も相応に勘案して，その成否が決せられているといえよう。

本文中の「解雇の承認」が認められる場合は，解雇後，数年を経た後に解雇無効の主張があるようなケースが多く，なかなか認められるものではないが，実務上，稀にはみられる事象なので，上述のような場合は主張することを失念しないように。

5. 自動退職条項

実務においては，近年，労働者の行方が一定日数以上知れない（連絡がとれない）場合には当該労働者を退職したものとする（みなす）条項が，就業規則に規定されていることが多い。その条項の効力を一般的にどう解するかについては，未だ定説・裁判例は見えていない。しかし，O・S・I 事件判決（東京地判令和 2・2・4 労判 1233 号 92 頁）では，労働者の行方が不明となり，14 日以上連絡が取れないときで，解雇手続を取らない場合には退職とし，14 日を経過した日を退職の日とするとの規定が使用者の就業規則にあり，

上記規定に沿って使用者が労働者を退職扱いにしたという事案につき，上記規定の「従業員の行方が不明となり，14 日以上連絡が取れないとき」とは，労働者が所在不明となり，かつ，使用者が当該労働者に対して出勤命令や解雇等の通知や意思表示をする通常の手段が全くなくなったときを指すものと解するのが相当であると説示した上で，当該事案では，労働者は使用者に対し，出勤しなくなった日以降，連日，休暇等届と題する書面等をファクシミリを利用して送信する等していることより，上記規定に当たる状況にあったものとは認められず，雇用関係が終了したとは認められない，と説示している。

実践知！

　　労働者の行方不明につき一定期間が経過したことを理由とする自動退職の条項は，本来，労働者の自主的な意思表示による退職を，一定の事実関係により認定することを意味するので，仮に，自動退職条項は有効との立場をとるとしても，その運用には慎重を期さねばならない。当然のことながら，使用者としては，当該労働者との連絡を確保する最善の努力を尽くした後に，上記自動退職の条項を運用することが求められよう。

CHAPTER

19　解雇以外の雇用終了

Ⅰ．はじめに

　労働契約は解雇以外によっても終了する。その代表的なものが，本章で触れる，辞職，合意退職，定年，当事者の消滅である。本章では，辞職，合意退職を成立させる前段階として，社会上よくみられる退職勧奨についても，若干述べることとする。なお，雇止め（使用者からの有期労働契約の更新拒否）も雇用終了のひとつだが，これは，有期労働契約固有の重大な問題であるので，Chap. 20 で述べることとする。

Ⅱ．辞職

1．辞職の意義

　辞職とは，労働者による告知によって，使用者との労働契約を終了させる行為である。使用者から労働契約を終了させる行為（解雇）は，解雇権濫用法理（労契法 16 条）などの制約を受けることがあるが，労働者から行う場合には若干の規制を除けば自由になし得る。労働契約は，期間の定めのない場合（多くの場合，いわゆる正社員と呼ばれる雇用形態となる）と期間の定めのある場合（有期労働契約）とに大別され，辞職についての法規制が若干異なる。

2．法規制

(1)　期間の定めがない労働契約の場合

　労働者は 2 週間の予告期間をおけば，原則としていつでも労働契約を解約できる（民法 627 条 1 項）。ただし，週給や月給のように報酬が期間をもって定められている場合（欠勤等による賃金控除のない純然たる月給制等）は，解約は次期以後に行うことができるにとどまり，その申入れは当期の前半に行わなければならない（同条 2 項）。なお，労働者の辞職の予告ののち 2 週間後には労働契約が終了するが，その 2 週間の間は，誠実に労働を行う義務（退職に伴う後任者への引継ぎ等）を負う。この点で，実務上，よくみられ

CHAPTER 19　解雇以外の雇用終了　　**349**

るのが，労働者が辞職の告知の後の 2 週間全就業日につき，残存していた有給休暇を申請取得して，辞職告知の後は事実上就業しないという事象である。この場合，使用者が有給休暇を認めないために時季変更権（労基法 39 条 5 項）を行使しようにも，時季変更権は退職予定日を超えて用いることは困難とされており，結局，原則として，当該労働者の有給休暇の申請を認めざるを得ない。使用者としては，当該労働者と協議の上，申請の有給休暇日数の全部または一部を買い上げる等して，引継ぎのために出社してもらうなどの措置をとるしかない。

(2) 期間の定めがある場合

有期労働契約の場合は，当該契約の期間中は，労働者からも，「やむを得ない事由」がある場合に即時解約ができるに止まる（民法 628 条）。もっとも，労働契約の期間が長期に過ぎれば，労働者の解約を過度に制約する結果となるので，労基法 14 条は，原則として 3 年，例外として 5 年に契約期間を制限している。

3. 辞職の法的性格

労働者による辞職の意思表示は，使用者に到達した時点で解約告知としての効力が生じ，その後は労働者側からの撤回は許されない。ただし，労働者側の辞職の意思表示に瑕疵がある場合は，その無効の主張もしくは取消しが可能である（この意思表示の問題は，後述する合意解約の際の労働者の退職合意の意思表示と同様の問題であるので，後述Ⅲを参照されたい）。

辞職の意思表示と類似のものとして，使用者と労働者との労働契約の合意解約における労働者側の合意解約の申込みがある。労働者による合意解約の申込みは，使用者が受諾しない限り労働契約終了の効果は生じないので，使用者の受諾があるまでは労働者より申込みの撤回をなし得る点が，辞職の意思表示との大きな違いになる。そのため，労働者の保護の見地より，労働者の意思表示が，辞職の意思表示と合意解約の申込みかのいずれであるかが判然としない場合には，一般には，合意解約の申込みと解されることが多いとされている（荒木・労働法〔4 版〕347 頁）。

4. 裁判例

辞職と合意解約との区別についての裁判例を見ると，例えば，株式会社大

通事件判決（大阪地判平成 10・7・17 労判 750 号 79 頁）は，「辞職の意思表示は，生活の基盤たる従業員の地位を，直ちに失わせる旨の意思表示であるから，その認定は慎重に行うべきであって，労働者による退職又は辞職の表明は，使用者の態度如何にかかわらず確定的に雇用契約を終了させる旨の意思が客観的に明らかな場合に限り，辞職の意思表示と解すべきであって，そうでない場合には，雇用契約の合意解約の申込みと解すべき」と説示し，問題となった労働者の「会社を辞めたる」旨の発言について，雇用契約の合意解約の申込みであると解している。また，全自交広島タクシー支部事件判決（広島高判昭和 61・8・28 労判 487 号 81 頁）も，その一審判決（広島地判昭和 60・4・25 労判 487 号 84 頁）の「労働者が使用者の同意を得なくても辞めるとの強い意思を有している場合を除き，合意解約の申し込みであると解するのが相当である」との説示を肯定し，結論としては，労働者による「私，今月いっぱいで辞めさせていただきます」との発言につき，辞職の意思表示でなく，労働契約の合意解約の申込みであると解し，使用者の承諾があるまで，撤回をなし得ると解している。

Ⅲ. 合意解約

1. 合意解約の意義・用いられ方

(1) 意義および原則的にみられる法的問題点

　合意解約は，労働契約関係の当事者である労働者と使用者が合意して労働契約関係を将来に向けて解約，終了させるものである。解雇ではないので，解雇権濫用法理（労契法 16 条）などの規制を受けない。また，労働者からの辞職でもないので，民法 627 条のいう 2 週間後ではなく，合意の当日に，労働契約関係を終了させることも可能である。

　ただし，合意解約の申込みおよび受諾という各々の意思表示により成立する以上，各々の意思表示につき，意思表示の瑕疵（詐欺・強迫・錯誤等）の問題は生じ得る。とくに労働者側から退職の意思表示について，詐欺・強迫・錯誤による取消しの主張がなされることが多く，私法上の一般原則通り，民法 95 条，96 条による規律を受ける。

　実務上，よくみられる問題は，労働者からの労働契約解約の申入れ（退職届等）が当該労働者により撤回される場合である。前述の通り，合意解約は，労働者からの解約申入れとそれに対する使用者の承諾により，労働契約終了

の効力を生じるので，労働者による解約の申入れは，使用者による承諾以前には解約の効力は生じない。そこで，当該労働者による解約の申入れの撤回以前に使用者による承諾があったといえるか否かが，少なからず問題となる。

⑵　雇用調整との関係

　使用者が経営状況上苦難に陥っている場合はもちろん，そこまで行かずとも将来の事業転換等企業の長期的な維持・発展を見越して，現状の人員構成を変更する必要性の下に雇用調整を行うことがある。その最終的な手段は解雇（主に整理解雇）なのであるが，使用者としても法的紛争は好むところではなく，整理解雇およびそれに先立つ解雇回避措置としての希望退職ではなく，それに至る前段階として，早期退職の募集を行うことがある（なお，社会一般では，早期退職募集も「希望退職の募集」と表現されることが多いが，その募集による応募者の多寡によっては整理解雇に至ることが予定されていない点で，整理解雇の解雇回避措置としての「希望退職の募集」とは性質上区別される）。

　この早期退職の募集につき多く見られる形態としては，使用者より退職者を募集し，労働者よりこれに応募し，使用者がこの応募を承諾することによって退職の効果が成立するものであり（後掲ピー・アンド・ジー明石工場事件決定〔大阪高決平成 16・3・30 労判 872 号 24 頁〕等），その法的性質は合意退職であるのが一般である。したがって，この雇用調整としての早期退職の募集およびその応募についても，後述する実務上の問題点が当てはまるのが原則である。加えて，労働者の退職を募集する場合，使用者としては一部の労働者に応募するように勧めることも少なくなく（いわゆる，退職勧奨），その場合には，後述Ⅳの退職勧奨の合法性の問題も生ずる。

2.　裁判例

⑴　労働者による労働契約解約・終了の申入れの意思表示の瑕疵が問題となる例

　裁判例としては，解雇を告知して退職勧奨をした場合に問題となったものが多い。例えば，昭和電線電纜事件判決（横浜地川崎支判平成 16・5・28 労判878 号 40 頁）は，労働者による解約の申入れ（退職の意思表示）が当該労働者の錯誤（民法 95 条）に該当するかが問題となった事案であるが，「原告〔註：労働者〕が被告〔註：使用者〕から解雇処分を受けるべき理由がなかったのに，原告は A の本件退職勧奨等により，被告が原告の解雇処分に及ぶ

ことが確実であり，これを避けるためには自己都合退職をする以外に方法がなく，退職願を提出しなければ解雇処分にされると誤信した結果，本件退職合意承諾の意思表示をしたと認めるのが相当であるから，本件退職合意承諾の意思表示にはその動機に錯誤があった」と判示している。また，澤井商店事件決定（大阪地決平成元・3・27労判536号16頁）は，解約の申入れ（退職の意思表示）につき強迫による取消し（民法96条）が問題となった事案であるが，「使用者が労働者に対し退職を勧告するに当たり当該労働者につき真に懲戒解雇に相当する事由が存在する場合はともかく，そのような事由が存在しないにもかかわらず，懲戒解雇の有り得ることやそれに伴う不利益を告げることは労働者を畏怖させるに足る違法な害悪の告知であるといわざるを得ず，かかる害悪の告知の結果なされた退職願いは強迫による意思表示として取消し得る」と説示し，結論として当該労働者による退職の意思表示を取り消し得るとしている。ピジョン事件判決（東京地判平成27・7・15労判1145号136頁）は，精神疾患に罹患している労働者が配転命令（片道の通勤時間が従来の約1時間程度から2時間半程度になるもの）を受けていたところ，欠勤を続けて休職に入り，配転先にて勤務可能な程度まで回復したとの医師の診断書が提出されない限り復職は認められないとの使用者の言により退職願を出したものの，後になって当該退職を撤回したという事案について，もともと上記配転命令は当該労働者の負担，不利益が大きいこと等より権限濫用による無効なものであること，配転先に勤務できるまで病状が回復したことは当該労働者の復職の可否を判断するにあたり必要なものではなかったこと，当該労働者は上記退職願を出した時期には配転元で就労することは可能であったと思われること等より，上記退職願いによる退職の意思表示は，配転先で勤務可能な程度まで回復した診断書を提出しなければ復職が認められないと誤信してなされた点で動機の錯誤があると認定した（他に，労働者の退職の意思表示につき，強迫による取消しを認めたものとして，ニシムラ事件決定〔大阪地決昭和61・10・17労判486号83頁〕等がある）。

　また，TRUST事件判決（東京地立川支判平成29・1・31労判1156号11頁）は，妊娠中の女性労働者が，現場業務の継続は難しいという使用者の説明を受け，他会社への派遣登録に同意し派遣先の業務に就いていたところ（なお，当該女性労働者からは退職届は提出されていなかった），後に使用者より退職扱いになっているとの連絡を受けたため，当該女性労働者より退職合意の効力を争った事案であるが，同判決は，「退職は，一般的に，労働者に不利な影

CHAPTER 19　解雇以外の雇用終了　　353

響をもたらすところ，雇用機会均等法1条，2条，9条3項の趣旨に照らすと，女性労働者につき，妊娠中の退職の合意があったか否かについては，特に当該労働者につき自由な意思に基づいてこれを合意したものと認めるに足りる合理的な理由が客観的に存在するか慎重に判断する必要がある」と説示した上で，当該女性労働者は，産後の復帰可能性のない退職であると実質的に理解する契機がなかったと考えられること，使用者に残るか，退職の上，派遣登録するかを検討するための情報がなかったこと等より，自由な意思に基づく選択があったとはいい難いとして，退職の効力を否定し，結論として，使用者との労働契約上の地位を認定した。

　一方，労働者による解約の申入れ（退職の意思表示）につき，錯誤や取消しの主張を否定したものとして，まず，ダイフク（合意退職）事件判決（大阪地判平成12・9・8労判798号44頁）は，強迫による取消しの可否が問題となった事案について，「原告［註：労働者］…は，十分な判断能力を有していた上，即答を避けて，後日回答したもので，被告［註：使用者］が合意退職に承諾しなければ報復すると言ったわけでもなく，原告…において，配転や不利益処分のあり得ることを考えて退職を決断したというに過ぎず，これを強要ということはできない」，「合意退職の申込みが突然にされたからといって違法となるものではない。退職勧奨の対象者に選定理由を告げるかどうかについては，…処分と違って，勧奨である以上，…対象者が不満なら承諾しなければいいだけであるから，…前述のように，原告…は，合意退職の申込みを受けて，検討した結果，後日，承諾したもので，自由意思がなかったとはいえない」，「原告…は，被告が，報復があるかもしれないと考えさせて，退職に応じさせたもの…と主張するのであるが，原告…が，現実に，出向，配置転換，減俸などの報復措置をすると告げられたわけではなく，退職に承諾しなかった場合に，配転などが予想されるとしても，それだけで強迫に当たるということができない」等と説示している。また，錯誤の主張を否定した裁判例である住友林業事件決定（大阪地決平成11・7・19労判772号81頁）は，「債務者［註：使用者］が，債権者［註：労働者］に退職を勧奨するにあたって，成績不良を理由に解雇を持ち出したことは十分に考えられる…が，…成績不良が懲戒事由になるとは通常は考えられていない…から，債務者が成績不良を理由に懲戒免職か退職かを迫ったというのはいかにも不自然である」「以上によれば，本件退職の意思表示が，債務者の欺罔行為により，債権者が錯誤に陥った結果なされたものであるという債権者の主張は，これを

認めるに足る証拠がな」いと判示している。

(2) 労働者の解約の申入れに対する使用者の承諾の有無について

労働者からの労働契約の解約の申入れは，使用者からの承諾を待って労働契約終了の効力を生じるため，使用者からの承諾があるまでは解約の申入れは撤回し得る。そこで，労働者がその解約申入れを後に撤回した場合，それまでに使用者の承諾があったか否かが問題となった裁判例は少なくない。

労働者による解約申入れ（退職の意思表示）に対する使用者の承諾を認め，労働者による解約の撤回を否定したものとしては，まず，大隈鐵工所事件判決（最判昭和62・9・18労判504号6頁）は，会社の人事部長が労働者の退職届を受領した後に，当該労働者が退職の意思表示を撤回した事案について，人事部長には退職の意思表示を受理する権限がないとして退職の意思表示の撤回の効力を認めた原審判決（名古屋高判昭和56・11・30判時1045号130頁）を破棄し，「原審の右判断は，企業における労働者の新規採用の決定と退職願に対する承認とが企業の人事管理上同一の比重を持つものであることを前提とするものであると解せられるところ，…たやすく是認し難い…。…労働者の退職願に対する承認は…採用後の当該労働者の能力，人物，実績等について掌握し得る立場にある人事部長に退職承認についての利害得失を判断させ，単独でこれを決定する権限を与えることとすることも，経験則上何ら不合理なことではない」と説示し，当該人事部長が当該労働者の退職願を受領したことをもって，当該労働者の解約申入れを当該使用者が即時承諾したとして，合意解約の効果を肯定している。ネスレ日本（合意退職・本訴）事件判決（東京高判平成13・9・12労判817号46頁）は，会社の工場長らが，暴力事件に関わった労働者に対して自己都合退職を促した結果，当該労働者が退職願を工場長に提出し，工場長がその退職願を受理・承認する旨の書面を労働者に交付した翌日，当該労働者より退職願が撤回されたという事案について，当該工場長は工場勤務の労働者からの退職願を受理・承認して労働契約合意解約の承諾の意思表示を行う権限があると説示し，当該労働者による撤回の主張を斥けている。

一方，使用者による承諾の成立を否定し，労働者による解約の申入れの撤回を認めた裁判例として，まず，岡山電気軌道（バス運転者）事件判決（岡山地判平成3・11・19労判613号70頁）は，労働者が会社の常務取締役観光部長に対して退職願を提出したにもかかわらず，その翌日に退職願を撤回し

た事案について，「被告［註：使用者］には会社組織上労務部が置かれており，その『業務分掌規程』には明文をもって，従業員の求人，採用，任免等に関する事項は労務部の分掌とされていること…右分掌規程には，分掌の運用に当たってはその限界を厳格に維持し，業務の重複および間隙又は越権を生ぜしめてはならない旨規定していること，…通常の退職願承認の手続は，社長宛の退職届が所属長に提出され，所属の部長，担当常務に渡され，営業所長が退職届を受理すると判断のうえ…，本社労務部にまわされ担当の常務取締役，専務取締役によって決済され承認していたことが認められ，…常務には同人が統括する観光部，営業部，整備部に所属する従業員の任免に関する人事権が分掌されていたとは解されない」と説示し，常務が退職願を受け取ったときに使用者が退職承認の意思表示をしたとは認められず，結論として，当該労働者による解約申入れの撤回を認めている（事案の特殊性はあるものの，役付役員である常務取締役が退職承認の権限がないと判示された点で，留意すべき裁判例である）。また，ピー・アンド・ジー明石工場事件決定（大阪高決平成 16・3・30 労判 872 号 24 頁）も，特別優遇措置による退職者募集に対して，当該労働者が退職者募集に応募する際に，「退職日・最終就業日に関しては，所属長と業務引継ぎ等の話し合いを行った上で，最終決定することを了解します」と記述された退職申出書に署名押印した上で，使用者に提出したものの，後にその労働者が撤回の意思表示をしたという事案について，上記退職者募集の手続について説明した使用者の書面には，「会社が退職を受理した者に対しては，所属長と業務引継ぎ等を考慮して①最終就業日，②退職日の確定を行った後に『合意書』を作成して受付完了とする」旨が記載されていること，上記退職申出書の記述からして，「合意書」が作成されるまでは退職の受付は終了しないものとし，当該労働者と使用者との間には退職の合意（労働契約解約の合意）が成立していないと説示し，当該労働者による退職の意思表示の撤回を認めている。なお，原審決定である，神戸地決平成 15・12・26 労判 872 号 28 頁では，本文の「合意書」の付随的な事項については，退職合意とは別途に合意するものと解され，当該労働者と使用者との間の合意解約の成立を認めていた。「合意書」につき，退職募集手続に不可欠な一部と捉えるか否かで，上記高裁決定とで結論が分かれたものと思われる。

3．実務の具体的対応

　以上の通り，合意解約の成立には，労働者からの退職届の他に，使用者の

承諾の意思表示が必要とされており，それにより，労働者からの退職申入れの撤回の可否が分かれるという重大な違いが生じる。そのため，人事労務の実務としては，労働者からの退職の意思表示があり，使用者がその労働者との労働契約終了を希望するような場合（例えば，当該労働者が何らかの不始末を起こし，あるいはその使用者の業務に適性がないとの上司からの説得を受けて退職届を出してきたような場合等）は，使用者としては，速やかに，かつ，確実に（形にして），承諾の意思表示を行うことが妥当である。それには，使用者としては，当該労働者に書面で退職届を提出してもらうとともに，速やかに当該労働者の退職を承諾する旨の書面（退職受理書）を交付するという手順が適切である。なお，その退職受理書の名義は，人事権限を有している役員や高位の管理職のものがよいであろう。

実践知！

　問題行動を起こした労働者に対して退職勧奨を行い，退職に同意してもらうことでの合意退職を試みるような場合，当該労働者に対して「退職に応じなければ○○（例として解雇）になる」といったような言はなるべく避けるべきである（前掲昭和電線電纜事件判決）。もっとも，実際に，何らかの軽くない処分がおりることが確実な場合は（無論，解雇もそれに含まれる），「人事担当者が決められる事柄ではないが，軽くはない処分があるとは思う。」といった告知は，その処分を理由付ける事由があるのであれば，事実なだけに，問題にはならないと思われる。

　雇用調整において合意退職の手法を用いる場合，労働者からの退職申入れ（早期退職，希望退職の応募）に至るまでは退職勧奨の適当性および適法性，退職申入れがあってからはその意思表示の瑕疵の有無（前述2(1)の裁判例）および撤回の可否（同(2)の裁判例）が問題となる。その法的問題点の所在を把握しつつ法的問題を避けることは当然のことであり，その上で合意退職の合意形成に向けて，効果的・合目的的に着手・実施することが必要となる（この点に関して，実務上の問題点把握，着手の要諦については，労政時報3999号58頁拙稿「雇用調整の法的実務」等参照）。

Ⅳ. 退職勧奨

1. 意義と裁判例

　退職勧奨とは，労働者の退職の意思表示を促すための使用者から労働者への働きかけ，説諭のことである。退職勧奨自体は，それだけで特に法的効力を生じさせるものではなく，あくまで労働者の自発的な意思表示を促すという事実上の行為に留まる以上，原則としては自由な行為である。ただし，行き過ぎた態様によるものは違法たり得る。

　裁判例でいえば，下関商業高校事件判決（最判昭和55・7・10労判345号20頁）は，最初に退職勧奨をして以来（昭和45年2月26日），当該労働者ら（2名）が一貫して退職勧奨に応じない旨を表明しているにもかかわらず，同年3月12日から同年5月27日までの間に11回，もしくは同年3月12日から同年7月14日までの間に13回，1回に短い時で約20分，長い時で約2時間15分に及び退職勧奨をなしていたという事案について，退職勧奨をなした下関市等に，4万円〜5万円の慰謝料の支払義務を肯定している。また，東京女子醫科大学（退職強要）事件判決（東京地判平成15・7・15労判865号57頁）は，上司である教授が当該助教授の問題点を指摘し退職勧奨するに際し，忘年会において，「活躍していないお荷物的なスタッフは，死に体で教室に残り生き恥をさらすよりも自分にふさわしい場を見つけて生きていく方がよい」との旨の内容の書面（その対象者は当該助教授であることは明らかなもの）の配布やスピーチを行い，当該助教授の名誉を毀損し，最終的には当該助教授が職場ハラスメントを理由に退職した事案につき，使用者および教授に対し，当該助教授への慰謝料および弁護士費用の支払を命じている。

　一方，近年話題になったものとして，日本アイ・ビー・エム事件判決（東京高判平成24・10・31労経速2172号3頁）がある。これは，任意退職者に対して通常の退職金に加えて特別加算金を支払い，再就職支援サービス会社によるサービスを提供することなどを内容とする特別支援プログラムを実施した際に，使用者の従業員に対して行った退職勧奨につき，当該労働者ら（4名）が，各々への退職勧奨は，退職に関する自由な意思決定を不当に制約するとともに，名誉感情等の人格的利益を侵害した違法な退職強要であるとして，不法行為による損害賠償（各自330万円）を請求した事案である。同判

決は，まず，退職勧奨対象者の選定の前提となる評価について，裁量の逸脱・濫用があったとは認められないとし，また，退職勧奨を含む面談においても，退職に関する労働者らの自由な意思形成を促す行為として許容される限度を逸脱したり，労働者らの退職についての自由な意思決定を困難にしているとは認められないから（当該労働者らは，いずれも退職勧奨を拒否し，使用者からの業務改善の要求であることを確認した上で面談に臨んだ等の経緯がある），労働者らの退職に関する自己決定権が侵害されたとは認められないとしている。

2. 実務の具体的対応

実務においては，退職勧奨はしばしばみられる。これは，使用者としては解雇を行うには法的にリスクはあるものの，使用者の業務における適性があるとは認められない労働者に対して，円満な形で雇用契約を終了させたいという希望による。ただし，この場合でも，対象者たる労働者がその真意より，使用者を退職するように勧告する必要があり，その意思の形成過程に過度な圧力をかけてはならないことは，前述Ⅲの合意解約の箇所で述べた通りである。つまり，使用者は，退職勧奨の際の言辞の内容のみならず，その外形的な態様にも留意すべきということとなる。

実践知！　退職勧奨は，その外形的な態様（執拗さ，過度な干渉，繰返し）によっては，それ自体が違法と評価される可能性がある点にも留意すべきである。

Ⅴ. 定年制

1. 意義と裁判例

定年は，労働契約終了の事由の一つであるが，定年制とは，一般には，労働者が一定の年齢に達したときに労働契約が終了する制度といわれる。定年制の中には，一定の年齢（現在の我が国ではその多くが60歳）に達したときに労働契約を自動終了するもの（定年退職制），解雇理由となるもの（定年解雇制）があり，後者は，労契法16条の解雇の法理に服する（以上，菅野・

労働法〔12 版〕755 頁）。

定年制については，現在の裁判例および学説の多数は，これを有効と解している（秋北バス事件判決〔最大判昭和 43・12・25 民集 22 巻 13 号 3459 頁〕，アール・エフ・ラジオ日本事件判決〔東京高判平成 8・8・26 労判 701 号 12 頁〕等）。我が国の終身雇用制の下で，解雇を避けつつ人事刷新を図る手段として合理的であるという理由による。

高齢者雇用安定法の平成 16 年改正により，同法 9 条において，65 歳未満の定年の定めをしている事業主は，その雇用する高年齢者の 65 歳までの安定した雇用を確保するため，定年後の再雇用などの一定の措置を講じることとなっている。そのため，多くの企業が，60 歳定年制を基礎に，65 歳までの継続雇用制度（多くは，60 歳定年後，1 年等を契約期間とする労働契約を締結し，65 歳まで更新するもの）を設けている。定年制に関わる紛争で重要なものは，特にこの継続雇用制度に関するもので，これは有期雇用の紛争の一種であるから，Chap. 20 で述べることとし，以下では，定年延長をめぐる裁判例を取り上げる。

規程上定年とされていた 65 歳以上の雇用延長を認めた例として，日本大学（定年・本訴）事件判決（東京地判平成 14・12・25 労判 845 号 33 頁）は，就業規則に，満 65 歳が定年であること，理事会の議を経てこれを延長することができることが規定されていた事案で，定年延長を希望して叶えられなかった例がないこと，使用者大学の委員会の答申書でも事実上 70 歳定年制になっているとの認識の下に雇用期間延長が労働慣行として熟していること等の事情より，当該労働者（大学教授）の 70 歳までの雇用延長を認めている（なお，労使慣行が成立するには，事実上の取扱いが長期間積み重なっているという客観的事実のみならず，決定権限を有する管理者が，その事実上の取扱いを規範として意識し，それに従ってきたことを要するとされている。商大八戸ノ里ドライビングスクール事件判決〔大阪高判平成 5・6・25 労判 679 号 32 頁〕等）。

一方，これも大学教育機関の例であるが，明治大学事件判決（東京地判平成元・3・31 労判 539 号 49 頁）では，定年（65 歳）以降は，「停年の延長については…厳格な手続が定められており，…昭和 33 年度以降昭和 60 年度に至るまでは停年延長申請者合計 743 名中，昭和 33 年度，同 35 年度，同 42 年度，同 46 年度ないし同 49 年度，同 51 年度ないし同 60 年度を除く 11 年度に亘り毎年 1 名ないし 4 名合計 21 名につき停年延長申請が否決されている…，延長申請者がある場合には常に前記規則に則って慎重な審査が行われ

ていて,自動的かつ事務的に処理されているものではな」いという事情より,実質的に 70 歳定年制が実施されていたとまではいえないとされ,雇用延長が否定されている(愛知医科大学事件決定〔名古屋地決平成 4・11・10 労判 627 号 60 頁〕も同様)。

2. 実務の具体的対応

　定年制に関しては,現在我が国ではほぼ有効と解されているものの,定年延長が労使における慣行となっているか否かについては,争いが起こる可能性はある。使用者側としては,仮に定年を延長するような場合があるとしても,成文上の規程を整備して,延長する際の基準,判断の手続を明記しておくことが適切である。いうまでもなく,安易に無審査のまま,ほぼ例外なく延長するような実績を重ねるのは危険である。

> 実践知！　定年の延長については,それを行う基準,判断の手続(判断者,判断期間)を規定化するか,少なくとも何らかの方法で開示・周知しておくのが望ましい。

CHAPTER

20 有期労働契約による雇用

I. 有期労働契約に関する規制

(1) 契約期間についての法規制

有期労働契約とは，期間の定めのある労働契約のことをいう。我が国では，期間の定めのない労働契約の場合，労働者は任意に，解約の意思表示を行えば2週間の経過とともに労働契約を終了させ得るが（民法627条），有期労働契約の場合，契約期間中においては，労働契約の解約は，労働者側からでも「やむを得ない事由」がある場合にのみ可能であり，しかも，その事由が労働者側の一方の過失によって生じた場合には，使用者に対して損害賠償の責任を負うこととなる（民法628条）。そこで，労働者保護の見地より，労働契約の契約期間につき，過度に長期間に至らぬよう規制を行う必要がある。また，有期労働契約は，形式上，使用者が契約更新を拒否すれば雇用が終了する点で，雇用の保障は期間内に限定されている。したがって，労働契約につき，労働者の期待に沿った雇用安定のための配慮も必要となる。

かような見地より，労働法は，大要，以下の内容の規制を行っている。

ア　原則として期間は最大3年（なお，労基法附則137条により，契約期間の初日より1年を経過した日以後は，労働者は使用者に申し出ることにより退職可能）。

イ　一定の事業の完了に必要な期間を定める場合は，その期間。

ウ　以下の場合は5年

(a) 厚生労働大臣が定める基準に該当する専門的知識，技術または経験を有する労働者が，当該高度の専門的知識等を必要とする業務に就く場合。

(b) 満60歳以上の労働者

エ　必要以上に短い期間を定めないこと（ただし，訓示規定）。

（上記ア～ウは労基法14条1項，エは労契法17条2項）

上述ア～ウの上限を超える契約期間が定められた場合には，当該労働契約の契約期間は，上述の上限（一般労働者については3年，特例労働者のウにつ

362　　　　　　　　PART 1　個別的労働紛争

いては 5 年）に改められる（平成 15・10・22 基発 1022001 号）。

⑵　契約期間中の中途解約についての規制

　有期労働契約期間中の中途解約は，使用者側からの場合も，「やむを得ない事由」（労契法 17 条）がなければなしえない。これは，期間の定めのない労働契約の解約（解雇）の場合（労契法 16 条）よりも，より強い理由が必要と解されている（菅野・労働法〔12 版〕343 頁）。

⑶　有期労働契約の更新の規制

ⅰ　法規

　有期労働契約は期間ごとに更新されるので，労働者としては期間満了ごとに雇止めのリスクがある。一般に有期契約労働者は使用者との交渉力が弱いため，期間の定めがない労働契約（多くは正社員）の場合よりも賃金等の労働条件が低く抑えられがちな上に，使用者側の経営難の事態には雇用調整の対象にもなりやすいというのが社会的実情である。そのため，平成 24 年の法改正により，同一の使用者との間で締結された 2 つ以上の有期労働契約の契約期間を通算した期間が 5 年を超える労働者が，当該使用者に対し，現に締結している有期労働契約の契約期間満了までの間に，当該満了日の翌日から労務が提供される期間の定めのない労働契約（無期労働契約）の締結の申込みをなしたときは，使用者は当該申込みを承諾したものとみなすとされた（労契法 18 条）。

ⅱ　労契法 18 条の要件

　労契法 18 条は，有期労働契約を無期契約に転換させるという効果を持つが，その要件として規定されているもののうち，実務上，主要なものは，概要，以下の通りである。

　①「同一の使用者」との間の 2 つ以上の有期労働契約

　違った使用者との間の有期労働契約は通算されない。親子会社，同一グループ内企業での複数の使用者であっても，法人格が否認されない限り，通算はされない（菅野・労働法〔12 版〕323 頁）。

　②「通算契約期間が 5 年を超えること」

　2 つ以上の有期労働契約を通算した契約期間が「5 年」を「超える」ことが必要である。各個の有期契約の間に空白期間がある場合については，労契法 18 条 2 項に詳細な定めがある。ここでは簡単に述べると，最大 6 か月の

空白期間があれば，クーリング期間として，契約期間の通算のやり直しとなる。また，空白期間の直前に終了した一の契約期間が1年に満たない場合は，当該契約期間の2分の1を乗じた月数（端数切上げ）がクーリング期間となる（例えば，直前の有期労働契約の期間が6か月であれば，クーリング期間は3か月となる）。

③期間の定めのない労働契約（無期労働契約）の締結の申込みをなすこと

前述①②の事実があれば，有期労働契約は当然に無期契約に転換するわけではなく，労働者側からの申込みが必要である。申込みをすると，使用者側は，これを承諾したものとみなされるのであり，前述①②の事実があれば，労働者側としては，形成権としての転換申込権を有している状態となる。

この転換申込権は，発生した当時に労働者が締結している有期労働契約が期間満了となれば，一応終了するが，新たに同一の使用者との間で引き続き有期労働契約を締結すれば，新たに転換申込権も発生する（平成24・8・10基発0810第2号）。

なお，転換申込権を予め（転換申込権発生前に）放棄するような約定は，労契法18条が一定の条件で有期労働契約の労働者に無期転換権を認めるに至った趣旨（期間満了ごとに雇止めのリスクがある立場の弱い有期契約労働者の保護）に鑑みれば，交渉力の強い高度の技術，専門性を有しているような有期契約労働者であればともかく，事前の放棄は認められないことが多いと解されている（菅野・労働法〔12版〕326頁以下同旨）。

iii　労契法18条の効果

労契法は，一定の要件下で，有期労働契約の労働者に無期転換権を付与したが，当該有期契約労働者の労働条件は，その無期転換権の効果により期間の定めがなくなることを除けば，従前と同一の労働条件となることが原則であり，「別段の定め」（就業規則等）があれば，その定めによるとされている（労契法18条）。このため，無期転換権の行使自体には，有期契約労働者の労働条件（主に賃金面）を，当該使用者の既存の無期契約労働者（主に正社員）と同水準に引き上げる効果はない。有期契約労働者と無期契約労働者との間に不合理な差異が存するとき，それを是正するのは，パートタイム・有期雇用労働法8条，9条（均衡待遇，均等待遇）の問題である。

なお，有期労働契約の無期転換に際して，労働条件が変化することがあるのは，上記「別段の定め」がある場合である。今後の裁判例が待たれるところである（平成24・8・10基発0810第2号は，無期転換にあたり，職務内容の

変化がないにもかかわらず労働条件を低下させることは望ましくないとしているが，禁じているわけでもない）。

iv 無期転換権発生の例外

前述 i , ii の通り，複数の有期労働契約が更新され，通算期間が 5 年を超えると，原則として有期契約労働者に無期転換権が生ずるのであるが，これには以下のような例外も存する。

 ア 大学等研究開発法人における有期労働契約の研究者・技術者・教員に関する，「5 年」を「10 年」とする特例（研究開発力強化法 15 条の 2 第 1 項，大学教員等任期法 7 条 1 項）。

 イ 高度に専門的な技術等を有し高収入で一定プロジェクトに従事する有期契約労働者および定年後の継続雇用期間に関する特例（有期雇用労働者に関する特別措置法 8 条 2 項）。

特に後者（定年後の継続雇用者）については実務上，重要であり，60 歳以上の定年に達した後に，同一の事業主または高年齢者雇用安定法上の特殊関係事業主（9 条 2 項）に引き続き雇用される者については，その契約期間は労契法 18 条の通算契約期間に算入されないことには留意が必要である。

(4) 有期労働契約の更新拒否についての規制

i 使用者による有期労働契約の更新拒否の可否

有期労働契約においては，その契約期間が満了すれば，当該有期労働契約は終了し，それ以降の労働契約関係の有無は，再度，当該使用者と当該労働者が契約更新に合意するか否かによるのが形式論理上の帰結である。しかし，有期契約労働者の中には，期間の定めのない労働契約の労働者（いわゆる正社員）と同様か，それに準ずる必須の役割を担っている者も少なくなく，あるいは，有期労働契約を多数回更新し続け，長期雇用化している者もいる。かような労働者に対しても，一律に，契約更新は契約当事者間の自由との形式論を適用するのは，労使の均衡を欠く結果となりかねない。

そこで，従前より，有期労働契約の契約期間が終了した際に，労働者側がその更新を希望したにもかかわらず使用者がその更新を拒否すること（いわゆる雇止め）についての制限が問題となっており，すでに，多数の裁判例が集積されてきた（裁判例の詳細は後述）。こうした裁判実務の下，2012（平成24）年の法改正により労契法 19 条が法文化され，有期労働契約における使用者側からの雇止めについての制限が法文に明記されることとなった。すな

CHAPTER 20 有期労働契約による雇用   365

わち,

　ア　過去に反復して更新されたことがある有期労働契約であって，その契約期間の満了時に当該契約を更新せずに終了させることが，期間の定めのない労働契約を締結している労働者に解雇の意思表示をして契約を終了させることと社会通念上同視できると認められる場合，または，当該労働者が当該有期労働契約の契約期間の満了時に当該契約の更新を期待することについて合理的な理由があるものと認められる場合であって，

　イ　当該有期労働契約の契約期間が満了する日までの間に労働者が当該契約の更新の申込みをしたか，または当該契約期間の満了後遅滞なく有期労働契約の締結の申込みをしており，

　ウ　使用者が当該申込みを拒絶することが，客観的に合理的な理由を欠き，社会通念上相当であると認められないとき，

においては，使用者が，従前の有期労働契約の内容である労働条件と同一の条件で当該申込みを承諾したものとみなされるとされた（労契法 19 条）。

ii　やや特殊な場合

(a)　企業の整理解雇と有期労働契約の更新拒否の問題

　前述 i の通り，有期労働契約の期間満了終了の場合でも，使用者側からの雇止め（契約更新の拒否）には一定の制限がかかるとされてきたが，これは，整理解雇の法理についても一応当てはまり，代表的裁判例としても，丸子警報器（雇止め・本訴）事件判決（東京高判平成 11・3・31 労判 758 号 7 頁），三洋電機（パート雇止め第 1）事件判決（大阪地判平成 3・10・22 労判 595 号 9 頁）等がある。ただし，有期労働契約の期間満了終了についての整理解雇の法理の類推適用は，期間の定めのない者についての整理解雇の法理の場合よりも緩和された基準で判断されるとも説示されている（前掲丸子警報器〔雇止め・本訴〕事件の東京高裁判決は，原審判決である長野地上田支判平成 9・10・29 労判 727 号 32 頁を維持）。したがって，企業の経営不振を理由として有期契約労働者の雇止めを行う場合にも，経営上の必要性がなくてはならず，例えば雇止め回避のための希望退職の募集，従業員への説明・協議といった手順を尽くしたかが問題とされる。

　なお，人員削減の必要が生じた時，有期契約労働者と期間の定めのない労働者（いわゆる正社員）との雇用維持の優劣の可否が問題となるが，一般には，正社員と有期契約労働者とでは区別されるのはやむを得ないとされ，正社員につき人員削減の措置（希望退職募集等）を行わなくても，有期契約労

働者に人員削減の措置を行うことは是認される（日立メディコ事件判決〔最判昭和 61・12・4 労判 486 号 6 頁〕，前掲三洋電機〔パート雇止め第 1〕事件判決等）。

(b)　有期労働契約の更新時における契約条件の不利益変更

　有期労働契約の更新時には，使用者側より，前回の契約条件よりも低下した更新条件を提示されることがある（例えば，時給の引下げ等）。このような労働条件の不利益変更は，期間の定めのない労働契約の労働条件の不利益変更と類似の問題が生ずるので，詳細は本書 Chap. 17 で述べることとし，ここでは，以下にごく簡単に触れる。

　代表的な裁判例である日本ヒルトンホテル（本訴）事件判決（東京高判平成 14・11・26 労判 843 号 20 頁）は，まず，切り下げられた契約条件に合意しない労働者に対する雇止めについて，雇用継続の期待が認められる有期労働者の雇止めには社会通念上相当と認められる合理的な理由が必要としている。その上でその合理的理由の一要素としての契約条件変更の合理性については，経営上の必要性，契約条件の不利益変更の程度，変更の際の交渉状況，同種の労働者で賛成している者の多さ等を勘案して判断している。

　なお，前掲の日本ヒルトンホテル（本訴）事件判決の事案では，労働者側が，当該契約条件変更を争うことを留保しつつ，とりあえず，変更された契約条件による有期労働契約締結を承諾すること（いわゆる留保付き承諾）の可否も問題となり，一審判決（東京地判平成 14・3・11 労判 825 号 13 頁）はこれを認めたが，前掲日本ヒルトンホテル（本訴）事件判決（高裁判決）はこれを否定して，結論も逆のものとなっている（労働者敗訴）。留保付き承諾は，相手方（上記の例では使用者側）を過度に不安定な状態に置くものとして，現行の労働法では無理があるものと思われる。

iii　有期労働契約の黙示の更新

　有期労働契約の期間後も，格別，契約更新の手続も行われないまま就労関係が継続し，使用者がこれに異議を述べない場合には，当該有期労働契約は，「同一の条件」をもって黙示に更新されたものと推定される（民法 629 条 1 項）。この場合，黙示に更新された有期労働契約の期間の有無が問題とされている。この点，民法 629 条 1 項後段が，黙示の更新がなされた労働契約の解約について，期間の定めのない雇用契約解約の申入れについて定めた民法 627 条の規定による旨を規定していることをもって，黙示の更新がなされた労働契約は，期間の定めのない労働契約となると解するのが通説とされ

てはいる。しかしこのような理解を前提とすると，それまで有期労働契約であったものが，両当事者間の意思にかかわらず，突如として期間の定めのない労働契約に転化することとなり，いささか不自然である。上述の黙示の更新は，あくまで就労関係の継続という事実をもとに，労働契約関係の維持・存続を図ることにその主眼があると考えれば，それまでの有期労働契約が，期間の有無・内容もそのままに更新されると考えるのが自然である（裁判例については後述Ⅲ4参照）。

(5) 「有期労働契約の締結，更新及び雇止めに関する基準」による規制

有期労働契約は，契約期間が限定されている関係で，その契約締結，更新の有無において，契約当事者間の紛争が生じやすい。そこで，厚労省は，労基法14条2項の規定に基づき，「有期労働契約の締結，更新及び雇止めに関する基準」（平成15・10・22厚労告357号　最終改正：平成24・10・26厚労告551号）を定めている。

　　ア　有期労働契約が3回以上更新されているか雇入れの日から1年を超えて継続勤務している者に対しては，契約を更新しない場合，少なくとも30日前に予告すること。

　　イ　労働者が請求した場合，更新をしないまたはしなかった理由の説明書を遅滞なく交付すること。

　　ウ　契約を1回以上更新し，かつ，雇入れの日から起算して1年を超えて継続勤務している者については，契約更新に際し，契約の実態や労働者の希望に応じて，契約期間をできる限り長くするよう努めること。

この基準には私法的な効力はなく，例えば，上記に違背して，有期契約労働者との労働契約を更新しないことを30日前ではなく，それこそ数日前に告知したような場合でも，契約不更新ができなくなるわけではない。また，使用者が上記に違背するような場合，解雇予告手当（労基法20条1項）の支払義務が生じるのか，従前は問題とされてきたが，労基法20条は，その文言上「解雇」に関する規定であるので，有期労働契約を「更新しない」ことにまで，労基法20条は適用されず，上記基準も，労基法20条が適用されないことを受けて，創設的に，30日前の告知を使用者に求めたものと解するのが一般である（菅野・労働法〔12版〕784頁）。

⑹　期間の定めがあることによる不合理な労働条件の禁止

i　法規

社会的実態として，有期契約労働者は，無期契約労働者に比して不安定な立場にあり，契約条件の交渉力が劣るため，職務内容においては無期契約労働者とさして相違がないにもかかわらず，労働条件（特に賃金）が大きく相違する者が少なからずみられる。そうした格差を是正すべく，2012（平成24）年の労契法の改正により，労契法20条によって，同一の使用者のもとでの，有期契約労働者と無期契約労働者との労働条件の相違が，「職務の内容」（業務の内容と責任の程度），「当該職務の内容と配置の変更の範囲」，「その他の事情」を考慮して，「不合理と認められるものであってはならない」と規定されるに至った。その後，2018（平成30）年の法改正によって，パートタイム・有期雇用労働法8条，9条において，

ア　「職務内容」，「職務の内容及び配置の変更の範囲」，「その他の事情」を考慮した上で，不合理な待遇差を禁止すること（均衡待遇規定：パートタイム・有期雇用労働法8条）。

イ　「職務の内容」，「職務の内容及び配置の変更の範囲」が同じ場合，差別的取扱いを禁止すること（均等待遇規定：同法9条）。

が定められ，上記の労契法20条の内容はそれに吸収され，同条は削除されることとなった。

ii　均等待遇と均衡待遇の判断

パートタイム・有期雇用労働法における，均衡待遇，均等待遇の規定（同法8条，9条）は，無期労働者と有期労働者との労働条件の相違が不合理であるか否かを判断する指標として，「職務内容」，「職務内容と配置の変更の範囲」，「その他の事情」を挙げている。

均等待遇規定（同法9条）の場合は，「職務内容」と「職務内容と配置の変更の範囲」の同一性が要件とされているので，判断も比較的明瞭であるが，均衡待遇規定（同法8条）は，「職務内容」，「職務内容と配置の変更の範囲」，「その他の事情」の異同の程度を総合的に考慮して，有期労働者と無期労働者との労働条件相違が不合理か否かを判断するので，その判断は微妙なものとなり，労契法16条における解雇の相当性や，労契法10条における不利益変更の合理性の判断と同様，社会的趨勢やそれを基礎とする裁判例に依存するところが極めて大きい。そこで，その裁判例は後述するとして，ここでは実務上，最初に留意したい点をいくつか挙げておくにとどめる。

まず，相違する労働条件の中でも，「通勤手当，食堂の利用，安全管理など」の不均衡については，特段の理由がない限り，合理的とは認められない（平成24・8・10基発0810第2号　最終改正：平成30・12・28基発1228第17号。また，裁判例として九水運輸商事事件判決〔福岡高判平成30・9・20労判1195号88頁〕）。ただし，有期契約労働者である派遣労働者と派遣元の無期契約労働者との間で，通勤手当の支給の有無が分かれていることにつき（派遣労働者には不支給），派遣スタッフには提示される業務の中から，自らの希望に従い，通勤交通費の支給はないが高額の時給単価の業務を選ぶことも，多少時給単価が低めでも通勤交通費の支給がある業務を選ぶことも可能であること等を理由に，上記の相違を合理的と判断した裁判例も存する（リクルートスタッフィング事件判決〔大阪地判令和3・2・25労判1246号5頁〕）。

また，労働条件の相違が不合理なものかどうかについては，不合理性を基礎づける事実は労働者側が，不合理性の評価を妨げる事実は使用者側が，各々主張・立証すべきであり，双方の主張・立証の結果，なお，不合理であるか否かが判断できない場合，法違反の相違は認められないと解される（菅野・労働法〔12版〕355頁，荒木・労働法〔4版〕558頁）。

Ⅱ．定年後の再雇用

1．法規

定年・再雇用については高年法により定められている。

現状における法規制としては，大要，以下の通りである。

ア　定年は60歳を下回ることはできない（高年法8条）。

イ　65歳未満の定年の定めをしている事業主は，

 (a)　定年の引上げ

 (b)　定年後の継続雇用制度の導入

 (c)　定年の定めの廃止

のいずれかの高年齢者雇用確保措置を講じる（同法9条1項）。

ウ　上記イ(b)の継続雇用制度については，再雇用制度等がこれに当たる（有期労働契約およびその更新によることがほとんどである）。この再雇用は，当該労働者に退職事由または解雇事由が存在しない場合には，使用者としては拒否できないのが原則である（高年齢者雇用確保措置の実施及び運用に関する指針〔平成24年厚労告560号〕）。ただし，例外として，2012

（平成24）年の法改正の際に，すでに事業主が当該労働者の過半数で組織する労働組合または労働者の過半数を代表する者（過半数の労働者が所属する労働組合がない場合）との書面による協定により，継続雇用制度の対象となる高年齢者に係る基準を定め，当該基準に基づく制度を導入していたときは，その基準に沿って継続雇用できる。なお，その限定基準が適用できる継続雇用対象者の年齢については，改正法附則3項の規定に基づき，段階的に引き上げる必要がある（具体的な引上げ年齢は，厚労省ホームページ等参照）。

エ　上記イの高年齢者雇用確保措置を怠った事業主は，厚生労働大臣より，助言・指導・勧告の対象とされることがある（同法10条1項，2項）。

2. 継続雇用における規制

前述1における高年齢者雇用確保措置のうち，65歳までの定年延長もしくは定年制廃止をとる企業はほとんどなく，定年後の継続雇用制度の導入をもって対処する企業が大多数である。

そこで，実務上，問題となることの一つが，前述1ウの基準の定め方である。この点については，すでに，厚生労働省より各種のパンフレット，ホームページ上での記事により求められる内容が明示されているので，ここでは極く簡単に述べれば，大要，以下の通りである。

ア　基準の策定に当たっては，労使間で十分協議の上，各企業の実情に応じて定められることを想定しており，その内容については，原則として労使に委ねられている（ただし，「会社が認めた者に限る」，「上司の推薦がある者に限る」といった，基準がないに等しいものは適切ではないとされている）。

イ　望ましい基準としては，意欲，能力等を具体的に測るものであること（具体性），必要とされる能力等が客観的に示されており，該当可能性を予見することができるものであること（客観性）。

ウ　継続雇用制度は，事業主に定年退職者の希望に合致した労働条件での雇用を義務づけるものではなく，事業主の合理的な裁量の範囲の条件を提示すれば足り，その結果，事業主と労働者との間で労働条件等についての合意が得られなかった場合には，事業主は労働者を継続雇用することを拒否できる（この点，現状では賃金については定年退職前の5〜7割程度の条件となっていることが多いと思われる）。

なお，この継続雇用対象者の選別基準は，2013（平成25）年3月31日までに定めておかなければならなかったものであり，新たに策定することはできないので注意されたい。

Ⅲ．裁判例の概観

1．労契法19条の適用に関する裁判例

(1) はじめに

前述Ⅰの通り，

ア　有期労働契約があたかも期間の定めのない労働契約と実質的に異ならないものとなっているとき，

イ　アの場合ほどではないが労働者に雇用関係の継続について合理的期待が認められるとき，

のいずれかの場合，当該有期労働契約の期間満了において使用者は自由には契約更新拒否（雇止め）ができなくなる（労契法19条）。そのため，雇止めの可否を検討する場合は，最初に，上記アまたはイへの該当性が問題となる。その上で，上記アもしくはイに該当するとした場合，雇止めを正当化する事由があるか否か，が問題となる。

(2) 有期労働契約が実質的に期間の定めのない労働契約となっているとされた裁判例

代表的なものは，東芝柳町工場事件判決（最判昭和49・7・22労判206号27頁）であり，同判決は「基幹臨時工は，…その従事する仕事の種類，内容の点においては本工［註：期間の定めのない労働者］と差異はない」，「基幹臨時工が2か月の期間満了によつて傭止めされた事例は見当らず，自ら希望して退職するものの外，そのほとんどが長期間にわたつて継続傭されている」，「その採用に際しては，上告会社側に，被上告人［註：当該基幹臨時工］らに長期継続傭，本工への登用を期待させるような言動があり」，「上告会社と被上告人らとの間の契約は…更新を重ねたが，上告会社は，必ずしも…新契約締結の手続をとつていたわけでもない」，「以上の事実関係からすれば，本件各労働契約においては，…あたかも期間の定めのない契約と実質的に異ならない状態で存在していたものといわなければならず…解雇に関する法理を類推すべきである」，「上告会社において従来の取扱いを変更して…

372　　　PART 1　個別的労働紛争

もやむをえないと認められる特段の事情の存しないかぎり，期間満了を理由として雇止めをすることは，信義則上からも許されない」と説示し，結論としても当該雇止めを無効とした。

また，同様の趣旨，結論の裁判例として，三和交通事件判決（大阪地判平成14・10・4労判843号73頁）は，使用者のタクシー乗務員は全て雇用期間が1年とされており，更新されなかった例はないこと，期間満了時の1週間から10日前に契約書が交付され従業員が署名捺印して提出する扱いだけで，格別，従業員に契約更新の説明もなかったこと，労働組合に対しても使用者が，これまで期間満了時に契約更新をしなかった例はなく今後も同様の方針で臨むことを示唆していたことといった事実より，当該労働契約は反復更新されることにより期間の定めのない契約と実質的には異ならない状態になっていたとし，雇止めの合理的理由も欠いているとして，当該雇止めを無効とした（他にも，同趣旨の説示，結論の裁判例として，東洋リース事件判決〔東京地判平成10・3・16労判736号73頁〕等）。

一方，国鉄大阪工事局事件判決（大阪高判平成3・10・11労判600号53頁）は，実質的には期間の定めのない契約と異ならない状態としつつ，雇止め当時の使用者（国鉄）の経営状況につき，高度の経営危機にあり，当該労働者を含む臨時雇用員の雇止めを決定したことは経営上の観点より合理性があるとして，雇止めを有効とした。また，旭硝子船橋工場事件判決（東京高判昭和58・9・20労判416号35頁）も，労働契約の反復・継続が見込まれていたと認定しつつ，極度に不振の部門があり他部門も業績低下の傾向があるから，使用者全体で黒字であるといっても，当該不振部門において業績改善を図る必要があったとして，雇止めを有効としている。

以上を鑑みると，有期労働契約が実質的に期間の定めのない契約と同様であると認められる事案とは，有期労働契約における期間の定めが事実上形だけのものとなっているような場合である。有力な事実としては有期労働契約の更新手続の形骸化といったものがあるが，それだけでは必ずしも実質的に期間の定めのない契約となっているとされるわけではないことには，留意すべきである。現に，前掲東芝柳町工場事件判決でも，複数の諸事情を勘案して説示に至っている。

⑶ 有期労働契約において，労働者側に雇用関係の継続について合理的期待が認められるとされた裁判例

　有期労働契約につき，実質的に期間の定めがない契約となっているとまでは認められなくとも，雇用関係の継続について合理的期待がある場合，期間満了に伴う使用者の雇止めは制限される（労契法 19 条 2 号）。これを説示した代表的な裁判例は，日立メディコ事件判決（最判昭和 61・12・4 労判 486 号 6 頁）であり，「上告人〔註：労働者〕は，…期間 2 か月の本件労働契約が 5 回更新され…た臨時員である」，「臨時員の採用に当たっては，…簡易な方法をとっている」，「被上告人〔註：使用者〕が昭和 45 年 8 月から 12 月までの間に採用した…臨時員 90 名のうち，翌 46 年 10 月 20 日まで雇用関係が継続した者は，…14 名である」，「工場においては，臨時員に対し，…一般的には前作業的要素の作業，単純な作業，…に従事させる方針をとっており，上告人も比較的簡易な作業に従事していた」，「5 回にわたる本件労働契約の更新は，いずれも期間満了の都度新たな契約を締結する旨を合意することによってされてきた」との原判決の事実認定を引用した上で，「原審の確定した右事実関係の下においては…，5 回にわたる契約の更新によって，本件労働契約が期間の定めのない契約に転化したり，あるいは上告人と被上告人との間に期間の定めのない労働契約が存在する場合と実質的に異ならない関係が生じたということもできない」と説示しつつ，「工場の臨時員は，…その雇用関係はある程度の継続が期待されていたものであり…，このような労働者を契約期間満了によって雇止めにするに当たっては，解雇に関する法理が類推され」るとした。そして，結論として，当該工場では独立採算性をとっており，業績悪化の下に人員削減の必要性があったとして，当該雇止めを有効とした。

　なお，同日立メディコ事件判決は，一般論として，有期契約労働者の雇止めの事例において，雇用継続への合理的期待がある場合は，使用者による雇止めは制限されると説示したものであるが（これを法文化したのが労契法 19 条 2 号である），同判決においても，「雇止めの効力を判断すべき基準は，いわゆる終身雇用の期待の下に期間の定めのない労働契約を締結しているいわゆる本工を解雇する場合とはおのずから合理的な差異がある」とし，「人員削減をする必要があり，…臨時員全員の雇止めが必要であると判断される場合には，これに先立ち，期間の定めなく雇用されている従業員につき希望退職者募集の方法による人員削減を図らなかったとしても，それをもって不当，

不合理であるということはでき」ないともしている。すなわち，有期契約労働者に合理的期待が認められる場合であっても，期間の定めのない労働者とは差異があることを説いていることには留意すべきである。

　雇用継続の合理的期待を認めた上で，雇止めをする合理的な理由（正当事由）は存しないとして雇止めを無効とした裁判例として，豊南学園事件判決（東京地判平成4・3・31労判605号27頁）は，当該有期労働契約の更新の手続は厳格に行われており，期間の定めのない契約と実質的に異ならないとはいえないものの，有期労働者（専任講師）の職務内容は期間の定めのない労働者（教諭）と同一であること，使用者が継続雇用を期待させるような説明をしていたこと，それまで雇止めとされた専任講師がいないこと，3回にわたり1年契約が更新されていたこと等より，当該雇止めには解雇の法理が類推されるとした上で，当該専任講師は，少なくとも平均を下回らない能力を有していたとの事実認定の下に，当該雇止めを無効とした。また，やや特殊な事案であるが，学校法人南山学園（南山大学）事件判決（名古屋高判令和2・1・23労判1224号98頁。最決令和2・10・2にて確定）は，私立大学の大学教授の65歳定年後の再雇用に関して，再雇用による雇用継続を期待することに合理性が認められ，懲戒歴を理由とする再雇用拒否は許されないとしている。

　1回の更新も経ていないにもかかわらず，当該有期労働契約につき雇用の継続についての合理的期待が認められるとし，雇止めを無効とした著名な裁判例として，龍神タクシー（異議）事件判決（大阪高判平成3・1・16労判581号36頁）がある。これは，当該労働者が1年の有期労働契約を締結したところ，最初の更新時に雇止めとなり，その労働者の労働契約上の地位が争われた事案についての判決であるが，当該労働者の入社の約10年前に臨時雇運転手の制度を導入して以来雇止めになった者がいないこと，雇用契約更新の際には必ずしも契約期間満了の都度直ちに新契約締結の手続をとっていたわけでもなかったこと，使用者が臨時雇運転手の制度を導入して以来，本雇運転手（正社員）は臨時雇運転手より登用して採用され，直接本雇運転手として採用された者はいなかったこと等の事実より，当該労働者が雇用の継続を期待するのは合理性があると説示している。

　一方，雇用継続の期待の存在は認めつつも雇止めを有効とした裁判例として，道路エンジニアリング事件判決（東京地判平成8・2・2労判699号99頁）は，高速道路の補修工事・巡回点検業務を業務内容とし，契約期間を1年

とした嘱託契約者について，当該嘱託者の業務は，季節的ないし臨時的な作業ではないから，嘱託者においても，嘱託者の個別事情と雇用量の調整が許す限りにおいて労働関係が継続すると期待されていたものであり，そのような者への雇止めにはやむを得ない合理的事情が必要と説示した上で，当該嘱託者は居眠りが多く2回注意を受けていたこと，報告書の誤字等の指摘を発注者より受けていたこと，大幅な点検業務の受注減があったことより嘱託者を削減する必要があり，当該嘱託者を選定したこと，といった事実認定の下で，当該雇止めを有効とした。また，大阪運輸振興事件判決（大阪地判平成20・10・31労判979号55頁）は，契約期間が1年と比較的長いこと，契約は当然更新されるものではなかったところ当該労働者はすでに2回更新していること，使用者のバス運転手のうち嘱託（有期契約労働者）は8割を占めていること，勤務内容も正社員と基本的に同じであること等の事実より，雇用の継続の合理的期待を肯定しつつも，当該労働者は乗客の運送契約の申込みを拒否したと解する行為を行っていること，上記所為につきいったん反省の意を示す始末書を出し，停職30日の処分を受けた後になってその反省を覆すような言動をとっていることにより，使用者との信頼関係が喪失したとして，当該雇止めを有効としている。

⑷　有期労働契約において，労働者側に雇用関係の継続について合理的期待がないとされた裁判例

有期労働契約においては，契約期間の形式が尊重され，特段の正当理由を要することなく期間満了を理由とする雇止めが有効とされた裁判例も少なくない。

まず，高裁レベルの裁判例を挙げれば，丸島アクアシステム事件決定（大阪高決平成9・12・16労判729号18頁）は，期間6か月の雇用契約を10回にわたり反復更新した事案について，当該雇用は，比較的高年齢者の就職希望者に関し，その技能に着目して，期間，賃金等の雇用条件をその都度，明示して，就職希望者がこれに合意する場合に限り雇用契約の締結ないしその更新契約を締結してきたこと，使用者は雇用契約の更新の都度に更新の可否を審査して更新の必要性を吟味してきたこと，といった事情より，当該雇用契約につき実質的に期間の定めのない雇用契約と異ならないとか，雇用の継続を期待するに合理性があったとはいえないと説示した。さらに，コンチネンタル・ミクロネシア・インク事件判決（東京高判平成14・7・2労判836号

114 頁）は，客室乗務員につき，平成 10 年に始まる当該有期雇用契約についての説明パンフレットにおいて，最長 5 年間の契約であること，1 年ずつの契約であり契約当事者のいずれかの意思により更新されないことがあり得ること等が記載されていること，上記パンフレットによる有期雇用契約の以前に旧来の有期雇用契約の下に当該労働者が雇用されていたとしても，旧来の有期雇用契約は平成 7 年に導入されたばかりで契約更新が常態化していたとはいえないこと等の事実より，当該客室乗務員への契約更新への期待は合理的なものであったとはいえないとしている。

　次に，地裁レベルの裁判例としては，まず，ロイター・ジャパン事件判決（東京地判平成 11・1・29 労判 760 号 54 頁）は，1 年契約の最初の更新時に雇止めとなった翻訳担当記者の事案について，雇用継続の期待についての合理性は，雇用契約時の状況，就業規則や待遇，契約更新手続等の事情を総合的に勘案して決定されるとして，当該案件については，採用後 1 年後に正社員になる可能性もあるという使用者担当者の発言に対する当該労働者の期待は主観に過ぎず，かつ，正社員と契約社員とでは扱いを異にしていること，後に当該労働者以外の 3 名の者が契約社員より正社員になっているとしても，いずれも新たに期間の定めのない雇用契約を締結していること，また，有期雇用契約が解約権留保付き雇用契約類似の契約とみられる余地があるとしても，神戸弘陵学園事件判決（最判平成 2・6・5 労判 564 号 7 頁）のように多数の教諭と期限付き雇用契約を締結しその多数の者の雇用継続を予定していた事案と異なり，本件は，雇用期間中の勤務姿勢がよければ正社員として採用するに止まるというものに過ぎなかったこと，といった事情より，契約更新等に対する期待には合理的理由が認められないとしている。また，独立行政法人理化学研究所事件判決（東京地判平成 19・3・5 労判 939 号 25 頁）は，任期制職員につき，1 年の雇用契約を 2 回更新した上で 3 回目の更新につき使用者が拒否した事案について，当該労働者は雇用契約があくまで期間 1 年の単年度契約であることを十分認識して契約を締結，更新していたこと，当該労働者の業務は研究業務であるバイオインフォマティクス解析業務が中心であり，研究の進捗状況や諸条件により流動的に変化していくという性質上，直ちに常用性があるいとはいえないこと，2 回という更新回数および合計 2 年 2 か月という契約期間は，本件の事情に照らせば雇用継続についての合理的期待を基礎付けるには足りないこと，任期制職員の雇用契約の更新状況（決して少なくない数の者が不更新となっている状況）等の事情より，雇

用継続の合理的期待を否定している。また，少し特殊な職種についてではあるが，雇用期間を1年とする非常勤講師の労働契約につき20回の更新を経た大学非常勤講師が雇止めとなった事案につき，亜細亜大学事件判決（東京地判昭和63・11・25労判532号63頁）は，非常勤講師は限られた職務を本来短期間担当する地位にあること，大学において非常勤講師につき期間を定めて雇用するという形態はその限られた職務内容と責任を反映したものでその嘱託に当たっては大学が裁量に基づき適任者を選任することを予定することができること，非常勤講師側も他に本務・兼務をもつことは差し支えなく，他にも収入を得ることは十分可能であることといった事実関係より，当該有期労働契約につき，期間の定めのない契約と異ならないとはいえず，雇用関係が継続するものと期待することに合理性があるとも認められないとし，雇止めを有効としている（後に高裁〔東京高判平成2・3・28労民集41巻2号392頁〕，最高裁〔最判平成2・12・21裁判集民事161号459頁〕でも維持された）。

　以上の諸裁判例に鑑みれば，有期労働契約における更新への合理的期待の有無は，当該契約の目的とする業務が恒常的なものか臨時的なものか，それにより当該契約が更新をどの程度想定していたかがまずは大きな要素であり，これに，実績としての契約更新回数，同種の有期契約労働者の更新状況等といった事情を加味，勘案して判断されるように思われる。

(5)　更新回数・期間・年齢につき上限が存する場合についての裁判例

i　更新回数・期間の制限が問題となった裁判例

　実務においては，最初の有期労働契約において，更新回数や更新期間，場合によっては更新年齢につき，上限が設けられた場合がみられる。この場合，契約合意の内容通りに，更新回数，更新期間，更新年齢の上限に達した際の雇止めが認められるか否かが，争われることがある。

　更新回数・期間の上限に関する裁判例として，旭川大学（外国人教員）事件判決（札幌高判平成13・1・31労判801号13頁。後に最高裁〔最判平成14・10・24判例集未登載〕で確定）は，従前，1年契約の労働契約を6回更新してきた外国人語学教員につき，労働契約期間1年，更新可能回数4回という内容の合意をした上で，4回の契約更新を経て使用者が雇止めにしたことより係争となり，労働契約期間1年，更新可能回数1回（勤務期間上限2年）の訴訟上の和解をしたという経緯を経て，最終的にその1回の契約更新の後の雇止めがなされた，という事案である。同判決は上記の経緯の他，当該

外国人教員と専任教員とは違いがあること（教授会の出席の免除，恒常的な校務分掌の有無，雇用契約の内容・形式の違い等），勤務年限を2年間とする期間1年間の労働契約の締結であると認められることより，本件雇止めの効力の判断にあたって，解雇に関する法理を類推すべきであると解することはできないとした。近年の最高裁判決でも，福原学園（九州女子短期大学）事件判決（最判平成28・12・1労判1156号5頁）は，女子短期大学の講師としての有期労働契約が，各契約期間を1年とされ，更新限度を3年とされていた事案について，更新限度満了時に労働契約を期間の定めのないものとすることができるのは，使用者側が必要であると認めた場合であることは使用者側の規程で明確に定められており，講師もこのことを十分に認識した上で労働契約を締結したものと見ることができること，使用者側が運営する3つの大学で更新限度満了後に労働契約が期間の定めのないものにならなかった職員が複数いたこと等より，更新限度満了時に当然に無期労働契約になることを否定している（更新限度満了時に雇用契約終了）。また，近畿建設協会（雇止め）事件判決（京都地判平成18・4・13労判917号59頁）は，雇用期間1年の有期労働契約を，最初の3年は業務職員として，次の5年は管理員として締結した後，雇止めが行われた事案について，同様に，上述の期間（5年）を超えた管理員としての契約更新の期待を当該労働者が有していたと認めることはできないとした。

　一方，契約更新の上限にいったん合意していても，必ずしもその合意通りとならない裁判例もある。まず，カンタス航空事件判決（東京高判平成13・6・27労判810号21頁）は，雇用契約期間を1年，更新期間の上限を5年と合意した有期労働契約を締結していた事案につき，1年ごとの契約手続が必ずしも厳格に行われていなかったこと，5年の経過後も雇用契約継続を期待させるような言動をとっていたこと等より，使用者および労働者ともに，契約期間満了後も勤務が終了することを予想していたとはいえず，当該雇止めには解雇の法理を類推するのが相当であるとして，当該雇止めの効力を否定している。また，報徳学園（雇止め）事件判決（神戸地尼崎支判平成20・10・14労判974号25頁）は，契約期間1年の常勤講師が，2回目の契約更新の際，常勤講師は3年を上限とし，次年度の雇用については白紙である旨を使用者から告げられ，翌年，雇用契約終了とされた事案につき，同判決は，使用者の上記告知は解雇予告としては明確性や確定性に欠け，また，使用者の上記告知までにはすでに当該常勤講師は雇用継続に関し強い期待を有していた

と認められ，そのような期待が遮断または消滅するには，雇用継続しないことがむしろ合理的とみられるような事情の変更か，雇用の継続がないことが当事者間に新たに合意されることが必要であること等より，当該雇止めを無効としている。博報堂（雇止め）事件判決（福岡地判令和2・3・17労判1226号23頁）も，昭和63年より有期労働契約を約30年にわたって29回も更新し，それも，雇用契約の通算期間を最長5年とするルールの適用を開始した平成25年までは雇用契約書を交わすだけで本件雇用契約を更新してきたという事案につき，平成25年の時点において，労働者側の契約更新に対する期待は相当に高く，その期待は合理的な理由があり，一方使用者は，平成25年以降，最長5年ルールの適用を徹底しているが一定の例外もあり，そのような情報は当該労働者にも届いていたことから，上記のような労働者の契約更新に対する高い期待が大きく減殺される状況にあったということはできず，結論として，当該労働者への雇止めを無効としている。

　以上に鑑みれば，有期労働契約の更新回数または期間の上限の設定は，労働者側の契約更新に対する合理的期待を希薄化させるものではあるが，第1回目の契約より合意が存在したり，更新ごとに契約の切替えが的確でないと，その実効性は相対的なものとなるといえる。

ii 更新年齢の制限が問題となった裁判例

　更新の回数や期間についてではなく年齢を理由とする上限が問題となったものとして，日本郵便（期間雇用社員ら・雇止め）事件判決（最判平成30・9・14労判1194号5頁）は，郵便関連業務に従事する期間雇用社員について満65歳に達した日以後は契約を更新しない旨を定める就業規則の効力が問題となった事案につき，「屋外業務等に対する適性が加齢により逓減し得ることを前提に，その雇用管理の方法を定めることが不合理であるということはできず，被上告人［註：使用者］の事業規模等に照らしても，…労働者ごとに検討して…個別に判断するのではなく，一定の年齢に達した場合には契約を更新しない旨をあらかじめ就業規則に定めておくことには相応の合理性がある」として，上記規則は労契法7条にいう合理的な労働条件を定めるものであるとしている。

(6) 有期労働契約の期間途中の解雇が無効とされた場合の契約期間満了についての裁判例

　実務ではやや特殊な問題として，有期労働契約の契約期間途中の解雇（労

契法 17 条）が無効とされた場合，所定の契約期間が満了した際に，当該労働者の労働契約上の地位がどうなるか，という問題が生じ得る。朝日建物管理事件判決（最判令和元・11・7 労判 1223 号 5 頁）は，契約期間満了により労働契約終了の効果が発生するか否かを判断せずに，当該労働者の地位確認請求等を容認した原審判決（福岡高判平成 30・1・25 労判 1223 号 11 頁）を判断遺脱の違法があるとして原審に差し戻している。

2. 契約更新における条件の変更

有期労働契約の更新の際，使用者が更新前の契約よりも労働者に不利益な契約条件を提示したところ，労働者がこれに合意せず，その結果，使用者が契約の更新を拒否する場合があるが，実質的には有期雇用者の労働条件を不利益変更することの問題に類似するので，本書の Chap. 17 で触れることとする。

3. 有期労働契約の期間満了への整理解雇の法理の適用

経営上の必要からくる人員削減のために，有期労働契約の契約期間の途中で使用者の側から労働者を解雇する場合（労契法 17 条），原則としては整理解雇の法理が適用されることとなると思われるが，有期労働契約を期間満了で終了させる（雇止め）場合にも，実質的に期間の定めのない労働契約となっているような場合や労働者側に，契約更新についての合理的期待が存するような場合には（労契法 19 条 1 号，2 号），整理解雇の法理が適用されるのが原則と解される。まず，丸子警報器（雇止め・本訴）事件判決（東京高判平成 11・3・31 労判 758 号 7 頁）は，長年，2 か月を期間とする有期労働契約が反復更新されてきた労働者 2 名が，余剰人員であるとして契約更新拒否（雇止め）の通知を受けたという事案について，一審判決（長野地上田支判平成 9・10・29 労判 727 号 32 頁）を引用しつつ，「原告［註：労働者］らにおいて将来にわたり雇用が継続されるとの期待を抱くのは無理からぬところであった」，「被告［註：使用者］において臨時社員の継続雇用が常態であった…と見ることができ，原告らの右期待はごく自然なものと認められる」との前提事実の下では，「原告らに対する雇止めは，期間の定めのない雇用契約における整理解雇の場合と同じく，権利濫用の法理ないしは信義則により制約される」とした。ただし，「一方において…，短期間の期限を定めて臨時社員を採用すること自体は被告の自由として許容すべきものであるから…雇止めを必要

とする経営上の必要性については…そこまで厳格に解するべきではない」とも説示し，事案への当てはめとしては，整理解雇の場合と同様に経営上の必要性，雇止めの回避措置，事前協議につき検討の上，結論としては当該雇止めを無効と判示した。また，三洋電機（パート雇止め第1）事件判決（大阪地判平成3・10・22労判595号9頁）も，経営不振を理由に，契約期間を1年とする定勤社員（臨時社員として2年以上の勤務を経てなるもの）を雇止めした事案について，当該社員らは期間の定めのない労働契約と異ならない状態で存在していたとはいえないと認定した上で，「定勤社員を雇止めするについては，…正社員を解雇する場合とはおのずから合理的な差異があることは否定できないものの，解雇に関する法理が類推され，右の趣旨の特段の事情のある場合に限って雇止めができる」と説示し，「定勤社員契約は…当事者双方において相当程度の雇用契約関係の継続が期待されていたものであって，本件雇止めの適否を判断するに当たり解雇に関する法理を類推すべきである…から，…人員の削減をすべきやむを得ない経営上の必要があると一応いえる場合であっても，使用者としては，人員整理の方法及び程度につき慎重な考慮をすべきであり，雇止めを回避すべき相当の努力を尽くさず，ただ定勤社員であるというだけの理由で，直ちに定勤社員全員の雇止めをするようなことは許されない」とし，事業部が規模を縮小するにしても，ほぼ全員を一挙に雇止めとするやむを得ない理由があったとはいい難く，まず定勤社員の中で希望退職を募り，または各定勤社員の個別的事情を考慮するなどして，雇止めの対象を定勤社員の一部に止める措置を講じるのが相当であったとして，結論として問題となった雇止めを無効としている。また，エヌ・ティ・ティ・ソルコ事件判決（横浜地判平成27・10・15労判1126号5頁）も，長期にわたって反復更新された有期労働契約の経営上の理由による雇止めを整理解雇と同視できるとした上で，整理解雇の4要素に照らして当該雇止めを無効としている。

　他方，東芝ライテック事件判決（横浜地判平成25・4・25労判1075号14頁）は，約19年間，訴外会社との間で3か月の有期雇用契約の更新を繰り返してきた労働者が雇止めになったところ，同社を吸収合併した使用者に対し，労働契約上の地位確認および賃金支払等を求めた事案につき，労働者側の間の雇用継続に対する期待利益には合理性があり，当該雇止めに解雇権濫用法理が類推適用されるとしたものの，使用者は業績悪化により巨額の赤字を計上しており人員削減の必要性が高かったといえること，各種の合理化諸

施策を実施していたこと，事業構造改革に伴う人員整理の結果，会社全体では正社員が退職，転籍等により約半数に減少していたこと，このように正社員について退職や転籍を求めざるを得ない状況の下で，期間雇用従業員である当該労働者につき，出向や転籍などにより雇用を維持することは困難であったこと，事業構造改革の実施に当たっては，説明会を開催して当該労働者を含む従業員に対しその内容の説明を行っていること，当該労働者が加入した組合からの団体交渉の申入れに応じ，3回にわたり団体交渉を持ち，合意には至らなかったものの，当該労働者の退職に際して慰労金の支払や派遣会社への就職のあっせんを提案するなどしており，手続的に著しく相当性を欠いているとはいえないこと等より，当該雇止めを有効としている。

4. 有期労働契約の黙示の更新

　有期労働契約の期間が満了した後にも，特に新たに契約を締結することなく当該労働者が就業を続けることが実務ではみられる。

　これにつき，角川文化振興財団事件決定（東京地決平成11・11・29労判780号67頁）や自警会東京警察病院事件判決（東京地判平成15・11・10労判870号72頁）は，期間の経過後も労働関係が継続された場合は黙示の更新（民法629条1項）により期間の定めのない労働契約として更新されると解している。

　一方，タイカン事件判決（東京地判平成15・12・19労判873号73頁）は，「原告［註：労働者］と被告会社［註：使用者］間の労働契約は，期間を1年と定めて締結されたものにすぎず，期間満了後も原告が終了［ママ］を継続したことにより，黙示の更新がされたと推定されるにとどまるというべきである（民法629条）」とする。「そして，この場合の更新後の契約期間は，同条の文言どおり，従前の契約と同一条件であり，1年間と推定するのが相当であ」ると説示し，期間の定めのある労働契約の期間満了後の黙示の更新は，同じ期間を定める労働契約として更新されると解している。

　いずれの説も民法629条の文言からは成り立ち得るが，当事者間の通常の意思としては，契約期間の満了と同時に契約期間の定めが消失するよりも，同様の契約が繰り返されるという方が，より適切であると思われる（ただし，現在のところ，期間の定めのない契約として更新されるという見解が通説とされてはいるようである）。

5. 期間の定めがあることによる不合理な労働条件の禁止

　前述 I (6)の通り，パートタイム・有期雇用労働法 8 条，9 条により，同一の使用者のもとにおける有期労働者と無期労働者との労働条件の相違は，一定の要件下で違法とされるに至った。同法の前身である旧労契法 20 条は 2012（平成 24）年の法改正により制定され，現在までにすでに少なからず裁判例が出てきている。したがって，ここでは，その代表的なものを紹介することとする。

(1) リーディングケースとなった 2 つの最高裁判例

　最初に，リーディングケースとなった押さえておくべき以下の 2 つの最高裁判例を紹介する。

　まず，ハマキョウレックス事件判決（最判平成 30・6・1 労判 1179 号 20 頁）は，自動車運送事業等を営む使用者の契約社員が，正社員（無期労働者）との間の，無事故手当，作業手当，給食手当，住宅手当，皆勤手当，通勤手当，家族手当，賞与，定期昇給および退職金（以下，これらを併せて「本件賃金等」という）についての相違は，旧労契法 20 条違反と主張した案件である。同判決は，まず，事実認定として，当該契約社員と正社員との間で，職務の内容の同一性は肯定，職務の内容および配置の変更の範囲の同一性を否定し（正社員には広域異動・出向や，等級役職への格付けを通じた中核人材への登用があり得る），その上で，一般論として，旧労契法 20 条にいう「『不合理と認められるもの』とは，有期契約労働者と無期契約労働者との労働条件の相違が不合理であると評価することができるものであることをいう…<u>当該相違が不合理であるとの評価を基礎付ける事実については当該相違が同条に違反することを主張する者が，当該相違が不合理であるとの評価を妨げる事実については当該相違が同条に違反することを争う者が，それぞれ主張立証責任を負う</u>［下線筆者］」と説示した。

　その上で，事案への当てはめとしては，「住宅手当は，従業員の住宅に要する費用を補助する趣旨で支給される…契約社員については就業場所の変更が予定されていないのに対し，正社員については，転居を伴う配転が予定されているため，契約社員と比較して住宅に要する費用が多額となり得る。したがって，正社員に対して上記の住宅手当を支給する一方で，契約社員に対してこれを支給しないという労働条件の相違は，不合理である…とはいえな

い」,「皆勤手当は…皆勤を奨励する趣旨で支給されるもの…乗務員について
は,契約社員と正社員の職務の内容は異ならないから,出勤する者を確保す
ることの必要性については,職務の内容によって両者の間に差異が生ずるも
のではない。…正社員に対して上記の皆勤手当を支給する一方で,契約社員
に対してこれを支給しないという労働条件の相違は,不合理である」,「無事
故手当は,優良ドライバーの育成や安全な輸送による顧客の信頼の獲得を目
的として支給されるものである…契約社員と正社員の職務の内容は異ならな
いから,安全運転及び事故防止の必要性については,職務の内容によって両
者の間に差異が生ずるものではない。…正社員に対して上記の無事故手当を
支給する一方で,契約社員に対してこれを支給しないという労働条件の相違
は,不合理である」,などと,各賃金項目ごとに不合理な労働条件の相違に
該るか否かを判断して説示した(結論を簡述すれば,このほか作業手当,給食
手当,通勤手当について,正社員と契約社員との労働条件の相違を不合理で旧労
契法 20 条に反するとした)。

　もう一つのリーディングケースである最高裁判例は,長澤運輸事件判決
(最判平成 30・6・1 労判 1179 号 34 頁)である。同判決の事案は,同じく自動
車運送事業等を営む会社において,同社を定年退職して嘱託再雇用の有期契
約社員となった者(3 名)より,正社員との待遇差が旧労契法 20 条に違反
すると主張されたものである。同判決は,まず事実認定として当該嘱託再雇
用者と正社員は,職務の内容について同一としたのみならず,職務の内容お
よび配置の変更の範囲も同一と認定し(後者の点につき,ハマキョウレックス
事件判決の事案との違いに注意),その上で,一般論として,旧労契法 20 条に
いう「『不合理と認められるもの』とは,有期契約労働者と無期契約労働者
との労働条件の相違が不合理であると評価することができるものであること
をいう」(ハマキョウレックス事件判決を引用),「使用者は,雇用及び人事に
関する経営判断の観点から,労働者の職務内容及び変更範囲にとどまらない
様々な事情を考慮して,労働者の賃金に関する労働条件を検討する…。また,
労働者の賃金に関する労働条件の在り方については,基本的には,団体交渉
等による労使自治に委ねられるべき部分が大きい…。そして,労働契約法
20 条は,有期契約労働者と無期契約労働者との労働条件の相違が不合理と
認められるものであるか否かを判断する際に考慮する事情として,『その他
の事情』を挙げているところ,その内容を職務内容及び変更範囲に関連する
事情に限定すべき理由は見当たらない。したがって,有期契約労働者と無期

CHAPTER 20　有期労働契約による雇用　　385

契約労働者との労働条件の相違が不合理と認められるものであるか否かを判断する際に考慮されることとなる事情は，労働者の職務内容及び変更範囲並びにこれらに関連する事情に限定されるものではない」と説示した。そして，嘱託再雇用者についての事案という本件の事案に照らして，「有期契約労働者が定年退職後に再雇用された者であることは，当該有期契約労働者と無期契約労働者との労働条件の相違が不合理と認められるものであるか否かの判断において，労働契約法20条にいう『その他の事情』として考慮されることとなる事情に当たる」とし，さらに，労働条件（賃金）の相違の不合理性の有無の判断の手法として，<u>「労働者の賃金が複数の賃金項目から構成されている場合，…有期契約労働者と無期契約労働者との個々の賃金項目に係る労働条件の相違が不合理と認められるものであるか否かを判断するに当たっては，両者の賃金の総額を比較することのみによるのではなく，当該賃金項目の趣旨を個別に考慮すべきものと解するのが相当である。なお，ある賃金項目の有無及び内容が，他の賃金項目の有無及び内容を踏まえて決定される場合もあり得るところ，そのような事情も，有期契約労働者と無期契約労働者との個々の賃金項目に係る労働条件の相違が不合理と認められるものであるか否かを判断するに当たり考慮される</u>ことになる［下線筆者］」と説示した。

　その上で，具体的な当てはめとして，まず，「正社員に対し，基本給，能率給及び職務給を支給しているが，嘱託乗務員に対しては，基本賃金及び歩合給を支給し，能率給及び職務給を支給していない」ことについては，「賃金体系の定め方に鑑みれば，被上告人［註：使用者］は，嘱託乗務員について，正社員と異なる賃金体系を採用するに当たり，職種に応じて額が定められる職務給を支給しない代わりに，基本賃金の額を定年退職時の基本給の水準以上とすることによって収入の安定に配慮するとともに，歩合給に係る係数を能率給よりも高く設定することによって労務の成果が賃金に反映されやすくなるように工夫している…。そうである以上，嘱託乗務員に対して能率給及び職務給が支給されないこと等による労働条件の相違が不合理と認められるものであるか否かの判断に当たっては，嘱託乗務員の基本賃金及び歩合給が，正社員の基本給，能率給及び職務給に対応するものであることを考慮する必要がある…。…基本賃金及び歩合給を合計した金額並びに本件試算賃金につき基本給，能率給及び職務給を合計した金額を上告人［註：労働者］ごとに計算すると，前者の金額は後者の金額より少ないが，その差は上告人

X_1 につき約 10%，上告人 X_2 につき約 12%，上告人 X_3 につき約 2% にとどまっている。さらに，嘱託乗務員は定年退職後に再雇用された者であり，一定の要件を満たせば老齢厚生年金の支給を受けることができる上，被上告人は，本件組合との団体交渉を経て，老齢厚生年金の報酬比例部分の支給が開始されるまでの間，嘱託乗務員に対して 2 万円の調整給を支給することとしている。これらの事情を総合考慮すると，嘱託乗務員と正社員との職務内容及び変更範囲が同一であるといった事情を踏まえても，正社員に対して能率給及び職務給を支給する一方で，嘱託乗務員に対して能率給及び職務給を支給せずに歩合給を支給するという労働条件の相違は，…労働契約法 20 条にいう不合理と認められるものに当たらない」とした。なお，他の手当も各々不合理性を検討し，結論として，精勤手当，時間外手当（正社員については超勤手当と呼称）の相違は不合理なものとし，住宅手当，家族手当，役付手当，賞与の相違は不合理ではないとした（同判決は，住宅手当，家族手当について，正社員は幅広い世代の労働者が存在し得，住宅費および家族を扶養するための生活費を補助することには相応の理由があるということができる一方，嘱託乗務員は，正社員として勤続した後に定年退職した者であり，老齢厚生年金の支給を受けることが予定され，その報酬比例部分の支給が開始されるまでは被上告人から調整給を支給されることとなっているという事情を総合考慮して，労契法 20 条にいう不合理とは認められないとしている）。

　以上の 2 つの最高裁判例も説示するように，最終的には各事案の内容（労働条件の相違の程度および内容，職務内容の同一性，職務内容・配置変更の範囲の同一性，賃金体系および賃金項目の趣旨，労使協議・交渉の経緯等々）を各個に検討する必要が出てくるが，それがゆえに，裁判例における具体的説示のうち，比較的他の事案に共通性する可能性が多い部分（例えば，各手当の趣旨および他の賃金との関連性等）については，実務上，参考にすべきものと思われる。

⑵　続く最高裁判例

　前述⑴の 2 つの最高裁判例に続き，2022（令和 4）年に至るまで，次々と，旧労契法 20 条（現在でいえば，パートタイム・有期雇用労働法 8・9 条）に関わる重要な最高裁判決が下されている。大まかに言えば，メトロコマース事件判決，学校法人大阪医科薬科大学（旧大阪医科大学）事件判決では中心的争点において労働条件の相違が不合理ではないと認められた一方で，日本郵

便3事件判決では労働者側の主張が広く認められるといういわば逆の結論となった。各個の事案の内容および当事者の主張の構成によって，結論が変わり得るという点で，実務上，理解の必要が大きい。

　まず，メトロコマース事件判決（最判令和2・10・13労判1229号90頁）は，駅構内の売店で販売業務に従事してきた有期契約労働者らと，同一の業務に従事している無期契約労働者（正社員）の賃金等の労働条件において差異があった事案である。原審判決（東京高判平成31・2・20労判1198号5頁）では，早出残業手当の割増率の他に，住宅手当，退職金（ただし4分の1），褒賞について旧労契法20条に違反するとされ，退職金については，実務の立場より，最高裁の判断が注目されていた（本書初版377頁等）ところ，今般，最高裁は，大要，以下の通り説示して，退職金不支給の部分については，旧労契法20条のいう不合理な差別に当らないとした。すなわち，「退職金は，本給に勤続年数に応じた支給月数を乗じた金額を支給するものとされているところ，その支給対象となる正社員は，…業務の必要により配置転換等を命ぜられることもあり，また，退職金の算定基礎となる本給は，年齢によって定められる部分と職務遂行能力に応じた資格及び号俸により定められる職能給の性質を有する部分から成る…。…第1審被告［註：使用者］における退職金の支給要件や支給内容等に照らせば，上記退職金は，上記の職務遂行能力や責任の程度等を踏まえた労務の対価の後払いや継続的な勤務等に対する功労報償等の複合的な性質を有するものであり，第1審被告は，正社員としての職務を遂行し得る人材の確保やその定着を図るなどの目的から，様々な部署等で継続的に就労することが期待される正社員に対し退職金を支給することとしたものといえる」，「比較の対象とされた売店業務に従事する正社員と契約社員Bである第1審原告らの労働契約法20条所定の…『職務の内容』…をみると，…正社員は，…代務業務を担当していたほか，…エリアマネージャー業務に従事することがあったのに対し，契約社員Bは，売店業務に専従し…両者の職務の内容に一定の相違があった…。…正社員…は，…配置転換等を命ぜられる…のに対し，契約社員Bは，…配置転換等を命ぜられることはなかったものであり，両者の職務の内容及び配置の変更の範囲…にも一定の相違があった」，「第1審被告は，契約社員A及び正社員へ段階的に職種を変更するための開かれた試験による登用制度を設け，相当数の契約社員Bや契約社員Aをそれぞれ契約社員Aや正社員に登用していた…。これらの事情については，…労働契約法20条所定の『その他の事情』…と

して考慮するのが相当である」,「そうすると, …両者の間に退職金の支給の有無に係る労働条件の相違があることは, 不合理であるとまで評価することができるものとはいえない」と説示した［下線筆者］。使用者内における無期雇用社員の退職金支給の要件・基準とその意味, 中長期的な業務・活用の実態といった, 使用者における人材施策および活用の具体的実情を緻密に分析した結論であるのはいうまでもないが, 重要なのは, 使用者として, このように裁判官に実態を理解してもらうことであり, そのためにこそ, 内容およびアピールの効いた主張を構成し続けることが肝要といえる（その意味では, 前掲長澤運輸事件判決, 学校法人大阪医科薬科大学〔旧大阪医科大学〕事件判決から得られるところも同様である）。

　次に, 学校法人大阪医科薬科大学（旧大阪医科大学）事件判決（最判令和2・10・13 労判 1229 号 77 頁）は, 有期契約労働者と, 無期契約労働者の正職員との間の賞与, 私傷病による欠勤中の賃金等の相違につき旧労契法 20 条違反が争われた事案につき, 賞与, 夏期特別有給休暇, 私傷病による欠勤中の賃金および休職給について旧労契法 20 条に違反する不合理な相違であると判断した原審判決（大阪高判平成 31・2・15 労判 1199 号 5 頁）を変更し, 賞与, 私傷病による欠勤中の賃金および休職給の相違について不合理性はないと判断した。これも, もともと原審の判断は, 相当に事案の特性によるものと思われていたが（本書初版 377 頁等）, 最高裁においても, 以下の通り判示して, 原審の判断自体を変更したものである。すなわち,「正職員に対する賞与は, 正職員給与規則において必要と認めたときに支給すると定められているのみであ…る。また, 上記賞与は, 通年で基本給の 4.6 か月分が一応の支給基準となっており, …算定期間における労務の対価の後払いや一律の功労報償, 将来の労働意欲の向上等の趣旨を含む…。…正職員の基本給については, 勤務成績を踏まえ勤務年数に応じて昇給するものとされ…, …このような正職員の賃金体系や求められる職務遂行能力及び責任の程度等に照らせば, 第 1 審被告［註：使用者］は, 正職員としての職務を遂行し得る人材の確保やその定着を図るなどの目的から, 正職員に対して賞与を支給することとしたものといえる」,「比較の対象とされた教室事務員である正職員とアルバイト職員である第 1 審原告…をみると, …両者の職務の内容に一定の相違があったこと…両者の職務の内容及び配置の変更の範囲…に一定の相違があったことも否定できない」,「アルバイト職員については, 契約職員及び正職員へ段階的に職種を変更するための試験による登用制度が設けられてい

た」，「そうすると，…正職員に準ずるものとされる契約職員に対して正職員の約80％に相当する賞与が支給されていたこと，アルバイト職員である第1審原告に対する年間の支給額が平成25年4月に新規採用された正職員の基本給及び賞与の合計額と比較して55％程度の水準にとどまることをしんしゃくしても，教室事務員である正職員と第1審原告との間に賞与に係る労働条件の相違があることは，不合理であるとまで評価することができるものとはいえない」と説示している。

一方，日本郵便3事件判決（佐賀，東京，大阪。おのおの，最判令和2・10・15労判1229号5頁，同58頁，同67頁）は，有期契約労働者と無期契約労働者（転居を伴う配置転換等は予定されない者）との間の各種賃金および休暇の相違について旧労契法20条違反の有無が問題となった事案において，総じて，夏期冬期休暇，住居手当，年末年始勤務手当，病気休暇，祝日給（大阪事件につき～佐賀事件，東京事件とは給与内容が異なる），扶養手当の相違につき，不合理と認めたものである。不合理とされた理由は，具体的各論レベルでは当然ながら各項目で異なるが，上記3判決において，労働条件の趣旨およびその実態（例えば，夏期冬期休暇の場合は，当該時期の期間は休暇を取得するという国民意識と慣習）に照らし，有期契約労働者にもその趣旨が妥当する，という理由付けが共通してみられる。すなわち，上述の夏期冬期休暇手当の他に実務的な影響として大きいものは，住居手当，病気休暇，扶養手当であるが，これらに対する判示も上述夏期冬期休暇と同様の論旨で，「上記正社員が長期にわたり継続して勤務することが期待されることから，その生活保障を図り，私傷病の療養に専念させることを通じて，<u>その継続的な雇用を確保するという目的によるもの…上記目的に照らせば，郵便の業務を担当する時給制契約社員についても，相応に継続的な勤務が見込まれるのであれば，…趣旨は妥当する</u>」（東京事件判決，病気休暇），「上記正社員が長期にわたり継続して勤務することが期待されることから，その生活保障や福利厚生を図り，扶養親族のある者の生活設計等を容易にさせることを通じて，その継続的な雇用を確保するという目的によるもの…<u>上記目的に照らせば，本件契約社員についても，扶養親族があり，かつ，相応に継続的な勤務が見込まれるのであれば，…趣旨は妥当する</u>」（大阪事件判決，扶養手当）といった判示である［下線筆者］。つまり，単に長期勤続の期待による生活保障といった理由ではその相違を正当化し得ないとの説示が，各手当につき共通して（あえていえば，下級審から繰り返し）下されていることについては，実務

として留意が必要と思われる。

⑶　下級審の裁判例

九水運輸商事事件（福岡高判平成30・9・20労判1195号88頁）は，パート社員（期間の定めのある労働者）として荷役作業に従事していた者が，通勤手当が正社員の半額とされていた相違を，旧労契法20条に違反するとして提訴した事案につき，上記の相違は不合理なものといわざるをえないとしている。また，産業医科大学事件（福岡高判平成30・11・29労判1198号63頁）は，任期1年の臨時職員として採用され，30年以上にわたり契約を更新していた者と正規職員らとの基本給の相違について，その一部を旧労契法20条に違反するとした点が特色であるが，当該臨時職員と正規職員らとの職務の内容並びに職務の内容および配置の各変更の範囲における違い等を踏まえても，30年以上にわたり就労し習熟度を上げた当該臨時職員と正規職員の賃金の相違は，同学歴の正規職員が管理業務に就く（就き得る）地位である主任に昇格する前の賃金水準を下回る3万円の限度において不合理であると評価しており，これも事案の特性によるところが大きいと思われる。

井関松山製造所事件判決（高松高判令和元・7・8労判1208号25頁）は，無期契約労働者と有期契約労働者との間で，業務に伴う責任の程度や職務の内容および配置の変更の範囲に相違がある事案について，賞与については不合理な相違と認めなかった一方で，家族手当，住宅手当および精勤手当に関しては不合理な相違とした。

地裁レベルの裁判例では，ヤマト運輸事件判決（仙台地判平成29・3・30労判1158号18頁）は，有期雇用者と無期雇用者との間の賞与の算定方法の差異が旧労契法20条違反に当たるか問題となった事案であるが，職務の内容の同一性については，運航乗務業務に従事している場合は肯定されるものの，職務の内容および変更の範囲の同一性については人材活用の仕組みに基づく相違があり，その前提で，賞与の算定方法の違いについては，両者の役割に違いがあることや，使用者と労働組合との協議の上で合意していることを理由に，旧労契法20条違反とはならないとした。

日本郵便（休職）事件判決（東京地判平成29・9・11労判1180号56頁）は，無期雇用社員（正社員）には存在する休職規定が有期雇用社員に存在しないことについて旧労契法20条違反の有無が問題となった事案であるが，無期雇用者と有期雇用者とは，職務の内容および変更の範囲が大きく異なること

に加え，無期雇用者は長期的な雇用の確保の観点から，いわゆる休職制度を設ける要請が大きいのに対し，有期雇用者はそうした要請が必ずしも高くないことを理由に，旧労契法20条違反にはならないとしている。さらには，賞与の相違は旧労契法20条違反ではないが，物価手当の相違は同条違反であるとした井関松山ファクトリー事件判決（松山地判平成30・4・24労判1182号5頁），あるいは，正社員と準社員との間には賞与額，週休日数，および退職金に違いが認められ，これは旧パートタイム労働法8条1項違反といえ，準社員としての有期労働契約を反復更新してきた労働者への雇止めは労契法19条に違反して無効としたニヤクコーポレーション事件判決（大分地判平成25・12・10労判1090号44頁）なども含め，有期労働者と無期労働者との労働条件の相違の適否をめぐる裁判例は続出しつつある。

6. 定年後の継続雇用について

(1) 高年法9条の効力

　高年法9条の私法上の効力の有無に関しては，裁判例は一貫してこれを否定している。例えば，東日本電信電話事件判決（東京高判平成22・12・22判時2126号133頁）は，高年法9条1項に違反した場合に，65歳未満の定年の定めを無効とする私法的効力，強行性を有するものではないとし，また，同法9条1項2号の継続雇用制度の規定について，同号が制度内容を一義的に規定していないのは，雇用継続は，各企業，事業主の実情等に配慮し，各企業の自主性を尊重して，労使の工夫による自主的努力に委ねられるべきものであるとしたためと説示している（西日本電信電話事件判決〔大阪高判平成22・12・21労経速2095号15頁〕も同旨）。その上で，同判決は，当該使用者が設定していた継続雇用制度上の労働条件について，高年法は，労働条件について労働者の希望に合致することまでを要求するものではないと説示している。

(2) 高年法9条1項2号の継続雇用についての労働者の請求

　高年法9条1項2号の継続雇用制度について，使用者には継続雇用する義務があるとする裁判例として，東京大学出版会事件判決（東京地判平成22・8・26労判1013号15頁）がある。同判決は，高年法の趣旨等より，当該使用者の就業規則所定の要件を満たす定年退職者は，使用者との間で同規則所定の取扱いおよび条件に応じた再雇用契約を締結することができる雇用契

約上の権利を有すると解するのが相当であり，使用者が再雇用を拒否するのは，解雇権濫用法理の類推適用によって無効になるべきと説示している。

　この理を進めたと解されるのが，津田電気計器事件判決（最判平成24・11・29労判1064号13頁）である。同判決は，高年法所定の継続雇用制度の基準を定め，当該基準を満たす者を再雇用する旨の制度を導入した事業主が，ある高齢労働者につき当該基準を満たしていないとして再雇用しなかった事案について，「上告人［註：使用者］は，…従業員の過半数を代表する者との書面による協定により，継続雇用基準を含むものとして本件規程を定めて従業員に周知したことによって，同条1項2号所定の継続雇用制度を導入したものとみなされるところ，期限の定めのない雇用契約及び定年後の嘱託雇用契約により上告人に雇用されていた被上告人［註：当該高齢労働者］は，…本件規程所定の継続雇用基準を満たすものであったから，被上告人において嘱託雇用契約の終了後も雇用が継続されるものと期待することには合理的な理由があると認められる一方，上告人において被上告人につき上記の継続雇用基準を満たしていないものとして本件規程に基づく再雇用をすることなく嘱託雇用契約の終期の到来により被上告人の雇用が終了したものとすることは，他にこれをやむを得ないものとみるべき特段の事情もうかがわれない以上，客観的に合理的な理由を欠き，社会通念上相当であると認められない…。したがって，…前記の法の趣旨等に鑑み，上告人と被上告人との間に，嘱託雇用契約の終了後も本件規程に基づき再雇用されたのと同様の雇用関係が存続しているものとみるのが相当であり，その期限や賃金，労働時間等の労働条件については本件規程の定めに従うことになる」と説示している。なお，前掲東京大学出版会事件判決も同津田電気計器事件判決も，いずれも当該労働者は継続雇用対象者の基準を満たしているとして，使用者の継続雇用拒否を無効とし，当該労働者と使用者との雇用契約の成立を認めているのであるが，前掲津田電気計器事件判決の案案では，継続雇用制度において継続雇用する場合の労働条件の基準をある程度具体的に定めていたが，前掲東京大学出版会事件判決では重要な労働条件（賃金等）の一部について定めているところがなかったため，その判決主文も「原告が被告に対して，労働契約上の権利を有する地位にあることが認められる」とされている。

⑶ **定年後再雇用時における契約条件の提示について――パートタイム・有期雇用労働法の規定する均衡・均等待遇の問題を含む**

　定年後の継続雇用制度が採られている場合，継続雇用時（再雇用時）の労働条件については，原則としては労使の合意によるのであって，労働条件の提示については使用者に一定の裁量があるのであるが，それも無制約というわけではなく，高年法の趣旨に反するものであってはならない。また，定年後再雇用者が有期契約労働者である場合，定年前の無期契約労働者との間の労働条件の相違は，パートタイム・有期雇用労働法 8，9 条の均衡・均等待遇の問題となり得る（なお，パートタイム・有期雇用労働法の改正前は，旧労契法 20 条の問題として検討された～前掲長澤運輸事件判決等）。

　この点が問題となったとされる裁判例として，まず，トヨタ自動車ほか事件判決（名古屋高判平成 28・9・28 労判 1146 号 22 頁）は，使用者が定年を迎える労働者に対し，60 歳から 1 年間の職務として，それまで従事してきた事務職の業務ではなく清掃業務等（時給 1000 円）を提示したことについて，61 歳までの継続雇用をしなければならないとする高年法の趣旨に反し，継続雇用の機会を与えたとは認められず違法であるとして，使用者に対し労働者への損害賠償義務を認めている（なお，当該労働者が主張する職務には基準を充足していないとした。また，使用者が提示した賃金条件〔時給分として年間 97 万 2000 円に加えて賞与として年間 29 万 9500 円〕は，合計すれば老齢厚生年金の報酬比例部分の約 85% に当たり，高年法の趣旨に照らして到底容認できないような低額の給与水準ではないとしている）。また，学究社（定年後再雇用）事件判決（東京地立川支判平成 30・1・29 労判 1176 号 5 頁）は，定年退職前（無期雇用）は，正社員として，授業だけでなく生徒・保護者への対応，研修会等への出席等が義務付けられているのに対し，定年後再雇用契約後（有期雇用）は，時間講師として，使用者から割り当てられた授業のみを担当するものであり，その業務の内容および当該業務に伴う責任の程度に差があること等を理由に，定年後は定年前の正社員の賃金の 30 パーセントから 40 パーセント前後が目安とされた賃金の相違につき，不合理ではないとしている。一方，名古屋自動車学校（再雇用）事件判決（名古屋地判令和 2・10・28 労判 1233 号 5 頁）は，無期雇用が有期雇用に変化した定年後再雇用において，主任の役職を退任したことを除いて職務内容および変更範囲に相違はなかった事案につき，基本給および賞与について，定年退職時の 60% を下回る限度で，旧労契法 20 条にいう不合理と認められるものと解している。

Ⅳ. 実務の具体的対応

　前述Ⅲで俯瞰した裁判例を基に，有期労働契約における雇用に関する紛争
への具体的対応を考えてみることとする。

1. 労契法 19 条の適用について

　使用者側が有期労働契約を期間満了にて終了させる場合に，第一に考える
ことは，当該労働契約が，期間の定めのない労働契約と同じような状態にな
っていないか，仮にそこまではなっていないとしても，契約更新につき労働
者側に合理的期待が成立していないか，という点である。前述Ⅲの裁判例か
らわかるように，この点については，契約更新がなされている場合には更新
手続が的確になされているか否か（自動更新等になっていないか等），更新回
数，通算年数，従事している業務の内容（恒常的，中心的な業務であるか否か
等），使用者側の当該労働者への言動（継続雇用を期待させるような言動を行っ
ているか否か等），同種の有期契約労働者の更新状況（似たような者がどれくら
い多く更新されているか等），といった諸事実より判断されるのであるが，そ
の判断は多種の，それも程度が異なり得る諸事実を，総合勘案するというも
のであるので，実務的には，事前の予測が難しい論点となる。あえていえば，
従事している業務が恒常的なものではないこと，同種の有期契約労働者の更
新状況（不更新状況），といった客観的かつ紛争当事者となっている労働者以
外の第三者的立場の者の状況も加味し得る要素があると，使用者側としては，
合理的期待を否定するのが比較的易しくなろう。もっとも，このような事実
関係が存在する場合ばかりではないので，そのような場合，紛争になってか
ら案件を依頼される場合であれば格別，紛争予防段階より案件を依頼される
ような場合は，合理的期待の有無のみを争うのではなく，合理的期待がある
としても，使用者からの契約更新拒否（雇止め）には正当な事由がある，と
いう理由付けをも併せて構成する方向で努力することとなるのが実情であろ
う。なお，上記の正当な事由を構成する方策は，無期労働者の解雇の正当事
由を構成するのとほぼ同様の方策となる。

　もっとも，前述の裁判例の通り，初回の契約当初の段階であれば，予め，
契約更新回数や期間の上限を明瞭に合意しておく（実務的には，契約書もしく
は別途書面で明記しておく）という方策は有効である。ただし，契約更新手続

CHAPTER 20　有期労働契約による雇用　　395

が的確を要すること（カンタス航空事件判決参照）の他に，契約更新回数を合意しておきながら，実態としてそれを超えて更新する者が相当数存するような運用がなされていないかにつき留意する必要がある。というのは，契約更新回数や期間の上限を合意しておくことは，その合意内容を超えての労働者の契約更新の合理的期待を制限し得るものではあるが，実態として，合意内容を超える実績が相当数出ているような場合，労働者側が，当該上限合意内容を超える契約更新の期待を持つことが不合理とはいえなくなるからである。なお，近年の裁判例の中には，いったん，合理的な期待が存在した後に契約更新回数等を制限する合意の効力には，限界があるとするものがみられる（前掲博報堂〔雇止め〕事件判決等）ことには注意が必要である。

実践知！

　　有期労働契約更新についての労働者側の合理的期待が存する場合，使用者からの有期労働契約の更新拒否については，客観的，合理的な理由がなく，社会通念上相当ともいえない場合には認められない（従前の有期労働契約が更新されたものとされる）（労契法19条2号）。その合理的期待の有無の判断は，多様な要素を総合勘案されて決定されるのであり，使用者側としては予測が難しい（これは労働者側もそうであろう）。ただ，更新回数や契約期間の点で一見，合理的期待が認められそうな場合でも，当該有期契約労働者の業務内容の特性から，合理的期待が成立しない場合があることには留意しておくのが妥当である。例えば，その業務内容が契約締結当初より，ある程度の期間で終了することが予想されていた場合，あるいは，いつまで当該使用者の業務として存在するかがもともと不安定なもので，その存否が使用者の経営上の裁量に委ねられる度合いが大きい，といったような場合である。
　　なお，有期労働契約において，予め更新回数，更新期間の上限を定めておく方策は，上限に達した際の雇止めには有効な場合が多いが，更新手続を適切に行うこと，実績として例外を多々作らないこと等の運用と，いったん合理的期待が成立した後に上記方策を採るには限界があることへの留意が肝要である。

2. 契約更新における条件の変更

　この点については，問題となる有期労働契約に更新についての合理的な期待が存する場合には，実質的には労働条件の不利益変更の問題に重なる事案も多いので，Chap. 17 に譲ることとする。

3. 有期労働契約の期間満了への整理解雇の法理の適用

　使用者側より，有期労働契約を期間満了で終了させる（雇止め）に際しては，労契法 19 条により，無期契約労働者の解雇に類似した法理下におかれ，使用者側の経営上の理由により，同種の労働者の中で剰員を削減するような雇止めの場合，整理解雇の法理が適用される場合が出てくる（前述Ⅲ 3 参照）。

　有期契約労働者と整理解雇の関係では，有期契約労働者を雇止めにより削減する前に，無期契約労働者の解雇以外での削減の努力（希望退職の募集等）が必要か否かが一応問題となる。無論，希望退職は任意の退職を募るものなので，無期契約労働者に希望退職募集をかけることが違法というものではないが，有期契約労働者と無期契約労働者との間には事実として差異があることは裁判例でも説示されており（前述Ⅲ 3），無期契約労働者の削減の努力が有期契約労働者の雇止めの前提として必要とまではいえないであろう。

> 実践知！
>
> 　雇止めに整理解雇の法理が類推される場合には（労契法 19 条 1 号，2 号が適用になる場合），当然ながら，整理解雇の 4 要素が総合勘案されて，有効・無効が判断されることとなる。
> 　ただし，有期契約労働者と無期契約労働者との間には差異があることも事実であり，換言すれば，経営不振における人員整理の場合において，有期契約労働者よりも無期契約労働者の削減を優先することは法的に危険といわざるを得ない（その社会的な当否は別として）。

4. 期間の定めがあることによる不合理な労働条件の禁止

　この問題は，この数年で急速に紛争も裁判例も増加している。一口に，「有期労働者」，「労働条件」，「賃金」といっても，その各々についてバリエ

ーションは極めて多様であり（殊に「賃金」などは，各社によって，その項目が多種多様である），しかも，その多様なものを最後には総合考慮して，「不合理」であるか否かの判断が求められる。

したがって，使用者代理人としては，上述の多種多様な要素について，なるべく，裁判例に依拠した社会一般の判断に近い判断を行うように心がけることが必須である。その上で，各論をいくつか述べれば，無期契約労働者について，異動・配転の規則上の根拠と実績の双方がない場合，有期契約労働者との間の労働条件の相違について，合理性を説明するのは比較的困難になることが多い。また，仮に，上記の点が存在したとしても，それだけで，労働条件（特に賃金）についての相違が正当化されるものではなく，<u>賃金の各項目（基本給，賞与，各種手当，退職金等）の支給される趣旨に照らし，各項目ごとに有期契約労働者との相違の理由づけを考えることが肝要である</u>。殊に，支給の本来の趣旨と実態とに齟齬がある賃金項目が存することがあり（例：職務手当となっているのに，一定の職位にあるか否かではなく，生活費補助的な考慮で支給の有無が決定されているような場合），この場合，紛争前であれば規定や運用を改定する対応が可能だが（ただし，不利益変更の問題が生ずることはある），紛争に入った後の段階になると，労働条件の相違を正当化する理由をみつけていくという難しい検討を強いられることとなる。

　　無期契約労働者と有期契約労働者との労働条件の差異の法的是正については，2020（令和2）年に，実務上，重要な最高裁判決が続けて下された。使用者勝訴となったメトロコマース事件判決および学校法人大阪医科薬科大学（旧大阪医科大学）事件判決と，逆に労働者の主張の多くを認めた日本郵便3事件判決と結論は分かれたが，それだけに実務への影響は大きい。前者は，退職金，賞与といった労働者の仕事内容そのもの（職務の内容，職務の内容および配置の変更の範囲）に関連が強い労働条件であった一方で，後者は，夏期冬期休暇，住宅手当といった，労働者への生活保障的な労働条件であった。前者の退職金，賞与についてもメトロコマース事件判決の原審では使用者は一部敗訴しているところの逆転勝訴であるし，後者の住宅手当にしても，長澤運輸事件判決では（定年後再雇用者の事案ではあるものの）一審での使用者敗訴から高裁での逆転勝訴となったこと

実践知！

からも，同一の事案においても裁判所の判断が揺れ動くことは決して少なくなく，同様の労働条件であっても，事案と当事者の理論構成によっては，結論を異にすることも有り得る。

　もとより，本問題は，社会情勢の趨勢，使用者における各労働条件の趣旨，運用実態，無期契約労働者と有期契約労働者の異同の有無や範囲によるところが大きく，一概に述べることは困難ではある。あえて詳説すれば，まず前提として使用者の労働条件を巡る制度が，社会的実情に沿っていることを裁判官に理解してもらうことが重要であり，そのためには，法律論に限らず関連文献・諸統計などの収集・検討が必要になろう。そして，当該制度上の取扱いが，使用者の企業としての個性上，特に必要である（「他企業においてはいざしらず…」という主張である）と主張できれば，裁判官の理解を得られやすくなる。その上で，裁判例の説示にもよく出てくるように，無期契約労働者と有期契約労働者との相違が問題となった労働条件（特に賃金項目）が，どのような趣旨でその内容（金額等）を決めているのかを，実態と矛盾しないように説明すること（さらには，事前に説明できるようにしておくこと）が有用である。

　この点で，前述の5判例を概観するに，社員の長期勤続を確保するためのインセンティブ，といった立論のみでは，有期契約労働者の実態（殊に更新を繰り返してきた場合）によっては，労働条件の相違を正当化することは困難である，ということである（前述したように，メトロコマース事件判決等においても，上記の長期勤続の確保論だけで勝訴しているわけではない）。

5. 定年後の継続雇用（再雇用）について

　定年後の有期労働契約による継続雇用の拒否については，原則的には退職事由もしくは解雇事由があること，例外的には労使協定上の継続雇用の基準に沿った判断をすることが求められるが，継続雇用の際の労働条件については，高年法の趣旨等を理由に使用者側にかなり広い裁量が認められていた。しかし，今後はパートタイム・有期雇用労働法による均衡・均等待遇の規定により，定年前の無期契約労働者との間で，労働条件の不合理な相違は認められなくなってくる。もっとも，定年後の継続雇用ではない有期契約労働者の場合とは異なることも，前掲長澤運輸事件判決にて判示されたところでは

あり，定年前の処遇との差異（減額幅），社会的な賃金相場に留意しつつ，使用者が労働条件を提示する際には労働者の希望により協議の場をもつ，といった対応が必要となると思われる。

実践知！

　定年後の継続雇用（有期労働契約）においては，今後，パートタイム・有期雇用労働法による，無期契約労働者との均衡・均等待遇の見地より，提示する労働条件について一定の配慮が必要となってくる。そのためには，内容面（賃金の減額幅，社会的相場との比較）のみならず，手続面（労働者との協議の姿勢）も重要となってこよう。

　なお，あくまで現時点での筆者の感想であるが，従前，筆者の実見した実務や諸文献（最近の例では労務行政『労政時報』3983号「高年齢者の処遇に関する実態調査」等）を見るに，定年前の賃金水準にもよるが，定年後の賃金水準は，定年前の6割くらいがボリュームゾーンであると思われること，また，前掲名古屋自動車学校（再雇用）事件判決（ただし，現時点［2022（令和4）年6月時］では地裁判決段階）では，職務内容および変更範囲に相違はなかった事案につき，基本給および賞与について，定年退職時の60％を下回る限度で不合理と解しているところからすれば，概ね，上記の水準が検討の出発点になるのが現時点での思考と思われる（なお，定年後再雇用の労働条件については，拙著『「55歳以上」の雇用・法務がわかる本』〔中央経済社〕55頁以下等）。

LAWYERS' KNOWLEDGE

PART 2

集団的労働紛争

——本書は，読者として実務に就く弁護士および企業内の人事労務担当者等を念頭においている。近年，労働関係の紛争は，使用者対個人の個別的労働紛争がその大半を占め，使用者対労働組合の集団的労働紛争は減少の一途をたどっている。これは，労働者（特に若年層）の労働組合離れが中心的要因と思われる（厚生労働省の令和3年「労働組合基礎調査」によれば，組合組織率は1970年代は約35%で推移していたものの，1980年代から逓減し，2021年は16.9%）。組合組織率低下の背景には，一般には，産業構造の転換，個人主義の浸透といったものがあるといわれている。

　　そのような中，あえて小なりとはいえ1 Partを設けて労働組合を紛争主体とする集団的労働紛争関係につき述べることとしたのは，近時，少人数（一人の場合もあり）の労働者が，自らの権利主張を実現すべく，既存の労働組合に加入したり，あるいは既存の労働組合の下部組織としての組合を結成する，といった事象が増加してきている現象による。そうした場合，実質的には使用者対個人（あるいは少人数の個人）の利害対立が問題でありつつ，労働組合が関与していることそれ自体を理由として生じてくる法律問題も存する。このような事象に対応するためには，当然のことながら，労働組合についての法的関係を規律している労働組合法についての理解が必要となってくる。

　　したがって，以下では，労働組合法およびそれに関連する裁判例を概観しつつ，集団的労働紛争について，その実務上の対応に簡単に触れることとする。

CHAPTER

01 労働組合加入，結成に関する紛争

Ⅰ. 労組法における労働組合の法的地位

　本章では，まず，労働組合の法的地位について，ごく簡単に説明しておくこととする。

1. 労働組合の概念，種類

　労働組合に関する基本法である労組法2条によれば，「この法律で『労働組合』とは，労働者が主体となつて自主的に労働条件の維持改善その他経済的地位の向上を図ることを主たる目的として組織する団体又はその連合団体をいう」と定義されている（なお，同条但書において，労働組合より外れるものの除外事由を規定している）。上にいう「労働者」，「自主的」，「経済的地位の向上を図ることを主たる目的」の要件については，後述2の通り若干の問題があるものの，実務においては，概ね，上述の定義が労働組合の基本的概念と理解しておけば足りる。

　実社会でみられる労働組合の類型としては，一般の理解によれば，

(a)　職業別組合（同一職業の労働者が自分たちの技能に関わる利益を擁護すべく広い地域で組織する労働組合）

(b)　産業別組合（同一の産業に従事する労働者が直接加入する大規模な横断的労働組合）

(c)　一般労組（職種，産業のいかんを問わず，広い地域にわたって労働者を組織する労働組合）

(d)　企業別組合（特定の企業または事業所に働く労働者を職種の別なく組織する労働組合）

(e)　地域労組（労働者を一定地域において企業，産業に関わりなく合同して組織化する労働組合）

といったものがあるとされている（以上，菅野・労働法〔12版〕822頁以下）。従来より，我が国の労働組合は(d)（企業別組合）が多数であるが，この企業別組合は，企業を超えた上部組合（自動車総連，UA ゼンセン等）を組織し，

CHAPTER 1　労働組合加入，結成に関する紛争　　**403**

その傘下に入っている場合とそうでない場合がある。近年，実務において使用者の相手方として増えているのが上記(e)（地域労組）であり，労働者個人の権利主張を個別の企業と交渉することで解決する主体となることが多く，駆込み寺的機能（代理機能）を有している。例えば，会社を解雇になった労働者が，解雇後に組合に駆け込み，その組合が当該労働者の代理人的立場で会社と交渉する，といった事象が代表例である。

　こうした駆込み寺的な労働組合加入（あるいは少人数での組合結成）の場合は，組合が職場の事情もしくは企業内の多数の労働者の意思を把握しないままに使用者と交渉に臨むことが多く，使用者の利益はもとより，多数の労働者の利益に関心をあまり有さず，駆込み寺的に労働組合に加入（もしくは結成）した労働者個々人の利益に重きを置く傾向があることは否めず，企業別組合であれば，遠慮もしくは躊躇するような強硬な交渉，団体行動（例えば，取引先や顧客に対して使用者の社会的評価を低下させる内容を記載したビラを配るなどの街宣活動等）についても抵抗感が低い傾向がみられる。したがって，使用者としては，労働組合の行う交渉要求，団体行動について，それが適法なものであるか否かのチェックを丁寧に行う必要が出てくる（適法でないと判断すれば，速やかに措置をとる必要がある）。

2. 労働組合の要件

(1) 労組法上の「労働者」

i 法令

　労働組合は，「労働者」が主体となって組織するものでなければならない（労組法2条）。ここでいう，「労働者」とは，「職業の種類を問わず，賃金，給料その他これに準ずる収入によつて生活する者」とされている（労組法3条）。

　上記の「労働者」は，労組法上の労働者であり，労基法上の労働者（本書 Pt. 1, Chap. 1）とは別の概念であるため，労基法上の労働者からは外れても，労組法上の労働者には該当することもあり得る（概ね，労組法上の労働者の方が広範囲といえる）。

ii 裁判例

　前述 i の通り労働組合は，労組法上の「労働者」により構成されなければならないのだが，従来より，企業は，労働（雇用）契約のみならず，委任，業務委託といった契約により，個人の活動をその企業業務に利用してきてい

るところより，こうした者の一部も，労組法上の労働者に該当するか否か，問題となっている。

　この点については裁判例が多発しているが，ここでは代表的な最高裁判例のみを俯瞰する。まず，国・中労委（新国立劇場運営財団）事件判決（最判平成 23・4・12 労判 1026 号 6 頁）は，年間を通して多数の公演を主催する使用者との間で，1 年を期間とする出演基本契約を締結した上，個別の公演ごとに個別の契約を締結して出演していた合唱団員が労組法上の労働者に該当するか否かについて，「出演基本契約は，…被上告財団［註：使用者］が…，原則として年間シーズンの全ての公演に出演することが可能である契約メンバーとして確保すること…を目的として締結されていた…契約メンバーは，上記各公演の実施に不可欠な歌唱労働力として被上告財団の組織に組み入れられていた」，「契約メンバーは，出演基本契約を締結する際，…全ての個別公演に出演するために可能な限りの調整をすることを要望されており，出演基本契約書には，被上告財団は契約メンバーに対し被上告財団の主催するオペラ公演に出演することを依頼し，契約メンバーはこれを承諾すること，契約メンバーは個別公演に出演し，必要な稽古等に参加し，その他個別公演に伴う業務で被上告財団と合意するものを行うことが記載され，出演基本契約書の別紙『出演公演一覧』には，年間シーズンの公演名，公演時期，上演回数及び当該契約メンバーの出演の有無等が記載されていたことなどに照らせば，…契約メンバーが個別公演への出演を辞退したことを理由に…再契約において不利な取扱いを受けたり制裁を課されたりしたことがなかったとしても，…契約メンバーが何らの理由もなく全く自由に公演を辞退することができたものということはできず，むしろ，契約メンバーが個別公演への出演を辞退した例は，出産，育児や他の公演への出演等を理由とする僅少なものにとどまっていたことにも鑑みると，…契約メンバーは，基本的に被上告財団からの個別公演出演の申込みに応ずべき関係にあったものとみるのが相当」，「出演基本契約の内容は，被上告財団により一方的に決定され…契約メンバーの側に交渉の余地があったということはできない」，「契約メンバーは，…被上告財団により決定された公演日程等に従い…被上告財団の指定する日時，場所において，その指定する演目に応じて歌唱の労務を提供していたのであり，歌唱技能の提供の方法や提供すべき歌唱の内容については被上告財団の選定する合唱指揮者等の指揮を受け，稽古への参加状況については被上告財団の監督を受けていたというのであるから，契約メンバーは，被上告財団の指揮

監督の下において歌唱の労務を提供していた」,「契約メンバーは,…出演基本契約書の別紙『報酬等一覧』に掲げる単価及び計算方法に基づいて算定された報酬の支払を受けていたのであり,予定された時間を超えて稽古に参加した場合には超過時間により区分された超過稽古手当も支払われており…その報酬は,歌唱の労務の提供それ自体の対価であるとみるのが相当」といった説示の上で,労組法上の労働者性を肯定した(なお,一審〔東京地判平成20・7・31労判967号5頁〕,原審〔東京高判平成21・3・25労判981号13頁〕では労働者性が否定されていた判断をあえて覆したものであることには注意すべきである)。

　また,同時期に出された国・中労委(INAXメンテナンス)事件判決(最判平成23・4・12労判1026号27頁)は,住宅設備機器の修理補修等を業とする会社と業務委託契約を締結してその修理補修等の業務に従事する受託者が労組法上の労働者に該当するか否かが問題となった事案について,「被上告人〔註:使用者〕は,主として約590名いるCE〔註:受託者〕をライセンス制度やランキング制度の下で管理し,全国の担当地域に配置を割り振って日常的な修理補修等の業務に対応させていたもので…,CEは,被上告人の上記事業の遂行に不可欠な労働力として,その恒常的な確保のために被上告人の組織に組み入れられていたものとみるのが相当である」,「CEと被上告人との間の業務委託契約の内容は,被上告人の定めた『業務委託に関する覚書』によって規律されており,…被上告人がCEとの間の契約内容を一方的に決定していた」,「CEの報酬は,…被上告人が商品や修理内容に従ってあらかじめ決定した顧客等に対する請求金額に,当該CEにつき被上告人が決定した級ごとに定められた一定率を乗じ,これに時間外手当等に相当する金額を加算する方法で支払われていたのであるから,労務の提供の対価としての性質を有する」,「被上告人から修理補修等の依頼を受けた場合,…CEが承諾拒否通知を行う割合は1%弱であったというのであって,業務委託契約の存続期間は1年間で被上告人に異議があれば更新されないものとされていたこと,…等にも照らすと,…各当事者の認識や契約の実際の運用においては,CEは,基本的に被上告人による個別の修理補修等の依頼に応ずべき関係にあったものとみるのが相当」,「CEは,被上告人が指定した担当地域内において…,原則として業務日の午前8時半から午後7時までは被上告人から発注連絡を受けることになっていた…C〔註:被上告人の親会社〕の子会社による作業であることを示すため,被上告人の制服を着用し,その名刺を

携行しており，業務終了時には業務内容等に関する所定の様式のサービス報告書を被上告人に送付するものとされていたほか，…修理補修等の作業手順や被上告人への報告方法に加え，CE としての心構えや役割，接客態度等までが記載された各種のマニュアルの配布を受け，これに基づく業務の遂行を求められていたというのであるから，CE は，被上告人の指定する業務遂行方法に従い，その指揮監督の下に労務の提供を行っており，かつ，その業務について場所的にも時間的にも一定の拘束を受けていた」といった事実関係を認定した上で，CE は，労組法上の労働者に該当するとした。

　その他の最高裁判例としては，詳細は省くが，国・中労委（ビクターサービスエンジニアリング）事件判決（最判平成 24・2・21 労判 1043 号 5 頁）は，音響製品等の設置，修理等を業とする使用者と業務委託契約を締結して出張修理業務に従事する受託者につき，労組法上の労働者に該当しないとした原審の判決を差し戻している。

　上記最高裁判例より敷衍される労組法上の労働者の該否の判断は，(a)使用者の事業組織への組込み，(b)使用者による労働契約内容の一方的決定の有無，(c)報酬の労務提供の対価性の有無，(d)使用者からの業務依頼に対する労働者からの諾否の可否，(e)業務遂行における使用者の指揮監督の有無，(f)業務中の場所的・時間的拘束性，といった諸要素にて決定されている。上記(a)，(b)は，労基法上の労働者の判断要素には入っていない上に，上記最高裁判例ではいずれも最初の判断要素として挙げられているものであり，労基法上の労働者とは相当に異なった視点で労組法上の労働者の判断が行われているといえよう。

(2)　その他の要件

　労組法 2 条は，労働組合につき「労働者が『主体』となって『自主的』に労働条件の維持改善その他『経済的地位の向上を図ることを主たる目的』として組織する『団体又はその連合団体』をいう」［註：括弧は筆者にて加筆］と規定しており，実務においても，労働組合の要件として，主体性，自主性，目的，団体性，といったものが問題となることがある。

i　主体性

　労働組合は，労働者（労組法上の）が主体となっていなければならない。ただし，一部に学生や一般市民等が参加していても，労働組合たり得るとされている（菅野・労働法〔12 版〕837 頁）。

ⅱ　自主性

　労働組合は自主的に組織するものでなくてはならない。この点で，実務で問題となるのは，労組法2条但書1号にある「役員，雇入解雇昇進又は異動に関して直接の権限を持つ監督的地位にある労働者［註：人事権を持つ上級管理職］，使用者の労働関係についての計画と方針とに関する機密の事項に接し，そのためにその職務上の義務と責任とが当該労働組合の組合員としての誠意と責任とに直接にてい触する監督的地位にある労働者［註：労務・人事部課の管理者など］その他使用者の利益を代表する者［註：社長秘書，会社警備の守衛など］」（以下「使用者の利益を代表する者」）が加入する組合である。これらの者が加入している場合，労組法上の労働組合とはいえなくなり，労組法上の保護は受けなくなる。ただし，上記に挙げた役員，上級管理職等労働者も憲法28条にいう労働者ではあるので，憲法上の保護は受けることには注意が必要である（労組法上の保護と憲法上の保護の内容については，後述3参照）。実務で殊によく問題となるのが，使用者内では管理職扱いされている労働者が労働組合に加入した場合，使用者が当該労働組合を通常の労働組合と同様の交渉（団体交渉）の相手方と認めるか否かであるが，上に挙げた「使用者の利益を代表する者」は，法的には，労基法上の管理監督者よりも狭く解されており（後述の裁判例参照），使用者が団体交渉を拒否できる場合は，あまり多くはない。

　実務のために最高裁判例を挙げておくと，中労委（セメダイン）事件決定（最決平成13・6・14労判807号5頁）は，最終的には一審判決（東京地判平成11・6・9労判763号12頁）を肯定維持しているのであるが，その一審判決では，総論として，「利益代表者の参加を許す労働組合であっても，労働組合法7条2号の『労働者の代表者』に含まれるものであって，ただ，このような労働組合は，使用者から団体交渉を拒否された場合でも，同法2条の要件を欠くため，5条1項により労働委員会による救済手続を享受することはできないものと解するのが相当である」と説示しており，上記の使用者の利益代表者が加入していても，労働組合の団体交渉権（憲法28条）には影響はなく，ただし，労組法上の保護を受けられなくなるに留まると判示した。さらに，各論としては，当該労働組合は組合規約上，管理職および管理職資格者を組織対象者としつつ，利益代表者は対象者としないものとしていたところ，「労働組合法2条ただし書1号所定の<u>『雇入解雇昇進又は異動に関して直接の権限を持つ監督的地位にある労働者』</u>として利益代表者に該当する

のは人事部長のみ…，同部長［註：人事部長］は補助参加人［註：労働組合］
の組織対象者となっていない」，「人事及び労務に関する権限は，人事部に集
中していると認められ，特に補助参加人の組織対象者である管理職及び担当
職については，人事考課の第一次考課を行うのも部門長であることからする
と，次長，課長及び担当職が一般的に原告［註：使用者］の労働関係につい
ての計画と方針に関する機密の事項に接する労働者に該当するということは
できないが，前記の各担当業務に照らせば，人事部，総合企画部及び総務部
の三か部の次長，課長及び担当職は，原告の労働関係についての計画と方針
に関する機密の事項に接していると認められ，右各職位にかんがみ，同号所
定の『使用者の労働関係についての計画と方針に関する機密の事項に接し，
そのためにその職務上の義務と責任とが当該労働組合の組合員としての誠意
と責任とに直接にてい触する監督的地位にある労働者』として利益代表者に
該当する」，「人事部，総合企画部及び総務部に属する他の次長（総合企画部
次長），課長及び担当職は，補助参加人に参加していない」等を説示し［下
線筆者］，当該事案においては，当該労働組合には利益代表者は加入してい
ないと事実認定している。つまりは，社会一般の「管理職」というだけでは，
労組法上の利益代表者には該当しない，ということである。

iii　目的

　労働組合は，「労働条件の維持改善その他経済的地位の向上を図ることを
主たる目的」とすることを要件とされている。ただし，付随的にであれば，
共済事業，政治運動，社会運動を目的となし得るとされており（菅野・労働
法〔12 版〕840 頁），この要件をもって，労働組合性が否定される場合は，実
務としてもそう多くはない。

iv　団体性

　労働組合は，「団体又はその連合団体」であることが要件とされている。
「団体」は，字句上は複数人の集合体を予定されるものであるが，組合員が
減少して一人になった場合でも，組合員増加の努力がなされている限りは，
労働組合性は失われないとされている（菅野・労働法〔12 版〕840 頁以下）。
しかも，近年増加している労働組合関係の紛争は，労働者個人による，地域
労組への，いわゆる駆込み型加入によるものであるので，この団体性につい
ても，これが理由で労働組合性が否定される場合は，実務としてはそう多く
はない。

3. 労働組合の法的保護

(1) 憲法上の保護

　我が国の法制は，労働組合について，まずは憲法28条にてその法的な権利を規定している。主な内容としては下述の通りである。

　留意すべきことは，この憲法上の保護はあくまで憲法によるものであるので，労働組合としての団体性を有していれば，労組法上の労働組合ではなくとも認められることである。

i　団結権

　労働者が労働条件の維持・改善を図ることを主たる目的として団結体を結成し，それを運営することを保障する権利をいう。上記の団結体は，多くの場合は労働組合であるが，勤労者の団体であれば，「労組法上の」労働組合でなくとも該当することには留意を要する（例として前掲中労委〔セメダイン〕事件決定）。

ii　団体交渉権

　労働者が，使用者と団体交渉を行うことを保障する権利をいい，団体交渉とは，労働者がその代表者を通して使用者またはその団体と労働条件その他の待遇や労使関係上のルールについての労働協約の締結その他の取決めを目標に交渉することをいう。

　この団体交渉権の効果として実務において重要なものは，使用者に対して誠実団体交渉義務が課されていることである（ただし，不当労働行為としての労組法7条2号の保護をも受けるのは，労組法の要件を充たす労働組合である）。

iii　団体行動権

　現在の通説的見解によれば，一定範囲での争議行為（労働者の要求の示威または貫徹のための圧力行為。従来は，ストライキがその典型である）を保障する「争議権」と争議行為および団体交渉以外の団結体の行動（典型例では，ビラ配布，集会などの情宣行動。近時，ネットを用いての行動が多くみられる）を一定限度で保障する「組合活動権」を内容とするものである（以上，菅野・労働法〔12版〕38頁以下）。

　この団体行動権については，過去には膨大な問題事案が存し，その詳細な内容については労働法の体系的な解説書を参照していただきたいが，実務上，多くみられるものを挙げると，ストライキや職場占拠（ピケッティング），使用者との取引拒否の呼びかけ（ボイコット）といった争議権の行使，ビラ配

り，リボン・腕章着用，集会などの情宣活動といった行動が挙げられる。殊に最近の実務で多いのが，駆込み寺的に個人の労働者が加入した労働組合が，使用者との交渉を有利にしようとして使用者の社会的評価を低下させる情報を流す行為である。この正当性の範囲の判断については，まさに，裁判例の調査，分析によるしかない。

(2) 労組法上の保護

労組法は，労使対等の理念に基づく団体交渉を助成し，そのために，労働組合の団結（労働組合の結成，運営）や団体行動を擁護することを目的とする（労組法1条）。このために，労働組合に対して，刑事免責（労組法1条2項），民事免責（労組法8条）を規定するとともに，主なところのみを挙げれば，以下の法的保護を規定している（菅野・労働法〔12版〕818頁）。

i 不当労働行為の禁止

労組法は，使用者による労働組合や労働者に対する，以下の①〜④の4つの類型の行為を，不当労働行為として禁止し（労組法7条），その違反につき労働委員会による救済手続を規定している（労組法27条以下）。労働委員会において不当労働行為と認定された使用者の行為については，使用者からは司法手続においても労働委員会の認定を争い得るが，裁判所からも不当労働行為と認定された場合，使用者の行為（組合員に対する解雇等）は，私法上も無効となることがある。

①不利益取扱い（労組法7条1号）

労働組合員であること，労働組合に加入しもしくはそれを結成しようとしたこと，労働組合の正当な行為をしたこと，を理由としてなされた不利益な取扱いをいう。

②団体交渉拒否（同条2号）

団体交渉をすることを正当な理由がなく拒むこと，誠実な交渉を行わないことをいう。この類型の場合，Chap. 2で後述するように，労働組合が団体交渉を申し入れた企業が，労組法上の「使用者」に該当するか否かが問題になることがあることに注意を要する。

③支配介入（同条3号）

労働者が労働組合を結成し，もしくは運営することを支配し，もしくはこれに介入すること，または労働組合の運営のための経費の支払につき経理上の援助を与えることをいい，労働組合結成，運営に対する干渉行為や諸々の

CHAPTER 1 労働組合加入，結成に関する紛争　　411

労働組合弱体化行為などが含まれる。

④報復的取扱い（同条4号）

労働者が労働委員会や中央労働委員会への救済申立てや再審査申立てをしたこと，労働者が労働委員会に対して証拠を提示し，もしくは発言をしたことを理由として，その労働者を解雇したり，その他の不利益な取扱いをすることをいう。

以上の不当労働行為の成否については，使用者の人事権，経営権との関係より，判断が難しい場合も少なくない。具体的内容は，Chap. 5 にて後述する。

ii　労働協約の規範的効力，一般的効力

労働協約とは，「労働組合と使用者又はその団体との間の労働条件その他に関する」協定であって，書面に作成され，両当事者が署名または記名押印したもの（労組法14条）をいう。この労働協約は，使用者と個別の労働者との約定（通常は契約）とは違った効力が認められる。

労働協約の効力の中でも，実務上，特に留意すべきものの一つ目は，規範的効力といわれるもので，これは労働協約のうち「労働条件その他の労働者の待遇に関する基準」（労組法16条）について付与されている効力であり，この基準に違反する労働契約の部分は無効となり，無効となった部分は労働協約の基準の定めるところとなる。

二つ目は，労働協約の一般的効力といわれるものである。本来，労働協約は，当該労働組合の組合員にのみ効力が及ぶのであるが，労働組合がその事業場の常時使用される同種労働者の4分の3以上を組織している場合には，その労働組合の協約上の労働条件を，他の同種労働者にも及ぼし，その事業場の同種労働者の労働条件を統一するという効力である（労組法17条）。ここでいう常時使用される同種労働者とは，原則として無期労働者であって（ただし，有期労働者でも契約が反復更新されている場合は含まれる），職種が同種の者となる（例えば同一企業で職員，工員が存する場合，職員についてのみ労働協約を締結すれば，職員のみが同種の者となる。総合職と一般職が労働条件を区別されつつ存在する場合も，これに準じて考えられる場合があろう）。実務上，特に企業内組合において散見される事例として，労働組合の規約で労働組合員の範囲から管理職を除いている場合があるが，この場合，管理職は労働協約の適用を初めから除外されているのが通常であり，労働組合員と同種の労働者とはいえないとされている。

Ⅱ．実務における具体的対応

　ごく簡単な概観であるが，労働組合は，労組法上の労働組合と認められるためには前述Ⅰ2のような要件が必要とされており，前述Ⅰ3のような法的保護を受けるのであるが，法的保護のうち憲法上のもの（前述Ⅰ3(1)）は，労組法上の労働組合でなくとも，勤労者の団結体であれば認められる余地があることには注意を要する。

　以上を俯瞰した上での具体的対応としては，企業の従業員労働者の労働組合加入もしくは結成の最初の段階では，労働組合から何らかの要求を掲げての団体交渉申入れが伴うことがほとんどであり，また，並行して，会社施設の利用を求めたり（会社 FAX 使用およびネットの使用許可，掲示板の貸与，会議室利用，会社内組合事務所貸与等々），使用者を攻撃する団体行動（使用者の不当性を強調するビラを配布する，ネットでそういった情報を流布する等）が伴うこともある。そうした事態に遭遇したとき，使用者が最初に検討しなければならないことは，要求をもって表れた団体がそもそも労働組合なのか，また労組法上の労働組合なのか，であり（前述Ⅰ。これにより労働組合の法的権利が変わってくる），次に，団体交渉に応じるべき義務の主体が自社であるか，さらには団体交渉に応じなければならない事項であるか，また，どのように団体交渉要求に（不誠実ではなく）対応しなければならないか，である（後述 Chap. 2）。なお，繰り返しになるが，労組法上の要件を充たさない労働組合で，勤労者の団体に留まる労働組合であっても，団体交渉権を有することがあるので，使用者は団体交渉に応じなければならない（この場合，労働組合としては，労働委員会に不当労働行為の救済申立てができないことが，労組法上の労働組合との相違となる）。

　その上で，労働組合が労働者の労働条件について要求しているときに，それが法的に正当な権利であるか否かを検討することとなる。したがって，労働組合が関与する場合，労働者の労働条件についての法的理由の有無の検討に入る前に，あるいは並行して，検討しなければならないことが多々生じてくる。また，その際参照する裁判例・労働委員会命令の多くは，従来（昭和20〜30年代）からの，労働組合運動華やかなりし時代のもので，しかもその裁判例，命令例の根底に流れている社会的感覚は，現代の法律家，人事労務家は忘失してしまっている部分も大きいゆえに，現代の感覚で即断してしま

うと判断を誤る危険が常に存することを，重々心に留めておくべきである。

実践知！

　　労働組合対応としては，まずは，相手方が，労組法上の労働組合であるかどうかが問題となる（ただし，それを否認できる場合は，そうは多くはない）。
　　労働組合対応については，かなり昔の裁判例の調査確認が必要となることが多いが，現在の社会情勢に沿った感覚にのみ頼っていては間違いを起こすことがあり得るので，裁判例調査は必須である。

CHAPTER

02　　　　　　　　　　団体交渉

Ⅰ．問題の所在

　団体交渉は，労働組合がその要求を，使用者との合意の上で（多くの場合
は労働協約の締結により）実現するために，使用者と対等な立場で交渉する
ものである。現行法上，団体交渉について使用者側が一番留意を要すべき問
題は，誠実団体交渉義務違反による不当労働行為（労組法7条2号）の成立
の有無である（後述Ⅲ）。

　団体交渉の概念として指摘されている有力な見解について紹介すれば，

　(a)　団体交渉は双方が譲歩を重ねつつ合意を達成することを主たる目標と
するものであり，双方の主張や意見を対決させる（そしてそれを傍聴人に聞か
せる）ものではない

　(b)　団体交渉は代表者を通しての取引・ルール形成の手続であるので，駆
け引きの権限が代表者に授権されることを要する

　(c)　団体交渉は取引ないしは合意によるルール形成の行為であるので，譲
歩は双方の自由であり合意が形成されないこともある

とされている（菅野・労働法〔12版〕879頁以下）。

　ただし，使用者としては，労働者からの要求につき，理由を挙げること
もなくゼロ回答を繰り返すときは，前述の誠実団体交渉義務違反および不当労
働行為（労組法7条2号）が成立するリスクが高くなる。

　また，近年，使用者より何らかの人事措置を受けた労働者が労働組合員と
して所属する労働組合とではなく，当該労働者が労働組合員として加入した
労働組合（いわゆる，駆込み寺的労働組合）との対応・交渉が必要となる事象
が多発している。この場合，労働組合は，会社の制度内容，業務の実情，当
該労働者の仕事ぶり（および周囲の同僚からの評価）等を，団体交渉前には知
悉していないことが多く，使用者側は団体交渉での自らの主張の説明に労力
を要することがある。

CHAPTER 2　団体交渉　　　415

Ⅱ. 団体交渉の主体・対象事項

1. はじめに

使用者側が労働組合より団体交渉申入れを受けた場合，まずは自らが団体交渉を行う法的義務があるか否かを検討するのが当然である。その場合，実務上，よくみられるのが，そもそも自らが団体交渉を受けなければならない相手方なのか（使用者性の問題），また，労働組合の要求の全部または一部が，団体交渉を受けなければならない事項なのか（義務的団交事項の問題）という問題である。

2. 団体交渉の主体

(1) はじめに

労組法上の使用者は，労働契約上の雇用主とは必ずしも一致しないが，労働契約関係ないしそれと近似ないし隣接した関係を基盤として必要とするとされている（菅野・労働法〔12 版〕1005 頁，荒木・労働法〔4 版〕733 頁等）。この点で，実務上，殊に問題になりがちなケースは，当該労働者とは直接に雇用関係にはない，構内請負における発注企業の例，労働者派遣における派遣先企業の例，親子会社の例などである。以下，微妙な例について，裁判例を俯瞰する。

(2) 裁判例

代表的な最高裁判例である朝日放送事件判決（最判平成 7・2・28 労判 668 号 11 頁）を理解しておく必要がある。これは，事業主が第三者と請負契約を締結し，その第三者が雇用している労働者の派遣を受け，事業主の業務に従事させていた事案についてのものであるが，同判決は，まず総論として，労組法上の使用者の意義について，「雇用主以外の事業主であっても，雇用主から労働者の派遣を受けて自己の業務に従事させ，その労働者の基本的な労働条件等について，雇用主と部分的とはいえ同視できる程度に現実的かつ具体的に支配，決定することができる地位にある場合には，その限りにおいて，右事業主は同条の『使用者』に当たる」とした上で，労働者が従事すべき業務の全般につき，作業日時，作業時間，作業場所，作業内容等その細部に至るまで事業主が自ら決定し，労働者が事業主の作業秩序に組み込まれて

事業主の従業員とともに作業に従事し，その作業の進行がすべて事業主の指揮監督の下に置かれているといった事実関係においては，事業主は，労働者の基本的な労働条件等について雇用主と部分的とはいえ同視できる程度に現実的かつ具体的に支配，決定することができる地位にあったものとして，上記の労働条件に限り労組法7条の労働者に該当するとした（ただし，あくまで使用者側が「現実的かつ具体的に支配，決定」していた労働条件に限られることに留意）。また，他の最高裁判例として，油研工業事件判決（最判昭和51・5・6労判252号20頁）は，社外の請負業者から従業員の派遣を受け，社外工として会社の作業場内で就労させていた事案につき，上記請負業者が実質的には独立の使用者としての実体を有せず，各社外工はその勤務および作業に関しては専ら受入れ会社が自己の従業員と同様に指揮監督を行い，賃金額についても会社が実質的にこれを決定しているなどの事実関係においては，会社は労組法7条の使用者に当たるとした（なお，詳細は省略するが，阪神観光事件判決〔最判昭和62・2・26労判492号6頁〕は，自社の営業組織に楽団員を受け入れていた事案について，事業主の労組法上の「使用者」性と，業務従事者の労組法上の「労働者」性の双方が同時に判断されたものとされている）。

　なお，労組法上の「使用者」性を否定した例を挙げておくと，西日本旅客鉄道事件判決（東京地判平成17・3・30労経速1902号13頁）は，発注元がある業務について受注先との契約を打ち切ったことに伴い，当該業務に従事していた受注先の従業員6名が受注先より解雇されたため，これらの従業員が所属する労働組合が受注先ではなく発注元を相手に団体交渉を求めた事案において，基本的な労働条件等について，発注元が部分的とはいえ雇用主である受注先と同視できる程度に現実的かつ具体的に支配，決定することができる地位にあったとはいえないとして，発注元は労組法7条の「使用者」には該当しないと判断している。労働者派遣に関わる裁判例として，X労働組合対国事件判決（東京高判平成28・2・25別冊中労時1496号43頁）は，労働者派遣法所定の要件を充たさない労働者派遣が実質である業務委託契約の受託企業労働者が所属する労働組合が，委託者である国に対して団体交渉を申し入れた事案であるが，前掲朝日放送事件判決の判断基準を敷衍して，国は委託業務（車両管理業務）の運行先，運行時間および業務内容については，雇用主と同視できる程度に現実的かつ具体的に支配，決定できる地位にあったものの，他の労働条件（採用，労働契約の内容の決定）についてはそのような支配力を有してはいなかったとして，労組法上の使用者とはいえないとし

た。一方，派遣関係でも団体交渉義務を認めた例として，国・中労委（阪急交通社）事件判決（東京地判平成25・12・5労判1091号14頁）は，労働者派遣の派遣先は，原則として労組法の使用者には該当しないが，派遣先が派遣法44条〜47条の2の規定により使用者とみなされ，労基法等による責任を負うとされる労働時間，休憩，休日等の規定に違反し，かつ，雇用主と同視できる程度に派遣労働者の基本的な労働条件を具体的に支配，決定している場合は，当該決定していた労働条件等に限り，労組法上の使用者に該当するとし，労働時間管理の要求事項に限っては派遣先を労組法上の使用者と認定している。

　親子会社間における事案についても，ごく代表的な裁判例を挙げると，まず高見澤電機製作所ほか2社事件判決（東京高判平成24・10・30別冊中労時1440号47頁）は，子会社の従業員が加入する労働組合らが，当該子会社の事業再編成に関連して，雇用の継続等の労働条件の問題に関し，子会社，子会社の持株会社，当該持株会社の株式の68%を有する第三者会社（持株会社設立前には子会社の親会社であった）の行為はそれぞれ不当労働行為であるとして労働委員会に3回にわたり救済申立てを行った事案について，これも前掲朝日放送事件判決の判断基準に沿って「雇用主と同視できる程度に現実的かつ具体的に支配，決定することができる地位にある場合には，その限りにおいて，当該事業主は同条の『使用者』に当たると解するのが相当」とした上で（つまり，親子会社の事案であっても，前掲朝日放送事件判決の判断基準は適用される），上記持株会社，第三者会社（元親会社）が子会社の基本的な労働条件等に対する支配力を有していたかを検討するに，第三者会社（元親会社）について，「本件組織変更等及び本件持株会社設立等は，親会社である同 Z_3 社の意向ないし方針に沿うものであったものと推認するのが相当である。しかし，他方，これらの施策についての同 Z_3 社の関与が，親会社がグループの経営戦略的観点から子会社に対して行う管理・監督の域を超えたものであると認めるだけの証拠はない」，まして，子会社の「労働者の賃金，労働時間等の基本的な労働条件等に対して，雇用主と同視できる程度に現実的かつ具体的な支配力を有していたと認めるだけの証拠は存しない」とし，加えて，上記持株会社についても，子会社に対して営業取引上優位な立場を有し，その意思決定や行為が子会社の労働者の賃金等の労働条件に影響を与え得ることは否定できないものの，子会社従業員の賃金および一時金については，子会社と提訴労働組合らとの間の団体交渉を経て決定されており，

当該決定過程に同持株会社が現実的かつ具体的に関与していたことを認める
だけの証拠はなく，労働時間等のその他の基本的な労働条件等についても，
持株会社が雇用主と同視できる程度に現実的かつ具体的な支配力を有してい
たと認めるだけの証拠はないこと等をあげ，結論として，上記持株会社，第
三者会社の各社は，労組法 7 条の使用者には該当しないとした一審判決（東
京地判平成 23・5・12 判時 2139 号 108 頁）を維持している。同じく，中労委
（大阪証券取引所）事件判決（東京地判平成 16・5・17 労判 876 号 5 頁）は，実
質的親子会社関係にあるとされ，労働組合より労働委員会に救済申立てされ
た会社につき，組合員らの雇用の確保等の雇用問題について，雇用主と同視
できる程度に現実的かつ具体的に支配，決定することができる地位にあった
ということはできないとして，労組法上の使用者性を否定している（ほぼ同
様の趣旨を述べるものとして，ブライト証券他事件判決〔東京地判平成 17・12・
7 労経速 1929 号 3 頁〕がある）。付言すれば，中労委（大阪証券取引所）事件
判決は，中央労働委員会では使用者性を肯定している事案であり，実務とし
ては留意しておくべき事案ともいえよう。

3. 対象事項

(1) はじめに

　労組法上の使用者が，労働組合からの団体交渉の要求に対して，団体交渉
に応じなければならない事項は，一般的に義務的団交事項といわれる。もち
ろん，使用者は義務的団交事項以外に団体交渉に応じるのが違法というわけ
ではないが，団体交渉に通常有する時間，労力等を考えると，義務的団交事
項とそれ以外との区分けを適切に行い，その扱いを考慮することが現実的で
ある。

　義務的団交事項は，総論としては「組合員である労働者の労働条件その他
の待遇や当該団体的労使関係の運営に関する事項であって，使用者に処分可
能なもの」とされているが（菅野・労働法〔12 版〕901 頁），現実に労働組合
から寄せられた要求事項がどこまで入るかは，事案ごとの検討を必要とする。
その判断はまさに個別具体的なものとならざるを得ないが，一般によく問題
となるところについて，以下に原則論を触れておく。

　まず，労働条件（報酬，労働時間，休暇・休日・休憩，安全性，補償，訓練，
労働環境等）は義務的団交事項となる。人事評価（考課），配転，懲戒，解雇
等の人事に関する基準や手続もこれに含まれる。なお，労働組合より，所属

する組合員以外の者（つまりは非組合員）の労働条件についても団体交渉を要求してくる場合がある。これについては，原則としては義務的団交事項にはならないが，例外的に該当する場合がある（後述(2)の裁判例参照）。

また，労働者個人の個別の労働条件，権利（配転，解雇，未払残業代等々）も，義務的団交事項とされている。

次に，経営・生産事項（新機械・技術の導入，設備更新，経営者・上級管理者の人選，事業譲渡，会社組織変更，業務外注化等）といった事項は，原則，使用者の裁量に属するが，そのような施策が労働条件（雇用も含め）に影響のある場合には義務的団交事項となる。

さらに，ユニオンショップ，労働組合活動に対する便宜供与（会社設備の利用，組合事務所の貸与等），団体交渉や労使協議の手続，争議行為に関するルール等も，義務的団交事項とされている。

(2) 裁判例

義務的団交事項について，まず，国・中労委（根岸病院・初任給引下げ団交拒否）事件判決（東京高判平成 19・7・31 労判 946 号 58 頁）は，非組合員である新規採用者の初任給の引下げについて，将来にわたり組合員の労働条件との関わりが強い事項として（初任給は，組合員の勤続による賃金カーブの出発点であるため），義務的団交事項としている。また，栃木化成事件判決（東京高判昭和 34・12・23 労経速 347 号 2 頁）は，当該事案における「職場再編成問題は，従業員の待遇ないし労働条件と密接な関連を有する事項であるから，団体交渉の対象となり得ることはもちろんであつて，これに反する被控訴会社の主張は失当」とし，職場再編問題（例えば，いかなる製品をいかなる作業組織で生産するかという計画など）も，従業員の待遇や労働条件に関連が大きい場合，義務的団交事項となる旨，判示している。

一方，否定例として参考になるものとしては，労働委員会の命令ではあるが，パナソニックディスプレイ事件命令（中労委命令平成 24・10・17）は，組合が団体交渉の要求事項とした組合員の雇止めの撤回については，すでに最高裁判決により雇用関係の終了（雇止め有効）が法律上確定しているから，義務的団交事項にはならないと命令している。

Ⅲ. 誠実団体交渉義務

1. はじめに

　使用者が団体交渉に応じる義務があるとき，単に外形上，団体交渉の席に臨めばよいというものではなく，誠実に交渉しなければならず（誠実団体交渉義務），組合の要求や主張に対し，できるだけ具体的な理由を挙げつつ回答するように努めなければならない。ただし，使用者には，組合の要求や主張を受け入れたり，それに対して譲歩したりする義務まではなく，十分な交渉の末，意見が平行線となり交渉打ち切りに至ることは，誠実団体交渉義務に反するものではない（菅野・労働法〔12版〕907頁等）。団体交渉は労使ともに常に相手があるものであり，交渉に至る段取り・手続面，交渉における内容面の両面において，事案によって，誠実団体交渉義務違反の当否の判断も千差万別であるが，実務において比較的多く問題となるのは，以下の点である。

(a)　交渉の日程・場所，時間・人数

(b)　交渉担当者（団体交渉に出席する者）

(c)　交渉の姿勢（理由を示さない拒否回答等）

(d)　要求を拒否する場合の理由の説明の程度（資料提示の程度等）

　このうち，(a)は，明らかに合理性のない日程，場所（状況にもよるが団体交渉申入れがあってから数か月先に交渉を行う，東京での団交を要求されているのに，特に理由もなく大阪で交渉する旨を回答する等）に固執しない限りは，問題はそう大きくはないと解される（誠実団体交渉義務違反となることも少ない）。ただし，交渉を2時間，組合側の参加人数を5人以内とするというルールがでなければ団体交渉を行わないとした使用者に対し，団体交渉義務違反を認めた商大自動車教習所事件判決（東京高判昭和62・9・8労判508号59頁）や，単に他の労働組合との団体交渉の例に従うなどといった理由のみで，使用者事業所内での団体交渉を拒否した場合に，同じく団体交渉義務違反を認めた国・中労委（大乗淑徳学園〔淑徳大学〕）事件判決（東京地判平成31・2・21労判1205号38頁）などがあるので，最低限の留意は必要である。

　(c)についても，弁護士にわざわざ相談をしてからもこのような姿勢を続ける使用者はそう多くはない。しかし，(b)と(d)は労使で評価，意見が分かれやすいところであり，後述の通り，裁判例等の俯瞰が必要なところである。

なお，使用者が誠実団体交渉義務に違反した場合，不当労働行為となり（労組法7条2号），労働委員会における救済対象となる。

2. 裁判例

まず，交渉担当者の点についていえば，労働組合はなるべく，使用者における上位者（会社でいえば社長や取締役，法人でいえば理事長や理事等）が交渉に出席することを望む傾向があり，使用者側としては，事実関係と実務に詳しい実務担当者（部長級や，高位でも担当役員レベル）の出席が便宜と考えることが多い。この場合，組合の求める高位権限者が団体交渉に出席しないことが誠実団体交渉義務違反に該当するとしたものとしては，香川県・県労委（詫間港運）事件判決（高松地判平成27・12・28労判1137号15頁。会社代表者が長期間欠席した事例），塚本学院事件命令（大阪地労委命令昭和50・7・3労判229号速報カード23頁。理事長または権限を有する理事を出席させなかった事例）等があり，一方，誠実交渉義務違反を否定したものとしては，ケミサプライ・アマックス事件命令（福岡県労委命令平成29・8・9労判1169号95頁。団交の出席者を弁護士のみとした事例），岐阜工業事件命令（岐阜地労委命令平成元・12・19労判558号105頁。社長が団交に出席しなかった事例）等があり，同レベルの者が出席しない場合でも判断が分かれている。要は，使用者側の交渉員として団体交渉に出席する者が，どの程度の権限を与えられ，実際にその権限の下に，労働組合に対して具体的に交渉できるか（使用者側の主張を具体的な理由をもとに説明できるかも含め）が問われるものと思われる。

次に，使用者による主張の理由の説明の程度であるが，裁判例が無数あるため，ここではごく代表的なものを挙げる。まず，カール・ツアイス事件判決（東京地判平成元・9・22労判548号64頁）は，労働組合の会社施設利用の要求につき団体交渉となった事案に対し，「使用者の団交応諾義務は，労働組合の要求に対し，これに応じたり譲歩したりする義務まで含むものではないが，…要求に応じられないのであれば，その理由を十分説明し納得が得られるよう努力すべきであり，…義務的団体交渉事項…のような事項について団体交渉の申し入れがあれば，…要求に応じられないのであればその理由を十分説明するなどして納得が得られるよう努力すべきである」として，使用者の誠実団体交渉義務違反を認定している。また，中労委（シムラ）事件判決（東京地判平成9・3・27労判720号85頁）は，「使用者は…，労働組合の要求に対し譲歩する余地がなくなったとしても，そこに至る以前においては，

労働組合に対し，自己のよって立つ主張の根拠を具体的に説明したり，必要な資料を提示するなどして，誠実に交渉を行う義務がある」にもかかわらず，かような対応をとらなかったことをもって，誠実団体交渉義務違反を認めている（同様に，使用者が自己の主張の根拠を具体的な資料や論拠を示して説明するなどの努力をしていなかったことを問題とした例として，普連土学園事件判決〔東京地判平成7・3・2労判676号47頁〕，東京都・都労委（ソクハイ）事件判決〔東京地判平成27・9・28労判1130号5頁〕等がある）。もっとも，資料の開示といっても，例えば兵庫県・兵庫県労委（テーエス運輸）事件判決（大阪高判平成26・1・16労判1092号112頁）は，団体交渉においても親会社の連結財務諸表の開示までの義務はないとしており，組合側の資料要求も合理的な範囲に限られることはもちろんである。

Ⅳ. 実務の具体的対応

　以上述べたところ（特に裁判例）を前提にしての具体的対応としては，大要以下の通りと思われる。

　まず，労働組合より団体交渉の申入れを受けた場合，団体交渉そのものは（それにかかる時間と労力の問題を度外視すれば），使用者に具体的な不利益をもたらすものではない。しかし，法的に受ける必要のない団体交渉を受けることは，当該労働組合に対する一つの先例となり，後にこれを変更することは色々と問題が生ずることがあり得る（それこそ，特段の理由なく従前の取扱いを変更したとして，後述の不当労働行為との評価を受けることも可能性としては否定できない）。したがって，使用者としては，団体交渉を行う法的義務の有無を慎重に検討することとなる。その場合，前述Ⅰ，Ⅱの通り，自らが団体交渉義務を有する使用者であるか，また，労働組合の求めている事項が義務的団交事項であるか否か，を検討することが必要となる。

　また，仮に団体交渉を受けることとなっても，団体交渉の場所，日時については，使用者側がイニシアチブを持って（もちろん，あまりに無理なことを提案してはならない），労働組合に提案し，現実に団体交渉を実施するまでにできるだけの準備（自らの主張の明確化，その主張の具体的根拠の整理，交渉時に予想される想定問答の作成等々）を整えることが肝要である。労働組合（特に団体交渉申入れまでは使用者とは縁の薄い，駆込み寺的に労働者が加入した労働組合）は，早期の団体交渉を希望することが多いが，使用者の側としては，

不必要に迎合して無理に早期の日程を入れる必要はない。

　現実に，団体交渉を行うこととなった場合，誠実団体交渉義務違反にならないように留意しなければならないが，かといって，自らに不利益になる説明は避けなければならない（例えば，誤解されかねない発言，撤回困難な説明）。そのために，前述の通り，自らの主張の具体的根拠の整理，想定問答等の作成が重要ではあるが，こと誠実団体交渉義務に違反しないという見地からは，主張を根拠づける資料の作成が重要である（これは，必ずしも書面資料の交付ということではなく，場合によっては交渉のときのみ配布して交渉後回収するとか，資料の数値を相手が聞き取れる速度で読み上げるといった方法もあり得る）。労働組合によっては，自らの要求の貫徹のみを志向し，使用者の作成した資料を一顧だにしないようなこともあるが，使用者としては，相手の姿勢にかかわらず，尽くすべきものは尽くすという姿勢が重要である。

実践知！

　労働組合（殊に，それまで使用者が関係したことのなかった労働組合）からの団体交渉申入れに際しては，まず，その要求事項について自社が団体交渉義務を有するか否かの検討が重要である。
　団体交渉をすることとなった場合は，労働組合の要求を拒否するにしても，その理由を具体的に説明できるよう，また，労働組合からの反論に的確に対応できるように，説明資料，想定問答等の準備が必要である。充実した協議を行うには説明のための準備に必要な時間を確保すべく，団体交渉の日時も設定すべきであり，拙速は避ける必要がある。
　事案が複雑な場合，団体交渉が数次にわたることがあるため，使用者側の回答，説明につき重複はまだしも齟齬が生ずることがあり得る。当然ながらこれはなるべく避けることが望ましいが，筆者の経験からすれば，初回の団体交渉の準備より，事実確認，想定問答等の準備に最善を尽くしていれば，致命傷となるような齟齬は生じないことがほとんどである。
　団体交渉では，使用者は労働組合の要求を受諾する必要はないが，拒否回答するにしても理由を説明する必要がある。そしてその理由は，当初の段階で十分な検討をした場合，団体交渉が数次にわたっても理由の主要部は変更がない場合（つまりは，最初から繰り返し同様の説明を行う場合）が少なくない。その場合，労働組合からは「同じことしか説明せず不誠実」と評価されることもあるが，使用者としては，真実，丁寧に検討した結果の説

明の繰り返しであれば，誠実団体交渉義務に違背するところはない。

CHAPTER

03 団体行動

Ⅰ．労働組合の団体行動の法的保護

　労働組合は，団体行動権を保障されている（憲法28条）。団体行動権には，通常，争議行為を行う争議権と組合活動を行う組合活動権が含まれるとされている（菅野・労働法〔12版〕954頁）。上記の争議権とは，団体交渉における労働者の立場を強化し，または交渉の行き詰まりを打開するための労働者の圧力行動を保障する権利であり，組合活動権は，労働者の団結体の活動を日常的に保障する権利であるとされている。

　ともに，一定の要件で，刑事免責，民事免責が認められるとされている（同956頁以下）。ただし，組合活動は，使用者の労働契約上の権利，営業の権利，財産権（施設管理権）とも衝突し得るものなので，その調査が必要であり，後述Ⅱの正当性の要件の検討が重要である。

Ⅱ．団体行動の正当性の要件

1．争議行為

(1)　はじめに
　団体行動のうち，争議行為の正当性は，主体，目的，手続，態様の観点より問題となるとされている。

　①主体については，団体交渉の主体となり得る者（労組法上の労働組合とは限らない）が争議行為の主体である。これは，そもそも争議権が，団体交渉における労働者の立場を強化し，または交渉の行き詰まりを打開するための労働者の圧力行動を保障する権利であることによる。

　②目的についても，上述の争議権の本旨より，団体交渉上の目的事項のために遂行されなければならず，政治スト（労働者の特定の政治的主張の示威または貫徹を目的とするスト）や同情スト（すでに使用者と争議状態にある他の労働者の要求の実現を支援する目的で行うスト）は目的上正当性を有しない。

　③手続については，主に団体交渉や予告を経ない争議行為が問題となる。

426　　　　　　　　　　　PART 2　集団的労働紛争

上述の争議行為の性質からも，使用者が労働者の具体的要求についての団体交渉を拒否したか，または団体交渉において労働者の要求を拒否したことが原則として必要とされている。また，予告を経ない（あるいは開始時期等が予告と異なる）ストについても，正当性が問題となる（裁判例においては肯定例も否定例もあるが，結局は，使用者への実害，ストが混乱を意図したものか否か等が，個別の事案に即して判断されている）。

④態様については様々な問題点があるが，近年の実務においてよくみられる例のみをあげれば，争議行為はフェア・プレイの原則に沿って行われるべきであり，開始に際して，内容，開始時期，期間などを使用者に明らかにすべきであるにもかかわらず，労働組合が使用者経営者の私宅に面会に押しかけたり，その付近で街宣活動をするといったケースがある（特に，駆込み寺的な労働組合加入の場合）。後述の多くの裁判例の通り，原則として違法である。

また，ピケッティング（「ストライキを行っている労働者達がそのストライキを維持しまたは強化するために，労務を提供しようとする労働者，義務を遂行しようとする使用者側の者，あるいは出入構しようとする取引先に対し見張り，呼びかけ，説得，実力阻止その他の働き方を行う行動」〔菅野・労働法（12 版）970頁〕）については，これも後述の裁判例の通り，平和的説得までならともかく，それを超える行動（デモ，スクラム，バリケード等）は原則として違法とされる。

⑵　裁判例

争議行為の正当性については，前述⑴の通り，主体，目的，手続，態様の観点より問題となる。以前の労働組合運動の盛んな時代を中心に，各々の要素について問題となった裁判例は数多いが，ここではごく代表的な裁判例を俯瞰する。

①第一に，主体面に関しては，団体交渉の当事者たり得ない者による争議行為は認められないのが原則である。三井三池鉱業所事件判決（福岡高判昭和 48・12・7 労判 192 号 44 頁）は，「労働者はそれぞれ固有の団体交渉権，団体行動権を有するとはいえ，その利益を守るため統一的な労働組合に団結した以上，組合員が各自勝手気儘にこれらの権利を行使することは許されず，他の組合員との団結による組合組織を通じ，かつその組合組織の力によってこれを行使すべきものであ」るとした上で，「本件事実の経過に照らすと，

かかる正規の争議の決議をすることなく，…中央委員兼職場分会長…，九〇〇部内三交代中央委員兼職場分会長…らが，当日朝，既に繰込みを受け入坑しようとしていた鉱員や，繰込中の鉱員，入坑するため繰込みをまつていた鉱員らを繰込場で煽動し，これら鉱員に作業を放棄させて抗議のための大衆行動を組織したものであることが推認できるので，右は正当な争議行為ということはできず，前示業務阻害の違法性を阻却する事由は存しない」としており，単なる組合員の一部集団が労働組合の承認を得ないで独自に行う争議行為（山猫ストなどといわれる）は正当性を有しないとした。もっとも，三和サービス（外国人研修生）事件判決（津地四日市支判平成21・3・18労判983号27頁）は，外国人技能実習生が作業をボイコットした事案につき，上記外国人技能実習生らにつき，「労働法上の労働組合とはいえないが，憲法上の団体交渉権及び争議権の保障を受けるところ，…原告［註：使用者］の労働契約の不利益変更に対し，撤回を求めたが応じないため労務提供の停止をしたものであるから…不就労はストライキとして適法」としていることには留意が必要である。

　②第二に，目的面に関しては，まず，政治ストについては，すでに全逓東京中郵事件判決（最大判昭和41・10・26民集20巻8号901頁），三菱重工業長崎造船所事件判決（最判平成4・9・25労判618号14頁）等により，その正当性は否定されている。次に，同情ストについても，炭労杵島争議事件判決（東京地判昭和50・10・21労判237号29頁）等において正当性を否定されている。

　③第三に，手続面に関しては，予告をしないで抜き打ち的に行ったストライキの正当性についての裁判例がある。日本航空事件決定（東京地決昭和41・2・26労経速561号5頁）は，「組合は右指名ストに先立ち，…11月8日以降前記両問題の解決をみるまで全路線につきストを含む争議行為の一部又は全部を実施する旨の労調法37条に基く争議行為通知をしていることが認められ，また組合がかねてから争議予告に関する労働協約の締結に反対し，上記両問題についても会社と鋭く対立して容易に妥結を期待できない情勢にあつた…から，組合が前認定のような方法の指名ストを実施する虞があることは，会社として全く予測不可能な事態ではなかつたことが了察され，もし会社が右危惧される事態に処すべき対策を事前に準備していたならば，前認定の業務上の混乱，損害をある程度まで軽減できたものと考えられる。…本件各指名ストが労調法37条に違反し，或いは団体交渉等の段階を無視し，

或いは相手方の全然予測可能外の時期に突発したと云う意味においての抜打ち的なストと云えない」としており，事実関係によっては，予告なしのストライキも正当性を有するとしている。一方，予告はしたものの予告した開始時期を12時間前倒ししてストライキを行った事例について，国鉄千葉勤労（違法争議損害賠償）事件判決（東京高判平成13・9・11労判817号57頁）は，「本件前倒し実施の目的には，…十分な緊急性・重要性が存しない」こと，組合からの通知文書には，ストを「前倒しで実施することがある旨の明確な記載はな」いこと，使用者側では，組合が，「利用客が既にストライキがないものとして当日の行動を開始している時点で，あえて影響の大きいことが容易に予想されるストライキの前倒しを行うことがあると予測していたと断ずることまではできない」こと等を挙げて，前倒しストの正当性を否定している。つまりは，使用者の予測可能性，業務への障害といった事象により個別に判断されるといえる。

　若干，珍しいものとして，学校法人関西外国語大学事件判決（大阪地判令和2・1・29労判1234号52頁）は，組合員（大学教員）が担当コマ数のうち週6コマを超える授業（週2コマ分）を担当する義務の不存在確認を目的として，当該義務の履行を争議行為として拒否した事案につき，当該争議行為は，労使間の合意形成を促進するという目的を離れ，労働組合による使用者の人事権行使となる側面があり，当該争議行為が，業務命令の拒否自体を目的としているとみることができるなど，団体交渉を通じた労使間の合意形成を促進する目的が失われたものと評価できる場合には，正当性を有しないものというべきであるとして，当該争議行為の正当性を否定している（控訴審判決〔大阪高判令和3・1・22労経速2444号3頁〕でも追認）。

　④第四に，態様面に関して，まず近時は，使用者経営者の私宅付近での争議行為が目につくが，この点につき例えば東京ふじせ企画労組事件決定（東京地決平成元・3・24労判537号14頁）は，個人の生活の平穏，行動の自由等の生活上の利益は，人格権の一内容として保護されるべきものであるとし，それが社会通念上受忍すべき限度を越えて侵害され，今後も侵害がなされる蓋然性が高い場合には，被害者は，上記侵害行為の差止を求めることができるとした上で，組合員らによる会長ら居宅前での面会の強要，拡声器を用いて演説やシュプレヒコールの連呼，上記会長らの居宅からの出入通行の妨害の差止請求を認めている。なお，近年，同種の仮処分がかなりの数でみられるようになっている（全日本建設運輸労組関西地区生コン支部事件決定〔大阪地

決平成 3・5・9 労判 608 号 84 頁〕,全国金属機械労組港合同南労会支部事件決定〔大阪地決平成 7・1・26 労判 677 号 85 頁〕等)。

また,これは近年では珍しいが,生ずれば問題が大きいピケッティングについては,著名な最高裁判例として,まず国労久留米駅事件判決(最大判昭和 48・4・25 労判 176 号 41 頁)は,「争議行為に際して行なわれた犯罪構成要件該当行為について刑法上の違法性阻却事由の有無を判断するにあたっては,その行為が争議行為に際して行なわれたものであるという事実をも含めて,当該行為の具体的状況その他諸般の事情を考慮に入れ,それが法秩序全体の見地から許容されるべきものであるか否かを判定しなければならない」とした上で,組合員らの争議行為の際における侵入行為(信号所の勤務員 3名を勧誘,説得してその職務を放棄させ,勤務時間内の職場集会に参加させる意図をもって,駅長の禁止に反して侵入した等)は,刑法上違法性を欠くものではないとした。また,御国ハイヤー(ピケ)事件判決(最判平成 4・10・2 労判 619 号 8 頁)は,組合員らは「会社が本件タクシーを稼働させるのを阻止することとし,…車庫に格納された本件タクシーの傍らに座り込み,あるいは寝転ぶなどして,上告会社の退去要求に応ぜず,結局,上告会社は,両日にわたり,本件タクシーを両車庫から搬出することができなかったというのである。…会社の管理に係るタクシー 42 台のうち…組合員が乗務する予定になっていた本件タクシーのみを運行阻止の対象としたものであり,エンジンキーや自動車検査証の占有を奪取するなどの手段は採られず,暴力や破壊行為に及んだものでもなく,…専務やその他の従業員が両車庫に出入りすることは容認していたなど,…無用の混乱を回避するよう配慮した面がうかがわれ,また,…会社においても本件タクシーを搬出させてほしい旨を申し入れるにとどめており,そのため,被上告人 [註:組合員] らがその搬出を暴力等の実力行使をもって妨害するといった事態には至らなかった…。しかしながら,これらの事情を考慮に入れても,被上告人らの右自動車運行阻止の行為は,前記説示に照らし,争議行為として正当な範囲にとどまるものということはできず,違法の評価を免れない」として,タクシー運行を阻止した組合員の行為につき,違法と判示している。

2. 争議行為以外の組合活動(団体行動)

(1) はじめに

争議行為以外の組合活動(以下「団体行動」)についても,争議行為の場合

とほぼ同様に，主体，目的，態様の観点より正当性が吟味されるとされている（菅野・労働法〔12版〕923頁）。

①まず主体については，労働条件や待遇の維持改善のための団結活動である限り，憲法28条の団体行動の保護を受けるとされている（刑事免責，民事免責等）。労働組合に組織されている組合員の行為は，それが労働組合の機関決定の指示によるものでなくとも，組合の運動方針の遂行と目される行為であれば正当性を有するが，組合の決定，方針に反する行動は，通常正当性が認められないとされる。

②次に，目的については，主には政治運動が問題とされているが，後述の国労広島地本事件判決でもあるように，「労働者の権利利益に直接関係する立法や行政措置の促進又は反対のためにする活動」については保護されるとするのが一般である（争議行為の場合との相違に留意）。

③さらに，態様については，まず，就業時間中の組合活動（団体行動）は正当性がない。また，事業場内の組合活動についても，使用者の施設管理権の制約に服する。団体行動の態様上の正当性については，紛争例は無数に存するが，その中でも比較的よく目にするものを以下に挙げる。

いわゆるリボン闘争（就業中，腕章，鉢巻，組合バッジ等を着用すること）は，後述の裁判例の通り，職務専念義務違反として正当性が認められないのが原則である（ただし，着用物の形状，周囲の状況等によっては例外もある）。

使用者施設でのビラ貼り，施設内におけるビラ配布等については，使用者の施設管理権からの制約が問題となり，組合が使用者の承諾を得ないで施設を利用して組合活動を行うことは，その利用を許さないことが使用者の施設管理権の濫用と認められる特段の事情のない限り，正当性を有しない（後掲国労札幌支部事件判決〔最判昭和54・10・30労判329号12頁〕）。なお，ビラについては，貼付，配布といった外形的行動自体，使用者の施設管理権との関係より制約を受けるが，ビラの内容についても，主に使用者の名誉・信用といった利益との関係が問題となる。これも，ここでは結論のみを述べると，ビラ記載内容が前提として摘示した事実がおおむね真実であるか真実であると信じるに相当な理由があり，会社の名誉・信用等を不相当に侵害したり，役員・管理職等の不相当な個人攻撃や誹謗中傷，私事暴露などに及んだりしない内容での，主張・批判・訴えである限りは正当性が認められる（菅野・労働法〔12版〕983頁）。なお，ビラ配布以外の方法による組合の言論活動（殊にインターネット上によるもの）の内容についても，同様に解される。

CHAPTER 3　団体行動

431

また，労働組合が自己の主張をアピールする有力な方法として，使用者，その関係会社，当該使用者の役員などの私宅に押し掛けて面会を要求したり，付近でビラを配ったり拡声器で組合の主張を宣伝したりする行為，いわゆる，街宣活動がある。殊に，駆込み寺的に組合員の加入を受ける労働組合は，使用者との人間的な関係が薄いので，この方法に訴えるのに躊躇しない傾向がある。この街宣活動については，会社の施設で行われる場合は，会社の施設利用権を侵害するものとして，原則として正当性を有しないであろう。会社の施設付近で行われる場合でも，社会的相当性を超えて使用者の名誉・信用，平穏に営業を営む権利を侵害している場合には，正当性が否定される。なお，役員等の個人の私宅付近で行われる街宣活動は，争議行為で述べたところと同様，私生活の平穏，地域における個人の名誉・信用を侵害する活動であって，原則として正当性を有しない（したがって，他の正当性を有しない行動と同じく，差止請求の対象や損害賠償請求の対象となる）。

(2)　裁判例

　団体行動の正当性に関する裁判例で著名なものを挙げていくと，以下の通りである。

　第一に，目的面の正当性に関する代表的裁判例である国労広島地本事件判決（最判昭和50・11・28労判240号22頁）は，労働組合が組合員から，各種の目的で徴収する資金について，組合員が協力する義務があるか否かにつき種々論じている。まず，他組合の闘争に対する支援資金については，「労働組合の目的とする組合員の経済的地位の向上は，当該組合かぎりの活動のみによってではなく，広く他組合との連帯行動によってこれを実現することが予定されているのであるから，それらの支援活動は当然に右の目的と関連性をもつ…。…右支援活動をするかどうかは，…当該組合が自主的に判断すべき政策問題であって，多数決によりそれが決定された場合には，これに対する組合員の協力義務を否定すべき理由はない」として協力義務を肯定している。一方，総選挙に際し特定の立候補者支援のためにその所属政党に寄付する資金については，「政党や選挙による議員の活動は，各種の政治的課題の解決のために労働者の生活利益とは関係のない広範な領域にも及ぶものであるから，選挙においてどの政党又はどの候補者を支持するかは，投票の自由と表裏をなすものとして，組合員各人が市民としての個人的な政治的思想，見解，判断ないしは感情等に基づいて自主的に決定すべき事柄である。した

がつて，労働組合が組織として支持政党又はいわゆる統一候補を決定し，その選挙運動を推進すること自体は自由であるが（当裁判所昭和 38 年（あ）第 974 号同 43 年 12 月 4 日大法廷判決・刑集 22 巻 13 号 1425 頁参照），組合員に対してこれへの協力を強制することは許されない」として，組合員の協力義務を否定している。

第二に，態様面の正当性に関する裁判例も数が多い。

前述のリボン闘争（就業中，腕章，鉢巻，組合バッジ等を着用すること）について，大成観光（ホテルオークラ）事件判決（最判昭和 57・4・13 労判 383 号 19 頁）は，ホテル業を営む会社の従業員で組織する労働組合が行ったリボン闘争について，労働者の職務中の職務専念義務を理由に，違法と判断している（同種の判断例として，国鉄鹿児島自動車営業所事件判決〔最判平成 5・6・11 労判 632 号 10 頁〕，JR 東海〔新幹線支部〕事件判決〔最判平成 10・7・17 労判 744 号 15 頁〕等）。ただし，一概にリボン闘争に属しそうなものがすべて違法と判断されているとも断じがたく，腕章や組合バッジとは異なり，組合ベルトの着用のような場合は，具体的に業務に支障を生じさせていないとして違法ではないとされており（JR 東日本〔本荘保線区〕事件判決〔最判平成 8・2・23 労判 690 号 12 頁〕），やはり，実質的な業務への支障（これは，現実に仕事に差し障りがあるという結果・危険のみならず，周囲の従業員，顧客への心理的影響，違和感等も含まれると解されている）を考慮して，正当性が吟味されていると思われる。

使用者施設でのビラ貼り，ビラ配布についての代表的な裁判例として，前掲国労札幌支部事件判決（最判昭和 54・10・30 労判 329 号 12 頁）は，組合員が組合活動に際し会社施設のロッカーに要求事項等を記入したビラを貼付する行為について正当性を否定したが，同判決は，その理由として，まず一般論として「労働組合又はその組合員が使用者の所有し管理する物的施設…を使用者の許諾を得ることなく組合活動のために利用することは許されない…から，労働組合又はその組合員が使用者の許諾を得ないで叙上のような企業の物的施設を利用して組合活動を行うことは，これらの者に対しその利用を許さないことが当該物的施設につき使用者が有する権利の濫用であると認められるような特段の事情がある場合を除いては，…正当な組合活動として許容され…ない」とした上で，具体的事例への当てはめとしては，「右ロッカーの設置された部屋の大きさ・構造，ビラの貼付されたロッカーの配置，貼付されたビラの大きさ・色彩・枚数等…に照らすと，貼付されたビラは当該

部屋を使用する職員等の目に直ちに触れる状態にあり，…常時右職員等に対しいわゆる春闘に際しての組合活動に関する訴えかけを行う効果を及ぼすもの…であつて，…上告人［註：使用者］が…本件ロッカーに本件ビラの貼付を許さないこととしても，それは，鉄道事業等の事業を経営し能率的な運営によりこれを発展させ，もつて公共の福祉を増進するとの上告人の目的にかなうように，職場環境を適正良好に保持し規律のある業務の運営態勢を確保する，という上告人の企業秩序維持の観点からみてやむを得ない…，貼付を許さないことを目してその物的施設についての上告人の権利の濫用であるとすることはできない」としている。なお，かようにビラ貼付等が正当性を有しないような事案では，使用者は，自力でその貼付ビラの撤去といった行動を行うことも許される（裁判例として，エッソ石油事件判決〔東京地判昭和 63・1・28 労判 515 号 53 頁〕等）。

　ビラ配布（貼付ではなく）についての裁判例としては，まず，目黒電報電話局事件判決（最判昭和 52・12・13 労判 287 号 26 頁）は，会社施設内で休憩時間中になされたビラ配布行為について，「許可を得ないで局所内で行われたものである以上，形式的にいえば，公社就業規則…に違反する…。もつとも，右規定は，局所内の秩序風紀の維持を目的としたものであるから，形式的にこれに違反するようにみえる場合でも，ビラの配布が局所内の秩序風紀を乱すおそれのない特別の事情が認められるときは，右規定の違反になるとはいえない」との基準を述べた上で，当てはめとして「本件ビラの配布は，休憩時間を利用し，大部分は休憩室，食堂で平穏裡に行われたもので，その配布の態様についてはとりたてて問題にする点はなかつたとしても，上司の適法な命令に抗議する目的でされた行動であり，その内容においても，上司の適法な命令に抗議し，また，局所内の政治活動，プレートの着用等違法な行為をあおり，そそのかすことを含むものであつて，職場の規律に反し局所内の秩序を乱すおそれのあつたものであることは明らかであるから，実質的にみても，公社就業規則…の懲戒事由に該当する」としている。つまりは，ビラ貼付同様，使用者の規制，禁止が権利の濫用とみられる特段の事情がある場合に限り許容される，とされている。もっとも，この特段の事情は，ごく例外的な場合とは解されていないようでもあり，例えば倉田学園（大手前高〔中〕校・53 年申立て）事件判決（最判平成 6・12・20 労判 669 号 13 頁）は，私立学校の教職員室における各教員の机上に対する組合ビラの配布について，配布方法が平穏であり，生徒が教職員室にあまり入室しない時間帯での配布

ということを理由に，職場秩序を乱すおそれがないという特段の事情があり，組合活動として正当であり使用者による懲戒処分の対象にならない，としている。

なお，以上は事業場内でのビラ配布であったが，事業場外でのビラ配布は，原則として，使用者の施設管理権の問題が生じにくいので，組合活動としての正当性が認められやすいが（例として，住友化学名古屋製造所事件判決〔最判昭和54・12・14労判336号46頁〕），使用者の施策を妨げるような場所での配布は，正当性が否定される場合がある。例えば，国労高崎地本事件判決（最判平成11・6・11労判762号16頁）は，使用者の従業員の出向施策に協力してくれている出向先の事業所前で行ったビラ配付や宣伝活動は，出向の円滑な実施を妨げるおそれがあることから正当な組合活動とはいえないとしている。

また，ビラ配布という態様についてではなく，ビラの内容自体について，組合活動としての正当性が問題となった裁判例の代表的なものを挙げれば，中国電力事件判決（最判平成4・3・3労判609号10頁）は，電力会社の従業員の組合員が原子力発電所設置計画に反対する趣旨で地域住民を対象にビラを作成・配布した事案につき，ビラの内容の主要部分が事実に反し，また，会社の社会的評価の低下や業務に対する重大な支障を生じさせたとして組合活動の正当性を否定し，使用者の組合役員らに対する懲戒処分（休職，減給処分）を有効としている。また，高裁判決レベルでは，コニカ（東京事業場日野）事件判決（東京高判平成14・5・9労判834号72頁）は，業務妨害，企業機密を漏洩する旨の発言，残業手当の支払に関する虚偽の事実公表，株主総会での議場混乱，上司への反抗等を理由としてなされた懲戒解雇を有効とした事例であるが，その中の説示で，問題の一つとなったビラの配付につき，「その目的は，原告〔註：労働組合員〕の労働条件や残業代の支払などの原告自身の労働問題について問題提起することにあるが，ビラの記載内容を見る限り，PS版事業の販売権の譲渡による売上減少額という未公開の経営情報は，原告の労働問題を議論するうえで必要性や関連性があるとはいえないし，これを公表することが手段として相当ともいえないから，原告の行為に正当な理由があるとは認められない」としている。なお，ビラではないが，最近の裁判例で組合活動による言論・主張の内容が問題となったものとして，連合ユニオン東京V社ユニオンほか事件判決（東京地判平成30・3・29労判1183号5頁）がある。これは，使用者側が労働組合に対し，使用者の社会的

評価を低下させる記事をホームページに掲載したことが名誉毀損に当たるとして，不法行為に基づく損害賠償を請求した事案であるが，記事の内容および表現には真実性若しくは真実相当性が認められ，記事の見出し等の摘示等は正当な組合活動として社会通念上許容される範囲内のものでありその違法性が阻却されるとして，不法行為の成立を否定している。

　最後に，使用者の関係者（経営者等）の私宅付近での街宣活動については，裁判例の多くは，組合活動といえども企業経営者の私生活の領域に立ち入るべきではないとして組合活動の正当性を否定し，差止請求や損害賠償請求を認めている（旭ダイヤモンド工業事件判決〔東京高判平成 17・6・29 労判 927 号 67 頁〕，同〔第二次〕事件判決〔東京高判平成 25・5・23 労判 1077 号 18 頁〕，全日本建設運輸連帯労組関西地区生コン支部〔丙川産業ほか〕事件判決〔大阪地判平成 25・10・30 労判 1086 号 67 頁〕）。これは，争議行為について述べたところと同様である。

Ⅲ．争議行為への使用者の対抗手段

　前述Ⅱのように，労働組合には争議権が認められているが，これに対して，使用者側にも，表現の自由の行使やロックアウトといった対抗手段が認められている。また，争議参加者に対しては，賃金カットもなし得る。これらの対抗，対応措置についても，各種の論点と裁判例がみられるところではあるが，近時，争議行為の発生例は減少している上，諸文献において詳細に説明されているところであるので，ここでは省略する。

Ⅳ．実務の具体的対応

　使用者側弁護士としての具体的対応を検討してみる。

　労働組合は，自らの要求をより多く実現すべく，Chap. 2 の団体交渉とともに，本章で述べたところの各種の団体活動に訴えてくるのであるが，その活動が正当性を有するには，各種の要件（主体，目的，手続，態様等）を充足する必要がある。実務上，近年特に問題になるのは，駆込み寺的な労働組合による街宣活動である（その多くは，ビラ配布等により，社会一般に使用者への否定的評価を広めることで，交渉を有利にしようとする狙いである）。対等な当事者間であれば，そのような行動は，いわゆる，悪宣伝活動の一種として法

的にも問題を含むことが多いであろうが，労働組合への法的保護は厚く，その内容が真実もしくは真実と判断するに足りる根拠があれば，あとは，上述の要件を充たせば正当性が認められることが多い。こうした場合，使用者としては，労使紛争が生じているとの風評が社会に立つこと自体をマイナスと感じるかもしれないが，当該労働組合に対してのみならず，社会に対しても適宜，反論するところは反論していくことが，今後の労務管理として必要となろう。

　なお，上述の要件を充たさないと思われる団体行動に対しては，使用者としては，早々に抗議なり，それが社内の従業員である場合なら，行為者への注意・処分など，さらには，それが経営者の私宅付近での街宣活動のようなものであるならば，差止請求の準備などを行うに，時機を逸しないように留意する必要がある。というのは，仮に初期の段階においては，正当性を有さなかった団体行動であっても，それを使用者が是認，黙認してしまっているうちに，そうした団体行動が当該社内において是認されるとの認識が成立してしまい，今度は，それに対して正当性を認めないことが，権利の濫用と判断されることとなりかねないのである（「なぜそれまで是認できていたことが，是認できなくなったのか」との問いに合理的な回答が必要となる）。もちろん，法的に正当性が認められる行為に対して，その正当性を否認して，当該行為へ抗議を強めたり，行為者への人事処分等を強行すれば，Chap. 5 で取り上げる不当労働行為（労組法7条）の問題も生じ得る。その意味で，当然ではあるが，使用者としては，前掲のような各種の裁判例をもとに，遭遇した団体行動の正当性を的確に判断する必要がある。

　　労働組合の争議行為，その他の団体行動については，いずれもその正当性（合法性）があるか否かの見極めが重要であり，正当性なし（違法）と判断された場合には，タイミングを外さずに相応の対応をする必要がある。対応としては，労働組合に対する抗議文の送付，使用者側として認識している事実関係の公表・開示，名誉・信用を毀損する行動の差止めの要求（裁判上の請求にかかる場合もある），状況によっては損害賠償請求といったものが主要なものとしてみられる。なお，労働組合側の宣伝事実と異なる事実認識を，使用者が労働組合員に対して公表・開示する場合，その内容・方法によっては不当労働行為に該当

実践知！

することがあるので注意が必要である (Chap. 5 Ⅲ 3 (2))。

　殊に，昨今，増えている駆込み寺的な労働組合の場合，使用者の従業員全体よりも当該労働組合に加入した少人数 (多くの場合，一人) の利益を優先するため，使用者の風評を低下させることを，自らの要求実現のための手段として用いる傾向が強く，その活動の態様，内容についての速やかな検討が重要となる。近年，特に増加しているのが，労働組合のホームページや SNS などインターネットを用いた宣伝活動である。その中には，使用者から見れば事実関係の認識が異なるものが含まれていることが多いのが実情であるが，その正当性の検討としては，基本的に街宣活動における対応と重なるところが多い。もっとも，対処としては，インターネット上の記載は削除請求が可能である反面，そのためには細々とした要件を充足する必要があることが少なくなく，筆者の経験からしても，使用者側の準備すべき資料は事案ごとに相当多岐にわたる。

CHAPTER

04 労働協約

Ⅰ. 労働協約の意義・要件・効力等

1. 労働協約の意義・要件

　労働協約とは，「労働組合と使用者又はその団体との間の労働条件その他に関する」協定であって，書面に作成され，両当事者が署名し，又は記名押印したもの（労組法 14 条）である。すなわち，労組法上の要件を充たす労働組合が主体であること，署名または記名押印を伴う書面上の協定であること等が，特に留意すべき形式的要件である。この形式的要件を充足していない場合，労働協約としては成立しないが，事実上の労使合意として何らかの効力が認められる場合もある（後掲秋保温泉タクシー〔一時金支払請求〕事件判決等）。

　なお，効力が認められるべき実質的要件として留意すべきことには，協定締結者が，締結当事者から権限，授権を受けていることがある（特に，労働組合側で問題となることがある〔後掲香川県農協（丸亀市農協）事件判決等〕）。

2. 効力

　労働協約は，簡単にいえば，労組法上，規範的効力と債務的効力とが認められる。規範的効力については，原則として当該労働組合員までが効力の人的範囲であるが，例外として，一般的拘束力が認められている（労組法 17条，18 条）。概要は以下の通りである。

(1) 規範的効力

　規範的効力とは，労働協約中の「労働条件その他の労働者の待遇に関する基準」（労組法 16 条）について生ずる効力で，この基準に違反する労働契約の部分は無効となり，無効となった部分は労働協約上の基準の定めによることとなる。

　この点に関し，実務上問題となることとして，労働協約よりもむしろ有利な労働条件の特約が含まれる労働契約において，その有利な労働条件は無効

CHAPTER 4　労働協約　　**439**

となるのか，ということであるが，我が国の労働法においては，結局は個々の労働協約の解釈に委ねられている，と解されている（菅野・労働法〔12版〕929頁，荒木・労働法〔4版〕674頁等）。また，労働協約が労働者の労働条件に不利益を課した場合については，原則としてそのような協約でも有効となるが（ゆえに，組合員に効力が及ぶ），例外的ケースもあり得ることは，労働協約による労働条件の不利益変更の箇所（本書 Pt. 1, Chap. 17）にて既述の通りである。

(2) 規範的効力の人的範囲

前述(1)の労働協約の規範的効力の人的範囲は，原則として当該労働組合の組合員までであるが，例外的に，当該労働組合がその事業場の常時使用される同種労働者の4分の3以上を組織している場合には，その労働組合の協約上の労働条件は，他の同種労働者にも及び，結果として，労働協約によりその事業場の同種労働者の労働条件が統一される（労組法17条）。ここでいう常時使用される同種労働者とは，原則として無期労働者であること（期間3か月の有期労働者につき，効力を否定した例として，日野自動車工業事件判決〔最判昭和59・10・18労判458号4頁〕），かつ職種が同種の者が「同種の労働者」となる（同一企業で職員，工員が存する場合，職員についてのみ労働協約を締結すれば，職員のみが同種の者となる。総合職と一般職が労働条件を区別されつつ存在する場合も，これに準じて考えられる場合がある）。また，労働組合員の範囲について労働組合の規約で管理職を除いている場合，管理職は労働協約の適用を初めから除外されているのが通常であり，労働組合員と同種の労働者とはいえないと解される。もっとも，以下の2点は留意しておく必要がある。

まず，無期労働者でなく有期労働者でも，契約が反復更新されている場合は，無期労働者と同視されるべき者として規範的効力が及ぶことがある。また，労働組合自身が，有期労働者を労働協約の適用対象としている場合も，別途の考慮が必要となる場合がある（菅野・労働法〔12版〕942頁以下）。

次に，事業場内に，同種の労働者の4分の3以上の労働者を組織している多数組合の他に，少数の労働者を組織している少数組合が併存する場合，上述の一般的拘束力は少数組合員には適用されないとされている（中労委〔ネスレ日本・賞与差別〕事件判決〔東京地判平成12・12・20労判810号67頁〕）。

440　　　　PART 2　集団的労働紛争

⑶ **債務的効力**

　労働協約中の規範的部分には属さず，債務的効力しか生じない部分は，一般に債務的部分と呼ばれる。使用者と労働組合間での団体的労使関係の運営についての何らかのルールがその主要な内容であり，非組合員の範囲，ユニオンショップ，組合活動に関する便宜供与やルール（組合事務所，使用者施設の利用のルール等），団体交渉のルール（団体交渉の時間，出席者，手順等），争議行為の制限（平和義務，平和条項），争議行為中の制限（保安協定，スキャップ禁止協定等）などがこれに当たる。詳細は，労働法の諸文献に譲るが，労使の一方が労働協約の債務的部分に違反した場合，労働協約の債務的効力に従って，他方は違反側に対して損害賠償請求が可能であり，また，差止請求の余地もあり得る（ただし例外もあり得，労働組合による争議行為に対して，労働協約の平和的義務に違反したことを理由とする使用者からのストライキ禁止仮処分申立てについて，労働協約締結当時予測されなかった異常なインフレの発生を理由に却下した例として，ノースウエスト航空事件決定〔東京地決昭和48・12・26労判193号24頁〕がある）。

Ⅱ．裁判例

1．労働協約の成立

　まず，労働協約の成立には書面によることが必要とされているが，この点についての代表的裁判例として，都南自動車教習所事件判決（最判平成13・3・13労判805号23頁）は，使用者の従業員らが，従業員らが所属する労働組合と使用者との間でベースアップの金額につき合意が成立したが書面上の労働協約が締結されていなかったところ，合意上のベースアップ分が支給されなかったとして，ベースアップ分の各未払賃金等を請求した事案につき，労使間で，「具体的な引上げ額については妥結して本件各合意をするに至ったが，いずれの合意についても，協定書を作成しなかったというのであるから，本件各合意が同条が定める労働協約の効力の発生要件を満たしていないことは明らかであり，上告人〔註：使用者〕が協定書が作成されていないことを理由にベースアップ分の支給を拒むことが信義に反するとしても，労働協約が成立し規範的効力を具備しているということができない…。のみならず，前記認定事実によれば，本件各合意は，同条所定の様式を備えた書面に作成された上でベースアップの内容が実施されることを当然の前提としてさ

れたものであるというほかはないから，…他に交渉事項がありこれが解決しないため同条所定の様式を備えた書面が作成されないという場合であっても，ベースアップだけは上告人が実施すべき義務を負う趣旨のものであると解することもできない」として，従業員らの請求を棄却している。また，一橋出版事件判決（東京地判平成 15・4・21 労判 850 号 38 頁）は，退職者が，在職中の賃金の減額の効力を争い，差額分の賃金（一時金，退職金を含む）の支払を求めた際に 15％ の賃金減額を定めた労働協約の成立の有無が問題となった事案において，使用者が労働協約としての成立を主張した確認書には，「『被告［註：使用者］は…下記のように回答し，労働組合は…下記のとおり受け入れた。』との記載があり，…これをそのまま読めば，…基本給を 57 歳時の 85 パーセントとすることに合意したと理解できないではない」ものの，「『確認書』には，被告の回答内容を年内に実施することの他には，具体的な合意事項が明記されておらず，被告の回答及びこれに対する組合の対応が並列的に記載されているにすぎず，賃金額についての合意が成立した体裁とはなっていない。また，被告と組合は，『確認書』の趣旨や団体交渉における双方の発言内容を明確化するため，『確認書』の作成と同じ日に『議事録確認』を作成しており，その中には，組合の発言として，『…会社回答をひきとる。』，『…85％ ではなく，カットなし 100％ は今後も求めていく』と記載されており，このような文言からは，原告ら 3 名の組合員の賃金を 85 パーセントとすることを最終的に了解したとは言い難い」として，使用者が主張した労働協約の成立を否定した。

　もっとも，労働協約としては成立していない場合でも何らかの労使間の合意が成立していたか否かは別個に検討される問題であり，一時金交渉につき個別労働契約上の合意の効力を認めた例としては秋保温泉タクシー（一時金支払請求）事件判決（仙台地判平成 15・6・19 労判 854 号 19 頁），否定した例としてはエフ・エフ・シー事件判決（東京地判平成 16・9・1 労判 882 号 59 頁）がある。

　労働協約の成立については，それが書面によることも必要であるが，締結権限のある者による署名または記名押印も同様に必要である。この点は，例えば，香川県農協（丸亀市農協）事件判決（高松地判平成 13・9・25 労判 823 号 56 頁）は，いわゆるヤミ専従の労働協約に基づいて専従していた組合員の懲戒解雇が問題となった事案について，使用者側では在籍専従に関する労働協約締結に理事会の承認が必要であったことを組合も熟知していたのであ

るから，一部理事や幹部職員との合意の下で行われた当該労働協約は無効と
して，結論として懲戒解雇を有効としている。一方，組合側の締結権限が問
題となった例として，大阪白急タクシー事件判決（大阪地判昭和56・2・16
労判360号56頁）は，組合の執行委員長が，賃金体系の変更（減額を含む）
を内容に含む労働協約を締結したところ，当該執行委員長の締結権限および
労働協約としての有効性が問題となった事案であるが，「労組の組合規約に
は，執行委員長が労働協約の締結権限を有する旨の定めはなされていないこ
とが認められるので，問題は，…執行委員長が労働協約（七・二協定）の締
結について組合大会の議決による委任を受けていたか否かであるが，…以上
によれば，6月24日の白急労組の全員集会において，予め執行部…に対し
会社再建案に関する労働協約（七・二協定）の締結権限を授与する旨の決議
がなされたものと認めることはできず，…委員長は右協約締結権限までは有
していなかったといわざるを得ない」とし，労働協約への表見法理（民法
109条，110条等）の適用の有無については，「労働協約は，本来経済的地位
に差異のある労働組合と使用者との間において締結されるものであり，しか
も直接個々の組合員の労働条件を規律するいわゆる規範的効力を有すること
にかんがみると，明文の準用規定もないのに，みだりに対等当事者間の私的
取引の安全を保護することを目的とした表見代理の法理を労働協約締結の場
面に持ち込んでくること自体疑問があるばかりでなく，労働組合が組合代表
者に労働協約締結の委任の議決をしていないのに，右議決ありと誤信した使
用者を保護するため，表見代理の法理を援用して労働協約の締結権限を有し
ない組合代表者が締結した労働協約を有効であると解することは，余りにも
組合員の利益保護に欠ける」として表見法理の適用を否定し，結局，労働協
約としての成立を認めなかった。

2．労働協約の効力

　実務上，労働協約が成立したとして，よく問題となるケースの一つは，労
働協約において労働者の労働条件の不利益を規定した場合に（例えば，賃金
の減額），それを，前述1のような労働協約の要式性（書面によること），締
結権限の有無といった点に問題がない場合でも，個々の労働者に効力が及ぶ
ことを否定することができるか，という点である。この問題は，労働条件の
不利益変更の段において論ずるのが妥当であるので，Pt. 1, Chap. 17 に譲る
こととするが，留意点を一つだけ述べれば，労働協約はいうまでもなく使用

CHAPTER 4　労働協約　　**443**

者と労働者を組織する労働組合との間の合意（それも書面上でのもの）であるから，その内容は法的にも原則として尊重され，かなりの例外的な事情がない限り，その内容が個々の労働者に不利益なものであっても，効力が及ぶと解されている（少なくとも，就業規則だけによる場合よりも，不利益変更の効力は認められやすくなる）。

また，別途，散見されるのが，個々の労働者（組合員）の権利義務関係の紛争につき，使用者と労働組合とで締結した労働協約の効力を当該労働者が否定する，というケースである。例えば，平尾事件判決（最判平成31・4・25労判1208号5頁）は，「本件合意は被上告人［註：使用者］と建交労組との間でされたものであるから，本件合意により上告人［註：労働者個人］の賃金債権が放棄されたというためには，本件合意の効果が上告人に帰属することを基礎付ける事情を要するところ，…建交労組が上告人を代理して具体的に発生した賃金債権を放棄する旨の本件合意をしたなど，本件合意の効果が上告人に帰属することを基礎付ける事情は…ない。そうすると，本件合意によって上告人の本件各未払賃金に係る債権が放棄されたものということはできない」として，労働協約による当該労働者の賃金債権放棄の効力を否定している。

Ⅲ. 実務の具体的対応

労働協約は，法律上厳格な要件（要式性，締結権限の有無等）が規定されており，それに反すると，多少酌量すべき事情があっても，労働協約としての効力が認められない（前掲大阪白急タクシー事件判決）。したがって，使用者が労使交渉の成果を労働協約にまとめようとする場合，その要式，組合側締結者の締結権限には，重々，留意する必要がある。そのため，労働組合内の規約に規定されている手順を，協約締結者が踏んでいるか否かを，労働組合に確認することも有益であろう。

また，労働協約は，就業規則や個別の労働契約よりも優越した効力を有しており（規範的効力），しかも，使用者との労使交渉の手順を規律する効力をも有しているから（債務的効力），使用者としては，労働協約の内容には常に留意して，人事措置，労働組合との交渉に及ぶ必要がある。

労働協約は，書面により成立するものなので，書面上の記載文言が大きな意義を有する。例えば労働協約の一部の記載を指して，片方の当事者が，

「この記載は○○となっているが，実はこれは，△△に限って○○という意味なのである」といった主張を行ったとしても，それならば何ゆえに，労働協約の締結時に「△△に限って○○」と記載するようしなかったのか，といった反論にあったとき，再反論は困難なことが多い。もちろん，数字や人名についての明らかな誤記などといった場合は例外もあり得るが，それも，労働協約成立までの経緯におけるやり取りより立証しなければならない場合も存する。

　したがって，労働協約の文言には重々，留意しなければならない。

実践知！

　使用者側の労働実務において散見されるのが，自社がかなり以前に（例えば 10 年以上前に）締結していた労働協約の存在および内容を忘却してしまっている，という事態である。

　すなわち，通常の企業においては，担当者が一つの部署に 10 年も在籍するということは多くはなく，労働協約を締結した当時の使用者における担当者が異動となり，さらにその後任者も異動となるようなことが繰り返されるうちに，上述のような事態が生ずることがある。

　これは，例えば，ある労働協約の存在および内容が，使用者側担当者からも労働組合の現在の執行部からも忘れ去られ，それに違背する手続で労使交渉を行ったり，労働組合の事実上の承諾の下で労働協約に抵触する人事措置を行った後に，労働組合の側から（例えば，労働組合の反執行部の者より），労働協約違反を主張される，という事象などで顕在化する。このような場合，形式上，労働協約に違背するという事実があれば，当該労使交渉，人事措置等は無効となるリスクがあることは否定できない。無用な紛争を生じさせないためにも，労働協約は（現在，使われていないものも含め），入念な点検を必要とするところである。

CHAPTER 4　労働協約　　　445

CHAPTER

05 不当労働行為

Ⅰ. はじめに

　不当労働行為とは，労働組合法（7条）によって禁止されている，労働組合や労働者に対する使用者からの一定の行為である。その内容は，不利益取扱い（労組法7条1号），団体交渉拒否（同2号），支配介入（同3号），報復的取扱い（同4号）からなる（詳細は，Chap. 1, Ⅰ3(2)iを参照）。不当労働行為制度は，憲法28条における団結権等の保障を実効的にするために，労組法により立法政策として創設されたものとされている（菅野・労働法〔12版〕1011頁）。使用者の不当労働行為については，労働組合および労働者からは司法手続でも主張し得るが，実務上，多くの場合は，労働委員会という専門的な行政委員会へ救済申立てを行うこととなる（労組法27条以下）。労働委員会での審査は，準司法的手続であり，通常の訴訟と同様に，主張書面，証拠方法の提出，尋問などといった手続がとられる。

Ⅱ. 不当労働行為の成立の有無

1. はじめに

　不当労働行為は，労組法7条1号～4号が，その要件を明定している。

2. 労組法7条各号の不当労働行為

(1) 不利益取扱い

　労組法7条1号に規定する不利益取扱いの要件として，実務上問題となることが多いのは，「労働組合の正当な行為」をしたことの「故をもつて」，使用者が「不利益な取扱い」をなした，というものである。以下，各個に簡単に言及する。

　「労働組合の正当な行為」の判断については，すでにChap. 3で述べた労働組合の団体行動の正当性の判断に依拠することとなる。

　「故をもつて」については，一般的には，使用者の「不当労働行為の意思」

446　　　　　　　　　　　　　　　PART 2　集団的労働紛争

を要件としていると解され，反組合的な意図ないし動機とされている。また
こうした意図，動機は，間接事実から認められる推定意思でよいとされてい
る（菅野・労働法〔12 版〕1019 頁以下）。ただし，不当労働行為の意思を不要
とする学説もある。

　「不利益取扱い」については，解雇，退職強要，労働契約の更新拒否（雇
止め），懲戒といった従業員の身分に関するもの，不利益な配転，長期出張
といった人事上の不利益取扱い，基本給，賞与，退職金，各種手当など経済
上の不利益取扱い等が代表的なものであるが，合理的理由がないのに重要度
の低い仕事を命じる，雑作業をさせる，忘年会等の会社行事に参加させない
といった扱いも，上記の「不利益取扱い」に含まれる。

　なお，採用拒否については，見解の対立があったが，後述の通り，最高裁
判例は，「不利益取扱い」には含まれないとしている（JR 北海道・日本貨物
鉄道事件判決〔最判平成 15・12・22 民集 57 巻 11 号 2335 頁〕）。

(2)　団体交渉拒否

　労組法 7 条 2 号に規定する不当労働行為としての団体交渉拒否は，Chap.
2 にて概述した通り，使用者に団体交渉義務があるか否かが判断基準となり，
団体交渉義務があるにもかかわらずこれに応じないとき，または形式的に団
体交渉に応じていても，誠実に交渉に応じていないときに，不当労働行為と
しての団体交渉拒否が成立することとなる。

(3)　支配介入

　労組法 7 条 3 号に規定する支配介入は，労働組合が使用者との対等な交
渉主体であるために必要な自主性，団結力，組織力を損なうおそれのある使
用者の行為の類型であって，組合結成・運営に対する干渉行為や，諸々の組
合弱体化行為などを内容とする。その類型としては，労働組合結成への批判，
中心人物の解雇や配転，脱退勧奨，組合活動への妨害，組合員の切り崩し，
組合役員選挙等の内部運営への介入，別組合への支援，と様々である。中で
も実際に多くみられるのは，組合員に対する人事措置（これは，労組法 7 条 1
号の不利益取扱いとも競合し得る），組合活動に対する使用者の意見表明，組
合活動が職場秩序違反等であるとして組合員に行う懲戒処分，労働組合によ
る使用者の施設利用・便宜供与（会議室の利用，組合掲示板設置等）の要請に
対する使用者の拒否，といったものである。

⑷ 報復的不利益取扱い

　労組法7条4号は，労働者が労働委員会に不当労働行為救済申立てなど
の行為を行ったことを理由とする解雇その他の不利益取扱いを不当労働行為
として規定する。これは内容的には付加的な類型といえる。

Ⅲ．裁判例

　不当労働行為の裁判例も，極めて多岐にわたるが，その中でも，特に代表
的かつ実務上押さえておくと有効なものと思われるものに絞り，以下に紹介
する。

1．不利益取扱いに関する例

　不利益取扱い（労組法7条1号）の不当労働行為の成否について，特に難
しいのが，まず，使用者が勤務に問題がある組合役員に対し解雇等の人事措
置をするような場合にみられることがある，理由の競合という問題である
（上記の場合，当該解雇は，勤務の問題性とともに，組合活動を理由としてい
ることもあり，理由が競合する）。この場合の不当労働行為の成否について，東京
焼結金属事件判決（最判平成10・4・28労判740号22頁）は，使用者の施策
に反対の姿勢を取り続けていた元組合役員（役員交代後も組合に相当の影響力
あり）を，遠隔地に配転したという事案について，不当労働行為の成立を否
定した原審（東京高判平成4・12・22労判622号6頁）をそのまま維持してい
るが，その原審はその認定した事実関係を基に，「本件配転を実施する被控
訴人［註：使用者］の業務上の必要性は，それ自体としては，これにより小
川の被る不利益を斟酌しても，本件配転をやむを得ないとするに足りるもの
であり，これと対比すると，競合的に存在した被控訴人の不当労働行為意思，
すなわち小川の組合活動を嫌悪し同人を組合から排除して旧執行部派の勢力
を減殺しようとする意思が，右業務上の必要性よりも優越し，本件配転を行
うに至らしめた決定的な動機であったとするには，なお客観的，具体的根拠
が十分でないといわざるを得ない」として，上記配転の不当労働行為性を否
定している。これは，争われた不利益取扱いの決定的な要因がどちらにある
か（組合活動等を理由としたものであるか，業務の必要性や懲戒事由といったも
のを理由としたものであるか）により不当労働行為性を判断したものと解され
る（決定的動機説と呼ばれる。荒木・労働法〔4版〕746頁）。一方，学説では，

この決定的動機説以外にも，組合活動家ではなく，通常の労働者であったならば，問題とされた不利益取扱い（上記裁判例でいえば配転）が生じなかったであろうと認められれば，不当労働行為としての不利益取扱いと認定されるべきとの考え方もみられる（相当因果関係説と呼ばれる。荒木・労働法〔4版〕746頁）。

　また，採用については，前述Ⅱ2(1)の通り，JR北海道・日本貨物鉄道事件判決（最判平成15・12・22民集57巻11号2335頁）は，「企業者は，…自己の営業のために労働者を雇用するに当たり，いかなる者を雇い入れるか，いかなる条件でこれを雇うかについて，法律その他による特別の制限がない限り，原則として自由にこれを決定することができるものであり，他方，企業者は，いったん労働者を雇い入れ，その者に雇用関係上の一定の地位を与えた後においては，その地位を一方的に奪うことにつき，雇入れの場合のような広い範囲の自由を有するものではない（最高裁昭和43年（オ）第932号同48年12月12日大法廷判決・民集27巻11号1536頁参照）」，「労働組合法7条1号本文は，『労働者が労働組合の組合員であること，労働組合に加入し，若しくはこれを結成しようとしたこと若しくは労働組合の正当な行為をしたことの故をもって，その労働者を解雇し，その他これに対して不利益な取扱をすること』又は『労働者が労働組合に加入せず，若しくは労働組合から脱退することを雇用条件とすること』を不当労働行為として禁止するが，雇入れにおける差別的取扱いが前者の類型に含まれる旨を明示的に規定しておらず，雇入れの段階と雇入れ後の段階とに区別を設けたものと解される」と理由を挙げ，「雇入れの拒否は，それが従前の雇用契約関係における不利益な取扱いにほかならないとして不当労働行為の成立を肯定することができる場合に当たるなどの特段の事情がない限り，労働組合法7条1号本文にいう不利益な取扱いに当たらない」としている。ただし，事業譲渡における譲受企業による不採用などは不当労働行為になることもあり，例えば，中労委（青山会）事件判決（東京高判平成14・2・27労判824号17頁）などは，閉鎖した病院の施設業務を引き継いで病院を開設した医療法人が旧病院に勤務していた看護助手および准看護婦を採用しなかったことにつき，不当労働行為であるとしている。一方，事業譲渡の事案における譲受人の不採用につき，不当労働行為を否定する裁判例もあり（静岡フジカラーほか2社事件判決〔東京高判平成17・4・27労判896号19頁〕），結局は具体的事案によるのはいうまでもない。

不利益取扱いに関する裁判例として目につくものとしては，組合員であること（あるいは組合活動）を理由とする考課，昇進・昇格差別の事例である。例えば，昇進・昇格について，不当労働行為を肯定した例としては，中労委（朝日火災海上保険）事件判決（東京地判平成13・8・30労判816号27頁），否定例として中労委（芝信用金庫従組）事件判決（東京高判平成12・4・19労判783号36頁）等がみられるが，こうした考課，昇進・昇格差別の事例は，もし，組合員と非組合員との間の考課，昇進・昇格についての外形的な相違の事実が一応みられるような場合，そのような相違が正当化できるか否かをめぐって，組合員の日常の働きぶりを含めた広範な諸言動が，事実認定および評価（不利益に考課されたり，昇進・昇格を見送られたりすることに値するか否かの評価）の対象とならざるを得ず，その主張・立証にはかなりの手数を要する。

2. 団体交渉拒否の例

団体交渉拒否の不当労働行為（労組法7条2号）の成否については，使用者の団体交渉義務の有無が問題となり，それはChap. 2で述べたところである。団体交渉義務があるにもかかわらず，団体交渉を拒否したり，形の上では団体交渉を行っても誠実な交渉を行わなかったりした場合，労組法7条2号の団体交渉拒否の不当労働行為が成立することとなる。

団体交渉拒否の事例で，最近目につくのが，使用者の従業員が所属する労働組合が複数になった場合（併存組合の場合），使用者が多数従業員の所属する労働組合との合意内容で少数組合と妥結することに固執するという事例である。これについて，高知県観光事件判決（最判平成7・4・14労判679号21頁）は，併存する労働組合のうち少数組合が，使用者の提案する賃金計算方法の変更を承認しないことを理由に，使用者が当該組合との間で36協定を締結せず，当該組合員の時間外労働を禁止することが問題となった事例で，「使用者が，多数派組合との間で合意に達した労働条件で少数組合とも妥結しようとするのは自然の動きというべきであって，少数派組合に対し，右条件を受諾するよう求め，これをもって譲歩の限度とする強い態度を示したとしても，そのことだけで使用者の交渉態度に非難すべきものがあるとすることはできない」等を理由に，不当労働行為の成立を否定している。

3. 支配介入の例

支配介入となり得る行為は極めて幅広い。ここでは，実務上，比較的よくみられ，かつ難しいと思われる点に絞り述べておくこととする。

⑴ 使用者の従業員による支配介入

まず実務上，よく問題となる点は，問題行為が現場の従業員によってなされた場合，それが使用者という組織の不当労働行為と評価できるかである。代表例として，中労委（JR 東海〔新幹線・科長脱退勧奨〕）事件判決（最判平成18・12・8労判 929 号 5 頁）を挙げると，運転所の指導科長（助役）が部下の組合員に対して脱退勧奨等を行ったことが使用者の不当労働行為に該当するか否かが問題となった事例について（結論は肯定），まず「労働組合法 2 条 1 号所定の使用者の利益代表者に近接する職制上の地位にある者が使用者の意を体して労働組合に対する支配介入を行った場合には，使用者との間で具体的な意思の連絡がなくとも，当該支配介入をもって使用者の不当労働行為と評価することができる」と前提を述べた上で，「運転所の助役は，科長を含めて，組合員資格を有し，使用者の利益代表者とはされていないが，現場長である所長を補佐する立場にある者であり，特に科長は，各科に所属する助役の中の責任者として他の助役の業務をとりまとめ，必要に応じて他の助役に指示を与える業務を行っていたというのであるから，E 科長は，使用者の利益代表者に近接する職制上の地位にあった…。…B 労組から脱退した者らが上告補助参加人を結成し，両者が対立する状況において，被上告人［註：使用者］は労使協調路線を維持しようとする B 労組に対して好意的であったところ，E 科長による F 及び G に対する働き掛けがされた時期は上記の組合分裂が起きた直後であり，上記働き掛けが B 労組の組合活動として行われた側面を有することは否定できないとしても，本件各発言には，…『会社による誘導をのんでくれ。』，『もしそういうことだったら，あなたは本当に職場にいられなくなるよ。』（以上は F に対する発言），『科長，助役はみんなそうですので，よい返事を待っています。』（G に対する発言）など，被上告人の意向に沿って上司としての立場からされた発言と見ざるを得ないものが含まれている」と認定し，「E 科長の本件各発言は，B 労組の組合員としての発言であるとか，相手方との個人的な関係からの発言であることが明らかであるなどの特段の事情のない限り，被上告人の意を体してされたものと

認めるのが相当である」として，使用者の不当労働行為を認定している。つまりは，実際の行為者の地位・権限（使用者の利益代表者への近さ），行為の時期および環境，行為の内容，といった事案の内容が考慮されることとなる（なお，同じく管理者の行為につき不当労働行為の成立を認めた例に，JR西日本岡山脱退勧奨事件判決〔東京高判平成19・6・27中労委データベース〕がある）。

(2) 使用者の言論

支配介入の成否がよく問題となる具体的事案の例としては，前述の通り考課，配転，解雇といったものもみられるが（これらは，労組法7条1号の不利益取扱いとしても問題となることが少なくない），実務において困難な問題として，使用者の言論（多くの場合，組合や組合員への非難）についての不当労働行為の成否の問題がある。例えば，山岡内燃機事件判決（最判昭和29・5・28民集8巻5号990頁）は，社長が従業員とその父兄の集会において行った意見表明の演説において，「問題の演説中に上告人会社の長浜工場労働組合が連合会に加入したことを非難する趣旨及び右加入により同組合員が従前享有していた利益を失うべきことを暗示する趣旨を含む発言があり，これが原因となつて，同組合は連合会から脱退するに至つたというのであつて，原判示のような状況の下で客観的に組合活動に対する非難と組合活動を理由とする不利益取扱の暗示とを含むものと認められる発言により，組合の運営に対し影響を及ぼした事実がある以上，たとえ，発言者にこの点につき主観的認識乃至目的がなかつたとしても，なお労働組合法7条3号にいう組合の運営に対する介入があつたものと解するのが相当」として，不当労働行為の成立を肯定している。一方，全逓新宿郵便局事件判決（最判昭和58・12・20労判421号20頁）は，郵便局長が既存の労働組合に対立する労働組合の結成が準備されている時期に，自宅または執務室で特定の職員に対してした，既存の組合の闘争的姿勢を批判する発言が支配介入であるか問題となった事例について，「使用者の言論は，労働者の団結権との関係において一定の制約を免れないが，原則的には使用者にも言論の自由は保障されており，労使双方が自由な論議を展開することは正常な労使関係の形成発展にも資するものということができる。ただ，ここで必要なことは，双方が公正かつ妥当な形で自己の見解を表明することであり，その配慮を欠けば，労使関係の秩序を乱すことにもなりかねない」と説示した上で，具体的事案への当てはめにおいては，「その内容及び原審認定の事実関係に照らせば，右発言をもってい

まだ上告人組合の結成運営に対する支配介入に当たるとまでいうことはできない」として，不当労働行為の成立を否定している。

　使用者の言論は，労働組合のストライキの場合にも問題になることがあり，例えば，日本液体運輸事件命令（中労委命令昭和57・6・2労経速1127号24頁）では，従業員に対して会社の直面する経営危機を訴える際に，「ストをやれば会社はつぶれる」などと発言した使用者の言論は，全体として率直な意見表明の範囲であり，不当労働行為に該当しないとされたが，その一方で，プリマハム事件判決（最判昭和57・9・10労経速1134号5頁）は，従業員に対しストライキへの不参加を呼びかける社長声明文を全事業所に掲示して，「会社の重大な決意」を表明した結果，組合執行部批判派が勇気づけられ，ストライキが挫折したという事例について，支配介入の不当労働行為であるとしている（付言すれば，事案としては，上記声明文の発表は，組合の団交決裂宣言を受けてのものであるが，これが直ちにストライキに突入することを意味するものではなく，なお団体交渉によって話合いを継続する余地のある段階であったという経緯もあり，また，実際に出された声明文の文言も，組合執行部と組合員との離間を図ろうと見える箇所もあった）。なお，最近の事案では，東京都・都労委（Ｎ航空乗員組合等）事件判決（東京地判平成26・8・28労判1106号5頁）は，更生管財人による更生計画案が債権者に諮られようという時期に，整理解雇阻止のための争議権確立を目指した労働組合に対し，更生管財人が，争議権が確立された場合には更生計画案で予定されている3500億円の公的資金での出資はできないと組合および従業員に伝達した事例について，組合運営についての支配介入であるとした（これも，争議権が確立されても交渉でその行使が回避されることは通常あり得るにもかかわらず，争議権の確立をもって融資停止，会社破綻の不利益を示唆したものであることが指摘されている）。

⑶　使用者施設利用拒否

　支配介入についてよくみられる他の事案としては，組合集会等，労働組合がその活動のために使用者施設を利用することを使用者が拒否する，という事案である。

　この点も代表的な最高裁判例を挙げておくと，まず原則としては，前掲国労札幌支部事件判決（最判昭和54・10・30労判329号12頁）の通り，労働組合の会社施設の利用は，使用者が「利用を許さないことが当該物的施設につき使用者が有する権利の濫用であると認められるような特段の事情がある場

合を除いては，…正当な組合活動として許容され…ない」としている。これ
に沿って，平成年間においても，日本チバガイギー事件判決（最判平成元・
1・19 労判 533 号 7 頁）は，使用者が，複数の労働組合との組合掲示板貸与
に関する交渉に当たり，「両組合に対して同一の貸与条件を提示し，これを
受け入れた訴外組合に対しては組合掲示板を貸与し，これを拒否した参加人
組合に対しては組合掲示板を貸与しなかったとしても，右貸与条件が正常な
労働組合であれば到底受け入れられないような不合理なものとはいえない」
として，不当労働行為の成立を否定している。また，オリエンタルモーター
事件判決（最判平成 7・9・8 労判 679 号 11 頁）も，使用者が組合集会等のた
めの従業員食堂の使用を許諾しないことについて問題となった事例であるが，
「上告人［註：使用者］は，組合に対し，所定の会場使用許可願を提出するこ
と，上部団体の役員以外の外部者の入場は総務部長の許可を得ること，排他
的使用をしないことを条件に，支障のない限り，組合大会開催のため食堂の
使用を許可することを提案しているのであって，このような提案は，施設管
理者の立場からは合理的理由のあるものであり，…また，上告人は組合に対
し使用を拒む正当な理由がない限り食堂を使用させることとし，外部者の入
場は制限すべきではないなどとする組合からの提案も，上告人の施設管理権
を過少に評価し，あたかも組合に食堂の利用権限があることを前提とするか
のような提案であって，組合による無許可使用の繰り返しの事実を併せ考え
るならば，上告人の施設管理権を無視した要求であると上告人が受け止めた
ことは無理からぬところである。…以上によれば，本件で問題となっている
施設が食堂であって，組合がそれを使用することによる上告人の業務上の支
障が一般的に大きいとはいえないこと，組合事務所の貸与を受けていないこ
とから食堂の使用を認められないと企業内での組合活動が困難となること，
上告人が労働委員会の勧告を拒否したことなどの事情を考慮してもなお，条
件が折り合わないまま，上告人が組合又はその組合員に対し食堂の使用を許
諾しない状態が続いていることをもって，上告人の権利の濫用であると認め
るべき特段の事情があるとはいえず，…不当労働行為に当たるということは
できない」としている。

　同一会社内に複数の労働組合が存する場合には注意が必要であり，施設利
用についても，組合員数の多寡による現実的な差異による異なった取扱いは
別として，そうでない場合は，原則として組合間で平等に取り扱う必要があ
る。東洋シート（組合事務所）事件判決（最判平成 9・4・24 労判 737 号 23 頁）

でも，既存組合から集団脱退した組合員らの新組合（多数組合）に組合事務所を無償で貸与しておきながら，既存組合に残留した少数組合員の組合に対しては組合事務所を貸与せず団体交渉にも応じなかった使用者の行為は，不当労働行為に当たるとしている（先例的裁判例としては，日産自動車事件判決〔最判昭和 62・5・8 労判 496 号 6 頁〕）。

(4) 会社解散

　支配介入（労組法 7 条 3 号）を中心としつつ，不利益取扱い（労組法 7 条 1 号）にも該当することがあるとされるケースの一つとして，労働組合を壊滅させることを意図した会社解散による全員解雇の事例がある。企業には事業の継続・廃止を決定する自由がある以上，たとえ当該解雇が不当労働行為としてなされたものであっても，使用者に事業の継続を強制させることはできず，解散手続中における原職復帰と賃金相当額の支払を命じることが限界である（菅野・労働法〔12 版〕1045 頁）。もっとも，解散した会社の事業を別会社が行っているような場合，当該解雇の不当労働行為性が認められるような場合には，当該別会社が解散会社の従業員を当該別会社の従業員として扱わなければならないか否かが問題となることがある。こういった事案について，例えば静岡フジカラーほか 2 社事件判決（東京高判平成 17・4・27 労判 896 号 19 頁）は，労働組合員側よりなされた，解散会社の「管理職，組合員及び被組合員につき半数を雇用するという方針それ自体が組合員排除の仕組みであって本件が不当労働行為である旨」の主張に対し，従前の解散会社「の組合対応は，…過去において緊張状態にあったとはいえ組合を嫌忌ないし敵視して不当労働行為を行っていたということはできず，…比較的安定していたものであること，…従業員を全員解雇したものであって組合員を差別するものではないし，被控訴人フジカラー三島［註：別会社］の半数雇用自体は，被控訴人フジカラー三島がその経営上の判断で採用したものであり，採用に当たっても，組合員・非組合員それぞれ半数を雇用する方針で臨んだことは前記のとおりであって，それが組合員排除の仕組みであるということはできないから，上記主張は理由がない」として，不当労働行為性を否定している。

(5) 労働協約の不履行・解約

　労働協約の解約に使用者が違反すること，十分な交渉なしに解約することが，支配介入等の不当労働行為に該当するか否かが問題となることがある。

この点の裁判例，駿河銀行事件判決（東京高判平成2・12・26労判583号25頁）は，組合専従者に関する協定につき労働組合と十分な交渉に応じることなく，上記協定を一方的に解約したことを不当労働行為と認定している。この点は，労働協約の違反，解約が即，不当労働行為となるというわけではなく，当該協約に結実した労使間の交渉の成果を軽視し，組合の交渉上の立場を著しく不安定にすることによって組合を弱体化する行為と認められるか否かが問題となると解されている（菅野・労働法〔12版〕1045頁以下）。

Ⅳ. 実務の具体的対応

　前述の通り，不当労働行為（特に支配介入）には様々な態様がある（日常的な経営者，管理者の言葉のみでも，不当労働行為に当たり得る）。そのため，弁護士として依頼者，相談者である使用者に対して，各個の個別具体的な相談に応じて，不当労働行為の予防の必要性を説いても，間に合わないことがしばしばある。したがって，不当労働行為の予防に関しては，依頼者・相談者から労働組合関係の何らかの相談を寄せられた場合，現実には不当労働行為の争いの相談までには至っていなくとも，過去の裁判例の事案，判断を紹介して，不当労働行為への該当性について注意を喚起することが望ましい（その場合，理解しておく裁判例の数において，本書にある裁判例は最低限である）。ただし一方では，不当労働行為になることを過度に恐れて，使用者としての権利行使をためらうのも禁物である。労働組合による使用者施設の利用の例でいえば，使用者が「利用を許さないことが当該物的施設につき使用者が有する権利の濫用であると認められるような特段の事情がある場合」ではないにもかかわらず，施設の利用の許諾をある程度続けてしまうと，それ自体が慣例となり，後において許諾を拒否した場合，慣例を理由なく変更するものとして，上記の「特段の事情」を構成する一要素となりかねない。また，別の例では，例えば労働組合はその要求実現のためにも，自己の主張を街宣活動などで発信する場合は多いが，その発信する主張の中には使用者からみて，第三者，特に自社従業員へ誤解を生むものが含まれていることが少なくない。このような場合，使用者の側としては，労働組合に対してその主張の誤りを指摘するとともに，自社従業員等，誤解を持たれては企業活動に支障が出かねない相手に対しても，誤りを指摘する旨の情報発信を，適宜，実施することが必要である。

実践知！

　不当労働行為の成立する可能性のある使用者の行為の範囲は，実に広範であり，使用者としては他意なく（特に労働組合を抑圧する意図なく）行った行為が，不当労働行為と認定されてしまうこともある。

　なお，あくまで事実上の経験であるが，特に不当労働行為になりやすいものとして，以下のものがある。

　①組合および組合員を，合理的理由なく，非組合員や他の組合よりも不公平に取り扱うこと。典型的には組合員の考課や昇格などだが，配転，解雇や懲戒処分，あるいは組合間の使用者施設利用許可の差別なども含まれる。

　②合理的理由なく，それまでの慣行（特に組合に対する各種の許諾）を変更すること。使用者としては，常日頃の対応にも留意すべきである。

　③合理的理由なく，労働組合の頭越しに労働組合員に対して，労働組合と協議中の事項について協議を申し入れること（ただし使用者が認識している事実，施策に関する情報を直接に労働組合員に周知伝達することは，それが従業員全体に行うことへの結果である場合は，正当化されることも多い。この場合，手順，内容は事案に応じて相応の考慮をすべきである）。

判例索引

〈最高裁判所〉

最判昭和 28・12・4 民集 7 巻 12 号 1318 頁（熊本電鉄事件）……………………340

最判昭和 29・1・21 民集 8 巻 1 号 123 頁（池貝鉄工事件）…………………………329

最判昭和 29・5・28 民集 8 巻 5 号 990 頁（山岡内燃機事件）………………………452

最判昭和 31・11・2 民集 10 巻 11 号 1413 頁（関西精機事件）……………………98

最判昭和 35・3・11 民集 14 巻 3 号 403 頁（細谷服装事件）………………………305

最判昭和 36・4・27 民集 15 巻 4 号 974 頁（八幡製鉄事件）………………………346

最大判昭和 36・5・31 民集 15 巻 5 号 1482 頁（日本勧業経済会事件）……………98

最大判昭和 41・10・26 民集 20 巻 8 号 901 頁（全逓東京中郵事件）……………428

最判昭和 43・8・2 民集 22 巻 8 号 1603 頁（西日本鉄道事件）……………………234

最判昭和 43・12・24 民集 22 巻 13 号 3050 頁（電電公社千代田丸上告事件）……246

最大判昭和 43・12・25 民集 22 巻 13 号 3459 頁（秋北バス事件）………………360

最判昭和 44・2・27 民集 23 巻 2 号 497 頁 ……………………………………………31

最判昭和 44・12・2 民集 23 巻 12 号 2369 頁 ………………………………………338

最判昭和 44・12・18 民集 23 巻 12 号 2495 頁（福島県教組事件）………………98

最判昭和 47・3・9 判時 663 号 88 頁 …………………………………………………32

最判昭和 48・1・19 民集 27 巻 1 号 27 頁（シンガー・ソーイング・メシーン・カンパ
ニー事件）……………………………………………………………………………99, 284

最判昭和 48・3・2 民集 27 巻 2 号 191 頁（林野庁白石営林署事件）……………121, 122

最大判昭和 48・4・25 民集 27 巻 3 号 418 頁（国労久留米駅事件）………………430

最判昭和 48・10・19 労判 189 号 53 頁（日東タイヤ事件）………………………146, 147

最判昭和 48・10・26 判時 723 号 37 頁 ………………………………………………32

最大判昭和 48・12・12 民集 27 巻 11 号 1536 頁（三菱樹脂事件）………………23, 58

最判昭和 49・2・28 民集 28 巻 1 号 66 頁（国鉄中国支社事件）…………………252

最判昭和 49・3・15 民集 28 巻 2 号 265 頁（日本鋼管事件）……………………236, 252

最判昭和 49・7・22 民集 28 巻 5 号 927 頁（東芝柳町工場事件）………………372

最判昭和 50・2・25 民集 29 巻 2 号 143 頁（陸上自衛隊事件）…………………212, 218

最判昭和 50・4・25 民集 29 巻 4 号 456 頁（日本食塩製造事件）………………302, 306

最判昭和 50・11・28 民集 29 巻 10 号 1698 頁（国労広島地本事件）……………432

最判昭和 51・5・6 民集 30 巻 4 号 409 頁（油研工業事件）………………………417

最判昭和 52・1・31 労判 268 号 17 頁（高知放送事件）…………………………307, 341

最判昭和 52・8・9 労経速 958 号 25 頁（三晃社事件）……………………………108

最判昭和 52・10・25 民集 31 巻 6 号 836 頁（三共自動車事件）…………………218

最判昭和 52・12・13 民集 31 巻 7 号 974 頁（目黒電報電話局事件）………235, 260, 434

最判昭和 52・12・13 民集 31 巻 7 号 1037 頁（富士重工業事件）………………227

最判昭和 54・7・20 労判 323 号 19 頁（大日本印刷事件）………………………12, 15

最判昭和 54・10・30 労判 329 号 12 頁（国労札幌支部事件）…227, 237, 261, 431, 433, 453

最判昭和 54・12・14 労判 336 号 46 頁（住友化学名古屋製造所事件）…………435

最判昭和 55・4・3 労判 341 号速報カード 31 頁（東洋酸素事件）………………316

最判昭和 55・5・30 労判 342 号 16 頁（電電公社近畿電通局事件）……………………12

最判昭和 55・7・10 労判 345 号 20 頁（下関商業高校事件）……………………358

最判昭和 56・12・18 判時 1045 号 129 頁（国鉄岩国基地撤去闘争事件）……………252

最判昭和 57・3・18 民集 36 巻 3 号 366 頁（電電公社此花電報電話局事件）…………124

最判昭和 57・4・13 民集 36 巻 4 号 659 頁（大成観光〔ホテルオークラ〕事件）………433

最判昭和 57・9・10 労経速 1134 号 5 頁（プリマハム事件）……………………463

最判昭和 57・10・7 労判 399 号 11 頁（大和銀行事件）……………………101

最判昭和 57・10・8 労経速 1143 号 8 頁（石川島播磨重工業事件）………267, 347

最判昭和 58・4・19 民集 37 巻 3 号 321 頁（東都観光バス事件）……………217

最判昭和 58・9・8 労判 415 号 29 頁（関西電力事件）……………………229, 253

最判昭和 58・10・27 労判 427 号 63 頁（あさひ保育園事件）……………322

最判昭和 58・11・1 労判 417 号 21 頁（明治乳業事件）………………235, 260

最判昭和 58・12・20 労判 421 号 20 頁（新宿郵便局事件）……………………452

最判昭和 59・4・10 民集 38 巻 6 号 557 頁（川義事件）……………………212

最判昭和 59・10・18 労判 458 号 4 頁（日野自動車工業事件）……………………440

最判昭和 60・4・5 労判 450 号 48 頁（古河電気工業・原子燃料工業事件）…………146

最判昭和 60・7・16 民集 39 巻 5 号 1023 頁（エヌー・ビー・シー工業事件）………181

最判昭和 61・1・24 労判 467 号 6 頁（紅屋商事事件）……………………155

最判昭和 61・3・13 労判 470 号 6 頁（電電公社帯広局事件）……………………247

最判昭和 61・7・14 労判 477 号 6 頁（東亜ペイント事件）…………132, 135, 137, 138, 165

最判昭和 61・11・6 労判 491 号 104 頁（日本周遊観光バス事件）……………………15

最判昭和 61・12・4 労判 486 号 6 頁（日立メディコ事件）………………366, 374

最判昭和 62・2・26 労判 492 号 6 頁（阪神観光事件）……………………417

最判昭和 62・5・8 労判 496 号 6 頁（日産自動車事件）……………………455

最判昭和 62・7・10 民集 41 巻 5 号 1229 頁（弘前電報電話局事件）……………126

最判昭和 62・9・18 労判 504 号 6 頁（大隈鐵工所事件）……………………355

最判昭和 62・9・22 労判 503 号 6 頁（横手統制電話中継所事件）……………126

最判昭和 63・2・16 労判 512 号 7 頁（大曲市農協事件）…………40, 279, 281, 286

最判昭和 63・7・14 労判 523 号 6 頁（小里機材事件）……………………79

最判昭和 63・9・8 労判 530 号 13 頁（京セラ・旧サイバネット工業〔行政〕事件）…247

最判平成元・1・19 労判 533 号 7 頁（日本チバガイギー事件）……………………454

最判平成元・7・4 民集 43 巻 7 号 767 頁（電電公社関東電気通信局事件）…………126

最判平成元・12・7 労判 554 号 6 頁（日産自動車村山工場事件）……………………134

最判平成元・12・14 民集 43 巻 12 号 1895 頁（日本シェーリング事件）…………128, 179

最判平成元・12・14 労判 552 号 6 頁（三井倉庫港運事件）……………………302

最判平成 2・6・5 民集 44 巻 4 号 668 頁（神戸弘陵学園事件）……………59, 61, 377

最判平成 2・11・26 民集 44 巻 8 号 1085 頁（日新製鋼事件）……………98, 284

最判平成 2・12・21 裁判集民事 161 号 459 頁（亜細亜大学事件）……………378

最判平成 3・9・19 労判 615 号 16 頁（炭研精工事件）……………………251

最判平成 3・11・19 民集 45 巻 8 号 1236 頁（国鉄津田沼電車区事件）·····················122
最判平成 3・11・28 民集 45 巻 8 号 1270 頁（日立製作所武蔵工場事件）···········113, 245
最判平成 4・1・24 労判 604 号 14 頁（ゴールド・マリタイム事件）··············146, 148
最判平成 4・2・18 労判 609 号 12 頁（エス・ウント・エー事件）·····················129
最判平成 4・3・3 労判 609 号 10 頁（中国電力事件）··························253, 435
最判平成 4・6・23 民集 46 巻 4 号 306 頁（時事通信社事件）···············124, 125
最判平成 4・7・13 労判 630 号 6 頁（第一小型ハイヤー事件）·····················282
最判平成 4・9・10 労判 619 号 13 頁（セントランスほか事件）······················28
最判平成 4・9・25 労判 618 号 14 頁（三菱重工業事件）·····························428
最判平成 4・10・2 労判 619 号 8 頁（御国ハイヤー〔ピケ〕事件）···················430
最判平成 5・6・11 労判 632 号 10 頁（国鉄鹿児島自動車営業所事件）···············433
最判平成 5・6・25 民集 47 巻 6 号 4585 頁（沼津交通事件）···············128, 130
最判平成 6・6・13 労判 653 号 12 頁（高知県観光事件）······························80
最判平成 6・9・8 労判 657 号 12 頁（学校法人敬愛学園〔国学館高校〕事件）··········311
最判平成 6・12・20 労判 669 号 13 頁（倉田学園事件）·····························434
最判平成 7・2・9 労判 681 号 19 頁（興栄社事件）·····································5
最判平成 7・2・28 労判 668 号 11 頁（朝日放送事件）······························416
最判平成 7・4・14 労判 679 号 21 頁（高知県観光事件）·····························450
最判平成 7・9・8 労判 679 号 11 頁（オリエンタルモーター事件）···················454
最判平成 8・2・23 民集 50 巻 2 号 249 頁（コック食品事件）·······················217
最判平成 8・2・23 労判 690 号 12 頁（JR 東日本〔本荘保線区〕事件）·················433
最判平成 8・3・26 労判 691 号 16 頁（朝日火災海上保険〔高田〕事件）···············293
最判平成 8・9・13 労判 702 号 23 頁（国鉄直方自動車営業所事件）···················123
最判平成 8・9・26 労判 708 号 31 頁（山口観光事件）························233, 239
最判平成 8・11・28 労判 714 号 14 頁（横浜南労基署長事件）·····················7, 214
最判平成 9・2・28 民集 51 巻 2 号 705 頁（第四銀行事件）·························287
最判平成 9・3・27 労判 713 号 27 頁（朝日火災海上保険〔石堂・本訴〕事件）·········292
最判平成 9・4・24 労判 737 号 23 頁（東洋シート〔組合事務所〕事件）···············454
最判平成 10・4・9 労判 736 号 15 頁（片山組事件）·······························271
最判平成 10・4・28 労判 740 号 22 頁（東京焼結金属事件）·························448
最判平成 10・7・17 労判 744 号 15 頁（JR 東海〔新幹線支部〕事件）·················433
最判平成 10・9・10 労判 757 号 20 頁（九州朝日放送事件）·························133
最判平成 11・6・11 労判 762 号 16 頁（国労高崎地本事件）·························435
最判平成 11・9・17 労判 768 号 16 頁（帝国臓器製薬〔単身赴任〕事件）···············140
最判平成 12・1・28 労判 774 号 7 頁（ケンウッド事件）······················141, 310
最判平成 12・3・9 民集 54 巻 3 号 801 頁（三菱重工業長崎造船所〔1 次訴訟・会社側上告〕事件）···70, 75, 77
最判平成 12・3・9 労判 778 号 8 頁（三菱重工業長崎造船所〔1 次訴訟・組合側上告〕事件）··71

最判平成 12・3・24 民集 54 巻 3 号 1155 頁（電通過労自殺事件）……………213, 222

最判平成 12・3・31 民集 54 巻 3 号 1255 頁（日本電信電話事件）………………125

最判平成 12・9・7 民集 54 巻 7 号 2075 頁（みちのく銀行事件）………………288

最判平成 12・9・12 労判 788 号 23 頁（羽後銀行〔北都銀行〕事件）………………289

最判平成 12・9・22 労判 788 号 17 頁（函館信用金庫事件）………………289

最判平成 13・3・13 民集 55 巻 2 号 395 頁（都南自動車教習所事件）………………441

最判平成 13・4・26 労判 804 号 15 頁（愛知県教委〔減給処分〕事件）………………247

最判平成 13・6・14 労判 807 号 5 頁（中労委〔セメダイン〕事件）………………408

最判平成 13・6・22 労判 808 号 11 頁（トーコロ事件）………………112

最判平成 14・1・22 労判 823 号 12 頁（崇徳学園事件）………………248

最判平成 14・2・28 民集 56 巻 2 号 361 頁（大星ビル管理事件）…………………73, 115

最判平成 14・10・24 判例集未登載（旭川大学〔外国人教員〕事件）………………378

最判平成 15・2・18 判例集未登載（富士見交通事件）………………239

最判平成 15・2・28 判例集未登載（カジマ・リノベイト事件）………………311

最判平成 15・4・18 労判 847 号 14 頁（新日本製鐵〔日鐵運輸第 2〕事件）…146, 147, 149

最判平成 15・10・10 労判 861 号 5 頁（フジ興産事件）………………229, 233, 237

最判平成 15・12・4 労判 862 号 14 頁（東朋学園事件）………………180, 188

最判平成 15・12・18 労判 866 号 14 頁（北海道国際航空事件）………………99

最判平成 15・12・22 民集 57 巻 11 号 2335 頁（JR 北海道・日本貨物鉄道事件）

　　　　　………………………………………………………………23, 447, 449

最判平成 17・6・3 労判 893 号 14 頁（関西医科大学事件）………………5

最決平成 17・6・30 判例集未登載（O 法律事務所〔事務員解雇〕事件）………………313

最決平成 18・6・13 労経速 1948 号 12 頁（ビル代行事件）………………75

最判平成 18・12・8 労判 929 号 5 頁（中労委〔JR 東海（新幹線・科長脱退勧奨）〕事件）………………451

最判平成 19・6・28 労判 940 号 11 頁（藤沢労基署長〔大工負傷〕事件）　………6

最判平成 19・7・12 判例集未登載（熊本県教委〔教員・懲戒免職処分〕事件）………253

最判平成 19・10・19 民集 61 巻 7 号 2555 頁（大林ファシリティーズ事件）………74

最判平成 19・12・18 労判 951 号 5 頁（福岡雙葉学園事件）………………101

最判平成 20・3・27 労判 958 号 5 頁（NTT 東日本北海道支店事件）………………213

最判平成 21・12・18 民集 63 巻 10 号 2754 頁（松下ディスプレイ事件）………………26

最判平成 22・4・27 労判 1009 号 5 頁（河合塾〔非常勤講師・出講契約〕事件）………4, 5

最判平成 22・7・12 労判 1010 号 5 頁（日本アイ・ビー・エム事件）…………50, 51, 52

最判平成 23・4・12 労判 1026 号 6 頁（国・中労委〔新国立劇場運営財団〕事件）……405

最判平成 23・4・12 労判 1026 号 27 頁（国・中労委〔INAX メンテナンス〕事件）…406

最判平成 24・2・21 民集 66 巻 3 号 955 頁（国・中労委〔ビクターサービスエンジニアリング〕事件）………………407

最判平成 24・3・8 労判 1060 号 5 頁（テックジャパン事件）………………80

最判平成 24・4・27 労判 1055 号 5 頁（日本ヒューレット・パッカード事件）……219, 244

最判平成 24・11・29 労判 1064 号 13 頁（津田電気計器事件）‥‥‥‥‥‥‥‥‥‥393
最判平成 25・6・6 民集 67 巻 5 号 1187 頁（八千代交通事件）‥‥‥‥‥‥‥‥‥129, 130
最判平成 26・1・24 労判 1088 号 5 頁（阪急トラベルサポート〔派遣添乗員・第 2〕事
　件）‥‥‥‥‥‥‥‥‥‥‥‥‥‥‥‥‥‥‥‥‥‥‥‥‥‥‥‥‥‥‥‥‥‥‥‥‥‥‥93
最判平成 26・10・23 民集 68 巻 8 号 1270 頁（広島中央保健共同組合事件）‥‥‥‥186
最判平成 27・2・26 労判 1109 号 5 頁（L 館事件）‥‥‥‥‥‥‥‥‥‥‥‥‥‥‥‥198
最判平成 27・3・5 判時 2265 号 120 頁（クレディ・スイス証券事件）‥‥‥‥‥‥101
最判平成 28・2・19 民集 70 巻 2 号 123 頁（山梨県民信用組合事件）‥‥‥‥‥‥284
最判平成 28・12・1 労判 1156 号 5 頁（福原学園〔九州女子短期大学〕事件）‥‥‥379
最判平成 29・2・28 労判 1152 号 5 頁（国際自動車事件）‥‥‥‥‥‥‥‥‥‥‥‥81
最判平成 29・7・7 労判 1168 号 49 頁（医療法人康心会事件）‥‥‥‥‥‥‥‥‥‥81
最判平成 30・2・15 労判 1181 号 5 頁（イビデン事件）‥‥‥‥‥‥‥‥‥‥‥‥196
最判平成 30・6・1 民集 72 巻 2 号 88 頁（ハマキョウレックス事件）‥‥‥‥‥‥384
最判平成 30・6・1 民集 72 巻 2 号 202 頁（長澤運輸事件）‥‥‥‥‥‥‥‥‥‥385
最判平成 30・7・19 労判 1186 号 5 頁（日本ケミカル事件）‥‥‥‥‥‥‥‥‥‥81
最判平成 30・9・14 労判 1194 号 5 頁（日本郵便〔期間雇用社員ら・雇止め〕事件）‥‥380
最判平成 31・4・25 労判 1208 号 5 頁（平尾事件）‥‥‥‥‥‥‥‥‥‥‥‥‥‥444
最判令和元・11・7 労判 1223 号 5 頁（朝日建物管理事件）‥‥‥‥‥‥‥‥‥‥381
最判令和 2・3・30 労判 1220 号 5 頁（国際自動車〔第二次上告審〕事件）‥‥‥‥82
最判令和 2・10・5 労判 1229 号 5 頁（日本郵便〔佐賀〕事件）‥‥‥‥‥‥‥‥390
最判令和 2・10・5 労判 1229 号 58 頁（日本郵便〔東京〕事件）‥‥‥‥‥‥‥‥390
最判令和 2・10・5 労判 1229 号 67 頁（日本郵便〔大阪〕事件）‥‥‥‥‥‥‥‥390
最判令和 2・10・13 労判 1229 号 77 頁（学校法人大阪医科薬科大学〔旧大阪医科大学〕
　事件）‥‥‥‥‥‥‥‥‥‥‥‥‥‥‥‥‥‥‥‥‥‥‥‥‥‥‥‥‥‥‥‥‥‥‥‥389
最判令和 2・10・13 労判 1229 号 90 頁（メトロコマース事件）‥‥‥‥‥‥‥‥388

〈高等裁判所〉
東京高判昭和 34・12・23 労経速 347 号 2 頁（栃木化成事件）‥‥‥‥‥‥‥‥‥‥420
東京高決昭和 37・12・4 労民集 13 巻 6 号 1172 頁（三協紙器解散事件）‥‥‥‥‥333
大阪高判昭和 38・3・26 判時 341 号 37 頁（播磨鉄鋼事件）‥‥‥‥‥‥‥‥‥‥41
東京高判昭和 43・6・12 労判 61 号 2 頁（三菱樹脂事件）‥‥‥‥‥‥‥‥‥‥‥‥58
大阪高判昭和 43・9・30 労民集 19 巻 5 号 1253 頁（近畿大学講師解雇事件）‥‥‥‥340
大阪高判昭和 45・4・30 労判 103 号 35 頁（大映事件）‥‥‥‥‥‥‥‥‥‥‥‥346
大阪高判昭和 45・7・10 労判 112 号 35 頁（大阪読売新聞社事件）‥‥‥‥‥‥‥61
福岡高判昭和 48・12・7 労判 192 号 44 頁（三井鉱山三池鉱業所事件）‥‥‥‥‥‥427
高松高判昭和 49・3・5 労判 198 号 51 頁（四国電気工事事件）‥‥‥‥‥‥‥‥241
東京高決昭和 53・2・22 労判 301 号 78 頁（理想社事件）‥‥‥‥‥‥‥‥‥‥237
東京高判昭和 53・3・30 労経速 977 号 12 頁（太洋社事件）‥‥‥‥‥‥‥‥‥‥340
東京高判昭和 53・6・6 労判 301 号 32 頁（国鉄甲府赤穂車掌区事件）‥‥‥‥‥‥347

大阪高判昭和 53・10・27 労判 314 号 65 頁（福知山信用金庫事件）……………230, 238
東京高判昭和 54・10・29 労判 330 号 71 頁（東洋酸素事件）……………………316, 318
東京高判昭和 55・2・18 労民集 31 巻 1 号 49 頁（古河鉱業足尾製作所高崎工場事件）
　　……………………………………………………………………………………………121
福岡高判昭和 55・4・15 労判 342 号 25 頁（三菱重工長崎造船所事件）……………242
仙台高決昭和 55・12・8 労判 365 号速報カード 33 頁（福島市職員事件）……………252
東京高判昭和 56・11・25 労判 377 号 30 頁（日本鋼管鶴見造船所事件）……………251
名古屋高判昭和 56・11・30 判時 1045 号 130 頁（大隈鐵工所事件）……………………355
東京高判昭和 58・5・25 労判 411 号 36 頁（アール・エフ・ラジオ日本事件）……133
福岡高判昭和 58・6・7 労判 410 号 29 頁（サガテレビ事件）……………………………27
東京高判昭和 58・9・20 労判 416 号 35 頁（旭硝子船橋工場事件）……………………373
東京高判昭和 58・12・19 労判 421 号 33 頁（八州事件）……………………………………20
東京高判昭和 59・3・30 労判 437 号 41 頁（フォード自動車〔日本〕事件）………163, 309
大阪高判昭和 59・3・30 労判 438 号 53 頁（布施自動車教習所・長尾商事事件）………334
大阪高判昭和 59・11・29 労判 453 号 156 頁（日本高圧瓦斯工業事件）………………104
大阪高判昭和 61・4・24 労判 479 号 85 頁（日本周遊観光バス事件）…………………15
名古屋高金沢支判昭和 61・7・28 判タ 620 号 207 頁（うえの屋事件）…………………8
広島高判昭和 61・8・28 労判 487 号 81 頁（全自交広島タクシー支部事件）…………351
東京高判昭和 61・11・13 労判 487 号 66 頁（京セラ・旧サイバネット工業〔行政〕事
　　件）……………………………………………………………………………………247
東京高判昭和 62・9・8 労判 508 号 59 頁（商大自動車教習所事件）…………………421
東京高判昭和 62・11・30 労判 523 号 14 頁（小里機材事件）………………………………79
東京高判昭和 62・12・24 労判 512 号 66 頁（日産自動車村山工場事件）……………134
東京高判平成元・3・16 労判 538 号 58 頁（前橋信用金庫事件）………………………249
東京高判平成 2・3・28 労民集 41 巻 2 号 64 頁（亜細亜大学事件）……………………378
大阪高判平成 2・7・26 労判 572 号 114 頁（ゴールド・マリタイム事件）……146, 147, 148
名古屋高判平成 2・8・31 労判 569 号 37 頁（中部日本広告社事件）…………………107
札幌高判平成 2・12・25 労判 630 号 9 頁（第一小型ハイヤー事件）…………………282
東京高判平成 2・12・26 労判 583 号 25 頁（駿河銀行事件）……………………………456
大阪高判平成 3・1・16 労判 581 号 36 頁（龍神タクシー〔異議〕事件）………………375
東京高判平成 3・2・20 労判 592 号 77 頁（炭研精工事件）…………………………242, 251
大阪高判平成 3・10・11 労判 600 号 53 頁（国鉄大阪工事局事件）……………………373
東京高判平成 3・10・29 労判 598 号 40 頁（セントランスほか事件）…………………28
仙台高秋田支判平成 3・11・20 労判 603 号 34 頁（男鹿市農協事件）…………………155
仙台高判平成 4・1・10 労判 605 号 98 頁（岩手銀行事件）……………………………175
東京高判平成 4・5・28 労判 610 号 9 頁（総友会事件）…………………………………240
東京高判平成 4・12・22 労判 622 号 6 頁（東京焼結金属事件）………………………448
東京高判平成 5・3・31 労判 629 号 19 頁（千代田化工建設〔本訴〕事件）…………150
東京高判平成 5・4・20 労判 644 号 45 頁（葵交通事件）………………………………243

大阪高判平成 5・6・25 労判 679 号 32 頁（商大八戸ノ里ドライビングスクール事件）
………………………………………………………………………………360
東京高判平成 5・12・22 労判 664 号 81 頁（大映映像ほか事件）………………28
東京高判平成 6・3・16 労判 656 号 63 頁（生協イーコープ・下馬生協事件）……15
東京高判平成 7・2・28 労判 678 号 69 頁（ケイエム観光事件）………………313
東京高判平成 7・3・16 労判 684 号 92 頁（片山組事件）………………………270
東京高判平成 7・5・23 労判 681 号 37 頁（JR 東日本〔千葉鉄道管理局〕事件）………34
東京高判平成 8・5・29 労判 694 号 29 頁（帝国臓器製薬〔単身赴任〕事件）……140
福岡高判平成 8・7・30 労判 757 号 21 頁（九州朝日放送事件）………………133
東京高判平成 8・8・26 労判 701 号 12 頁（アール・エフ・ラジオ日本事件）……360
福岡高判平成 9・4・9 労判 716 号 55 頁（西日本鉄道〔後藤寺自動車営業所〕事件）…248
東京高判平成 9・11・17 労判 729 号 44 頁（トーコロ事件）……………………112
東京高判平成 9・11・20 労判 728 号 12 頁（横浜セクシュアル・ハラスメント事件）…195
大阪高判平成 9・11・25 労判 729 号 39 頁（光洋精工事件）……………………156
大阪高決平成 9・12・16 労判 729 号 18 頁（丸島アクアシステム事件）…………376
大阪高判平成 10・5・29 労判 745 号 42 頁（日本コンベンションサービス〔退職金請
　求〕事件）……………………………………………………………………104
大阪高判平成 11・3・30 労判 771 号 62 頁（三菱重工業神戸造船所〔振動障害〕事件）
………………………………………………………………………………218
東京高判平成 11・3・31 労判 758 号 7 頁（丸子警報器〔雇止め・本訴〕事件）…367, 381
東京高判平成 12・4・19 労判 783 号 36 頁（中労委〔芝信用金庫従組〕事件）……155, 450
東京高判平成 12・5・24 労判 785 号 22 頁（エフピコ事件）……………………135
大阪高判平成 12・6・30 労判 792 号 103 頁（日本コンベンションサービス〔割増賃金
　請求〕事件）…………………………………………………………………67
大阪高判平成 12・7・27 労判 792 号 70 頁（川崎製鉄〔出向〕事件）…………146, 147, 149
福岡高判平成 12・11・28 労判 806 号 58 頁（新日本製鐵〔日鐵運輸〕事件）…………147
東京高判平成 12・11・29 労判 799 号 17 頁（メレスグリオ事件）………………142, 310
東京高判平成 12・12・22 労判 796 号 5 頁（芝信用金庫事件）…………154, 155, 157
東京高判平成 12・12・27 労判 809 号 82 頁（更生会社三井埠頭事件）……………283
札幌高判平成 13・1・31 労判 801 号 13 頁（旭川大学〔外国人教員〕事件）…301, 316, 378
広島高判平成 13・5・23 労判 811 号 21 頁（マナック事件）……………………169
東京高判平成 13・6・27 労判 810 号 21 頁（カンタス航空事件）………………379
大阪高判平成 13・6・28 労判 811 号 5 頁（京都銀行事件）………………………76
福岡高判平成 13・8・21 労判 819 号 57 頁（新日本製鐵〔総合技術センター〕事件）
………………………………………………………………………135, 141
東京高判平成 13・9・11 労判 817 号 57 頁（国鉄千葉勤労事件）………………429
東京高判平成 13・9・12 労判 816 号 11 頁（富士見交通事件）………………239, 248
東京高判平成 13・9・12 労判 817 号 46 頁（ネスレ日本〔合意退職・本訴〕事件）……355
札幌高判平成 13・11・21 労判 823 号 31 頁（渡島信用金庫〔懲戒解雇〕事件）………238

東京高判平成 14・2・27 労判 824 号 17 頁（中労委〔青山会〕事件）……………………449
東京高判平成 14・4・17 労判 831 号 65 頁（群英学園〔解雇〕事件）…………………342
東京高判平成 14・5・9 労判 834 号 72 頁（コニカ〔東京事業場日野〕事件）………435
大阪高判平成 14・6・19 労判 839 号 47 頁（カントラ事件）……………………………271
福岡高宮崎支判平成 14・7・2 労判 833 号 48 頁（宮崎信用金庫事件）………………257
東京高判平成 14・7・2 労判 836 号 114 頁（コンチネンタル・ミクロネシア・インク事
　件）………………………………………………………………………………………376
東京高判平成 14・7・11 労判 832 号 13 頁（新宿労基署長〔映画撮影技師〕事件）　……7
大阪高判平成 14・8・29 労判 837 号 47 頁（アジア航測事件）………………………268
東京高判平成 14・9・24 労判 844 号 87 頁（日本経済新聞社〔記者 HP〕事件）………258
東京高判平成 14・9・30 労判 849 号 129 頁（カジマ・リノベイト事件）……………311
東京高判平成 14・11・26 労判 843 号 20 頁（日本ヒルトンホテル〔本訴〕事件）
　………………………………………………………………………………………295, 367
大阪高判平成 15・1・30 労判 845 号 5 頁（大阪空港事業〔関西航業〕事件）……………34
大阪高判平成 15・3・27 労判 858 号 154 頁（JR 西日本吹田工場〔踏切確認作業〕事
　件）………………………………………………………………………………………246
東京高判平成 15・4・24 労判 853 号 31 頁（埼京タクシー〔本訴〕事件）……………248
大阪高判平成 15・6・26 労判 858 号 69 頁（大阪証券取引所〔仲立証券〕事件）………33
東京高判平成 15・8・27 労判 868 号 75 頁（NHK 西東京営業センター〔受信料集金等
　受託者〕事件）……………………………………………………………………………8
東京高判平成 15・9・24 労判 864 号 34 頁（東京サレジオ学園事件）…………………134
東京高判平成 15・9・30 労判 862 号 41 頁（中労委〔朝日火災海上保険〕事件）………158
大阪高判平成 15・11・13 労判 886 号 75 頁（大森陸運ほか 2 社事件）　…33, 316, 333, 335
東京高判平成 15・12・11 労判 867 号 5 頁（小田急電鉄〔退職金請求〕事件）
　……………………………………………………………………104, 108, 236, 254
東京高判平成 15・12・17 労判 868 号 20 頁（中労委〔オリエンタルモーター〕事件）
　………………………………………………………………………………………………155
大阪高決平成 16・3・30 労判 872 号 24 頁（ピー・アンド・ジー明石工場事件）…352, 356
広島高判平成 16・4・15 労判 879 号 82 頁（鞆鉄道事件）………………………………294
東京高判平成 16・6・16 労判 886 号 93 頁（千代田学園〔懲戒解雇〕事件）……………240
広島高判平成 16・9・2 労判 881 号 29 頁（下関セクハラ〔食品会社営業所〕事件）…196
広島高岡山支判平成 16・10・28 労判 884 号 13 頁（内山工業事件）……………………174
東京高判平成 16・11・16 労判 909 号 77 頁（エーシーニールセン・コーポレーション
　事件）………………………………………………………………………………………169
東京高判平成 17・1・19 労判 890 号 58 頁（横浜市学校保健会〔歯科衛生士解雇〕事
　件）…………………………………………………………………………………………309
大阪高判平成 17・1・25 労判 890 号 27 頁（日本レストランシステム事件）…132, 135, 138
名古屋高判平成 17・2・23 労判 909 号 67 頁（O 法律事務所〔事務員解雇〕事件）……313
東京高判平成 17・3・30 労判 905 号 72 頁（神代学園ほか事件）………………………77, 88

福岡高判平成 17・4・13 労判 891 号 89 頁（九州日誠電氣〔本訴〕事件）……………328

東京高判平成 17・4・27 労判 896 号 19 頁（静岡フジカラーほか 2 社事件）
　　　………………………………………………………45, 301, 316, 335, 449, 455

大阪高判平成 17・6・7 労判 908 号 72 頁（日本郵政公社〔近畿郵政局〕事件）………198

東京高判平成 17・6・29 労判 927 号 67 頁（旭ダイヤモンド工業事件）………………436

東京高判平成 17・7・13 労判 899 号 19 頁（東京日新学園事件）…………34, 40, 41, 43, 45

東京高判平成 17・7・20 労判 899 号 13 頁（ビル代行事件）……………………………74, 78

福岡高判平成 17・9・14 労判 903 号 68 頁（K 工業技術専門学校〔私用メール〕事件）
　　　………………………………………………………………………228, 243, 311

名古屋高判平成 18・1・17 労判 909 号 5 頁（山田紡績事件）…………………………316

東京高判平成 18・3・20 労判 916 号 53 頁（独立行政法人 L 事件）…………………198

大阪高判平成 18・4・14 労判 915 号 60 頁（ネスレ日本〔配転本訴〕事件）…………140

札幌高判平成 18・5・11 労判 938 号 68 頁（サン石油〔視力障害者解雇〕事件）………309

大阪高判平成 18・5・30 労判 928 号 78 頁（日建設計事件）……………………………34

名古屋高金沢支判平成 18・5・31 労判 920 号 33 頁（ホクエツ福井事件）……………318

東京高判平成 18・6・29 労判 921 号 5 頁（マイスタッフ事件）………………………33

福岡高判平成 18・11・9 労判 956 号 69 頁（熊本県教委〔教員・懲戒免職処分〕事件）
　　　………………………………………………………………………………253

東京高判平成 18・12・26 労判 931 号 30 頁（CSFB セキュリティーズ・ジャパン・リ
ミテッド事件）………………………………………………………………317

東京高判平成 19・2・21 労判 937 号 178 頁（アイレックス事件）……………………327

東京高判平成 19・2・22 労判 937 号 175 頁（マッキャンエリクソン事件）…………169

東京高判平成 19・6・27 中労委データベース（JR 西日本岡山脱退勧奨事件）…………452

東京高判平成 19・7・31 労判 946 号 58 頁（国・中労委〔根岸病院・初任給引下げ団
交〕事件）………………………………………………………………………420

大阪高判平成 19・10・26 労判 975 号 50 頁（第一交通産業ほか事件）………………35

東京高判平成 19・11・7 労判 955 号 32 頁（磐田労基署長事件）………………………8

東京高判平成 19・11・29 労判 951 号 31 頁（朝日新聞社〔国際編集部記者〕事件）…8, 10

東京高判平成 20・1・31 労判 959 号 85 頁（兼松〔男女差別〕事件）…………………178

東京高判平成 20・3・25 労判 959 号 61 頁（東武スポーツ事件）………………………286

東京高判平成 20・3・27 労判 959 号 18 頁（ノース・ウエスト航空〔FA 配転〕事件）
　　　………………………………………………………………………………134

大阪高判平成 20・3・27 労判 972 号 63 頁（大阪府立病院〔医師・急性心不全死〕事
件）………………………………………………………………………………220

東京高判平成 20・4・23 労判 960 号 25 頁（中央建設国民健康保険組合事件）…………294

大阪高判平成 20・4・25 労判 960 号 5 頁（松下ディスプレイ事件）……………………26

東京高判平成 20・6・26 労判 963 号 16 頁（日本アイ・ビー・エム事件）……………48

東京高判平成 20・7・1 労判 969 号 20 頁（みずほトラストシステムズ〔うつ病自殺〕
事件）……………………………………………………………………………223

仙台高判平成 20・7・25 労判 968 号 29 頁（A ラーメン事件）…………………44
福岡高判平成 20・8・25 判時 2032 号 52 頁（長崎・海上自衛隊員自殺事件）…………206
東京高判平成 20・9・10 労判 969 号 5 頁（東京セクハラ〔T 菓子店〕事件）………195
東京高判平成 20・10・22 労経速 2023 号 7 頁（立正佼成会事件）………………224
大阪高判平成 21・1・15 労判 977 号 5 頁（NTT 西日本〔大阪・名古屋配転〕事件）…142
東京高判平成 21・3・25 労判 981 号 13 頁（国・中労委〔新国立劇場運営財団〕事件）
　………………………………………………………………………………………406
高松高判平成 21・4・23 労判 990 号 134 頁（前田道路事件）………………209, 224
福岡高判平成 21・5・19 労判 989 号 39 頁（河合塾〔非常勤講師・出講契約〕事件）…296
東京高判平成 21・7・28 労判 990 号 50 頁（アテスト〔ニコン熊谷製作所〕事件）……219
大阪高判平成 22・3・18 労判 1015 号 83 頁（協愛事件）………………283, 285
名古屋高判平成 22・5・21 労判 1013 号 102 頁（地公災基金愛知県支部長〔A 市役所職
　員・うつ病自殺〕事件）………………………………………………………207
東京高判平成 22・5・27 労判 1011 号 20 頁（藍澤證券事件）………………………19
大阪高判平成 22・11・19 労判 1168 号 105 頁（NTT 西日本ほか事件）………………77
大阪高判平成 22・12・21 労経速 2095 号 15 頁（西日本電信電話事件）………………392
東京高判平成 22・12・22 判時 2126 号 133 頁（東日本電信電話事件）………………392
東京高判平成 23・2・23 労判 1022 号 5 頁（東芝〔うつ病・解雇〕事件）……223, 268, 310
大阪高判平成 23・2・25 判時 2119 号 47 頁（三井倉庫〔石綿曝露〕事件）………221
福岡高判平成 23・3・10 労判 1020 号 82 頁（コーセーアールイー〔第 2〕事件）………13
大阪高判平成 23・7・15 労判 1035 号 124 頁（泉州学園事件）………………318
東京高判平成 23・8・1 労判 1035 号 42 頁（オリンパス事件）………………139
東京高判平成 23・9・14 労判 1036 号 14 頁（阪急トラベルサポート〔派遣添乗員・第
　1〕事件）………………………………………………………………………93
東京高判平成 23・10・18 労判 1037 号 82 頁（メディスコーポレーション事件）………223
東京高判平成 23・12・27 労判 1042 号 15 頁（コナミデジタルエンタテイメント事件）
　………………………………………………………………………………………189
大阪高判平成 24・2・28 労判 1048 号 63 頁（P 大学〔セクハラ〕事件）………187
東京高判平成 24・9・28 労判 1063 号 20 頁（NTT 東日本事件）………………105
東京高判平成 24・10・30 別冊中労時 1440 号 47 頁（高見澤電機製作所ほか 2 社事件）
　………………………………………………………………………………………418
東京高判平成 24・10・31 労経速 2172 号 3 頁（日本アイ・ビー・エム事件）………358
仙台高判平成 25・2・13 労判 1113 号 57 頁（ビソー工業事件）………………75
東京高判平成 25・4・24 労判 1074 号 75 頁（ブルームバーグ・エル・ピー事件）……309
東京高判平成 25・5・23 労判 1077 号 18 頁（旭ダイヤモンド工業〔第 2 次〕事件）…436
大阪高判平成 25・10・9 労判 1083 号 24 頁（アークレイファクトリー事件）………204
東京高判平成 25・11・13 労判 1090 号 68 頁（ザ・キザン・ヒロ事件）………………318
札幌高判平成 25・11・21 労判 1086 号 22 頁（医療法人雄心会事件）………………223
東京高判平成 25・11・21 労判 1086 号 52 頁（オリエンタルモーター事件）……………71

東京高判平成 25・11・27 労判 1091 号 42 頁（横河電機〔SE・うつ病罹患〕事件）…223
大阪高判平成 26・1・16 労判 1092 号 112 頁（テーエス運輸事件）………………423
東京高判平成 26・6・3 労経速 2221 号 3 頁（N 航空客室乗務員解雇事件）………318, 325
仙台高判平成 26・6・27 労判 1100 号 26 頁（岡山県貨物運送事件）………………208
大阪高判平成 26・7・17 労判 1108 号 13 頁（日本政策金融公庫〔うつ病・自殺〕事件）
………………………………………………………………………………224, 269
大阪高判平成 26・7・18 労判 1104 号 71 頁（医療法人稲門会事件）………………190
大阪高判平成 27・12・11 労判 1135 号 29 頁（生コン製販会社経営者ら〔会社分割〕事
件）……………………………………………………………………………………55
東京高判平成 28・1・14 労判 1140 号 68 頁（大王製紙事件）………………………149
東京高判平成 28・2・25 別冊中労委 1496 号 43 頁（X 労働組合対国事件）………417
東京高判平成 28・2・25 労判 1162 号 52 頁（日本ヒューレット・パッカード〔休職期
間満了〕事件）………………………………………………………………………272
東京高判平成 28・7・7 労判 1151 号 60 頁（コンチネンタル・オートモーティブ〔解
雇・仮処分〕事件）…………………………………………………………………309
大阪高判平成 28・7・29 労判 1154 号 67 頁（NHK 堺営業センター事件）……………8
名古屋高判平成 28・9・28 労判 1146 号 22 頁（トヨタ自動車ほか事件）…………394
東京高判平成 28・11・16 労経速 2298 号 22 頁（ファイザー事件）………………166
東京高判平成 29・2・1 労判 1186 号 11 頁（日本ケミカル事件）……………………81
広島高判平成 29・7・14 労判 1170 号 5 頁（A 不動産事件）………………………259
福岡高判平成 30・1・15 労判 1223 号 11 頁（朝日建物管理事件）…………………381
東京高判平成 30・2・15 労判 1173 号 34 頁（国際自動車〔差戻し原審〕事件）…………82
広島高岡山支判平成 30・3・29 労判 1185 号 27 頁（学校法人原田学園事件）………139
福岡高判平成 30・9・20 労判 1195 号 88 頁（九水運輸商事件）………………368, 391
東京高判平成 30・11・15 労判 1194 号 13 頁（阪急トラベルサポート〔派遣添乗員・就
業規則変更〕事件）…………………………………………………………………94
東京高判平成 30・11・22 労判 1202 号 70 頁（コナミスポーツクラブ事件）……………89
福岡高判平成 30・11・29 労判 1198 号 63 頁（産業医科大学事件）………………301
大阪高判平成 31・2・15 労判 1199 号 5 頁（学校法人大阪医科薬科大学〔旧大阪医科大
学〕事件）……………………………………………………………………………389
東京高判平成 31・2・20 労判 1198 号 5 頁（メトロコマース事件）…………………388
高松高判令和元・7・8 労判 1208 号 25 頁（井関松山製造所事件）…………………392
大阪高判令和元・9・6 労判 1214 号 29 頁（大阪市〔旧交通局職員ら〕事件）………234
東京高判令和元・11・28 労判 1215 号 5 頁（ジャパンビジネスラボ事件）…………190
名古屋高判令和 2・1・23 労判 1224 号 98 頁（南山学園〔南山大学〕事件）………375
札幌高判令和 2・4・15 労判 1226 号 5 頁（東京キタイチ事件）……………………270
東京高判令和 2・9・3 労判 1236 号 35 頁（エアースタジオ事件）…………………76
大阪高判令和 3・1・22 労経速 2444 号 3 頁（学校法人関西外国語大学事件）…………429

〈地方裁判所〉

浦和地判昭和40・12・16 労判15号6頁（平仙レース事件）……………………269
東京地決昭和41・2・26 労経速561号5頁（日本航空事件）……………………428
徳島地判昭和45・3・31 労民集21巻2号451頁（光洋精工解雇事件）…………60
東京地判昭和45・6・23 労判105号39頁（日本経済新聞社事件）…………301, 343
東京地判昭和45・12・8 労判116号58頁（立華学園事件）……………………339
名古屋地判昭和47・4・28 判時680号88頁（橋元運輸事件）…………………105
神戸地決昭和47・8・21 判時694号113頁（平和産業事件）…………………302
松山地判昭和48・2・1 労判169号速報カード13頁（四国電気工事事件）……241
東京地決昭和48・12・26 労判193号24頁（ノース・ウエスト航空事件）……441
福岡地小倉支判昭和50・3・31 労民集26巻2号232頁（三萩野病院解雇事件）…338
大阪地判昭和50・7・17 労判235号39頁（国際航業事件）……………………238
東京地判昭和50・10・21 労判237号29頁（杵島炭鉱事件）…………………428
長崎地大村支判昭和50・12・24 労判242号14頁（大村野上事件）……………317
東京地決昭和51・7・23 労判257号23頁（日本テレビ放送網事件）…………133
東京地判昭和51・9・8 判時840号116頁（日本医科大学附属病院事件）……23
青森地判昭和53・2・14 労判292号24頁（青森放送事件）……………………29
大阪地決昭和53・3・17 労判298号66頁（品川工業事件）……………………134
静岡地判昭和53・3・28 労判297号39頁（静岡銀行事件）……………………88
東京地決昭和54・3・27 労経速1010号25頁（アロマ・カラー事件）…………270
東京地判昭和54・12・11 労判332号20頁（セーラー万年筆事件）……………163
神戸地決昭和54・12・25 労判343号速報カード31頁（八代学院大学事件）……339
水戸地龍ケ崎支判昭和55・1・18 労経速1056号21頁（東洋特殊土木事件）……179, 302
東京地判昭和55・2・15 労判335号23頁（スーパーバッグ事件）……………251
横浜地判昭和55・3・28 労判339号20頁（三菱重工横浜造船所事件）………120
大阪地判昭和55・11・7 労判352号36頁（大照金属事件）……………………339
東京地判昭和55・12・15 労判354号46頁（イースタン・エアポートモータース事件）
　　……………………………………………………………………………………229
大阪地判昭和56・2・16 労判360号56頁（大阪白急タクシー事件）…………443
大阪地判昭和56・3・24 労経速1091号3頁（すし処「杉」事件）……………72
千葉地判昭和56・5・25 労判372号49頁（日立精機事件）………………147, 151
名古屋地判昭和56・7・10 労判370号42頁（豊橋総合自動車学校事件）………254
福岡地判昭和56・10・7 労判373号37頁（あけぼのタクシー事件）…………230
東京地判昭和56・12・24 労判377号17頁（日本放送協会事件）………………242
横浜地判昭和57・2・25 労経速1117号3頁（東京プレス工業事件）…………307
大阪地判昭和57・3・29 労判386号16頁（大阪淡路交通事件）………………72
東京地決昭和57・11・19 労判397号30頁（小川建設事件）……………………ない
前橋地判昭和57・12・16 労判407号61頁（北群馬信用金庫事件）……………237
横浜地決昭和58・1・28 労判406号65頁（東芝アンペックス事件）…………333

福岡地決昭和 58・2・24 労判 404 号 25 頁（大成会福岡記念病院事件）・・・・・・・・・・・・・136, 144
東京地判昭和 58・2・28 判時 1077 号 135 頁（慈恵医大病院事件）・・・・・・・・・・・・・・・・・・・・・268
東京地判昭和 59・1・27 労判 423 号 23 頁（エール・フランス事件）・・・・・・・・・・・・・・・・・270
名古屋地判昭和 59・3・23 労判 439 号 64 頁（ブラザー工業事件）・・・・・・・・・・・・・・・・・・・・60
大阪地判昭和 59・7・25 労判 451 号 64 頁（日本高圧瓦斯工業事件）・・・・・・・・・・・・・・・・104
広島地判昭和 60・4・25 労判 487 号 84 頁（全自交広島タクシー支部事件）・・・・・・・・・・361
仙台地判昭和 60・9・19 労判 459 号 40 頁（マルヤタクシー事件）・・・・・・・・・・・・・・・252, 345
東京地判昭和 60・9・25 労判 460 号 30 頁（信用交換所東京本社事件）・・・・・・・・・・・・・・244
東京地判昭和 60・11・20 労判 464 号 17 頁（雅叙園観光事件）・・・・・・・・・・・・・・・・・・・・・・・・61
東京地決昭和 61・3・7 労判 470 号 85 頁（京王帝都電鉄事件）・・・・・・・・・・・・・・・・・・・・・253
大阪地決昭和 61・10・17 労判 486 号 83 頁（ニシムラ事件）・・・・・・・・・・・・・・・・・・・・・・・・353
東京地判昭和 62・1・30 労判 523 号 10 頁（小里機材事件）・・・・・・・・・・・・・・・・・・・・・・・・・・79
大阪地判昭和 62・2・13 労判 497 号 133 頁（都島自動車商会事件）・・・・・・・・・・・・・・・・251
大阪地判昭和 62・3・31 労判 497 号 65 頁（徳洲会事件）・・・・・・・・・・・・・・・・・・・・・・・・・・・・90
東京地決昭和 62・7・31 労判 501 号 6 頁（三菱重工相模原製作所事件）・・・・・・・・・・・・344
東京地判昭和 63・1・28 労判 515 号 53 頁（エッソ石油事件）・・・・・・・・・・・・・・・・・・・・・・・434
札幌地判昭和 63・4・19 労判 630 号 12 頁（第一小型ハイヤー事件）・・・・・・・・・・・・・・・・282
横浜地川崎支判昭和 63・5・19 労判 530 号 71 頁（京セラ・旧サイバネット工業〔民
　事〕事件）・・・269
仙台地決昭和 63・7・1 労判 526 号 38 頁（東北造船事件）・・・・・・・・・・・・・・・・・・・・・・45, 335
東京地決昭和 63・8・4 労判 522 号 11 頁（エヴェレット汽船事件）・・・・・・・・・・・・324, 325
東京地判昭和 63・11・25 労判 532 号 63 頁（亜細亜大学事件）・・・・・・・・・・・・・・・・・・・・・378
東京地判昭和 63・12・9 労判 533 号 80 頁（JR 東日本〔住居侵入〕事件）・・・・・・・・・・・254
東京地判平成元・1・26 労判 533 号 45 頁（日産自動車〔家族手当〕事件）・・・・・・・・・175
長野地松本支決平成元・2・3 労判 538 号 69 頁（新日本ハイパック事件）・・・・・・・・・148
東京地決平成元・3・24 労判 537 号 14 頁（東京ふじせ企画労働組合事件）・・・・・・・・429
大阪地決平成元・3・27 労判 536 号 16 頁（澤井商店事件）・・・・・・・・・・・・・・・・・・・・・・・・353
東京地判平成元・3・31 労判 539 号 49 頁（明治大学事件）・・・・・・・・・・・・・・・・・・・・・・・・360
大阪地決平成元・6・28 労判 545 号 12 頁（定森紙業事件）・・・・・・・・・・・・・・・・・・・・・・・・255
長崎地佐世保支判平成元・7・17 労判 543 号 29 頁（佐世保重工業事件）・・・・・・・・・・148
東京地判平成元・9・22 労判 548 号 64 頁（カール・ツアイス事件）・・・・・・・・・・・・・・・422
旭川地判平成元・12・27 労判 554 号 17 頁（繁機工設備事件）・・・・・・・・・・・・・・・・・・・・254
東京地判平成 2・3・23 労判 559 号 15 頁（ナショナルシューズ事件）・・・・・・・・・249, 255
東京地決平成 2・4・27 労判 565 号 79 頁（エクイタブル生命保険事件）・・・・・・・160, 162
名古屋地判平成 2・4・27 労判 576 号 62 頁（名古屋埠頭事件）・・・・・・・・・・・・・・・・・・・302
東京地判平成 2・7・4 労判 565 号 7 頁（社会保険診療報酬支払基金事件）・・・・・・・・156
東京地判平成 2・9・19 労判 568 号 6 頁（全国電気通信労組事件）・・・・・・・・・・・・・・・・272
秋田地判平成 2・12・17 労判 581 号 54 頁（男鹿市農協事件）・・・・・・・・・・・・・・・・・・・・155
福岡地判平成 3・2・13 労判 582 号 25 頁（クレジット債権管理組合等事件）・・・・・・203

神戸地判平成 3・3・14 労判 584 号 61 頁（星電社事件）………………………162

東京地判平成 3・4・8 労判 590 号 45 頁（東京メディカルサービス・大幸商事事件）…242

大阪地決平成 3・5・9 労判 608 号 84 頁（全日本建設運輸労組関西地区生コン支部事件）………………………429

東京地判平成 3・6・3 労判 592 号 39 頁（ルイジュアン事件）………………………8

東京地判平成 3・7・19 労判 594 号 63 頁（阪急交通社事件）………………………248

名古屋地判平成 3・7・22 労判 608 号 59 頁（日通名古屋製鉄作業事件）………………231

東京地判平成 3・8・27 労判 596 号 29 頁（国際情報産業事件）………………………80

札幌地判平成 3・8・29 労判 596 号 26 頁（クリエイティヴインターナショナルコーポレーション事件）………………………36

和歌山地決平成 3・9・10 労民集 42 巻 5 号 689 頁（東洋会解雇事件）………………339

大阪地判平成 3・10・22 労判 595 号 9 頁（三洋電機〔パート雇止め第 1〕事件）………………………366, 382

岡山地判平成 3・11・19 労判 613 号 70 頁（岡山電気軌道〔バス運転者〕事件）………355

東京地判平成 3・12・17 労判 602 号 22 頁（日本プレジデントクラブ退職金請求事件）………………………5

東京地判平成 4・1・21 労判 600 号 14 頁（小松新聞舗事件）………………………305

東京地判平成 4・3・31 労判 605 号 27 頁（豊南学園事件）………………………375

東京地決平成 4・6・23 労判 613 号 31 頁（朝日火災海上保険〔木更津営業所〕事件）………………………138

名古屋地決平成 4・11・10 労判 627 号 60 頁（愛知医科大学事件）………………………361

東京地八王子支判平成 5・2・18 労判 627 号 10 頁（ゾンネボード製薬整理解雇事件）…5

東京地決平成 5・10・13 労判 648 号 65 頁（日本メタルゲゼルシャフト事件）…………343

大阪地判平成 5・12・14 労判 645 号 53 頁（高島屋工作所事件）………………………77

東京地判平成 5・12・16 労判 647 号 48 頁（ケイエム観光事件）………………………313

東京地判平成 6・3・11 労判 666 号 61 頁（ユニスコープ事件）………………244, 250

京都地判平成 6・3・15 労判 664 号 75 頁（フットワークエクスプレス事件）…………241

東京地決平成 6・5・25 労経速 1540 号 28 頁（レックス事件）………………………333

東京地判平成 6・6・16 労判 651 号 15 頁（三陽物産〔男女賃金差別〕事件）…………176

東京地判平成 6・6・28 労判 655 号 17 頁（トヨタ工業事件）………………………104

大阪地決平成 6・8・5 労判 668 号 48 頁（新関西通信システムズ事件）………37, 41, 44

京都地判平成 6・9・14 労判 661 号 10 頁（国立療養所比良病院〔医師年休〕事件）…247

大阪地決平成 7・1・26 労判 677 号 85 頁（全国金属機械労組港合同南労会支部事件）………………………430

大阪地判平成 7・2・28 労判 680 号 81 頁（日本通運地位確認事件）………………………8

東京地判平成 7・3・2 労判 676 号 47 頁（普連土学園事件）………………………423

東京地決平成 7・3・31 労判 680 号 75 頁（マリンクロットメディカル事件）…………138

大阪地決平成 7・5・12 労判 677 号 46 頁（日本電信電話〔大阪淡路支店等〕事件）…240

大阪地決平成 7・6・19 労判 682 号 72 頁（太平洋証券事件）………………………8

東京地判平成 7・6・29 労判 683 号 45 頁（同盟交通事件）‥‥‥‥‥‥‥‥‥‥339, 340

大阪地決平成 7・9・12 労判 688 号 53 頁（阪神観光事件）‥‥‥‥‥‥‥‥‥‥‥‥‥346

福岡地判平成 7・9・20 労判 695 号 133 頁（西福岡自動車学校事件）‥‥‥‥‥‥‥238

大阪地決平成 7・11・17 労判 692 号 45 頁（大阪相互タクシー〔乗車拒否〕事件）‥‥‥‥250

東京地判平成 7・12・4 労判 685 号 17 頁（バンク・オブ・アメリカ・イリノイ事件）

‥‥‥‥‥‥‥‥‥‥‥‥‥‥‥‥‥‥‥‥‥‥‥‥‥‥‥‥‥‥‥‥‥‥‥‥163, 168

東京地判平成 7・12・25 労判 689 号 31 頁（三和機材事件）‥‥‥‥‥‥‥‥‥146, 150

東京地判平成 8・2・2 労判 699 号 99 頁（道路エンジニアリング事件）‥‥‥‥‥‥‥375

京都地判平成 8・2・27 労判 713 号 86 頁（株式会社よしとよ事件）‥‥‥‥‥‥‥‥329

盛岡地一関支判平成 8・4・17 労判 703 号 71 頁（岩手県交通事件）‥‥‥‥‥‥‥‥231

東京地判平成 8・5・27 労判 706 号 91 頁（ジェー・イー・エス事件）‥‥‥‥‥‥‥243

東京地判平成 8・7・2 労判 698 号 11 頁（佐世保重工業事件）‥‥‥‥‥‥‥‥‥‥249

東京地判平成 8・7・24 労判 702 号 50 頁（協栄生命保険事件）‥‥‥‥‥‥‥‥‥‥249

東京地判平成 8・7・26 労判 699 号 22 頁（中央林間病院事件）‥‥‥‥‥‥‥‥‥‥240

広島地判平成 8・8・7 労判 701 号 22 頁（石崎本店事件）‥‥‥‥‥‥‥‥‥‥‥‥175

大阪地決平成 8・9・2 労判 712 号 95 頁（医療法人毅峰会〔吉田病院〕事件）‥‥‥‥‥311

東京地判平成 8・10・14 労判 706 号 37 頁（江東運送事件）‥‥‥‥‥‥‥‥‥‥‥‥3

東京地判平成 8・10・29 労経速 1639 号 3 頁（カッデン事件）‥‥‥‥‥‥‥‥‥‥‥101

東京地決平成 8・12・11 労判 711 号 57 頁（アーク証券〔仮処分〕事件）‥‥‥‥159, 162

大阪地判平成 8・12・25 労判 724 号 98 頁（大商学園高校事件）‥‥‥‥‥‥‥‥‥‥344

東京地判平成 9・1・31 労判 712 号 17 頁（本位田建築事務所事件）‥‥‥‥‥41, 42, 43

東京地判平成 9・2・4 労判 712 号 12 頁（日本自転車振興会事件）‥‥‥‥‥‥‥‥265

東京地判平成 9・2・19 労判 712 号 6 頁（日本大学〔医学部〕事件）‥‥‥‥‥‥‥‥43

大阪地判平成 9・3・24 労判 715 号 42 頁（新日本通信事件）‥‥‥‥‥‥‥‥‥‥‥135

東京地判平成 9・3・27 労判 720 号 85 頁（シムラ事件）‥‥‥‥‥‥‥‥‥‥‥‥‥422

佐賀地武雄支判平成 9・3・28 労判 719 号 38 頁（センエイ事件）‥‥‥‥‥‥‥‥‥29

京都地判平成 9・4・17 労判 716 号 49 頁（京都セクハラ〔呉服販売会社〕事件）‥‥‥196

大阪地判平成 9・5・28 労経速 1614 号 22 頁（ティーエム事件）‥‥‥‥‥‥‥‥‥283

静岡地判平成 9・6・20 労判 721 号 37 頁（ヤマト運輸事件）‥‥‥‥‥‥‥‥155, 157

札幌地決平成 9・7・23 労判 723 号 62 頁（北海道コカ・コーラボトリング事件）

‥‥‥‥‥‥‥‥‥‥‥‥‥‥‥‥‥‥‥‥‥‥‥‥‥‥‥‥‥‥‥‥‥‥‥‥140, 234

東京地判平成 9・8・1 労判 722 号 62 頁（ほるぷ事件）‥‥‥‥‥‥‥‥‥‥‥‥‥119

東京地決平成 9・9・11 労判 739 号 145 頁（上田株式会社事件）‥‥‥‥‥‥‥248, 345

東京地判平成 9・10・27 労判 726 号 56 頁（日本火災海上保険事件）‥‥‥‥‥‥‥311

長野地上田支判平成 9・10・29 労判 727 号 32 頁（丸子警報器〔雇止め・本訴〕事件）

‥‥‥‥‥‥‥‥‥‥‥‥‥‥‥‥‥‥‥‥‥‥‥‥‥‥‥‥‥‥‥‥‥‥‥‥366, 381

東京地判平成 9・10・29 労判 731 号 28 頁（日本交通事件）‥‥‥‥‥‥‥‥‥‥‥121

東京地決平成 9・10・31 労判 726 号 37 頁（インフォミックス事件）‥‥‥‥‥‥‥‥13

東京地判平成 9・11・18 労判 728 号 36 頁（医療法人財団東京厚生会〔大森記念病院

事件）……………………………………………………………………164
福岡地小倉支決平成 9・12・25 労判 732 号 53 頁（東谷山家事件）……………229
東京地判平成 10・2・2 労判 735 号 52 頁（美浜観光事件）……………………9
東京地決平成 10・2・6 労判 735 号 47 頁（平和自動車交通事件）……………233, 237
東京地判平成 10・3・16 労判 736 号 73 頁（東洋リース事件）…………………373
大阪地判平成 10・3・23 労判 736 号 39 頁（関西フエルトファブリック〔本訴〕事件）
……………………………………………………………………250
大阪地判平成 10・3・25 労判 742 号 61 頁（JR 東海〔大阪第三車両所〕事件）………245
大阪地決平成 10・7・7 労判 747 号 50 頁（グリン製菓事件）……………………316, 335
大阪地判平成 10・7・17 労判 750 号 79 頁（株式会社大通事件）…………………311, 350
大阪地判平成 10・7・29 労判 749 号 26 頁（山本香料事件）……………………311
東京地判平成 10・9・14 労判 757 号 86 頁（東洋信託銀行事件）…………………342
東京地判平成 10・10・26 労判 756 号 82 頁（東京セクハラ〔石油業協同組合〕事件）
……………………………………………………………………198
大阪地判平成 10・10・30 労判 750 号 29 頁（株式会社丸一商店事件）…………………19
大阪地判平成 10・11・16 労判 757 号 74 頁（社団法人大阪市産業経営協会事件）……250
大阪地判平成 10・12・21 労判 758 号 18 頁（東海旅客鉄道〔新幹線運行本部〕事件）
……………………………………………………………………139
奈良地決平成 11・1・11 労判 753 号 15 頁（日進工機事件）……………………41, 44
東京地判平成 11・1・29 労判 760 号 54 頁（ロイター・ジャパン事件）…………62, 377
東京地判平成 11・2・15 労判 760 号 46 頁（全日本空輸事件）…………………267
松山地判平成 11・2・24 判例地方自治 203 号 21 頁（松山市立中学校事件）…………272
東京地判平成 11・3・26 労判 771 号 77 頁（ソニー生命保険事件）………………104
大阪地判平成 11・3・31 労判 767 号 60 頁（アサヒコーポレーション事件）…………241
東京地判平成 11・6・9 労判 763 号 12 頁（中労委〔セメダイン〕事件）………………408
大阪地決平成 11・7・19 労判 772 号 81 頁（住友林業事件）……………………354
大阪地判平成 11・7・28 労判 770 号 81 頁（塩野義製薬〔男女賃金差別〕事件）………175
大阪地決平成 11・8・11 労判 782 号 84 頁（ユリヤ商事事件）…………………312
大阪地判平成 11・10・4 労判 771 号 25 頁（東海旅客鉄道〔退職〕事件）………………271
東京地判平成 11・10・15 労判 770 号 34 頁（セガ・エンター・プライゼス事件）……308
東京地判平成 11・10・29 労判 774 号 12 頁（上州屋事件）……………………163
東京地決平成 11・11・29 労判 780 号 67 頁（角川文化振興財団事件）…………320, 383
大阪地判平成 11・12・8 労判 777 号 25 頁（タジマヤ〔解雇〕事件）…………………41, 42
東京地決平成 12・1・12 労判 779 号 27 頁（明治書院〔解雇〕事件）…………………323
東京地決平成 12・1・21 労判 782 号 23 頁（ナショナル・ウエストミンスター銀行〔3
次仮処分〕事件）………………………………………305, 317, 319, 330
神戸地判平成 12・1・28 労判 778 号 16 頁（川崎製鉄〔出向〕事件）…………………149
東京地判平成 12・1・31 労判 785 号 45 頁（アーク証券〔本訴〕事件）………………170
東京地判平成 12・2・14 労判 780 号 9 頁（須賀工業事件）……………………101

東京地判平成 12・2・18 労判 783 号 102 頁（三和事件）……………………143, 310

青森地弘前支判平成 12・3・31 労判 798 号 76 頁（柴田女子高校事件）……………238

大阪地判平成 12・4・17 労判 790 号 44 頁（三和銀行事件）……………………………241

東京地判平成 12・4・26 労判 789 号 21 頁（プラウドフットジャパン事件）…………307

東京地判平成 12・4・27 労判 782 号 6 頁（JR 東日本〔横浜土木技術センター〕事件）

　…………………………………………………………………………………………116

大阪地判平成 12・5・8 労判 787 号 18 頁（マルマン事件）………………………………320

横浜地小田原支判平成 12・6・6 労判 788 号 29 頁（富士見交通事件）………………239

大阪地判平成 12・6・23 労判 786 号 16 頁（シンガポール・デベロップメント銀行〔本

　訴〕事件）……………………………………………………………………………320, 322

東京地判平成 12・7・28 労判 797 号 65 頁（東京海上火災保険〔普通解雇〕事件）……307

大阪地判平成 12・8・28 労判 793 号 13 頁（フジシール〔配転・降格〕事件）…………139

東京地判平成 12・8・29 労判 794 号 77 頁（A 製薬〔セクハラ解雇〕事件）…………198

大阪地判平成 12・9・8 労判 798 号 44 頁（ダイフク〔合意退職〕事件）………………354

宮崎地判平成 12・9・25 労判 833 号 55 頁（宮崎信用金庫事件）………………………257

東京地判平成 12・10・27 労判 802 号 85 頁（開隆堂出版事件）…………………………243

大阪地判平成 12・12・1 労判 808 号 77 頁（ワキタ〔本訴〕事件）………………319, 322

東京地判平成 12・12・20 労判 810 号 67 頁（中労委〔ネスレ日本・賞与差別〕事件）

　…………………………………………………………………………………………440

京都地判平成 12・12・22 労判 806 号 43 頁（日本郵便逓送事件）………………………74

盛岡地判平成 13・2・2 労判 803 号 26 頁（龍澤学館事件）………………………………62

東京地判平成 13・2・27 労判 804 号 33 頁（山一證券破産管財人事件）………………98

東京地判平成 13・6・5 労経速 1779 号 3 頁（十和田運輸事件）………………………255

大阪地判平成 13・6・27 労判 809 号 5 頁（住友生命保険〔既婚女性差別〕事件）……157

東京地判平成 13・7・6 労判 814 号 53 頁（ティアール建材・エルゴテック事件）

　…………………………………………………………………………………………320, 323

東京地判平成 13・7・25 労判 813 号 15 頁（黒川建設事件）……………………………36

東京地判平成 13・8・30 労判 816 号 27 頁（中労委〔朝日火災海上保険〕事件）…158, 450

高松地判平成 13・9・25 労判 823 号 56 頁（香川県農協〔丸亀市農協〕事件）…………442

東京地判平成 13・11・19 労判 816 号 83 頁（オー・エス・ケー事件）………………346

東京地判平成 13・12・19 労判 817 号 5 頁（ヴァリグ日本支社事件）…………………324

大阪地判平成 13・12・19 労判 824 号 53 頁（日本臓器製薬〔本訴〕事件）……………249

東京地判平成 13・12・25 労経速 1789 号 22 頁（ブレーンベース事件）………………59

東京地判平成 14・1・31 労判 825 号 88 頁（上野労基署長〔出雲商会〕事件）………304

東京地判平成 14・2・20 労判 822 号 13 頁（野村證券〔男女差別〕事件）……………177

東京地判平成 14・2・26 労判 825 号 50 頁（日経クイック情報〔電子メール〕事件）…228

東京地判平成 14・2・28 労判 824 号 5 頁（東京急行電鉄事件）………………………71

東京地判平成 14・3・11 労判 825 号 13 頁（日本ヒルトンホテル〔本訴〕事件）………367

大阪地判平成 14・3・22 労判 832 号 76 頁（森下仁丹事件）……………………………308

東京地判平成 14・4・22 労判 830 号 52 頁（日経ビーピー事件）・・・・・・・・・・・・243
東京地判平成 14・4・24 労判 828 号 22 頁（岡田運送事件）・・・・・・・・・・・・・・・・・343
東京地判平成 14・5・14 労経速 1819 号 7 頁（テレビ朝日サービス事件）・・・・・・・・244, 307
大阪地判平成 14・5・17 労判 828 号 14 頁（創栄コンサルタント事件）・・・・・・・・・・80
大阪地決平成 14・5・30 労判 830 号 89 頁（愛徳姉妹会事件）・・・・・・・・・・・・・・・・18
大阪地判平成 14・7・19 労判 833 号 22 頁（光和商事事件）・・・・・・・・・・・・・・・・・283
東京地判平成 14・8・9 労判 836 号 94 頁（オープンタイドジャパン事件）・・・・・・・・・59
仙台地決平成 14・8・26 労判 837 号 51 頁（鐘淵化学工業〔東北営業所 A〕事件）・・・319
大阪地判平成 14・10・4 労判 843 号 73 頁（三和交通事件）・・・・・・・・・・・・・・・・・373
東京地判平成 14・10・22 労判 838 号 15 頁（ヒロセ電機事件）・・・・・・・・・・・・・・・309
大阪地判平成 14・10・25 労判 844 号 79 頁（システムワークス事件）・・・・・・・・・・・109
大阪地判平成 14・11・29 労経速 1843 号 3 頁（日本ビー・ケミカル事件）・・・・・・・・・339
東京地判平成 14・12・17 労判 846 号 49 頁（労働大学〔本訴〕事件）・・・・・・・・・・・324
東京地判平成 14・12・25 労判 845 号 33 頁（日本大学〔定年・本訴〕事件）・・・・・・・360
東京地判平成 15・1・29 労判 846 号 10 頁（昭和シェル石油〔賃金差別〕事件）・・・・・・178
神戸地判平成 15・2・12 労判 853 号 80 頁（コープこうべ事件）・・・・・・・・・・・・・・101
神戸地判平成 15・3・26 労判 857 号 77 頁（大森陸運ほか 2 社事件）・・・・・・・・・・33, 333
大阪地決平成 15・4・16 労判 849 号 35 頁（大建工業事件）・・・・・・・・・・・・・・・・・272
東京地判平成 15・4・21 労判 850 号 38 頁（一橋出版事件）・・・・・・・・・・・・・・・・・442
大阪地判平成 15・4・25 労判 849 号 151 頁（徳洲会野崎徳洲会病院事件）・・・・・・・・・76
大阪地判平成 15・4・25 労判 850 号 27 頁（愛徳姉妹会〔本採用拒否〕事件）・・・・・19, 62
東京地判平成 15・5・19 労判 852 号 86 頁（技研製作所ほか 1 社事件）・・・・・・・・・・・69
東京地判平成 15・5・23 労判 854 号 30 頁（山九〔起訴休職〕事件）・・・・・・・・・・・267
水戸地下妻支決平成 15・6・16 労判 855 号 70 頁（東京金属ほか 1 社〔解雇仮処分〕事
　件）・・・326, 328
仙台地判平成 15・6・19 労判 854 号 19 頁（秋保温泉タクシー〔一時金支払請求〕事
　件）・・・442
さいたま地川越支判平成 15・6・30 労判 859 号 21 頁（所沢中央自動車教習所事件）
　・・・343
東京地判平成 15・7・7 労判 862 号 78 頁（カテリーナビルディング〔日本ハウズイン
　グ〕事件）・・・258
東京地決平成 15・7・10 労判 862 号 66 頁（ジャパンエナジー事件）・・・・・・・・・・・328
東京地判平成 15・7・15 労判 865 号 57 頁（東京女子醫科大学〔退職強要〕事件）・・・・358
東京地判平成 15・9・22 労判 870 号 83 頁（グレイワールドワイド事件）・・・・・243, 249, 312
東京地判平成 15・9・25 労判 863 号 19 頁（PwC フィナンシャル・アドバイザリー・
　サービス事件）・・・324
名古屋地判平成 15・9・30 労判 871 号 168 頁（トヨタ車体事件）・・・・・・・・・・・・・・249
東京地判平成 15・10・29 労判 867 号 46 頁（N 興業事件）・・・・・・・・・・・・・・・・・101
東京地判平成 15・11・10 労判 870 号 72 頁（自警会東京警察病院事件）・・・・・・・・・383

東京地判平成 15・12・19 労判 873 号 73 頁（タイカン事件）……………327, 383

東京地判平成 15・12・22 労判 871 号 91 頁（日水コン事件）……………………307

神戸地決平成 15・12・26 労判 872 号 28 頁（ピー・アンド・ジー明石工場事件）……356

東京地判平成 16・3・9 労判 876 号 67 頁（千代田学園〔整理解雇〕事件）…………337

東京地判平成 16・3・31 労判 873 号 33 頁（エーシーニールセン・コーポレーション事件）……………………………………………………………………………42

東京地判平成 16・4・21 労判 880 号 139 頁（ジ・アソシエーテッド・プレス事件）
………………………………………………………………………………319, 320

東京地判平成 16・5・17 労判 876 号 5 頁（大阪証券取引所事件）………………419

横浜地川崎支判平成 16・5・28 労判 878 号 40 頁（昭和電線電纜事件）………………352

東京地判平成 16・6・23 労判 877 号 13 頁（オプトエレクトロニクス事件）…………13

東京地判平成 16・9・1 労判 882 号 59 頁（エフ・エフ・シー事件）………………169, 442

東京地判平成 16・12・17 労判 889 号 52 頁（グラバス事件）………………241, 251

名古屋地判平成 16・12・22 労判 888 号 28 頁（岡谷鋼機〔男女差別〕事件）…………177

青森地判平成 16・12・24 労判 889 号 19 頁（青森セクハラ〔バス運送業〕事件）……195

静岡地判平成 17・1・18 労判 893 号 135 頁（静岡第一テレビ〔損害賠償〕事件）……242

東京地判平成 17・1・31 判タ 1185 号 214 頁（日本 HP 社セクハラ解雇事件）…………197

東京地判平成 17・2・18 労判 892 号 80 頁（K 社事件）……………………………273

富山地判平成 17・2・23 労判 891 号 12 頁（トナミ運輸事件）………………………258

名古屋地判平成 17・2・23 労判 892 号 42 頁（山田紡績事件）………………………317

東京地八王子支判平成 17・3・16 労判 893 号 65 頁（ジャムコ立川工場事件）…………255

東京地判平成 17・3・30 労経速 1902 号 13 頁（西日本旅客鉄道事件）………………417

大阪地判平成 17・4・27 労判 897 号 26 頁（アワーズ〔アドベンチャーワールド〕事件）……………………………………………………………………………259

東京地判平成 17・5・26 労判 899 号 61 頁（CSFB セキュリティーズ・ジャパン・リミテッド事件）…………………………………………………………………320, 327

東京地判平成 17・10・28 労判 909 号 90 頁（日本アグフア・ゲバルト事件）…………327

東京地判平成 17・12・7 労経速 1929 号 3 頁（ブライト証券ほか事件）………………419

仙台地決平成 17・12・15 労判 915 号 152 頁（三陸ハーネス事件）…………………335

東京地判平成 18・1・25 労判 912 号 63 頁（日音事件）……………………………104

東京地判平成 18・2・27 労判 914 号 32 頁（住友スリーエム〔職務格付〕事件）………169

京都地判平成 18・4・13 労判 917 号 59 頁（近畿建設協会〔雇止め〕事件）…………379

京都地判平成 18・5・29 労判 920 号 57 頁（ドワンゴ事件）………………………95, 120

東京地判平成 18・8・30 労判 925 号 80 頁（アンダーソンテクノロジー事件）…………7

大阪地判平成 18・8・31 労判 925 号 66 頁（ブレックス・ブレッディ事件）……………8

大阪地判平成 18・9・20 労判 928 号 58 頁（更生会社フットワーク物流ほか事件）……43

東京地判平成 18・9・29 労判 930 号 56 頁（明治ドレスナー・アセットマネジメント事件）……………………………………………………………………………167

東京地判平成 18・10・25 労判 928 号 5 頁（マッキャンエリクソン事件）……………170

宇都宮地決平成 18・12・28　労判 932 号 14 頁（東武スポーツ・宮の森カントリー倶楽部〔配転〕事件）……………………………………………………………133

東京地判平成 19・3・5 労判 939 号 25 頁（独立行政法人理化学研究所事件）………377

東京地判平成 19・3・26 労判 937 号 54 頁（日本航空インターナショナル事件）………188

東京地判平成 19・3・26 労判 941 号 33 頁（東京海上日動火災保険〔契約係社員〕事件）…………………………………………………………………………132, 136

東京地判平成 19・3・26 労判 943 号 41 頁（中山書店事件）……………………………110

東京地判平成 19・3・29 労経速 1973 号 3 頁（立正佼成会事件）………………………224

大阪地判平成 19・4・26 労判 944 号 61 頁（テレマート事件）……………………328, 346

福岡地判平成 19・4・26 労判 948 号 41 頁（姪浜タクシー事件）…………………………89

横浜地判平成 19・5・17 労判 945 号 59 頁（横浜商銀信用組合事件）…………………325

東京地判平成 19・5・17 労判 949 号 66 頁（国際観光振興機構事件）…………………170

東京地判平成 19・9・14 労判 947 号 35 頁（セコム損害保険事件）……………………250

東京地判平成 19・9・18 労判 947 号 23 頁（北沢産業事件）…………………………245, 312

さいたま地判平成 19・9・28 判例集未登載 ……………………………………………304

名古屋地判平成 19・11・30 労判 951 号 11 頁（国・豊田労基署長〔トヨタ自動車〕事件）……………………………………………………………………………310

大阪地判平成 19・12・20 労判 965 号 71 頁（大阪経済法律学園事件）………………256

大阪地判平成 20・1・11 労判 957 号 5 頁（丸栄西野事件）………………………………68

東京地判平成 20・1・28 労判 953 号 10 頁（日本マクドナルド事件）………………86, 91

東京地判平成 20・2・29 労判 968 号 124 頁（スリムビューティハウス事件）……160, 168

東京地判平成 20・3・24 労判 963 号 47 頁（全日本空輸〔取立債権請求〕事件）………98

盛岡地判平成 20・3・28 労判 965 号 30 頁（C 病院〔地位確認等〕事件）………………43

東京地判平成 20・4・22 労判 965 号 5 頁（東芝〔うつ病・解雇〕事件）…………223, 268

東京地判平成 20・6・10 労判 972 号 51 頁（第一化成事件）……………………………343

松山地判平成 20・7・1 労判 968 号 37 頁（前田道路事件）……………………209, 224

東京地判平成 20・7・31 労判 967 号 5 頁（国・中労委〔新国立劇場運営財団〕事件）………………………………………………………………………………406

神戸地判平成 20・10・8 労判 974 号 44 頁（加西市〔職員・懲戒免職〕事件）…………253

神戸地尼崎支判平成 20・10・14 労判 974 号 25 頁（報徳学園〔雇止め〕事件）………379

名古屋地判平成 20・10・30 労判 978 号 16 頁（トヨタ自動車ほか事件）………………219

大阪地判平成 20・10・31 労判 979 号 55 頁（大阪運輸振興事件）………………………376

大阪地判平成 21・1・15 労判 985 号 72 頁（南海大阪ゴルフクラブほか事件）……43, 45

東京地判平成 21・1・16 労判 988 号 91 頁（ヴィナリウス事件）………………………204

東京地判平成 21・1・30 労判 980 号 18 頁（ニュース証券事件）…………………………59

神戸地判平成 21・1・30 労判 984 号 74 頁（三菱電機エンジニアリング事件）…………244

東京地判平成 21・2・16 労判 983 号 51 頁（日本インシュアランスサービス事件）……94

津地判平成 21・3・18 労判 983 号 27 頁（三和サービス〔外国人研修生〕事件）………428

大阪地判平成 21・3・30 労判 987 号 60 頁（ピアス事件）…………………………104, 105

東京地判平成 21・4・16 労判 985 号 42 頁（トムの庭事件）・・・・・・・・・・・・・・・・・307

仙台地判平成 21・4・23 労判 988 号 53 頁（京電工事件）・・・・・・・・・・・・・・・・・・・68

東京地判平成 21・4・24 労判 987 号 48 頁（Y 社〔セクハラ・懲戒解雇〕事件）・・・・・・199

東京地判平成 21・6・12 労判 991 号 64 頁（骨髄移植推進財団事件）・・・・・・・・・・・250

福岡地判平成 21・6・18 労判 996 号 68 頁（学校法人純真学園事件）・・・・・・・・・・241

東京地判平成 21・9・3 判例集未登載・・・・・・・・・・・・・・・・・・・・・・・103

東京地判平成 21・10・21 労判 1000 号 65 頁（ボス事件）・・・・・・・・・・・・・・・・238

鳥取地米子支判平成 21・10・21 労判 996 号 28 頁（富国生命保険ほか事件）・・・・・205

神戸地判平成 21・11・20 労判 997 号 27 頁（三井倉庫〔石綿曝露〕事件）・・・・・・・221

東京地判平成 21・11・27 労判 1003 号 33 頁（東京電力〔諭旨解雇処分等〕事件）・・・・・242

東京地判平成 21・12・21 労判 1006 号 65 頁（明石書店事件）・・・・・・・・・・・・・297

鹿児島地判平成 22・2・16 労判 1004 号 77 頁（康正産業事件）・・・・・・・・・・・・・220

東京地判平成 22・3・24 労判 1008 号 35 頁（J 学園〔うつ病・解雇〕事件）・・・・・・269, 273

東京地判平成 22・3・30 労判 1010 号 51 頁（ドコモ・サービス〔雇止め〕事件）・・・・・297

東京地判平成 22・4・7 判時 2118 号 142 頁（日本レストランシステム事件）・・・・・・・116

東京地判平成 22・8・25 労経速 2086 号 14 頁（池袋労働基準監督署長事件）・・・・・・206

東京地判平成 22・8・26 労判 1013 号 15 頁（東京大学出版会事件）・・・・・・・・・・392

長崎地判平成 22・10・26 労判 1022 号 46 頁（国・諫早労基署長〔ダイハツ長崎販売〕
事件）・・・・・・・・・・・・・・・・・・・・・・・・・・・・・・・・・・・・・・205

東京地判平成 23・2・25 労判 1028 号 56 頁（日本通運〔休職命令・退職〕事件）・・・・・274

東京地判平成 23・3・18 労判 1031 号 48 頁（クレディ・スイス証券事件）・・・・・・・330

東京地判平成 23・5・12 判時 2139 号 108 頁（高見澤電機製作所ほか 2 社事件）・・・・・・419

東京地判平成 23・9・21 労判 1038 号 39 頁（ジェイ・ウォルター・トンプソン・ジャ
パン事件）・・・・・・・・・・・・・・・・・・・・・・・・・・・・・・・・・・・・309

東京地判平成 23・10・25 労判 1041 号 62 頁（スタジオツインク事件）・・・・・・・・・88, 90

大阪地判平成 24・2・15 労判 1048 号 105 頁（建設技術研究所事件）・・・・・・・・・・269

東京地判平成 24・2・17 判例集未登載・・・・・・・・・・・・・・・・・・・・・・・104

静岡地判平成 24・3・23 労判 1052 号 42 頁（中部電力〔浜岡原発〕事件）・・・・・・・221

東京地判平成 24・4・25 労経速 2146 号 3 頁（平塚労働基準監督署長事件）・・・・・・・205

東京地判平成 24・5・16 労判 1057 号 96 頁（ピュアルネッサンス事件）・・・・・・・・90

東京地判平成 24・6・13 労経速 2153 号 3 頁（ワカホ社事件）・・・・・・・・・・・・・197

京都地判平成 24・7・13 労判 1058 号 21 頁（マンナ運輸事件）・・・・・・・・・・・・256

東京地判平成 24・12・13 労判 1071 号 86 頁（Principle One 事件）・・・・・・・・・・330

横浜地横須賀支判平成 25・2・18 労判 1073 号 48 頁（住友重機械工業事件）・・・・・・221

東京地判平成 25・2・28 労判 1074 号 47 頁（イーライフ事件）・・・・・・・・・・・・106

大阪地判平成 25・3・6 労判 1108 号 52 頁（日本政策金融公庫〔うつ病・自殺〕事件）
・・・・・・・・・・・・・・・・・・・・・・・・・・・・・・・・・・・・224, 269

山口地判平成 25・3・13 労判 1070 号 6 頁（マツダ防府工場事件）・・・・・・・・・・・30

神戸地判平成 25・3・13 労判 1076 号 72 頁（O 社事件）・・・・・・・・・・・・・・・220

横浜地判平成 25・4・25 労判 1075 号 14 頁（東芝ライテック事件）…………………372

仙台地判平成 25・6・25 労判 1079 号 49 頁（岡山県貨物運送事件）……………208

京都地判平成 25・9・24 労判 1104 号 80 頁（医療法人稲門会事件）……………190

大阪地判平成 25・10・30 労判 1086 号 67 頁（全日本建設運輸連帯労組関西地区生コン
支部〔丙川産業ほか〕事件）………………………………………………436

東京地判平成 25・11・12 労判 1085 号 19 頁（リコー事件）……………………148

大阪地判平成 25・11・19 労判 1088 号 51 頁（乙山株式会社事件）………………239

東京地判平成 25・12・5 労判 1091 号 14 頁（国・中労委〔阪急交通社〕事件）…418

大分地判平成 25・12・10 労判 1090 号 44 頁（ニヤクコーポレーション事件）………392

東京地判平成 26・7・31 労判 1107 号 55 頁（サントリーホールディングス事件）……204

東京地判平成 26・8・28 労判 1106 号 5 頁（東京都・都労委〔N 航空乗員組合等〕事
件）………………………………………………………………………453

東京地判平成 26・11・4 労判 1109 号 34 頁（サン・チャレンジ事件）………………204

東京地判平成 26・11・26 労判 1112 号 47 頁（アメックス〔休職期間満了〕事件）……273

東京地判平成 27・1・23 労判 1117 号 50 頁（日本ボクシングコミッション事件）………258

長崎地判平成 27・6・16 労判 1121 号 20 頁（サカキ運輸ほか事件）…………37, 44

東京地判平成 27・7・15 労判 1145 号 136 頁（ピジョン事件）………………………353

東京地判平成 27・7・17 労経速 2553 号 18 頁（Y 社事件）………………………107

東京地判平成 27・9・28 労判 1130 号 5 頁（東京都・都労委・ソクハイ事件）…………423

横浜地判平成 27・10・15 労判 1126 号 5 頁（エヌ・ティ・ティ・ソルコ事件）………382

東京地判平成 27・10・30 労判 1132 号 20 頁（L 産業〔職務等級降級〕事件）…………165

東京地判平成 27・12・25 労判 1133 号 5 頁（東京メトロ〔諭旨解雇・本訴〕事件）…254

高松地判平成 27・12・28 労判 1137 号 15 頁（香川県・県労委〔詫間港運〕事件）……422

東京地判平成 28・3・28 労判 1142 号 40 頁（日本アイ・ビー・エム〔解雇・第 1〕事
件）………………………………………………………………………308

東京地判平成 28・10・6 労判 1154 号 37 頁（美容院 A 事件）………………………7

大阪地判平成 28・12・9 労判 1162 号 84 頁（医療法人貴医会事件）………………107

東京地立川支判平成 29・1・31 労判 1156 号 11 頁（TRUST 事件）………………353

東京地判平成 29・2・22 労判 1163 号 77 頁（NEC ソリューションイノベーター事件）
………………………………………………………………………308

東京地判平成 29・3・28 労判 1164 号 71 頁（エイボン・プロダクツ事件）………………53

仙台地判平成 29・3・30 労判 1158 号 18 頁（ヤマト運輸事件）…………………391

京都地判平成 29・3・30 労判 1164 号 44 頁（福祉事業者 A 苑事件）………………19

京都地判平成 29・4・27 労判 1168 号 80 頁（乙山彩色工房こと乙山次郎事件）…………96

東京地判平成 29・6・29 労判 1164 号 36 頁（JR 東日本〔退職年度期末手当〕事件）…101

東京地判平成 29・9・11 労判 1180 号 56 頁（日本郵便〔休職〕事件）………………391

東京地判平成 29・10・23 労経速 2340 号 3 頁（日本通運事件）………………………105

東京地判平成 29・11・30 労判 1189 号 67 頁（東京電力パワーグリッド事件）…………274

東京地立川支判平成 30・1・29 労判 1176 号 5 頁（学究社〔定年後再雇用〕事件）……394

判例索引

東京地判平成 30・2・22 労経速 2349 号 24 頁（トライグループ事件）・・・・・・・・・・・・・・・289

大阪地判平成 30・3・7 労判 1177 号 5 頁（国立研究開発法人国立循環器病研究センター事件）・・150

東京地判平成 30・3・29 労判 1183 号 5 頁（連合ユニオン東京 V 社ユニオンほか事件）
・・435

松山地判平成 30・4・24 労判 1182 号 5 頁（井関松山ファクトリー事件）・・・・・・・・・・・・・・・392

横浜地判平成 30・5・10 労判 1187 号 39 頁（神奈川 SR 経営労務センター事件）・・・・・・274

大阪地判平成 31・1・16 労判 1214 号 44 頁（大阪市〔旧交通局職員ら〕事件）・・・・・・・・235

東京地判平成 31・1・23 労経速 2380 号 23 頁（ヒサゴサービス事件）・・・・・・・・・・・・・・・・・・・83

大阪地判平成 31・4・24 労判 1202 号 39 頁（学校法人近畿大学〔講師・昇級等〕事件）
・・190

東京地判平成 31・2・21 労判 1205 号 38 頁（国・中労委〔大乗淑徳学園〕事件）・・・・・・421

横浜地判平成 31・3・26 労判 1208 号 46 頁（日産自動車〔管理監督者性〕事件）・・・・・・・・89

岐阜地判平成 31・4・19 労判 1203 号 20 頁（岐阜県厚生農協連事件）・・・・・・・・・・・・・・・・・223

東京地判令和元・5・23 労判 1202 号 21 頁（学校法人大乗淑徳学園〔大学教授ら・解雇〕事件）・・・321

大阪地判令和 2・1・29 労判 1234 号 52 頁（学校法人関西外国語大学事件）・・・・・・・・・・・・429

東京地判令和 2・2・4 労判 1233 号 92 頁（O・S・I 事件）・・・・・・・・・・・・・・・・・・・・・・・・347

東京地判令和 2・2・27 労判 1238 号 4 頁（野村不動産アーバンネット事件）・・・・・・・・・・289

福岡地判令和 2・3・7 労判 1226 号 23 頁（博報堂〔雇止め〕事件）・・・・・・・・・・・・・・・・・・380

東京地判令和 2・6・11 労判 1233 号 26 頁（ハンプティ商会ほか 1 社事件）・・・・・・・・・・・・27

名古屋地判令和 2・10・28 労判 1233 号 5 頁（名古屋自動車学校〔再雇用〕事件）・・・・・・394

東京地判令和 2・12・18 労判 1249 号 71 頁（ELC ジャパン事件）・・・・・・・・・・・・・・・・・・・166

大阪地判令和 3・3・25 労判 1246 号 5 頁（リクルートスタッフィング事件）・・・・・・・・・・368

〈労働委員会〉

大阪地労委命令昭和 50・7・3 労判 229 号速報カード 23 頁（塚本学院事件）・・・・・・・・・・・422

中労委命令昭和 57・6・2 労経速 1127 号 22 頁（日本液体運輸事件）・・・・・・・・・・・・・・・・・453

岐阜地労委命令平成元・12・19 労判 558 号 105 頁（岐阜工業事件）・・・・・・・・・・・・・・・・・・・422

中労委命令平成 24・10・17（パナソニックディスプレイ事件）・・・・・・・・・・・・・・・・・・・・・・420

福岡県労委命令平成 29・8・9 労判 1169 号 95 頁（ケミサプライ・アマックス事件）・・・422

著者紹介

岡芹健夫

OKAZERI TAKEO

髙井・岡芹法律事務所所長弁護
士。早稲田大学法学部卒業。
1994年弁護士登録。同年髙井
伸夫法律事務所入所。2010年
所長に就任，現在に至る。

2013年より経営法曹会議幹事，
2019年〜2021年筑波大学法科
大学院非常勤講師（労働法演
習）。

著書に『労働条件の不利益変
更』（2015年・労務行政），『職
場のメンタルヘルス対策の実務
必携Q & A——適正手続とト
ラブル防止の労務マニュアル』
（2021年・民事法研究会），
『「55歳以上」の雇用・法務が
わかる本』（2021年・中央経済
社）など。

LAWYERS' KNOWLEDGE

労働法実務
使用者側の実践知(第2版)

2019年12月30日　初　版第1刷発行
2022年 8 月 1 日　第2版第1刷発行

著　者　　岡芹健夫
発行者　　江草貞治
発行所　　株式会社 有斐閣
郵便番号　101-0051
　　　　　東京都千代田区
　　　　　神田神保町 2-17
http://www.yuhikaku.co.jp/

デザイン　キタダデザイン
印刷　　　株式会社理想社
製本　　　牧製本印刷株式会社

© 2022, Takeo Okazeri. Printed in Japan

落丁・乱丁本はお取替えいたします。
定価はカバーに表示してあります。
ISBN 978-4-641-24356-9

JCOPY　本書の無断複写（コピー）は，著作権法上で
の例外を除き，禁じられています。複写され
る場合は，そのつど事前に，（一社）出版者著作権管理機構
（電話 03-5244-5088, FAX03-5244-5089, email:info@jcopy.
or.jp）の許諾を得てください。